宋遼金史論集

中华书局

图书在版编目（CIP）数据

宋辽金史论集/刘浦江著. —北京：中华书局，2025. 1
（2025. 7重印）. — ISBN 978-7-101-16914-0

Ⅰ. K240. 7-53

中国国家版本馆 CIP 数据核字第 20240BV881 号

书　　名　宋辽金史论集
著　　者　刘浦江
封面题签　徐　俊
责任编辑　樊玉兰
封面设计　刘　丽
责任印制　陈丽娜
出版发行　中华书局
　　　　　（北京市丰台区太平桥西里 38 号　100073）
　　　　　http：//www. zhbc. com. cn
　　　　　E-mail：zhbc@ zhbc. com. cn
印　　刷　天津裕同印刷有限公司
版　　次　2025 年 1 月第 1 版
　　　　　2025 年 7 月第 3 次印刷
规　　格　开本/920×1250 毫米　1/32
　　　　　印张 15⅛　插页 3　字数 336 千字
国际书号　ISBN 978-7-101-16914-0
定　　价　88. 00 元

刘浦江（1961—2015）　　北京大学历史学系教授，辽金史、民族史学家。1983年毕业于北京大学历史学系中国史专业，1988年起任职于北京大学中国古代史研究中心。著有《辽金史论》（辽宁大学出版社，1999年）、《松漠之间——辽金契丹女真史研究》（中华书局，2008年）、《正统与华夷：中国传统政治文化研究》（中华书局，2017年）、《宋辽金史论集》（中华书局，2017年），编著《二十世纪辽金史论著目录》（上海辞书出版社，2003年）、《契丹小字词汇索引》（与康鹏合编，中华书局，2014年）两部工具书，主持完成点校本《辽史》的修订工作（中华书局，2016年）。

《刘浦江著作集》出版弁言

刘浦江先生离开我们整整十年了。

十年间，先生所心心念念的学生、学界与学术发生了巨大的变化。有些变化如其所愿，差可告慰英灵，有些则是他当年无法想象，恐怕也难以认同的。身处变局之中，整编出版先生的主要著作，当然"不仅是为了纪念"。

回看先生的文字，除却具体的学术见解，最令人印象深刻的莫过于那份纯粹与赤诚，那种对学术价值与尊严的珍视，对不掺杂功利考虑、独立自我问题意识的追求。这些品格无论在任何时代都是稀缺而奢侈的，也正因如此，对于潜心向学之人而言，它们才不会沦为空泛的高调，而真正具备砥砺振发之效，构成薪火相传、守先待后的切实动力。

此次所编《刘浦江著作集》系将中华书局出版过的《辽金史论》《松漠之间：辽金契丹女真史研究》《正统与华夷：中国传统政治文化研究》《宋辽金史论集》四部著作整合再版，除重新校对文字外，主体内容并无更动，同时每书后皆附先生论著目录，以备读者检核参考。

时间会让很多东西遭到抛弃，却会让另外一些东西被更好地铭记。"只要这本书还有人读,它就将把这种真诚传递给每一个读书人",相信在未来更多的十年里,会不断有人在这部著作集中收获真诚与感动。

受业弟子共书

2025 年 1 月 6 日

目 录

1

穷尽·旁通·预流:辽金史研究的困厄与出路

    在中国史学传统的断代史研究格局中,辽金史素以冷僻著称。若与西夏史相比较,毕竟辽金史还有两部元人留下的正史,但由于上世纪初发现大量西夏文献资料,随着近十余年来这些资料的陆续刊布,包括西夏史在内的西夏学近年已有渐成显学之势,相形之下,辽金史亦不免为之逊色。

    辽金史的冷僻,使得不少学者望而却步,不过这对治辽金史的人来说,倒也未必全是坏事。众所周知,做辽金史研究的一大难处,是巧妇难为无米之炊,但缺少材料并不意味着缺少机遇。同样是材料很少的秦汉魏晋史,传世的那点儿史料经过多少代人反复爬梳剔抉,几近题无剩义,而辽金史的情况则有所不同。我在《辽金史论》一书自序中曾经说到:"正是由于辽金史的冷僻,所以尽管史料非常匮乏,但留给我们这一代学人的活动空间还绰有余裕。至今做辽金史研究,仍不时有一种垦荒的感觉,在中国传统的断代史学已进入精耕细作阶段的今天,这是辽金史研究者独一无二的机遇。"局外人可能难于想象,在材料十分有限的辽金史领域,其实不难找到富有学术价值而又长期无人问津的问题。譬如 20 世纪 80 年代以后关于辽朝都城制度的讨论。辽朝有五京,人们历来将其中的上京视为首都,但谭其骧先生指出,上京临潢府只是辽朝前期的都城,圣宗统和二十五年(1007)以后,事实上的国都是在中京大定府①;而杨若薇教授则认为,辽朝根本就没有历代中原王朝那样的都城制度,五京中的任何一个京城都不具备国都的地位和作用,辽朝的政治中心始终是在四时迁徙的斡鲁朵(行宫)中②。又如"阻卜"与"鞑靼"是近百年来中国北方民族史研究中最富争议性的问题之一,它不仅仅是蒙古史的问题,更是辽金史的问题,但遗憾的是,在这场旷日持久的学术讨论中,几乎听不到辽金史研究者的声音③。类似这样的问题其实还有不少,这就是辽金史研究者的机遇所在。

老实说,我对辽金史学界的现状(包括对我自己的研究)一直是不太满意的。十年前,我曾提出过一个颇有争议的说法:"据我看来,直到今天,我国辽金史研究的总体水平还没有超过战前日本学者曾经达到的那种高度,辽金史研究至今仍未走出萧条。"④这主要反映了我对辽金史现状的忧虑,同时也不妨说代表了我对

① 谭其骧:《辽后期迁都中京考实》,《中华文史论丛》1980 年第 2 辑,第 43—53 页。
② 参见杨若薇:《契丹王朝政治军事制度研究》,北京:中国社会科学出版社,1991 年,第 172—213 页。
③ 参见刘浦江:《再论阻卜与鞑靼》,《历史研究》2005 年第 2 期,第 28—41 页;收入氏著《松漠之间——辽金契丹女真史研究》,北京:中华书局,2008 年,第 243—366 页。
④ 《辽金史论》自序,沈阳:辽宁大学出版社,1999 年,第 1—3 页。李锡厚先生因对战前日本东洋史学界的"满蒙史研究"持强烈批判态度,故对我的这一说法提出异议,说我把日本学者带有政治企图的研究成果作为我们立志要赶超的高度,"委实有点不伦不类"(见李锡厚《临潢集》后记,保定:河北大学出版社,2001 年,第 316—318 页)。我以为,日本学者满蒙史研究中的政治导向与其研究成果的学术水平是两个问题,似不宜混为一谈。

该领域总体发展水平的一个基本判断。20世纪上半叶堪称辽金史研究的一个黄金时代,当时国内涌现了傅乐焕、陈述、冯家昇等几位杰出学者,他们的主要学术贡献是在辽史、契丹史领域;国外有以津田左右吉、池内宏、三上次男、外山军治、田村实造、爱宕松男、岛田正郎为代表的一批日本学者,他们的主要学术贡献是在辽金元史和满蒙史领域。80年代以后,由于学术环境的改善,国内的辽金史研究开始复苏,学术队伍的扩大,科研成果的增加,研究领域的拓展,都是过去所不可比拟的。但就目前该领域的整体学术水准而言,无论是与其他断代史相比,还是与前辈学者相比,今天的学术进步都难以令人满意①。要知道,20世纪上半叶那一代中国学者从事辽金史研究的条件,在今天看来其实是很恶劣的,譬如当时只有日本学者才能获得第一手的考古材料,而中国学者能够利用的则基本上仅限于传世的文献资料。相比之下,今天的条件比前人要优越得多,我们身处和平年代,有丰富的考古文物材料,有为数不少的契丹、女真文字资料,有各种社会科学的方法和工具,还有越来越方便的网络电子资源,等等。要说我们与前辈学者的最大差距,恐怕主要就在于学术功底的厚实程度。

---

① 对辽金史现状的估价是一个颇有分歧的问题,即便在辽金史学界内部也是如此。李锡厚先生在《一九八七年辽金西夏史研究概况》(《中国史研究动态》1988年第4期,第5页)中指出,"与中国古代史的其他领域中的研究状况相比",辽金史"至今还只能算是'发展中的'"。这一评价招致辽金史学会部分会员的激烈批评,据说当时"许多会员来信对这种武断式的结论表示异议"(参见《会员对〈中国史研究动态〉发表的李锡厚〈一九八七年辽金西夏史研究概况〉一文的反映》,《辽金契丹女真史研究》1988年第1期,第60页),可见双方分歧之大。

基于辽金史的现状,本文将侧重检讨该领域目前存在的问题。笔者所关注的主要问题是,制约辽金史发展的瓶颈是什么?如何寻求突破的方向? 辽金史的出路何在? 下文将从三个方面阐述我的点滴思考。

一、穷尽史料:从"粗放式耕作"走向"精耕细作"

　　史学研究的生命力就在于不断挖掘新材料,发现新问题,提出新方法,创造新理论。对于今日之历史学来说,材料和方法哪个更重要? 这自然是一个见仁见智的问题。传统史学无疑重材料更甚于重方法,而采用跨学科研究方法,尤其是引入社会科学的理论、方法及其工具、手段,则是当下历史学的新潮流。但就辽金史目前的状况而言,在资料极度匮乏且现有材料又尚未得到充分利用的情况下,"穷尽史料"理应是当务之急。

　　辽金史的困窘和萧条,最根本的症结就在于史料太少。据笔者粗略估计,现存的所有辽金史文献资料,充其量不过一千万字左右(其中辽史约占三分之一,金史约占三分之二)①,对于这两个前后长达三百余年的北族王朝来说,这点儿史料着实少得可怜。须知历史学主要靠材料说话,中国史学传统讲究的是有一分材料

──────────

① 辽金史史料之单薄,除了历代亡佚的因素之外,最根本的原因是辽金两朝的著述本来就为数不多。以辽朝为例,据台湾学者李家祺先生统计,自清初至民初,各家补《辽史》艺文志者共计 11 种,所收书目累计为 414 种,除去各家的重复,再剔除不应入《辽史·艺文志》而阑入者 101 种,剩下的真正属于辽朝的著作仅 61 种而已。参见李家祺:《各家补辽艺文志研究》,台北《幼狮》32 卷第 4 期,1970 年 10 月,第 34—38 页。

说一分话,阐释和发挥的空间远不如哲学和文学那么大,因此对于材料在量的要求上尤为苛刻。在印刷术已经普及的辽金时代,一千万字是什么概念? 不妨与前后约略同时的宋代做一横向比较。同样是三百余年的两宋,其传世文献据保守估计约有三、四亿字之多,也就是说,辽金史史料仅及宋代文献资料的三、四十分之一。

尽管材料如此匮乏,但在今天的辽金史学界,传世文献资料仍远未得到充分的发掘利用,传统史学方法也还远远没有被发挥到极致。在我看来,迄今为止,从材料的发掘与解读状况,到问题的细致与深入程度,辽金史研究基本上仍处于"粗放式耕作"阶段。在传统的断代史研究中,明清以后因资料极其丰富,深入的余地还非常之大,而元代以上各断代史研究,目前大多已经达到相当深入和精细的地步,如汉唐史研究素以其史料发掘之彻底、史料解读之精辟为人称道,这一点非常值得辽金史学界效法。

既然史料匮乏是辽金史研究的最大难题,那么首先就应在史料的发掘上下足功夫。要想改变辽金史学的面貌,提升辽金史的学术品质,必须明确提出"穷尽史料"的要求(同时还应该穷尽有价值的研究文献——由于学术体制的固有弊端,今天的中国学术界正在以前所未有的速度产出大量毫无价值的学术垃圾,"涸泽而渔"既无可能也无必要)。其实对于辽金史研究者来说,这并不是一个难度很高的学术标准。穷尽史料是传统史学所强调的一种专业素养,在汉唐史研究者来说几乎是不言而喻的基本功,当然对于宋史还是有相当的难度,对于明清史则是一个不太现实的要求。就辽金史的史料状况而言,照理说"穷尽史料"本应是一件天经地义的事情,然而在今天的辽金史学界,这却是一个需要专门提出来加以申说的问题①。

目前的辽金史研究,最为学界所诟病的,恐怕莫过于"就《辽史》论辽史、《金史》论金史的状况"②。欲摆脱这种尴尬的局面,就必须具备比较宽阔的学术视野和比较扎实的文献功底,将辽金史研究的史料范围扩大到五代十国、两宋、西夏乃至元、明、清等历代文献,并旁及高丽、日本等域外文献;尤其是宋、元时代的传世文献,其中有关辽金史的史料仍有很大的发掘利用空间。除此之外,还应特别强调民族语文资料的重要性,这个问题留待下文再谈。

二、"旁通"之道:一条可能的出路

现代学术的专业化发展趋势,使得学者的个人研究领域越来越趋于逼仄。钱穆先生早就指出:"民国以来,中国学术界分门别类,务为专家,与中国传统通人通儒之学大相违异。"③就中国古代史而言,毋庸讳言的是,断代史学的自成体系同时也造成了断代史壁垒不断强化的结果,于是就出现了我们所看到的这种情形:大多数历史学家只能终身厮守某一断代史,对其他断代史甚至会生出一种隔行的感觉来。近几十年形成的中国独有的学科体系更加剧了这种状况,今天通行的专业人才培养模式,都是按学科

---

①其实辽金史学界在这方面有很好的学术传统,如金毓黻先生的《渤海国志长编》、陈述先生的《全辽文》都堪称穷尽史料的典范。
②王曾瑜:《辽宋西夏金史》,载肖黎主编《中国历史学四十年》,北京:书目文献出版社,1989年,第200页。
③钱穆:《现代中国学术论衡》自序,北京:三联书店,2001年,第1页。

（指二级学科,如中国古代史）、方向（指某一断代史或专门史）划分其专业领域的,照这种模式培养出来的人才,堪称中规中矩的"专家"。《魔鬼辞典》对"专家"的解释是:所谓专家,就是指在他的专业领域之外一无所知的人。不幸的是,现代学术体制造就了大批这种类型的"专家"。

这种状况对于辽金史来说尤为不利。在资料贫乏、捉襟见肘的情况下,如果非要死守住辽金史的楚河汉界,那显然是没有学术前途的。依我之见,除了具备穷尽史料的专业素养之外,辽金史研究者还应尽可能"旁通"。其实学界对这一点是早有共识的。金毓黻先生论及宋辽金在国史上的地位时说,"盖治本期史,惟有三史兼治,乃能相得益彰"①。宋德金先生也极力倡导辽金史研究者应"纵横比较,三史兼治"②。王曾瑜先生则直言"不少辽金史研究者的缺陷是不愿兼治宋史",认为"研究宋史的不少课题无需求助于辽金史方面的知识,而研究辽金史,却必需求助于唐、五代、元,特别是宋史方面的知识"③。可谓智者所见略同。

当然,仅仅三史兼治还是远远不够的。这里所谓的"旁通"之道主要有两层含义,第一层含义是指突破断代史的藩篱。首先,辽金史研究者应该兼治辽史和金史、契丹史和女真史,个中道理似乎不必多说,辽、金虽是两个异姓王朝,契丹、女真虽出自不同的民族谱系,但它们有许多共性的东西,更不用说彼此之间还有各种无法剥离的瓜葛与纠结;其次,辽金史研究者最好能够兼治

---

① 金毓黻:《宋辽金史》,台北:台湾商务印书馆,1982 年重印本,第 2 页。
② 宋德金:《二十世纪中国辽金史研究》,《历史研究》1998 年第 4 期,第 144—158 页。
③ 王曾瑜:《我和辽宋金史研究》,《学林春秋》第三编下册,北京:朝华出版社,1999 年,第 700 页。

宋史,或兼治蒙元史,或兼治民族史——兼治宋史对于扩大辽金史的史料范围最为有利,兼治蒙元史或民族史则可拓展学术视野,以收触类旁通之功。前辈学者在这方面不乏成功的范例,如田村实造、蔡美彪先生之兼治辽金元史,王曾瑜先生之兼治宋辽金史,贾敬颜先生之兼治辽金元史与民族史,都取得了颇为可观的成就。老实说,这种治学路数也一直是笔者的学术理想与学术追求,可惜心向往之而力不能至。

"旁通"之道的第二层含义是指采用跨学科的研究方法。"跨学科"可谓今日学术之时代潮流,如果说这种取向对史学的其他领域来说主要是一种学术自觉的话,那么对辽金史而言可能更具有"学术突围"的意味,因而也更显其必要性和迫切性。今天的辽金史研究,尤其需要跨越语言学、民族学、人类学、民俗学等学科屏障——不仅仅是吸取这些学科的材料及其研究成果,更重要的是要掌握各个学科不同的研究方法,那才真正称得上"旁通"。

三、如何"预流":民族语文资料带来的机遇

1930 年,陈寅恪先生在为陈垣所作《敦煌劫余录序》中指出:"一时代之学术,必有其新材料与新问题。取用此材料,以研求问题,则为此时代学术之新潮流。治学之士,得预于此潮流者,谓之预流(借用佛教初果之名)。"[1]在陈寅恪先生写下这段文字的 30 年代初,最为史界瞩目的新材料当属敦煌文书。而当今辽金史领域最有价值的新材料,则非契丹大、小字及女真文字石刻资料

---

[1]陈寅恪:《金明馆丛稿二编》,上海:上海古籍出版社,1982 年,第 236 页。

莫属。

自 1922 年比利时传教士梅岭蕊（L. Kervyn）在庆陵发现契丹小字哀册以后，这种久已湮灭的民族古文字始为世人所知晓①。1950 年，辽宁锦西西孤山又首次出土了契丹大字《萧孝忠墓志》。迄今为止，在内蒙古、辽宁、河北等地出土的契丹大、小字石刻已有近五十种之多。女真文字在金代似不甚普及，远不如契丹文字在辽朝使用得那么广泛。不过在金朝亡国后，元、明两代仍有部分女真人继续使用这种民族文字。目前所能见到的女真文字资料，除了传世的《女真译语》之外，还有自 19 世纪以来陆续发现的十种石刻材料（其中奴儿干都司《永宁寺碑》系明代碑刻）。

契丹文字石刻资料虽早已发现，但中外学者在很长一个时期里都对破译这种死文字感到束手无策。直到上世纪 70 年代，刘凤翥、清格尔泰先生等人以契丹小字中的汉语借词为突破口，才找到了一种真正有效的解读方法。这一方法可以归纳为：首先从契丹小字石刻资料中找出一些确定无疑的汉语借词，根据这些汉语借词可以为若干原字构拟出比较可靠的音值，在此基础上进一步解读那些见于汉文文献记载的契丹语词，最后通过对已经释读的词汇进行分析，并参照阿尔泰语系蒙古语族诸亲属语言，探索契丹语语音、语法特征和规律。这种方法的成功运用，标志着契丹小字研究取得了突破性进展②。90 年代以后，几乎是复制了同样的方法，并借助于契丹小字的研究成果，民族语文学界在契丹

---

① 在此之前，金人刻于唐乾陵武则天无字碑上的契丹小字《郎君行记》一直被明清以来金石学家误认为女真字，直至 1925 年日本学者羽田亨才根据新出土的契丹小字哀册纠正了这一错误认识。
② 参见清格尔泰、刘凤翥等：《契丹小字研究》，北京：中国社会科学出版社，1985 年。

大字的解读上也有了重要突破。不过实事求是地说,运用汉语借词解读契丹文字的方法具有很大的局限性,因为契丹语中的汉语借词毕竟有限,要想真正通解契丹文字及其语音语法规律,主要还得依靠对契丹语词的解读,目前这方面的研究成果相形见绌。相比之下,女真文字的解读则要深入得多,这主要是得益于明人留下的工具书《女真译语》,加上 19 世纪发现的《大金得胜陀颂碑》有女真字与汉文对译,对女真文字的解读也很有帮助。

长期以来,辽金史学界与民族语文学界彼此十分隔膜:一方面,辽金史研究者大都不能掌握利用契丹、女真文字资料;另一方面,民族语文学家又未能向历史学家充分展示这些资料在历史研究方面的价值。以至于有不少历史学家直到今天仍存在一种误解,认为民族语文资料对于辽金契丹女真史研究似乎并没有什么太大的用处。其实,就契丹大、小字石刻对辽史、契丹史研究的潜在价值来衡量,若能对它们加以充分发掘和利用,其重要性恐将不亚于突厥语文之于突厥史、蒙古语文之于蒙元史。在汉文文献非常单薄的情况下,这些堪称第一手材料的民族语文资料给今天的辽金史研究带来了新的生机与活力。"得预于此潮流者",方能占领 21 世纪辽金史领域的学术前沿。

傅斯年先生在《历史语言研究所工作之旨趣》中就他对于史学发展的基本取向表达了如下见解:一种学问,凡能直接研究材料,便进步;凡能扩张他所研究的材料,便进步;凡能扩充他作研究时应用的工具,便进步①。这段话前两句是强调材料的重要性,后一句是强调方法的重要性。对于辽金史研究者来说,如能掌握

---

① 傅斯年:《历史语言研究所工作之旨趣》,《历史语言研究所集刊》第 1 本第 1 分册,1928 年 10 月,第 4—7 页。

和运用民族语文资料,无论是从"直接研究材料"或"扩张材料"的层面考虑,还是从"扩充工具"的角度而言,都必将成为"进步"的阶梯。

原载《历史研究》2009 年第 6 期

契丹开国年代问题

——立足于史源学的考察

 关于契丹开国年代问题,历来存在着许多不同说法。《辽史》谓太祖耶律阿保机于公元 907 年称帝建国,后于 916 年建元神册。而今天辽史学界则普遍认为,阿保机在 907 年仅仅是取代遥辇氏可汗成为契丹部落联盟长,至 916 年才称帝建元,建立大契丹国。不过,仍有少数学者主张应当信从《辽史》的记载,视 907 年为辽朝开国元年①。此外,上世纪 30 年代,曾有日本学者根据五代及宋代文献的记载,提出契丹当建国于天赞元年(922)②;甚至有人认为耶律阿保机始终未曾称帝建国,直至辽太宗始采用中国皇帝名号③。

 契丹究竟何时建国,可谓辽代历史上的头等大事,而这样一

---

① 华山、费国庆:《阿保机建国前契丹社会试探》,《文史哲》1958 年第 6 期,第 46—53 页;孟广耀:《耶律阿保机建国称帝年代考论》,《内蒙古大学学报》1981 年第 1 期,第 46—53 页。

② 小川裕人:《橋本增吉氏の「遼の建國年代に就いて」を讀む》,《東洋史研究》1 卷 5 号,1936 年 6 月。

③ 桥本增吉:《遼の建國年代に就いて》,《史潮》第 6 年 1 号,1936 年 2 月。

个重大历史问题却如此众说纷纭,给辽史研究平添了许多混乱。本文打算从史源学的角度对此做一番较为系统的考察,并结合史料源流的辨析进行学术史的梳理,以期厘清契丹开国史的基本线索①。

一、辽朝史家的说法及其历史知识之传承

尽管辽宋金元时代有关契丹开国史的各种不同记载林林总总,但总括起来可以纳入两个历史知识传承系统。一是源自辽朝史家的历史叙述,从辽朝诸国史到金、元两代所修《辽史》均属这一系统,本文称之为北朝文献系统;二是源自五代及宋代史家笔下的历史传说和历史考证,从五代诸朝实录到宋代各种相关史籍,以及元人所作《契丹国志》,均可纳入这一系统,本文称之为中土文献系统。

在北朝文献系统中,今天能够看到的最权威的文献史料理应是《辽史》。所以我们首先应检讨《辽史·太祖纪》的相关记载:

> (唐天祐三年)十二月,痕德堇可汗殂,群臣奉遗命请立太祖。曷鲁等劝进。太祖三让,从之。
> 元年春正月庚寅,命有司设坛于如迂王集会埚,燔柴告天,即皇帝位。尊母萧氏为皇太后,立皇后萧氏。北宰相萧辖剌、南宰相耶律欧里思率群臣上尊号曰天皇帝,后曰地皇

---

① 关于契丹从部落到国家的发展演变过程,前人已有很多研究,故本文不拟涉及。

后。……

神册元年春二月丙戌朔，上在龙化州，迭烈部夷离堇耶
律曷鲁等率百僚请上尊号，三表乃允。丙申，群臣及诸属国
筑坛州东，上尊号曰大圣大明天皇帝，后曰应天大明地皇后。
大赦，建元神册。……（三月）立子倍为皇太子。[①]

按此记载，遥辇氏痕德堇可汗卒于唐天祐三年（906）
十二月，耶律阿保机遂于次年正月称帝，号天皇帝；太祖十年（916）二月，
上尊号大圣大明天皇帝，并建元神册。这就是《辽史》有关
契丹开国史的正式说法。

元人所修《辽史》，其史源主要出自辽耶律俨《皇朝实录》、金
陈大任《辽史》，以及题名宋人叶隆礼、实为元代书贾赝作的《契丹
国志》[②]。有线索表明，有关契丹开国史的记载很可能源自《皇朝
实录》一书。按《辽史·朔考》始自太祖元年（907），至太祖十一
年（当为九年）后续以神册元年，而在太祖元年四月丁未朔下即注
明"耶律俨"[③]，意谓耶律俨《皇朝实录》是年四月为丁未朔，这说
明《皇朝实录》亦始于太祖元年，当是以太祖元年为契丹立国之

<hr/>

①《辽史》卷一《太祖纪上》，北京：中华书局，2000 年，第 1 册，第 2—3、
10—11 页。

②参见冯家昇：《辽史源流考》，见《冯家昇论著辑粹》，北京：中华书局，
1987 年，第 117—130 页。

③《辽史》卷四四《历象志下·朔考》，第 2 册，第 568 页。按传世诸本皆
至太祖十一年后始续以神册元年，与《太祖纪》不合，汪曰桢《历代长术
辑要》卷八已指出其误。点校本校勘记详细分析了其致误之由："按太
祖十年已建元神册，不当有十年、十一年。盖先是七、八两年重出，后误
改重出之七年、八年为九年、十年，又改原九年为十一年。"（第 680 页，
校勘记七）

始。《皇朝实录》修撰于道宗寿昌至天祚乾统间。《辽史》卷九八《耶律俨传》谓寿昌间"修《皇朝实录》七十卷"，又据《王师儒墓志》说："及任宣政殿大学士判史馆事，编修所申，国史已绝笔。宰相耶律俨奏，国史非经大手刊定，不能信后，拟公再加笔削，上从之。"①这里所说的"国史"就是指《皇朝实录》。墓志称王师儒授宣政殿大学士、判史馆事，时在寿昌六年(1100)，且谓卒于次年，可知《皇朝实录》纂成于道宗末。而《辽史·天祚纪》乾统三年(1103)十一月又有"召监修国史耶律俨纂太祖诸帝实录"的记载，按寿昌六年成书的《皇朝实录》，其下限当止于兴宗朝，或许乾统三年又命耶律俨续修道宗一朝实录，故最终成书已是天祚以后的事情②。

如上所述，《皇朝实录》之成书既已晚至辽末，它有关契丹开国史的说法想必不会是辽朝史家最原始的文本记录。据冯家昇先生考证，在《皇朝实录》之前，辽朝曾先后三次纂修国史③。其中最早的一次是圣宗统和九年(991)室昉等所撰《实录》二十卷。《辽史·圣宗纪》曰：统和九年正月乙酉，"枢密使、监修国史室昉等进《实录》，赐物有差"。《室昉传》亦云："表进所撰《实录》二十卷，手诏褒之。"室昉是时已年过七旬，大概只是以枢密使领衔监修而已，此书主要成于邢抱朴之手。《邢抱朴传》谓统和间"迁翰林学士承旨，与室昉同修《实录》"，即指此事。辽朝所谓的"实

---

① 《北京图书馆藏中国历代石刻拓本汇编》，郑州：中州古籍出版社，1989年，第45册，第142页。
② 检《辽史》卷四三《闰考》和卷四四《朔考》，直至天祚保大年间仍有耶律俨《皇朝实录》的相关记载，令人难以理解，故《皇朝实录》的下限究竟止于何时，仍是一个有待考究的问题。
③ 参见冯家昇：《辽史源流考》，《冯家昇论著辑粹》，第102—103页。

录”，实际上是指纪传体的国史，而并非为每位皇帝单独修撰的编年体实录，但因统和九年所上《实录》起讫不明，无法断定它是否包含辽朝开国史的内容。第二次是兴宗重熙十三年（1044）成书的《实录》。据《辽史·兴宗纪》，是年六月丙申，"诏前南院大王耶律谷欲、翰林都林牙耶律庶成等编集国朝上世以来事迹"。《耶律谷欲传》也说："奉诏与林牙耶律庶成、萧韩家奴编辽国上世事迹及诸帝实录，未成而卒。"《耶律庶成传》则说："偕林牙萧韩家奴等撰《实录》及《礼书》。"关于此书内容及其断限，《萧韩家奴传》说得最清楚："擢翰林都林牙，兼修国史。……（重熙十三年）诏与耶律庶成录遥辇可汗至重熙以来事迹，集为二十卷，进之。"此书似乎仍被称为《实录》，只不过兼容遥辇时代契丹史罢了。既知其起讫为"遥辇可汗至重熙以来事迹"，则显然应包括辽朝开国史的内容。第三次是道宗大安元年（1085）所上七帝《实录》。《辽史·道宗纪》是年十一月辛亥，"史臣进太祖以下七帝《实录》"，所谓"七帝"，即指太祖至兴宗，此书当然也会涉及契丹建国的那段历史。

根据上述情形来看，辽代史家所记述的本朝开国史，最早当见于统和九年《实录》，最迟应不晚于重熙十三年《实录》[1]。而耶

---

[1]《廿二史劄记》卷二七"辽史"条云："至兴宗时，耶律孟简上言：'本朝之兴，几二百年，宜有国史，以垂后世。'……兴宗始命置局编修。其时有耶律谷欲、耶律庶成及萧韩家奴实任编纂之事，乃录遥辇氏以来事迹及诸帝实录共二十卷上之。盖圣宗以前事皆是时所追述也。"按耶律孟简上言乃道宗大康间事（见《辽史》卷一○四《文学传下》），此处误为兴宗朝，遂与耶律庶成等人重熙十三年所上实录混为一谈；又辽朝最早修成的一部实录成书于圣宗统和九年，赵翼谓圣宗以前事皆兴宗时所追述，亦不确。冯家昇先生已指出其误，见《辽史源流考》，《冯家昇论著辑粹》，第102页。

律俨《皇朝实录》有关耶律阿保机称帝建国的记载，则无非是取资于前朝所修的这几种国史而已。

众所周知，耶律俨《皇朝实录》直至元末尚存于世，并成为元人所修《辽史》的重要史源之一。而鲜为人知的是，在辽朝亡国之后，包括《皇朝实录》在内的若干种辽朝国史仍见于南宋甚至明人的著录。《遂初堂书目》地理类有《契丹实录》一书①，《宋史·艺文志》传记类也有《契丹实录》一卷，但均不题作者名氏。明代藏书家陈第《世善堂藏书目录》为我们提供了更为明确的信息，此书著录两种辽朝国史，一种为"《辽先朝事迹抄》四本，萧韩家奴"，另一种为"《辽实录抄》四本，耶律俨"②。很明显，前者是重熙十三年萧韩家奴等人所修《实录》的一个节抄本，后者则是耶律俨《皇朝实录》的一个节抄本。《世善堂藏书目录》编成于万历四十四年（1616），而陈氏世善堂藏书之散佚无存，大约是在乾隆以前。《知不足斋丛书》本有鲍廷博乾隆六十年（1795）跋云："乾隆初年，钱塘赵谷林先生（昱）赍多金往购，则已散佚无遗矣。"据此推测，这两种辽朝国史抄本可能亡佚于清初③。

凭直觉判断，见于南宋及明人著录的这几种辽朝国史，其来

---

① 尤袤：《遂初堂书目》，涵芬楼《说郛》本卷二八，《说郛三种》，上海：上海古籍出版社，2012年，第489页。
② 陈第：《世善堂藏书目录》卷上"史类·实录"，《知不足斋丛书》本，叶37b。
③ 不过，曾有学者对陈氏《世善堂藏书目录》的性质提出过疑问，怀疑它并非实藏书目，而是一部待访书目（见《顾颉刚读书笔记》第1卷《琼东杂记》"陈第藏书"条，台北：联经出版事业公司，1990年，第88页）。按此书著录的两种辽朝国史均见于卷上"史类·实录"，实录类末有小注曰："内多奇闻异事、正史所未载者，亦有与正史相矛盾者，不可不知。约而抄之，共四十五本。"据此可知，实录类中著录的45册历代实录，均系陈氏手抄本。

路很可能是相近的。与元朝史馆中所藏的《皇朝实录》不同,它们都是篇幅不大的节本。尤袤收藏的《契丹实录》虽未注明卷数,但估计与《宋史·艺文志》著录的一卷本《契丹实录》是同一种书,既然只有一卷,无疑也是一个节本。根据这种情况分析,大概辽朝民间流传着各种国史的节抄本,在宣和间燕京六州入宋之后始为宋人所见,这就可以解释为何它们都是晚至南宋以后才见于著录①。但遗憾的是,南宋时代恐怕很少有人知道这些抄本的存在,也从未见于征引,所以我们不难理解,为什么辽朝史家有关契丹开国史的记载似乎完全不为宋人所知晓。

不用说宋人,就连金人对辽代历史也所知甚少。元好问曾经感慨地说:"呜呼,世无史氏久矣。……泰和中,诏修《辽史》,书成,寻有南迁之变,简册散失,世复不见。今人语辽事,至不知起灭凡几主,下者不论也。"②这说的是金朝末年的情况。金人明确谈到契丹建国年代问题者,仅见于修端的《辩辽宋金正统》一文:

> 辽太祖阿保机乘时而起,服高丽诸国,并燕云以北数千里。与朱梁同年即位,是岁丁卯。至丙子,建元神册。在位二十年。③

修端是金末燕山人,据李治安先生考证,该文就作于金朝亡

---

①与此情况类似的还有《契丹会要》和《大辽国登科记》,分别见于《遂初堂书目》地理类和《秘书省续编到四库阙书目》传记类,也是到南宋才见于著录。
②《故金漆水郡侯耶律公墓志铭》,《国朝文类》卷五一,《四部丛刊》本,叶2a。
③修端:《辩辽宋金正统》,《国朝文类》卷四五,叶3a-b。

国的那一年(1234)①。需要说明的是,金朝遗民王恽曾将此文抄入《玉堂嘉话》,但字句却颇有异同,上面这段文字引作:"辽太祖阿保机乘时而起,服高丽诸国,并燕云已北数千里。改元神册,与朱梁同年即位(原注:元年丁卯)。在位十九年。"②对照两个本子,可以看出王恽所见者似是初稿,后来苏天爵收入《国朝文类》者可能是经作者修改润色过的定本。前者谓"改元神册,与朱梁同年即位(元年丁卯)",语义比较含混,容易让人误以为改元神册和即位都是在丁卯年(907);后者改为"与朱梁同年即位,是岁丁卯,至丙子,建元神册",就没有任何歧义了。又前者称太祖"在位十九年"亦不确,严格算起来,从太祖元年(907)至天显元年(926),首尾应为二十年,故后者改为"在位二十年"也是可取的。

修端的上述说法与我们今天看到的《辽史》的记载是完全吻合的,因此他的这种历史知识的来源便是一个值得追究的问题。据他在该文中说:

> (章宗)选官置院,创修《辽史》。后因南宋献馘告和,臣下奏言靖康间宋祚已绝,当承宋统,上乃罢修《辽史》。缘此中州士大夫间,不知辽金之兴,本末各异。向使《辽史》早成,

---

① 因原文仅称"岁在甲午",故以往学界对此文之系年颇有分歧,或谓指至元三十一年甲午(1294)。按修端谓"今年春正月,攻陷蔡城,宋复其仇"云云,李治安《修端〈辩辽宋金正统〉的撰写年代及正统观考述》(见《内陆亚洲历史文化研究》,南京:南京大学出版社,1996年)据以考定为太宗六年甲午(1234),今从其说。
② 《玉堂嘉话》卷八,杨晓春点校本,北京:中华书局,2006年,第170页。

天下自有定论,何待余言!①

　　这里所说的《辽史》系章宗朝奉敕修撰,因最终成于陈大任之手,故习称陈大任《辽史》。《金史·章宗纪》明文记载,这部《辽史》告成于泰和七年十二月壬寅,而修端却说未成而罢,可见他从未见过此书②。他对辽朝开国史的了解,一种可能是来自于熙宗皇统间纂修的萧永祺《辽史》③,另一种更大的可能性则是来自于如《皇朝实录》之类的某一辽朝国史。

　　自元人所修《辽史》问世之后,后代史家在谈到契丹开国史时通常都采用《辽史》的说法。

　　如元末陈桱所作《通鉴续编》,虽以续《通鉴》为名,但其中包括"唐天复至周亡、辽夏初事为《通鉴外编》一卷"(即该书卷二)④,故亦涉及契丹建国年代问题。卷二丁卯年(907)正月谓"契丹耶律阿保机称帝",丙子年(916)二月称"契丹大赦,建元",即出自《辽史》。

　　明人有关辽代历史的著述,目前能够见到的仅有杨循吉的

———————

①修端:《辩辽宋金正统》,《国朝文类》卷四五,叶 7b—8a。
②日本学者古松崇志认为,陈大任《辽史》可能在贞祐南迁之后即隐晦不显,故元好问误以为亡于"南迁之变",修端甚至以为原未成书,直至元末修《辽史》时才被重新发现。参见氏著《脩端「辯遼宋金正統」をめぐって——元代における「遼史」「金史」「宋史」三史編纂の過程》,《東方学報》(京都)第 75 册,2003 年 3 月,第 146 页。
③据《金史·熙宗纪》《萧永祺传》《移剌子敬传》记载,熙宗时,辽遗老耶律固奉诏修《辽史》,未成而卒,其弟子萧永祺续成之,皇统八年(1148)上之于朝。参见冯家昇:《辽史源流考》,《冯家昇论著辑粹》,第 105—106 页。
④陈桱:《通鉴续编》自序,元刊本卷首。

《辽小史》一书,该书在谈到耶律阿保机称帝建国时说:"唐天复四年,痕德堇可汗死,国人立以为皇帝,制如中国,是为辽太祖。时当五代之始。"①此书旨趣意在重新建构宋辽金正统体系,于史实颇不经意,这段表述也很不准确。根据《辽史》的说法,痕德堇可汗卒于唐天祐三年(906)而非天复四年(904),这是其一;又《辽史》称耶律阿保机是在痕德堇可汗死后次年才即位的,此处时序不明,这是其二。不过既谓太祖称帝"时当五代之始",可见还是取《辽史》之说,只不过抄书过于粗疏而已,这是明人的通病,不足为怪。

再举清人的几种史学著述为例。钟渊映《历代建元考》卷下谓耶律阿保机"以唐天祐四年丁卯称帝,十年建元,在位二十年"②。此系以《辽史·太祖纪》为据。又道光间汪远孙所作《辽史纪年表》,其自序曰:"叶志与史异者,附注于后,俟究心史学者是正云。"③"叶志"指题名叶隆礼的《契丹国志》,《契丹国志》的纪年与《辽史》颇多出入,汪氏一以《史》为凭据,《志》有歧异者则附注于后。清末李有棠所作《辽史纪事本末》,卷首《帝系考》《纪年表》及卷一《太祖肇兴》均涉及契丹建国年代问题,与《辽史》无异,且神册元年下有考异云:"薛史不载建元事,至太宗方纪天显之名,疑当时未得其传故也。"④可见作者对《辽史》的记载是深信不疑的。

---

① 杨循吉:《辽小史》(不分卷),《辽海丛书》本,沈阳:辽沈书社影印本,1985 年,第 5 页。
② 钟渊映:《历代建元考》卷下"辽",《守山阁丛书》本,叶 32b。
③ 见《二十五史补编》,北京:中华书局,1986 年,第 6 册,第 8033 页。
④ 李有棠:《辽史纪事本末》卷一《太祖肇兴》,北京:中华书局,1983 年,上册,第 47 页。

二、中土文献系统中有关契丹开国史的种种异说

相对于辽朝史家的记载来说，中土文献系统中有关契丹开国史的各种传说完全属于另外一个历史知识传承系统，因为毕竟是间接地传述异邦的历史，众说纷纭是在所难免的。

在五代文献中，有一种记载将耶律阿保机称帝建国年代置于9世纪末叶。据《通鉴考异》说：

> 《汉高祖实录》《唐余录》皆云阿保机设策并诸族，遂称帝，在乾宁中刘仁恭镇幽州前。……《编遗录》开平二年五月太祖赐阿保机记事犹呼之为卿，及言"臣事我朝，望国家降使册立"，必未称帝，安得在刘仁恭镇幽州前！《唐余录》全取《汉高祖实录》契丹事作传，最为差错。①

此说始见于《汉高祖实录》，该书系后汉隐帝时"监修苏逢吉、史官贾纬等撰，乾祐二年上"②。《唐余录》即《唐余录史》，乃宋仁宗时王皞所作五代别史③。按刘仁恭之为幽州节度使，其事在唐

①《资治通鉴》卷二六九后梁贞明二年十二月《考异》，北京：中华书局，1982年，第19册，第8809页。《汉高祖实录》《唐余录》有关耶律阿保机称帝建国的记载，见《通鉴》卷二六六后梁开平元年五月《考异》所引。
②《直斋书录解题》卷四起居注类，上海：上海古籍出版社，1987年，第127页。
③《直斋书录解题》卷四别史类（第109页）曰："《唐余录史》三十卷，直集贤院益都王皞子融撰。宝元二年上。是时惟有薛居正五代旧史，欧阳修书未出。此书有纪，有志，有传，又博采诸家小说，仿裴松之《三国志》注，附其下方。盖五代别史也。"

昭宗乾宁二年(895)①,将契丹建国置于"刘仁恭镇幽州前",显系传闻之误。司马光已明确否定了这种意见。

又一说认为耶律阿保机称帝建国应在后唐建立前后,这是五代及宋代文献中最常见的一种说法。《旧五代史·契丹传》云:

> 及钦德政衰,有别部长耶律阿保机,最推雄劲,族帐渐盛,遂代钦德为主。……及阿保机为主,乃怙强恃勇,不受诸族之代,遂自称国王。……天祐末,阿保机乃自称皇帝,署中国官号。②

这里说的"天祐末",是指李存勖称帝前一直使用的唐天祐年号。朱温篡唐自立后,河东李氏仍禀李唐正朔,奉行哀帝天祐年号,一直沿用到天祐二十年(923)建立后唐时为止。《旧五代史》有关阿保机称帝建国的这一记载当源于五代实录。《册府元龟》卷九五八《外臣部·国邑二》明确地说:"后唐天祐末,其酋阿保机乃僭称皇帝,署中国官号。"卷九六七《外臣部·继袭二》也说:"有别部酋长阿保机,自称国王。后唐天祐末,僭称皇帝。"③虽然我们无法知道这两条史料的具体出处,但众所周知,《册府元龟》

---

①见《资治通鉴》卷二六〇唐昭宗乾宁二年八月壬子,第18册,第8475页。

②《旧五代史》卷一三七《外国列传一·契丹传》,北京:中华书局,1986年,第6册,第1827—1830页。

③又《册府元龟》卷九五六《外臣部·总序》云:"天祐末,契丹阿保机遂建大号,署百官,为城郭。梁祖建号,契丹遣使求封册。"这条史料中的"天祐末"究竟是指唐天祐末还是后唐天祐末,似乎还存在歧义。若是指后唐天祐末,则与下文"梁祖建号,契丹遣使求封册"一事时间先后相左。姑存疑待考。

中的五代十国史料主要取材于五代诸朝实录及《旧五代史》,如果推断这两条史料出自五代实录,想来问题不大。由此可见,将耶律阿保机称帝建国的年代定位于后唐建立前的天祐末年,应该是五代时期比较普遍的一种看法。

与《旧五代史》相比,《新五代史》记述的契丹建国过程似乎不够明晰:

> (耶律阿保机)其立九年,诸部以其久不代,共责诮之。……尽杀诸部大人,遂立,不复代。……乃僭称皇帝,自号天皇王……名年曰天赞,以其所居为上京。①

欧公的这段叙述缺乏明确的时间坐标,没有说明阿保机何时称帝,但从下文"名年曰天赞"一语来看,大概是认为阿保机天赞元年(922)始称帝建元。《新五代史》的这一说法或许是受到《虏廷杂记》的影响,《通鉴考异》引赵志忠《虏廷杂记》曰:耶律阿保机"自号天皇王,始立年号曰天赞,又曰神册,国称大辽"②。赵志忠系契丹归明人,庆历元年(1041)八月弃辽奔宋,撰有多种介绍辽朝情况的杂史、笔记、舆图等,其中最重要的一种便是嘉祐二年(1057)四月献上朝廷的《虏廷杂记》十卷③。因此书是一部笔记性质的"杂记",记述容有不周,加之可能还有作者记忆失真的因素,故于太祖所建年号交代不清,所谓"始立年号曰天赞,又曰神

①《新五代史》卷七二《四夷附录一》,北京:中华书局,1986年,第3册,第886—888页。《文献通考》卷三四五《四裔考·契丹上》也基本上照抄《新五代史》的这段文字。
②《资治通鉴》卷二六九后梁贞明二年十二月《考异》,第19册,第8809页。
③见《续资治通鉴长编》卷一八五嘉祐二年四月辛未条。

册”，似是说阿保机称帝之时建元天赞，后又改元神册。欧阳修可能就是受此误导。按《新五代史》的这种说法，阿保机称帝建元的天赞元年也就是后唐天祐十九年（922），这与《旧五代史》等书主张的天祐末称帝说并不矛盾。

与此近似而略有不同的另一种说法，认为阿保机称帝建元是后唐建立以后的事情。《通鉴考异》曰：

> 阿保机称皇帝，前史不见年月，《庄宗列传·契丹传》在庄宗即帝位、李存审守范阳后。①

《庄宗列传》一书虽不见于著录，但《通鉴考异》屡有引用，司马光说："后唐闵帝时，史官张昭远撰《庄宗功臣列传》。"②即此书。查后唐庄宗李存勖即帝位在天祐二十年（923）四月，李存审为卢龙节度使守幽州在同年三月③，按《庄宗功臣列传》的说法，阿保机称帝即在此之后。这与上述天祐末称帝说或天赞元年称帝

① 《资治通鉴》卷二六九后梁贞明二年十二月《考异》，第 19 册，第 8809 页。
② 见《资治通鉴》卷二五三唐乾符五年二月《考异》，第 17 册，第 8197 页。按张昭远因避后汉高祖刘知远讳，更名张昭，《宋史》卷二六三有传，谓昭于后唐明宗天成四年（929）"上《武皇以来功臣列传》三十卷"。又《五代会要》卷一八《修国史》曰："应顺元年（934）闰正月，平章事兼修国史李愚与修撰判馆事张昭远等，进新修《唐功臣列传》三十卷。"据《旧五代史》卷四六《唐末帝纪上》，清泰元年（934）七月乙丑，"史官张昭远以所撰庄宗朝列传三十卷上之"。同书卷六七《李愚传》："长兴季年，……（愚）转门下侍郎，监修国史，兼吏部尚书，与诸儒修成《创业功臣传》三十卷。"《武皇以来功臣列传》《唐功臣列传》《创业功臣传》皆《庄宗功臣列传》之别名，惟《宋史》所称成书年代不确。
③ 见《资治通鉴》卷二七二后唐同光元年三月己卯，第 19 册，第 8881 页。

说其实并没有什么太大的区别。

由于五代时期人们普遍倾向于认为耶律阿保机称帝建国应在后唐建立前后,这就连带引出了另一个问题,即辽朝究竟何时建元以及后代史家究应如何看待《辽史》纪年的真伪?《旧五代史·契丹传》只说后唐天成三年(928)"德光伪改为天显元年",绝口不提此前有年号。类似记载可以在五代实录中找到出处,《册府元龟》卷九五六《外臣部·总序》就说"虏主德光始建年纪"。宋人说得更加明确:"(阿保机)后唐天成元年卒,伪谥大圣皇帝。次子元帅太子德光立二年,始私建年号曰天显。"①

这种说法对后人影响很大。20 世纪 30 年代,日本学者桥本增吉氏曾撰文讨论辽朝建国年代问题,认为《辽史》及其他五代宋元文献有关契丹开国史的记载均不足取,惟有《旧五代史》最可信赖。他据此得出的结论是,耶律阿保机大约在唐天祐三年或四年(906—907)成为契丹主,但终阿保机一生并未采用中国皇帝名号,《旧五代史》只有天显纪元,说明《辽史》中的神册和天赞年号都是后来史家杜撰的②。直至上世纪末,西方学者仍对太祖纪元持有怀疑态度,《剑桥中国辽西夏金元史》在卷首的辽朝年表下有一条注说:"神册和天赞年号是否存在还有疑问,它们可能是后来为追溯 916 年以前独立的契丹国的纪年而追加的年号。"第71 页又有一条注释说:"对于阿保机的年号神册和天赞也有很

①《宋会要辑稿·蕃夷》一之一,北京:中华书局,1957 年,第 7673 页。
②桥本增吉:《遼の建國年代に就いて》,《史潮》第 6 年 1 号,1936 年 2 月,第 51—86 页;《舊五代史契丹傳について》,《東洋史研究》2 卷 1 号,1936 年 10 月,第 36—58 页。

大争议,有些学者认为是后来追加的。当时能得到绝对证实的第一个年号是阿保机临终之年所采用而被其继承者太宗所继续使用的天显年号。"①这一疑问就主要源于桥本增吉的上述见解。

当时的另一位日本学者小川裕人氏对此提出异议,并撰文与桥本氏进行反复商榷。他不同意太祖未曾称帝、天显是辽朝第一个年号的结论,并举出洪遵《泉志》卷一一所见辽钱"天赞通宝"作为辽朝确有天赞年号的证据。不过,在阿保机称帝建国的年代问题上,他仍坚持新旧《五代史》《册府元龟》等书的天祐末之说,即认为阿保机天祐十九年(922)称帝并建元天赞,这就意味着否定了《辽史》的神册纪元②。

说到天赞年号的真伪问题,或许有人对小川氏举出的证据不以为然,因为传世钱币真赝参半,不像出土文物那么可靠。然而根据我们今天掌握的考古材料来看,已足以对这个问题下一定论。如1989年发现于内蒙古宁城县的《大王记结亲事》碑,刻于天赞二年(923),是迄今为止发现的时代最早的辽朝碑刻③。1994年,在赤峰市阿鲁科尔沁旗宝山村发掘的两座辽墓,其中一号墓

①傅海波等:《剑桥中国辽西夏金元史》,史卫民等译,北京:中国社会科学出版社,1998年,第3、71页。该书英文本出版于1994年,其中辽代部分由杜希德(Denis Twitchett)教授执笔。

②小川裕人:《橋本增吉氏の「遼の建國年代に就いて」を讀む》,《東洋史研究》1卷5号,1936年6月,第26—37页;《遼の建國に就いて》,《東洋史研究》2卷3号,1937年2月,第27—45页。

③参见李义:《辽代奚"大王记结亲事"碑》,载《辽金西夏史研究》,天津:天津古籍出版社,1997年,第244—251页;《内蒙古宁城县发现辽代〈大王记结亲事〉碑》,《考古》2003年第4期,第92—95页。此碑首行即称"天赞二年五月十五日"云云。

西壁壁画左上角有墨书题记:"天赞二年癸(未)岁,大少君次子勤德年十四,五月廿日亡,当年八月十一日于此殡,故记。"①2007年夏,考古工作者在对辽代祖陵陵园进行的考古发掘中,发现若干块辽太祖纪功碑残石,其中有"天赞五年"、"昇天皇帝"等字样②。据《辽史·太祖纪》,天赞五年(926)二月改元天显,是年七月太祖崩,次年八月葬于祖陵。太祖纪功碑提及天赞五年,大概是天显二年立碑时追述上年年初攻灭渤海的经过。这些考古材料说明所谓太宗始立年号的说法完全是无稽之谈。

其实,在五代及北宋时代,中原汉人对契丹的情况是相当隔膜的,即便像辽代纪年这样并非很隐秘的事情,人们的了解也极为有限。《新五代史·四夷附录》徐无党注就曾谈到这个问题:"契丹年号,诸家所记,舛谬非一,莫可考正,惟尝见于中国者可据也。"据他说,只有后晋天福元年(936)耶律德光《立晋高祖册文》所称"天显九年",以及开运四年(947)辽灭石晋后发布的赦书所称"会同十年"为中原士人耳闻目睹,"惟此二者,其据甚明,余皆不足考也"③。试以《资治通鉴》《续资治通鉴长编》《契丹国志》所记载的辽朝纪年与《辽史》做一比较,就会发现它们之间大部分年号或其起讫都不相

---

① 参见齐晓光等:《内蒙古赤峰宝山辽壁画墓发掘简报》,《文物》1998年第1期,第82—83页。

② 董新林等:《辽代祖陵考古发掘取得重要收获》,《中国文物报》2007年11月28日第2版。

③《新五代史》卷七三《四夷附录二》,第3册,第908页。若按此说,天显元年当为后唐天成三年(928),《旧五代史》等谓耶律德光即位两年后始"改为天显元年",大概就是由此而来。然据《辽史》,天显元年实为后唐天成元年(926)。可见即便是徐无党提到的这两个年号,中土文献的记载也未必都靠得住。

吻合①,而《辽史》的纪年则大抵可以得到石刻史料的印证。因此,就神册年号而言,虽然目前尚无地下出土文物提供的"二重证据",但不能仅仅以它不见于五代文献记载就否定其存在。

长期以来,中外历史学家大都倾向于将中土文献系统中有关契丹开国史的传说当作信史来看待②,大概只有杨志玖先生算是一个例外。他在《阿保机即位考辨》一文中对这些传说做了一个总的清算,指出它们有许多关节与史实不符:10 世纪初叶的契丹远不止八部,而且从遥辇氏时代以来的诸位可汗均非三年一代,阿保机之立为可汗也不是出于八部的推举。他最后得出的结论是,所谓阿保机不受代和并吞八部自立为王的故事都是没有根据的传闻③。事实上,如果将中土文献中的契丹开国传说与《辽史》做一比较,似乎很难在两者间找到什么共同点。一方面,阿保机被推举为可汗,后在八部逼迫下退位,最后设计并吞八部的故事,在北朝文献系统中几乎完全得不到印证;另一方面,阿保机取代遥辇氏成为可汗后所面临的主要矛盾是家族内部的斗争,其间历

---

① 关于《契丹国志》与《辽史》纪年的歧异,可参看松井等:《遼代紀年考》,《滿鮮地理歷史研究報告》第 3 册,1916 年 12 月,第 362—408 页;刘浦江:《关于〈契丹国志〉的若干问题》,收入氏著《辽金史论》,沈阳:辽宁大学出版社,1999 年,第 323—334 页。

② 参看《廿二史劄记》卷二七"《辽史》二"条,第 584—585 页。又如田村实造试图将中土文献中的契丹开国传说与《辽史》的记载糅合到一起,并煞费周章地考证耶律阿保机为可汗时所治汉城以及传说中的盐池之会究竟在什么地方,参见氏著《中国征服王朝の研究》,上册,京都大学东洋史研究会,1964 年,第 119—123 页。

③ 杨志玖:《阿保机即位考辨》,《历史语言研究所集刊》第 17 本,1948 年 4 月,第 213—225 页。但此文并没有讨论阿保机称帝建国的年代问题。

经几次诸弟之乱才最终确立世袭君主权,而这个过程在中土文献系统里竟连一点影子都看不到。由此想来,尽管五代诸朝实录有关阿保机称帝建国的记载都是时代很早的东西,但毕竟只是来自于异邦的传闻而已,怎能当作第一手史料来使用?

三、神册元年称帝说的来历

综上所述,上一节谈到的有关耶律阿保机称帝建国年代的种种说法,都是无法印证的历史传说。在中土文献系统中,真正值得我们重视的是《资治通鉴》的一段考证。

针对五代以来有关契丹开国年代的种种纷纭,《资治通鉴》做过一番认真的考证,并在《考异》中引述了《纪年通谱》的一段文字:

> 旧史不记(阿)保机建元事。今契丹中有历日,通纪百二十年。臣景祐三年冬北使幽蓟,得其历,因阅年次,以乙亥为首,次年始著神策之元,其后复有天赞。按《五代·契丹传》,自耶律德光乃记天显之名,疑当时未得其传,不然虏人耻保机无号,追为之耳。①

《纪年通谱》是宋代颇为流行的一种历史知识手册,作者为宋

---

① 见《资治通鉴》卷二六九后梁贞明二年十二月《考异》,第 19 册,第 8809 页。

庠,成书于庆历六年(1046)①。上文自称"臣景祐三年冬北使幽蓟",但《长编》中并没有宋庠使辽的记载。检《长编》卷一一九景祐三年八月丙辰:"左正言、知制诰、史馆修撰宋祁为契丹生辰使,礼宾副使王世文副之。"而《辽史·兴宗纪》重熙五年(即景祐三年)十月则说:"宋遣宋郊、王世文来贺永寿节。"傅乐焕先生因谓"宋祁,《辽史》作'宋郊',误"②。其实《辽史》并没有错误,出错的是《长编》。按宋庠本名宋郊,关于他更名的始末,见于《长编》卷一二一宝元元年三月戊戌:

> 刑部员外郎、知制诰宋郊为翰林学士。……左右知上遇郊厚,行且大任矣。学士李淑害其宠,欲以奇中之,言于上曰:"宋,受命之号也;郊,交也。合姓名言之为不详。"上弗为意。他日以谕郊,因改名庠。(原注:庠更名在十二月乙未,今联书之。)

由此可知,宋郊于宝元元年(1038)十二月更名宋庠,那是在他景祐三年出使辽朝之后的事情。可见《长编》是将景祐三年八月丙辰使辽的"宋郊"误记为"宋祁"了③。

---

①《续资治通鉴长编》卷一五九庆历六年七月丁亥:"参知政事宋庠上所撰《纪年通谱》。"参见衢本《郡斋读书志》卷五编年类、《直斋书录解题》卷四编年类。
②傅乐焕:《宋辽聘使表稿》,见《辽史丛考》,北京:中华书局,1984年,第198页。陈述《辽史》点校本仅出一异同校,未置可否,见《辽史》卷一一八《兴宗纪一》,第1册,第223页。
③检范镇《宋景文公祁神道碑》,亦无宋祁使辽的记载。见《琬琰集删存》卷一,上海:上海古籍出版社影印本,1990年,第71—76页。

在确定《纪年通谱》这段引文内容的真实性之后,接下来再对它做一点分析。据宋庠说,他景祐三年(1036)使辽时见到的历书,始自乙亥岁(915),"通纪百二十年",则应止于重熙三年(1034)。首先需要解释的是,这本历书为何不是始于太祖元年(907)或神册元年(916),而是始于乙亥岁? 它是否与契丹建国年代有什么关联? 这让我想起范成大乾道六年(1170)出使金朝时见过的一种小本历,据说也是"通具百二十岁"①。辽金时代民间通行的历书皆纪百二十年,恐怕不是一个巧合,这种现象可以从宋代文献中得到解释。《续资治通鉴长编》卷四〇至道二年(996)十一月丁卯条有这样一条记载:

> 司天冬官正杨文镒上言,请于新历六十甲子外,更增二十年②。事下有司,判司天监苗守信等议,以为无所稽据,不可行用。上曰:"支干相承虽止于六十,倘两周甲子,共成上寿之数,期颐之人,得见所生之岁,不亦善乎!"因诏有司,新历以百二十甲子为限。

据此可知,在太宗至道以前,一般历书按惯例以六十年为限,至道二年以后颁行的新历则包含两个甲子,即百二十年。辽金民间行用的历书"通纪百二十年",大概就是仿效宋历的结果。宋庠所见辽朝历书编成于重熙三年(1034),首尾百二十年,故理应始于乙亥岁(915),这与契丹建国年代原来毫无关系。宋庠指出,该

---

①《三朝北盟会编》卷二四五,引范成大《揽辔录》,第 1761 页。
②"更增二十年"句,《职官分纪》卷一七"太史局·五官正"、《玉海》卷一〇《律历门·历法下》"至道王睿献新历"条皆作"六十年",似是。

历书始自乙亥,次年丙子(916)记为神策(册)元年,其后还有天赞年号,与《旧五代史·契丹传》至耶律德光始有天显纪元不符。他认为有两种可能,一是《旧五代史》记述不周,"疑当时未得其传";二是辽朝史家有意作伪,疑"虏人耻保机无号,追为之耳"。

司马光和范祖禹根据《纪年通谱》提供的重要线索,对契丹建国年代做了非常审慎的处理,《通鉴》贞明二年(916)十二月末记述阿保机称帝及改元神册一事:

> 初,燕人苦刘守光残虐,军士多归于契丹,及守光被围于幽州,其北边士民多为契丹所掠,契丹日益强大。契丹王阿保机自称皇帝,国人谓之天皇王,以妻述律氏为皇后,置百官。至是,改元神册。

《考异》特地对此做了说明:"阿保机称皇帝,前史不见年月。……不知其称帝实在何年,今因其改年号,置于此。"①作者参酌诸说,既不认为契丹建国会早到唐昭宗乾宁二年以前,也不认为会晚至后唐建立前后。按作者的意思,阿保机称帝建国当在贞明二年之前,最迟不晚于是年——即见于辽朝历书的神册元年丙子。但究竟应在何时不好判断,姑置于此。对于没有见过《辽史》的《通鉴》作者来说,能够得出这样的结论已经是非常难得了。

---

① 《资治通鉴》卷二六九后梁贞明二年十二月,第 19 册,第 8808—8809 页。按照《通鉴》一书的作者分工,唐五代部分系由范祖禹分撰,这段考证有可能出自其手笔。但司马光既任笔削取舍之责,最后这样处理也应该能够代表他的观点。

然而《资治通鉴》这一严谨的表述却也不免遭致后人的误解。《契丹国志》卷一《太祖大圣皇帝》曰："丙子神册元年（梁均王贞明二年）：是年，阿保机始自称皇帝，国人谓之天皇王，以妻述律氏为皇后，置百官，建元曰神册，国号契丹。"卷首《契丹国九主年谱》也说："太祖大圣皇帝，梁均王贞明二年丙子称帝，国号大契丹，改元神册。"孟广耀先生认为，《契丹国志》将阿保机称帝建国系于神册元年，当是误解《通鉴》的结果①。这是一个令人信服的结论。笔者的相关研究成果表明，《契丹国志》一书是元朝书贾托名宋人叶隆礼编纂出来的一部伪书，成书于元成宗大德十年（1306）之前②。该书帝纪部分在宋朝建国前主要取材于《通鉴》，宋朝建国后则以抄《长编》为主。将《契丹国志》卷一的那段话与上文所引《通鉴》贞明二年十二月记事做一比较，即可明显看出二者间的因袭关系。但因《契丹国志》作者没有细读《通鉴考异》，故误解了《通鉴》的原意，径直将此事系于神册元年。其实在此之前，宋人已经有过类似的误解。晁公迈《历代纪年》卷一〇云："太祖大圣皇帝姓耶律，名亿，初名阿保机。国名契丹，僭称皇帝，自号天皇王，改国号大辽，建元神策（原注：梁末帝贞明二年丙子）。……右大辽自梁末帝贞明二年丙子阿保机建国，至本朝宣和六年甲辰灭，九世。"③

---

① 孟广耀：《耶律阿保机建国称帝年代考论》，《内蒙古大学学报》1981 年第 1 期，第 46—53 页。
② 参见刘浦江：《关于〈契丹国志〉的若干问题》《〈契丹国志〉与〈大金国志〉关系试探》，均见《辽金史论》，第 323—334、357—372 页。
③ 晁公迈：《历代纪年》，《续修四库全书》据宋绍熙三年盱江郡斋刻本影印，上海：上海古籍出版社，2002 年，第 826 册，史部政书类，第 207—208 页。

据说此书有绍兴七年(1137)自序①,但卷一〇所记金朝纪年迄于熙宗皇统末,其成书当在绍兴二十年以后。这是目前能够见到的最早明确提出契丹建国于神册元年的说法。又《通鉴纲目》卷五四后梁贞明二年末曰:"契丹称帝,改元。"目云:"契丹王阿保机自称皇帝,国人谓之天皇王……改元神册。"②很显然,这两种宋代文献所谓神册元年建国说,也都是出于对《通鉴》原文的误读。

在《辽史》问世之前,《契丹国志》的说法在当时颇有影响。《释氏稽古略》卷三云:"贞明二年,阿保机始自称皇帝,国号大契丹,年曰神册,国人谓之天皇王。"③此书有至正十四年(1354)李桓序及至正十五年崔思诚题识,四库提要谓书成于至正初,不知何据。这段文字显然是取自《契丹国志》。又《佛祖历代通载》卷一七丙子岁(916)下说:"辽主阿保机称帝立国,号大契丹,改元天赞,辽之始也。"后有小注:"中国简册所不载,远夷草昧无可考,故其年代不可得而详也。"④此书既然将阿保机称帝立国系于丙子岁,应该也是本之《契丹国志》,但又谓是年改元天赞,似乎是兼取《新五代史》的说法。

---

①《直斋书录解题》卷四编年类:"《历代纪年》十卷:济北晁公迈伯咎撰。……其自为序,当绍兴七年。"但今本仅存卷二至卷十,其自序已佚。

②朱熹:《资治通鉴纲目》,载《朱子全书》,上海:上海古籍出版社、合肥:安徽教育出版社,2002年,第11册,第3178页。

③《大正藏》卷四九史传部一,第848页。

④《大正藏》卷四九史传部一,第651页。此书编年迄于顺帝元统元年,有至正元年虞集序。

四、契丹开国史再认识——学术史的梳理

《辽史》一书自元末问世以后，很快便以其官修正史的身份取代了出自坊肆书贾之手的《契丹国志》而大行于世，此后人们在谈到契丹开国史时无不以《辽史》为据，于是《契丹国志》之神册元年建国说遂渐渐湮没不闻。

至20世纪上半叶，历史学家开始对《辽史》的记载发出质疑。首开其端者是日本学者松井等，他于1915年发表的长文《契丹勃兴史》，概括地叙述契丹从兴起到建国的五百余年历史，其中讨论了耶律阿保机称帝建国年代问题。该文认为，《资治通鉴》考定阿保机于贞明二年称帝立国并建元神册，其结论可从。对于《辽史》和《契丹国志》的矛盾，松井氏做了如下推论：《辽史》谓阿保机于开平元年称帝，九年后建元神册，《契丹国志》则认为阿保机称帝是神册元年的事情，这一矛盾可以用《新五代史》讲述的契丹开国故事来解释。据欧阳修说，阿保机被推举为契丹主，九年不受代，最后诱杀七部大人而得以并吞诸部。由此可以推知，阿保机在开平元年只是被立为契丹主，九年后统一契丹诸部，才在贞明二年称帝建元，正与《新五代史》阿保机立九年不代的说法相符①。

据我所知，这是现代历史学家最早倡言神册元年称帝建国说

①松井等：《契丹勃興史》，原载《滿鮮地理歷史研究報告》第1册，1915年12月，参见第249—251页；刘凤翥汉译本，载《民族史译文集》第10期，中国社会科学院民族研究所编刊，1981年，第27—30页。

者,后来这派观点在辽史学界占据主流,恐怕与此文有很大关系①。但松井等与《历代纪年》《通鉴纲目》和《契丹国志》的作者犯了一个同样的错误,即误解了《通鉴》的原意。

上世纪 40 年代初,金毓黻先生在《东北通史》中也提出了与此类似的看法。他认为,《辽史·太祖纪》谓阿保机于开平元年即皇帝位,"此所谓皇帝,即可汗之译称,后来史臣夸张其词,称曰皇帝,其实非也"。又据汉地传说,称阿保机为契丹主九年而被迫退位,自居汉城,当在后梁贞明元年(915);此后不久在盐池之会中伏兵消灭七部大人,遂于次年称帝建国,建元神册②。这种说法与松井等的观点十分接近,只是对阿保机为王九年的解释略有不同,一说九年指 907 年为契丹主至 916 年称帝,一说九年指 907 年称可汗至915 年暂时退居汉城,但在神册元年称帝建国这一点上并无歧异。

自 1950 年代以后,上述观点已逐渐成为辽史学界多数学者的共识。如赵卫邦③、蔡美彪④、张正明⑤、陈述⑥、杨树森⑦、李桂

---

① 但奇怪的是,后来主此说的中国学者却从来无人提及松井等此文,也许是对学术史关注不够,也许是缺乏学术规范意识的缘故。

② 金毓黻:《东北通史》上编,长春:《社会科学战线》杂志社翻印本,1980年,第 305—307 页。此书由重庆五十年代出版社初版于 1943 年。

③ 赵卫邦:《契丹国家的形成》,《四川大学学报》1958 年第 2 期,第 4—6 页。

④ 蔡美彪:《契丹的部落组织和国家的产生》,《历史研究》1964 年第 5、6期合刊,第 184、189 页;《中国通史》第 6 册,北京:人民出版社,1979年,第 23—29 页;《中国大百科全书·中国历史卷》,"辽"条,北京:中国大百科全书出版社,1994 年,第 377 页。

⑤ 张正明:《契丹史略》,北京:中华书局,1979 年,第 24—29 页。

⑥ 陈述先生上世纪 40 年代初版的《契丹史论证稿》和 80 年代修订重版的《契丹政治史稿》均对契丹建国年代问题避而不谈,但实际上他也赞同神册元年建国说。参见《中国大百科全书·民族卷》,"契丹"条,北京:中国大百科全书出版社,1986 年,第 368 页。

⑦ 杨树森:《辽史简编》,沈阳:辽宁人民出版社,1984 年,第 20—27 页。

芝①、李锡厚②等人,都在他们的论著中接受了开平元年即可汗位、神册元年称帝建国的结论。但这些论著均存在着一个同样的问题,在提出一个与《辽史》截然不同的说法时,学者们既不对史料源流做必要的辨析考证,也没有任何学术史的交代,似乎这是一个不言自明、不存在任何争议的问题。姑且不论其观点正确与否,如此理所当然的结论未免显得太突兀了。

近半个多世纪以来,仍有少数学者依然坚持《辽史》旧说,如杨志玖③、华山、费国庆④、舒焚⑤等,不过由于他们并非专门讨论此事,故对于契丹开国年代的见解都只是一笔带过。1981年,孟广耀先生撰文重新检讨阿保机称帝建国年代问题,指出今天学界通行的神册元年称帝说出自《契丹国志》,而《契丹国志》之所以将阿保机称帝一事系于神册元年,乃是误解《通鉴》的结果,于是孟文力主回到《辽史》的开平元年称帝说,但因未能提出什么有说服力的证据,故亦不为学界所认同⑥。

五、结语

自10世纪以来,契丹开国年代始终是一个众说纷纭、疑点很

①李桂芝:《辽金简史》,福州:福建人民出版社,2000年,第25—26页。
②李锡厚、白滨:《辽金西夏史》,上海:上海人民出版社,2003年,第9—12页。
③参见前揭杨志玖:《阿保机即位考辨》。
④华山、费国庆:《阿保机建国前契丹社会试探》,《文史哲》1958年第6期,第52页。
⑤舒焚:《辽史稿》,武汉:湖北人民出版社,1984年,第119—129页。
⑥前揭孟广耀:《耶律阿保机建国称帝年代考论》。

多的问题:既有《辽史》的开平元年说,又有《契丹国志》的神册元年说;在五代文献中,还有早至9世纪末,晚至梁、唐之际的种种说法;甚至有的历史学家认为耶律阿保机始终未曾采用中国皇帝名号。虽然今天辽史学界的认识已经基本趋于统一,普遍认为辽太祖称帝建国应在神册元年,但大抵是只知其然,不知其所以然,对于这一结论的来龙去脉从来无人予以深究。

今天看来,《辽史》的开平元年称帝说确实很难让人相信。首先,从种种迹象判断,当时契丹尚未建立国家政权,也还没有创立中华帝国特有的年号制度。按《辽史·太祖纪》的说法,是时耶律阿保机已有天皇帝之称,而契丹归明人赵志忠则谓阿保机"自号天皇王"①,多种五代文献以及宋庠《纪年通谱》也都称之为天皇王,可见天皇帝应该是后来才有的名号。其次,从《辽史》里看得很清楚,在阿保机取代遥辇氏可汗之后,并未能够马上确立世袭君主地位。契丹世选制的政治传统是建立世袭皇权制度的最大障碍,在经过艰苦卓绝的斗争,镇压了来自家族内部的三次叛乱之后,阿保机才最终在神册元年称帝建国,并宣布立长子耶律倍为皇太子,这标志着世袭皇权的正式建立②。

那么,《辽史·太祖纪》又为何会将阿保机称帝建国一事系于开平元年呢?如上所述,《辽史·太祖纪》的直接史源是《皇朝实录》,亦即出自辽朝国史系统。已知辽朝的第一部国史是成书于

① 《资治通鉴》卷二六九后梁贞明二年十二月《考异》引赵志忠《虏廷杂记》,第19册,第8809页。
② 关于契丹世袭君主权力的确立过程,前人已有深入研究。可参看小川裕人:《遼室君主權の成立に關する一考察》(1—4),连载于《東洋史研究》3卷5、6号及4卷1、2号,1938年6—12月;前揭蔡美彪:《契丹的部落组织和国家的产生》。

统和九年(991)的室昉《实录》,即便此书包含辽朝开国史的内容,其成书之时上距开平元年也已有八九十年之久,属于事后追述。由于辽朝的修史制度很不完备,恐怕很难指望建国初期的历史会有什么文字记载保存下来,仅凭口耳相传,自然难免疏漏。一个典型的例子是,《辽史·太祖纪》所记阿保机称帝建国事,竟连辽朝的国号都只字未提,其疏漏可想而知①。因此,如果辽朝史家将耶律阿保机开平元年取代遥辇氏可汗成为契丹之主误记为即皇帝位,确实不是没有可能的。

今天学界通行的神册元年称帝说,仅见于两种南宋文献《历代纪年》《通鉴纲目》以及出自元人之手的《契丹国志》,究其史源,无非是出于对《通鉴》原文的误解,按说不足为凭。但综合各种文献记载来看,我们不得不承认这一说法是最有可能接近历史真相的。其理由如下:

第一,《辽史·太祖纪》明确记载是年二月丙申建元神册,宋庠所见重熙三年历书也以是年为神册元年,这是阿保机采用汉制皇帝名号的一个最明确的信号。

第二,《辽史》中还有两个很能说明问题的迹象,一是神册元年三月立长子耶律倍为太子,二是神册三年二月营建皇都②。立

①辽朝曾经先后数次更改国号,但仅有一次见于《辽史》记载,故清代学者在这一点上屡屡指责《辽史》的疏漏。参见刘浦江:《辽朝国号考释》,《历史研究》2001 年第 6 期,第 30—44 页;收入氏著《松漠之间——辽金契丹女真史研究》,北京:中华书局,2008 年,第 27—52 页。

②因辽朝实行捺钵制度,都城仅具有象征性意义。故神册元年建国时尚未建都,后来在阿保机身边汉人谋臣的怂恿下,才于两年后营建皇都,太宗会同元年(938)诏以皇都为上京。参见杨若薇:《契丹王朝政治军事制度研究》,北京:中国社会科学出版社,1991 年,第 172—175 页。

储和建都无疑都是阿保机建立契丹国家政权、确立世袭皇权制度的标志性事件。

第三,中土文献系统中广泛流传的阿保机为王九年的故事,可以作为开平元年立为可汗、神册元年称帝的一个旁证。在五代实录、《新五代史》《资治通鉴》等书中,都有阿保机被推举为契丹主、九年不受代的故事,松井等和金毓黻先生不约而同地将这个故事与契丹建国过程联系起来,认为它实际上反映了阿保机从907年立为可汗到916年即皇帝位的事实①。这一推断是很有道理的。在中土文献系统有关契丹开国史的种种传说中,这大概是唯一能够与《辽史》相互印证的内容。

总而言之,虽然神册元年称帝说并没有来源可靠的直接文献依据,但根据我们今天对辽朝历史的认识,它却很可能是一个正确的结论。《历代纪年》《通鉴纲目》和《契丹国志》诸书作者无意中的误解,可谓歪打正着,正中其鹄。

原载《中华文史论丛》2009 年第 4 期

---

① 对于阿保机立九年不受代的传说,小川裕人的理解与此不同,他认为这里说的"九年"是指从唐天复元年(901)阿保机任夷离堇至梁开平三年(909)统一契丹诸部。其理由是,《辽史·太祖纪》自天复元年后每年都有阿保机频频攻伐周边部族的战事报道,惟独太祖三年(909)十月至四年七月没有任何记载,估计当时阿保机正忙于处理契丹内部矛盾,也就是说,此数月间正是他被迫退位到诱杀七部大人的这个过程。参见前揭小川裕人:《橋本增吉氏の「遼の建國年代に就いて」を讀む》,第 33—34 页。笔者以为此说欠妥,阿保机天复元年任夷离堇还不能被称为契丹主,所谓为王九年只能从他取代遥辇氏可汗成为契丹部落联盟长之时算起。

金朝初叶的国都问题

——从部族体制向帝制王朝转型中的特殊政治生态

　　关于金源一朝的国都问题,人们习知的常识是,自太祖至熙宗时代,定都上京会宁府,海陵王贞元元年(1153)迁都中都大兴府,宣宗贞祐二年(1214)迁都南京开封府。不过,辽金史研究者大抵都知道一个不寻常的史实:金朝前期的都城会宁府直至熙宗天眷元年(1138)才建号上京;同时,女真人在推翻契丹王朝之后,仍长期保留辽上京的旧称。自宋元时代以来,人们对金上京会宁府始终存在着许多误解,就是由于金朝初叶国都问题的特殊性而造成的。照说这应该是金代政治史上一个很惹眼的问题,但令人诧异的是,像这么一个明摆着的疑点,居然至今尚未引起金史研究者的关注。金朝初叶的国都问题,是女真政权从部族体制向帝制王朝转型过程中存在的一种特殊现象,值得我们做一番深入探讨。

一、没有京师名号的"都城"

　　会宁府(今黑龙江省哈尔滨市阿城区白城子)何时被确定为

金朝国都,史无明文,这个问题下文再予讨论。至于会宁府建号上京一事,见于《金史·熙宗纪》:天眷元年八月,"以京师为上京,府曰会宁,旧上京为北京"。《地理志》上京路下也有"天眷元年号上京"、"天眷元年,置上京留守司"的记载;北京路临潢府下则说:"地名西楼,辽为上京,国初因称之,天眷元年改为北京。"可见在会宁府建号上京的同时,将原来的辽上京临潢改为北京,《地理志》与《熙宗纪》的记载是完全吻合的①。

但在宋代文献中,此事系年有所不同。张汇《金虏节要》曰:"(完颜)亶立,置三省六部,改易官制。升所居曰会宁府,建为上京。"②据陈振孙说,张汇"宣和中随父官保州,陷金十五年,至绍兴十年归朝"③,因此《金虏节要》的上述记载很可能是宋代文献中有关此事的最初史源。张汇并未明确说明会宁府何时始建上京之号,《三朝北盟会编》把这段引文置于绍兴五年(1135),是因为金熙宗即位于是年的缘故,而后人遂滋误解,故《中兴小纪》《建炎

_____

① 在海陵王迁都燕京后,上京之号一度被废。《金史·地理志》"上京路":"海陵贞元元年迁都于燕,削上京之号,止称会宁府,称为国中者以违制论。大定十三年七月,复为上京。"中华书局点校本校勘记指出,《海陵纪》正隆二年(1157)八月甲寅有"罢上京留守司"的记载,据此推断海陵削上京之号应是正隆二年的事情(北京:中华书局,1975年,第2册,第578—579页)。按《建炎以来系年要录》卷一六四绍兴二十三年(1153)三月小注引海陵王迁都燕京改元诏,有"上京、东京、西京依旧"的说法(北京:中华书局,1988年,第2682页),可知贞元元年迁都时尚未削去上京之号,《金史·地理志》此处所记不确。
② 见《三朝北盟会编》卷一六六绍兴五年正月所引,上海:上海古籍出版社影印光绪三十四年许涵度刻本,1987年,第1196页。
③ 见《直斋书录解题》卷五伪史类《金国节要》,徐小蛮、顾美华点校本,上海:上海古籍出版社,1987年,第141页。

以来系年要录》均将此事系于绍兴五年①,元人抄撮宋代文献而纂成的伪书《大金国志》,亦将此事系于天会十三年(1135)②。

会宁府天眷元年建号上京一事,虽然《金史》一书中已有十分确凿的记载,但仍有学者持不同意见。朱国忱先生注意到,《大金国志》卷二《太祖武元皇帝下》有这样一条史料:"天辅六年春,升皇帝寨曰会宁府,建为上京,其辽之上京改作北京。"且《金史·太祖纪》及《太宗纪》都有称会宁府为上京的例子。遂由此得出结论说,早在太祖天辅六年(1122),会宁府已有上京之号;在天眷元年改辽上京为北京之前,金上京与辽上京可能同时并存不悖③。这种意见显然是缺乏说服力的。首先,《大金国志》是一部为学界所公认的伪书,其中不乏篡改史料、混淆史实之处④。即如会宁府建号上京的时间,如上所述,此书还有另一种截然不同的说法,卷九《熙宗孝成皇帝一》在天会十三年下说:"升所居曰会宁府,建为上京,仍改官制。"文渊阁本《四库全书》此条下有馆臣按语:"金之建上京、定官制实在天眷元年,此书一书于天辅七(六)年,又书于天会十三年,重复舛误。"⑤可见此书的记载本身就是自相矛盾的。

---

①《中兴小历》卷一八系于绍兴五年三月(《丛书集成初编》本,北京:中华书局,1985年,第217页),《系年要录》卷八四记在绍兴五年正月末(第1388页)。

②见《大金国志校证》卷九《熙宗孝成皇帝一》,崔文印校证,北京:中华书局,1986年,第136页。

③朱国忱:《金源故都》,哈尔滨:《北方文物》杂志社刊行,1991年,第30—39页。

④参见刘浦江:《再论〈大金国志〉的真伪——兼评〈大金国志校证〉》,《文献》1990年第3期,第96—108页;收入氏著《辽金史论》,沈阳:辽宁大学出版社,第335—356页。

⑤台湾商务印书馆影印文渊阁《四库全书》,第383册,第878页。

其次,《金史·太祖纪》和《太宗纪》称会宁府为上京,应属史臣追叙之语。元修《金史》的基本史料来源是金朝实录,而《太祖实录》和《太宗实录》分别成书于皇统八年(1148)及大定七年(1167)①,均在天眷元年建号上京以后,若修实录时将会宁府追记为上京,那是完全有可能的。许子荣先生曾对《金史》纪、志、传中所见"上京"进行过逐条辨析,指出天眷元年以前所称上京既有指辽上京者,也有指金上京者,后者均为史臣追叙之辞,其说有理有据②。

既然会宁府晚至熙宗天眷元年才建号上京,那么我们需要进一步追问的是,会宁府究竟是什么时候被确定为金朝国都的呢?

要弄清这个问题,首先应该知道会宁府创设于何时。《金史·地理志》述及会宁府沿革时说:"初为会宁州,太宗以建都,升为府。"看这意思,会宁州似乎得名于太祖之时,太宗建都,改州为府。不过这一记载在金代文献中几乎找不到什么旁证,其真实性值得怀疑。施国祁对"会宁"之取义有一个推测:"按二字当取天会、宁江之义。"③若按这种说法,会宁州(府)之得名不应早于太宗天会元年(1123)。宋代文献中有一个材料颇能说明问题,宣和七年(1125)许亢宗使金贺登位,由其随员钟邦直执笔的《宣和乙巳奉使金国行程录》谈到此行行程时说:"起自白沟契丹旧界,止

①见《金史》卷四《熙宗纪》,第 84 页;卷六《世宗纪上》,第 139 页。
②许子荣:《〈金史〉天眷元年以前所称"上京"考辨》,《学习与探索》1989年第 2 期,第 141—147 页。
③施国祁:《金史详校》卷三上,光绪六年会稽章氏刻本,叶 29b。按辽之宁江州在会宁府之西南,宁江州一战是生女真起兵攻辽之首役,故施国祁有此揣测。

于虏廷冒离纳钵，三千一百二十里，计三十九程。"①书中逐日记录每日起止行程，对于此行的目的地，或称"虏廷"，或称"纳钵"，或称"皇城"等等，绝无"会宁"之称。这说明许亢宗宣和七年（即金天会三年）使金时，尚无会宁州或会宁府之名。

但我在金人王成棣的《青宫译语》中发现了一段值得注意的记载：天会五年五月二十二日，"抵会宁头铺。上京在望，众情忻然。二十三日，抵上京，仍宿毳帐"②。王成棣一名王昌远，当系辽朝"汉儿"。天会五年（宋靖康二年）三月二十八日至五月二十三日，他作为金军中的一名译员，跟随珍珠大王设野马押送宋高宗生母韦后等一行，从汴京前往金上京。《青宫译语》便是他此行留下的一部行程闻见录③。那么，为何在天会五年成书的《青宫译语》中，会出现上京、会宁头铺之类的地名呢？这就需要谈谈此书的来历。今本《青宫译语》出自《靖康稗史》，《靖康稗史》为宋度宗咸淳三年（1267）题名耐庵者所编，卷首的耐庵序交待了它的来历：

> 《开封府状》《南征录汇》《宋俘记》《青宫译语》《呻吟语》各一卷，封题"《同愤录》下帙，甲申重午确庵订"十二字，藏临安顾氏已三世。甲申当是隆兴二年。上册已佚，确庵姓氏亦无考。……上帙当是靖康元年闰月前事，补以《宣和奉使录》《瓮中人语》各一卷，靖康祸乱始末备已。咸淳

①《靖康稗史笺证》，崔文印笺证，北京：中华书局，1988年，第2页。
②《靖康稗史》之五，见《靖康稗史笺证》，第188—189页。
③参见傅乐焕：《青宫译语笺证——宋高宗母韦太后北迁纪实》，《辽史丛考》，北京：中华书局，1984年，第314—325页；崔文印：《靖康稗史笺证》前言，第6—7页。

丁卯耐庵书。①

　　根据这篇序文,我们知道《青宫译语》是经确庵、耐庵两位佚名的宋人先后加以编订,收入《同愤录》和《靖康稗史》,才得以保存至今,至于这部金人著作是如何传入南宋的,则已无从考证。今本《青宫译语》书名下题有"节本"二字,说明此书在辗转流传的过程中,经后人之手做过某些加工,显然已非原貌。书中上京、会宁头铺等地名,可能就是由后人追改的。会宁头铺等驿铺驿程,可信的记载最早见于洪皓《松漠记闻》卷下,而《松漠记闻》之成书已经是天眷元年以后的事情。《青宫译语》一书中出现的会宁头铺,并不能证明天会五年已有会宁州或会宁府之名。

　　总之,除了《金史·地理志》的那条材料外,目前在金代文献中竟然找不到会宁州或会宁府究竟建于何时的证据②。《金史》中有记载可考的会宁牧,年代最早的一位是完颜奭,而他担任会宁牧是在天眷元年九月,即会宁府建号上京之后③。《金虏节要》谓"(完颜)亶立……升所居曰会宁府,建为上京"云云,若就这段文

①《靖康稗史笺证》,第 1 页。按《靖康稗史》一书自宋以后诸家书目皆未著录,仅高丽有抄本存世,清末始传入国内,民国二十八年王大隆刊印的《己卯丛编》收入此书。

②近年出版的王颋《完颜金行政地理》"建置录三"中,有关于会宁州、会宁府的行政沿革情况:"收国元年,立会宁州,军事,隶黄龙府路,治会宁县。天会元年,更会宁府,京师牧,隶会宁府路。天眷元年,更上京牧。贞元元年,更上京留守。"又谈到会宁县的沿革情况:"收国元年,析立会宁县,隶会宁州。天会元年,隶会宁府。"(香港:天马出版有限公司,2005 年,第 125 页)此说并无史料依据。

③《金史》卷四《熙宗纪》,第 73 页。

字来理解,似乎熙宗即位之后才有会宁府之名。故清代学者认为,《金史·地理志》"初为会宁州,太宗以建都,升为府"那段话,"'太宗'当作'熙宗',传写之误耳"[1]。由于金初史料过于匮乏,这个问题恐怕只能暂且存疑。

尽管就连会宁府始置于何时都无法确定,但有证据表明,至迟从太宗初年起,后来的上京会宁府事实上已经开始成为金朝的政治中心。《金史·太宗纪》里有两条值得注意的史料:天会二年正月丁丑,"始自京师至南京每五十里置驿";同年闰三月辛巳,"命置驿上京、春、泰之间"。这里说的京师、上京都是后来的史臣追叙之辞。当时的南京是指平州(治今河北省卢龙县),在靖康之变前,平州是金朝的南疆重镇,而且当时正值金军对平州用兵以镇压张敦固之乱,所以需要在京师与南京之间建置驿道。春州即长春州(今黑龙江肇源县西),泰州(今吉林省白城市)在长春州西,辽朝春捺钵故地鱼儿泺正好就位于长春州和泰州之间,太宗在上京会宁府和长春州、泰州之间建设驿道,可能是为了春水捺钵的需要。

下面这个记载或许更能说明问题。《金史·太宗纪》:天会三年三月辛巳,"建乾元殿"。《地理志》上京路下有小注说:"其宫室有乾元殿,天会三年建,天眷元年更名皇极殿。"[2]乾元殿是金上京会宁府最早的宫室建筑,重大的国事活动都在这里举行[3]。宣

---

[1] 见《钦定重订大金国志》卷九《熙宗孝成皇帝一》天会十三年下四库馆臣按语,台湾商务印书馆影印文渊阁《四库全书》本,第 383 册,第 878 页。

[2]《大金国志校证》卷二《太祖武元皇帝下》谓天辅六年(1122)"大宴番、汉群臣于乾元殿"云云(第 28 页),显然是误抄宋代文献的结果。

[3] 参见景爱:《金上京宫室考》,《文史》第 36 辑,1992 年,第 249—255 页。

和七年(即天会三年)奉使金国的许亢宗,于当年六月抵达上京①,亲眼目睹了正在建设中的乾元殿:

> 木建殿七间,甚壮,未结盖,以瓦仰铺及泥补之,以木为鸱吻,及屋脊用墨,下铺帷幕,榜曰"乾元殿"。阶高四尺许,阶前土坛方阔数丈,名曰龙墀。两厢旋结架小韦屋,幂以青幕,以坐三节人。……日役数千人兴筑,已架屋数十百间,未就,规模亦甚侈也。②

天会三年建造乾元殿一事,足以说明此时上京事实上已经开始成为国家的政治中心。但奇怪的是,这个政治中心当时既没有州府名称,也没有京师名号,甚至连一国之都的地位也不明确。

二、有关金上京的种种误解

由于金朝初叶国都问题的特殊性,尤其是因为天眷元年之前会宁府尚未建号上京,而原辽朝之上京临潢府仍沿用其旧名,这

---

① 《金史》卷六〇《交聘表上》在天会三年正月之后、六月之前有这样一条记载:"辛丑,宋龙图阁直学士许亢宗等贺即位。"中华书局点校本校勘记指出,此"辛丑"当为六月辛丑(第 5 册,第 1392、1415 页)。据《宣和乙巳奉使金国行程录》说:"于乙巳年春正月戊戌陛辞,翌日发行,至当年秋八月甲辰回程到阙。"按是年六月辛丑朔,许亢宗一行到达上京的时间当在五、六月间。
② 《宣和乙巳奉使金国行程录》,《靖康稗史笺证》,第 39—40 页。

就给后人带来了许多误解,往往将金上京与辽上京混为一谈,造成不少混乱。

洪皓《松漠记闻》卷下记有金上京至燕京之间的驿铺驿程,其中说到"自上京至燕二千七百五十里(原注:上京即西楼也):三十里至会宁头铺,四十五里至第二铺"云云,又谓"阿保机居西楼"①。显然,洪皓是把金上京与习称"西楼"的辽上京混为一谈了②。这个错误后来又被李心传因袭下来,《建炎以来系年要录》卷八四绍兴五年正月末:"(完颜)亶又升所居故契丹西楼为上京,号会宁府。"照说洪皓的误解是很不应该的。洪氏于建炎三年(1129)使金,直到绍兴十三年(1143)才被遣返南宋,滞留金朝达15年之久,而且会宁府之建号上京、辽上京临潢府之更名北京,也都是这期间发生的事情。洪皓以当时人记当时事,竟会发生这样的误解,金朝前期都城概念之混乱,由此可见一斑③。

等到后来元人纂修辽、金二史时,他们笔下的金上京和辽上京就更是纠缠不清了。让我们看看《辽史》卷三七《地理志一》

---

① 洪皓:《松漠记闻》,《丛书集成初编》本,第 13、16 页。

② 王可宾《金上京新证》(《北方文物》2000 年第 2 期,第 86 页)认为,洪皓所称"上京即西楼也",这里说的西楼是京师的代名词,并未混淆金上京和辽上京。此说恐系误解洪皓原意,辽金传世文献及石刻史料中所见西楼均为专称,并没有代指京师的用法;况且《松漠记闻》同卷又有"阿保机居西楼"的说法,所指尤为明确。

③ 不过需要指出的是,宋人亦有能够分清辽上京与金上京者。如《契丹国志》元刻本卷首所载《契丹地理之图》,在祖州和木叶山以东有一"上京",这是指辽上京;而在混同江(今松花江)以北又有所谓"新上京",这显然是指金上京。据笔者考证,《契丹地理之图》当出自南宋人所作《契丹疆宇图》,其成图年代应在绍兴八年(金天眷元年,1138)之后,下限不应晚于绍兴二十七年(金正隆二年,1157),参见本书所收《〈契丹地理之图〉考略》,第 145—152 页。

"上京道"的这段奇文吧：

> 上京临潢府：……神册三年城之，名曰皇都。天显十三
> 年，更名上京，府曰临潢。涞流河自西北南流，绕京三面，东
> 入于曲江，其北东流为按出河。又有御河、沙河、黑河、潢河、
> 鸭子河、他鲁河、狼河、苍耳河、辋子河、胪朐河、阴凉河、猪
> 河、鸳鸯湖、兴国惠民湖、广济湖、盐泺、百狗泺、火神淀、马盂
> 山、兔儿山、野鹊山、盐山、凿山、松山、平地松林、大斧山、列
> 山、屈劣山、勒得山。

清初以来不少著名学者，都为《辽史·地理志》的这段文字所
误导，造成了许多误会。如顾祖禹据此考证涞流河："涞流河在临潢
西北，源出马盂山，南流绕临潢三面，谓之曲江。至城北，又东入福
余界，经故黄龙府而东合按出虎水。至女真境内，合于混同江。"[1]
由于顾氏对《辽史·地理志》的记载深信不疑，故如此牵强成说，但
不知临潢西北的涞流河如何能够汇入按出虎水和混同江？又如曹
廷杰所著《东三省舆地图说》，虽已指出巴林波罗城为辽上京临潢府
故址，但仍囿于《辽史·地理志》之说，对按出河作出牵强附会的解
释："考按出者，译言耳环也。按出河，谓河像耳环形。查舆图，巴林
之水泊亦有耳环形，故知临潢以巴林为是。"[2]金毓黻先生亦从其

---

① 顾祖禹：《读史方舆纪要》卷一八《北直九》"涞流河"，贺次君、施和金点
   校本，北京：中华书局，2005年，第2册，第855页。
② 《东三省舆地图说》"临潢府考"附记，《曹廷杰集》上册，丛佩远、赵鸣岐
   点校，北京：中华书局，1985年，第177页。

说①。又如清末景方昶撰《东北舆地释略》，对金上京附近水道考证甚详，但因误信《辽史·地理志》，故谓金上京之涞流水"于辽上京临潢府之涞流河则别为一水，音虽相同，字则各别"；他又对辽上京之涞流河做了如下考证："所谓自西北南流，绕京三面，东入于曲江者，舍今之洮儿河，别无他水，与所述流域方位相合者。"②亦因误信《辽史》，而误指洮儿河为涞流河，相去就更远了。

直至上世纪 80 年代初，贾敬颜先生才首次指出《辽史·地理志》那段文字的错误：

> 作者把金上京误作辽上京了。极为明显，涞流河、曲江、按出（虎）河都是金上京左右的著名河流，鸭子河、他鲁河也与辽上京无干。另外，如辋子河、阴凉河等都在中京大定府的辖境之内，同样不该罗置于此。总之，这是一项杂凑的材料，居然混淆辽、金两上京为一处。《辽史》以疏忽著名，这也可算作一条典型的例子。③

其后，冯永谦先生又撰文对《辽史·地理志》所记辽上京附近水道逐一进行辨误，认为元人修《辽史》时之所以会出现这种错

---

① 金毓黻：《东北通史（上编）》，长春：《社会科学战线》杂志社翻印本，1980 年，第 401 页。
② 景方昶：《东北舆地释略》卷一《金上京会宁府考》，《辽海丛书》本，沈阳：辽沈书社影印本，1985 年，第 1002—1003 页。
③ 贾敬颜：《东北古代民族古代地理丛考》之十四"《辽志》的一段误文"，北京：中国社会科学出版社、新西兰霍兰德出版有限公司，1993 年，第 44 页。此文最初以《东北古地理古民族丛考》为题发表于《文史》第 12 辑，1981 年 9 月。

误,是"由于辽上京附近水道资料不全",于是"误将金上京附近的水道材料混入辽上京中去了"①。贾、冯二人虽然发现了《辽史·地理志》的谬误,但却只知其一不知其二,并没有真正弄清元代史官的致误之由。当我们明白事实真相之后,恐怕不能一味以"疏忽"怪罪于元人,《辽史·地理志》的谬误,说到底是由于金朝初叶国都问题的特殊性而造成的。

《金史·地理志》也同样存在类似的错误,上京路下有云:"旧有会平州,天会二年筑,契丹之周特城也,后废。"此事亦见于《太宗纪》:天会二年四月戊午,"以实古迺所筑上京新城名会平州"。《金史》卷七二《习古迺传》有更为详细的记载:"习古迺,亦书作实古迺。……后为临潢府军帅……筑新城于契丹周特城,诏置会平州。"很显然,实古迺所筑上京新城会平州,是在辽上京临潢府附近的周特城,景方昶和鸟居龙藏早已指出这一点②。《金史·地理志》将会平州列在金上京之下,也无非是因为元朝史官对金上京和辽上京常常混淆不清的缘故。

元人将金上京与辽上京混为一谈的情形,在元代文献中还能

---

① 冯永谦:《辽上京附近水道辨误——兼考金上京之曲江县故址》,《辽金史论集》第 2 辑,北京:书目文献出版社,1987 年,第 105—119 页。参见张修桂、赖青寿:《辽史地理志汇释》,合肥:安徽教育出版社,2001 年,第 12—19 页。

② 参见景方昶:《东北舆地释略》卷二《金史上京路属地释略·会平州》,第 1007 页;鸟居龙藏:《金上京城及其文化》,《燕京学报》第 35 期,1948 年 12 月,第 136—137 页。王颋《完颜金行政地理》"建置录三"说:"天会二年,立会平州,军事,隶会宁府路,治会平县。……天会二年,析会宁县立会平县,隶会平州。"又谓"会平县治今黑龙江双城市东南,……今双城市东南十里有'双古城',疑一为周特城,一为会平县故治"云云(第 125—126 页)。作者之勇于推测,令人生畏。

找到更直接的证据。请看《元一统志》的一段佚文：

> 天德三年,海陵意欲徙都于燕。上书者咸言上京临潢府僻在一隅,官艰于转漕,民难于赴愬,不如都燕,以应天地之中。①

经查考这段文字的史源,当出自张棣《正隆事迹》：

> 完颜亮自己巳冬十二月杀兄亶而自立,守旧都于会宁。越明年,诛夷稍定,下求言诏,敕中外公卿大夫至于黎庶之贱,皆得以书奏对阙庭。是时上封事者多陈言:以会宁僻在一隅,官难于转输,民艰于赴诉,宜徙居燕山,以应天地中会。②

据宋人说,《正隆事迹》的作者张棣是"淳熙中归明人"③,还不至于分不清会宁府和临潢府,而到了元人笔下,"会宁"竟被妄改为"上京临潢府"。这个例子很能说明问题。由此可见,前面谈到的辽、金二史《地理志》的错误绝非偶然现象。

元人对金上京会宁府的懵懂无知,不妨再举一例。《元一统志》卷二"开元路"介绍上京故址说："上京故城,古肃慎氏地。渤

---

① 《元一统志》卷一"大都路·建置沿革",赵万里辑校,北京:中华书局,1966 年,上册,第 2 页。这条佚文辑自《日下旧闻考》卷三七"京城总纪",北京:北京古籍出版社点校本,1981 年,第 2 册,第 588 页。
② 见《三朝北盟会编》卷二四二,绍兴三十一年十一月二十八日所引,第 1740 页。又《会编》卷二四四所引张棣《金房图经》也有类似记载,文字大同小异。
③ 见《直斋书录解题》卷五伪史类《金国志》,第 141 页。

海大氏改为上京。金既灭辽,即上京建邦设都,后改会宁府。"①这里又把渤海上京龙泉府和金上京会宁府扯到一起了。后来《读史方舆纪要》《柳边纪略》《宁古塔纪略》《盛京通志》诸书,皆踵其误。直至清光绪间,曹廷杰经实地踏勘,指出金上京会宁府故址即阿勒楚喀城南之白城,才纠正了自元代以来相沿已久的谬误②。

《大元一统志》是元初的官修总志,其成书之时去金亡不远,但该书作者对金朝前期都城竟已茫然无所知,或则于辽上京和金上京混淆不清,或则将渤海上京与金上京混为一谈,可见金朝初叶的国都问题给后人带来了多大的困惑。

感到困惑的不仅仅是古人,直到今天,仍有一些学者对于金前期都城存在各种各样的误解。如景爱先生因不知《金史》天眷元年以前所称上京,既有辽上京,又有史臣追称的金上京,故误以为金太祖时代"曾一度以辽上京作为金朝的上京"③。更有学者声称:"金朝曾四易首都:建国之初在辽上京;金熙宗迁会宁府,称为上京,改辽上京为北京;海陵王迁都中都;金宣宗迁汴京。"④如果说元人分不清辽上京和金上京,主要是因为天眷元年之前临潢府仍继续沿用辽上京旧名、易与金上京会宁府相混淆的缘故,而今人对《金史》的误读,则缘于对金朝初叶国都问题的特殊性缺乏真正的了解。

---

① 《元一统志》上册,第221页。这条佚文辑自《满洲源流考》卷一二。
② 《东三省舆地图说》"金会宁府考",《曹廷杰集》,上册,第163—166页。
③ 景爱:《金上京的行政建置与历史沿革》,《求是学刊》1986年第5期,第91—96页。前揭许子荣《〈金史〉天眷元年以前所称"上京"考辨》已对这一误解做过详细辨析。
④ 任崇岳:《谈晋皖豫三省的女真遗民》,《北方文物》1995年第2期,第61页。

三、金朝初叶的国都真相

女真人在推翻契丹王朝之后，仍长期保留辽上京的旧称；而作为一国之都的金上京会宁府，反而直到建国20多年后才有京师名号。在熟悉中国传统王朝政治体制的历史学家看来，这岂非咄咄怪事？如果换一种眼光去看待北亚民族政权，要理解这段历史也许并不困难。

生女真建立的国家政权，有一个从部族体制向帝制王朝的转变过程。建国之初，女真国家的政治中心与我们心目中的"国都"存在着很大距离。那么，在熙宗天眷元年会宁府建号上京之前，当时的金朝都城究竟是怎样一种状况呢？虽然金朝史官对此讳莫如深，但在宋代文献中可以看到许多亲见亲历者留下的第一手资料。

张汇《金虏节要》曰：

> 初，女真之域尚无城郭，星散而居，虏主完颜晟（按即太宗）常浴于河、牧于野，其为君草创，斯可见矣。盖女真初起，阿骨打之徒为君也，粘罕之徒为臣也，虽有君臣之称，而无尊卑之别，乐则同享，财则同用，至于屋舍、车马、衣服、饮食之类，俱无异焉。虏主所独享惟一殿，名曰乾元殿。此殿之余，于所居四外栽柳行以作禁围而已。其殿也，绕壁尽置大炕，平居无事则锁之；或开之，则与臣下杂坐于炕，伪后妃躬侍饮食。[1]

---

[1]《三朝北盟会编》卷一六六，绍兴五年正月所引，下册，第1197页。据活字本及清白华楼抄本校正。

张汇自靖康之变后淹留北方，"陷金十五年"①,绍兴十年才回到南宋,他的特殊阅历令他的上述记载具有很高的史料价值。《金虏节要》的这段文字绘声绘色地刻画了金初女真君臣的政治生态,有助于我们了解当时的"国家"概念及"国都"真相。至于金初的"朝廷",宣和二年(1120)出使女真的宋人马扩曾经亲眼见识过:"阿骨打与其妻大夫人者,于炕上设金装交椅二副并坐。……阿骨打云:'我家自上祖相传,止有如此风俗,不会奢饰,只得这个屋子冬暖夏凉,更不别修宫殿,劳费百姓也。南使勿笑。'"②当时还没有乾元殿,女真人的"朝廷"就是这个样子,这与张汇笔下乾元殿的情景可谓相映成趣。

张棣《金虏图经》"京邑"条,对金初的上京会宁府专门做过这样一番描述:

> 金虏有国之初,都上京,府曰会宁,地名金源。其城邑、宫室,类中原之州县廨宇,制度极草创。居民往来或车马杂遝,皆自前朝门为出入之路,略无禁限。每春正击土牛,父老士庶无长无幼皆观看于殿之侧。主之出朝也,威仪体貌止肖乎守令,民之讼未决者,多拦驾以诉之,其朴野如此。至(完颜)亶始有内庭之禁,大率亦阔略。

其"仪卫"条亦云:

①《直斋书录解题》卷五伪史类《金国节要》,第141页。
②《三朝北盟会编》卷四,宣和二年十一月二十九日引马扩《茆斋自叙》,第31页。

金虏建国之初，其仪制卫从止类中州之守令。在内庭，间或遇雨雪，虽后妃亦去袜履，赤足践之，其淳朴如此。（完颜）亶立，始设护卫将军、寝宫小底、擎手伞子。迨赴燕，始乘车辂，衮冕、仪从颇整肃。[1]

《金虏图经》一书在宋人著录中或作《金国志》，《直斋书录解题》卷五云："《金国志》二卷，承奉郎张棣撰。淳熙中归明人，记金国事颇详。"既称"淳熙中归明人"，表明作者出身于辽朝"汉儿"，淳熙间叛金投宋；入宋后授承奉郎，可知是一位读书人。据笔者考证，张棣之入宋是金世宗大定末年的事情[2]。金朝初年的历史虽非他亲身经历，但作为一位金朝士人，他的记载想必有可靠的文献依据。熙宗天眷元年以前的金朝国都，正是像他所描述的那样朴野和简陋。

前面说过，天会三年建造的乾元殿是金上京会宁府最早的宫室建筑。其实，终太宗一朝，它也是上京唯一的宫室建筑。熙宗即位后，于天会十三年为太皇太后纥石烈氏建造的庆元宫，是见于《金史》记载的第二座宫室[3]。直到天眷元年，才第一次进行大规模的宫室建设。是年四月丁卯，"命少府监卢彦伦营建宫室，止

---

① 均见《三朝北盟会编》卷二四四，绍兴三十一年十一月二十八日所引，第 1750、1752 页。

② 参见刘浦江：《范成大〈揽辔录〉佚文真伪辨析》，《北方论丛》1993 年第 5 期；收入氏著《辽金史论》，沈阳：辽宁大学出版社，1999 年，第 402—414 页。

③《金史·地理志》上京路小注云："庆元宫，天会十三年建。"（第 550 页）《后妃传上》："太祖钦宪皇后纥石烈氏，天会十三年，尊为太皇太后，宫号庆元。"（第 1502 页）

从俭素";十二月癸亥,"新宫成"①。此举的直接动因是为了建立新的京师制度,会宁府建号上京就是这年八月的事情。

女真人的"国都",在建国之后很长一个时期里没有京师名号,甚至连会宁府的州府名称也很可能是晚至熙宗天眷元年才有的。开国之初,这座都城就像宋人所描述的那么朴野,朴野得连一个正式的名称都没有,对于刚刚走出部落联盟时代的女真人来说,这其实是很正常的事情。我们知道,金初将以会宁府为中心的生女真的发祥地称之为"内地",《金史·地理志》说:

> 上京路,即海古之地,金之旧土也。国言"金"曰"按出虎",以按出虎水源于此,故名金源,建国之号盖取诸此。国初称为内地,天眷元年号上京。

而既没有京师名号、也没有州府名称的都城,当时被称之为"御寨"——这个称谓在宋代文献中屡见不一见。赵子砥《燕云录》说:"御寨去燕山三千七百里,女真国主所居之营也。"②赵子砥是宋代宗室,仕至鸿胪丞,靖康之变时随徽、钦二帝北迁,后于建炎二年八月遁归南宋③,《燕云录》一书记述的是他在金朝的所见所闻。又《云麓漫钞》卷八记有宋金驿程:"自东京至女真所谓'御寨'行程:……七十里至乌龙馆,三十里至虏寨,号'御寨'。"南宋归正人苗耀曾谈到完颜阿骨打之死,谓"以白矾、大盐醃归阿

---

①《金史》卷四《熙宗纪》,第72—73页。据景爱《金上京宫室考》,天眷元年建成的宫室建筑有敷德殿(朝殿)、宵衣殿(寝殿)、稽古殿(书殿)等。
②见《三朝北盟会编》卷九八"诸录杂记"所引,第726页。
③参见《建炎以来系年要录》卷一七,建炎二年八月庚申条,第346页。

触胡(按:即按出虎)御寨葬之"①。还有一幅南宋地图也值得注意。苏州碑刻博物馆所藏《地理图》碑,上石年代为淳祐七年(1247),据考证,原图由黄裳作于绍熙二年(1191)②。有意思的是,该图把金上京标记为"御寨新京"③。黄裳《地理图》基本上是一幅宋朝地图,长城以北地区主要取材于宋人所绘辽金地图,其"御寨新京"的标记应当是照抄底图的文字。从这个地名来判断,它所依据的那幅底图,成图年代当在天眷元年会宁府建号上京之前。"御寨新京"被作为地名载入地图,说明"御寨"确是当时金朝都城的正式称谓,可能因为绘图者担心宋人不懂它的意思吧,故特意加上"新京"二字,以区别于辽朝旧都之上京,表明它是金朝国都。另外,在宋代文献中,"御寨"又称"皇帝寨",《三朝北盟会编》卷三说:"阿骨打建号,曰皇帝寨。至亶,改曰会宁府,称上京。"《大金国志》亦有"皇帝寨"之称,当是抄自宋代文献。估计御寨是金人的自称,而皇帝寨可能是宋人的俗称。

初为什么将京城称之为"寨"呢?这与女真人传统的村寨居处方式有关。女真建国之初,"尚无城郭,星散而居"。从《宣和乙巳奉使金国行程录》可以看到,宣和七年许亢宗出使金朝时,在到达黄龙府之前,每日行程一般是从某州至某州,而自三十三程进入金源内地之后,每日行程都是从某寨至某寨,说明在生女真的故地,此时还只有村寨而没有州县城镇。不仅如此,即便是当时的一国之都,仍具有村寨的遗风。前引张汇《金虏节

①《三朝北盟会编》卷一八,宣和五年六月九日引苗耀《神麓记》,第127页。
②钱正、姚世英:《墬理图碑》,见曹婉如等编《中国古代地图集(战国—元)》,北京:文物出版社,1990年,第46—49页。
③见《中国古代地图集(战国—元)》,图版72。

要》，谓太宗时惟有一乾元殿，"此殿之余，于所居四外栽柳行以作禁围而已"。宋人《呻吟语》也说："乾元殿外四围栽柳，名曰'御寨'。有事集议，君臣杂坐，议毕同歌合舞，携手握臂，略无猜忌。"①以柳林为禁围，便是女真人村寨的特点。不仅皇帝有自己的"寨"，宰相、太子也有自己的"寨"，《大金国志》曰："女真之初无城郭，止呼曰'皇帝寨'、'国相寨'、'太子庄'。"②就是说的这种情况。

出于可以理解的原因，当女真人后来走上汉化道路之后，便对金朝初叶的国都真相百般讳饰。在元人以金朝实录为蓝本纂修的《金史》，以及其他金朝官方文献中，绝对看不到称上京为"御寨"或"皇帝寨"的说法。不过，在某些金人笔记里，还是留下了些许蛛丝马迹。金人王成棣《青宫译语》记载天会五年作者随珍珠大王设野马押送宋高宗生母韦后等一行，从汴京前往金上京的行程，其中说到：是年五月二十三日，"抵上京，仍宿毳帐"；六月七日，"王令韦妃以下结束登车，成棣亦随入御寨"③。这是传世金朝文献中唯一一例金人自称上京为"御寨"的史料。另外，在金人可恭所著《宋俘记》一书中，屡屡出现"国相寨"和"皇子寨"的说法④，说明《大金国志》的上述记载也不是没有来由的。金朝实录

①《靖康稗史》之六，见《靖康稗史笺证》，第225页。据邓子勉先生考证，《呻吟语》为宋人李浩所撰，李浩曾随徽、钦二帝北迁，绍兴十二年随韦太后同归，见氏著《〈靖康稗史〉暨〈普天同愤录〉及其编著者等考辨》，《文史》2000年第3辑，第169—177页。

②《大金国志校证》卷二《太祖武元皇帝下》，第28页。同书卷三三《燕京制度》亦云："国初无城郭，星散而居，呼曰'皇帝寨'、'国相寨'、'太子庄'。后升皇帝寨曰会宁府，建为上京。"（第470页）

③《靖康稗史》之五，见《靖康稗史笺证》，第189页。

④《靖康稗史》之七，见《靖康稗史笺证》，第244、246—249页。

对金初国都真相的讳饰，不只是删改"御寨"之类的说法而已。《金史》有"天辅七年九月，太祖葬上京宫城之西南"的记载①，有学者指出，"所谓'宫城'者，是《金太祖实录》或元人修史时的追述之词。金代讳言太祖阿骨打称帝时之简陋，故而以'宫城'来代替皇帝寨"②。在太祖时代，确实还没有任何形式的宫城。太宗时代的所谓"宫城"，据许亢宗天会三年使金时所见："近阙……有阜宿围绕三四顷，并高丈余，云皇城也。"③可见虽有城垣，却也非常简陋。景爱先生认为，这个宫城是天会三年与乾元殿同时建成的，宫城之外，并未建筑外城垣，只是"于所居四外栽柳行以作禁围而已"④。金朝史家的曲笔，终究无法掩盖金初"御寨"的真实面貌。

众所周知，女真人建立的大金帝国是一个典型的汉化王朝，但它对汉文明的接受毕竟有一个过程。太祖、太宗时代，金朝的政治制度基本沿袭女真旧制，部族传统根深蒂固。不难想象，当时女真人对于汉文化传统中的京师制度还懵懂无知，完全不理解一国之都的政治意义，因此在建国多年之后，前朝旧都竟然仍被称为上京，而作为本国政治中心的金上京却长期没有州府名称和京师名号，姑且称之为"御寨"而已。

金朝政治制度全面转向汉化，是熙宗即位以后的事情。熙宗朝的汉制改革，从天会末年至皇统初年，大约持续了八、九年之久。改革所涉及的内容极为广泛，包括中央职官制度、地方行

---

①《金史》卷三〇《礼志三》"宗庙"，第 727 页。
②景爱：《金上京》，北京：三联书店，1991 年，第 14 页。
③《宣和乙巳奉使金国行程录》，见《靖康稗史笺证》，第 38 页。
④见前揭景爱：《金上京宫室考》，第 250 页。

政制度、法律制度、礼制、仪制、服制、历法、宗庙制度、都城制度等等；可以说，除了猛安谋克制度仍予保留外，其他女真旧制大抵都被废弃，基本完成了从女真部族体制向中国帝制王朝的转变过程。其中天眷元年的汉制改革被视为金朝走向全盘汉化的一个标志，是年八月甲寅，"颁行官制"，是谓"天眷新制"①。这是金朝政治制度史上的一个重要转折，自金初以来实行20余年的女真勃极烈制度，"至熙宗定官制皆废"②，以三省六部制取而代之。与此同时，宣布"以京师为上京，府曰会宁，旧上京为北京"，此举意味着中原王朝政治传统的京师制度在金朝的真正建立。

四、导致女真式"御寨"都城功能弱化的若干因素

上文曾经指出，至迟从太宗初年起，后来的上京会宁府事实上已经开始成为金朝的政治中心。但不可否认的是，在天眷元年建号上京之前，这个政治中心作为一国之都的地位始终不太明确，都城的政治功能相当弱化。究其原因，除了来自观念层面的障碍之外，还受到其他一些因素的制约，使"御寨"无法真正发挥国都的作用。仔细分析起来，这些因素似可归结为以下三个方面。

---

① 《金史》卷四《熙宗纪》，第73页。按《松漠记闻》卷下载有天眷二年奏请定官制劄子及答诏，三上次男氏谓天眷二年实为天眷元年之误，此当依《熙宗纪》系于天眷元年八月，见氏著《金史研究》第二卷「金代政治制度の研究」，东京：中央公论美术出版，1971年，第293—295页。
② 《金史》卷五五《百官志·序》，第1216页。

第一,女真军事民主制传统抑制了君主个人权威的发展,熙宗之前尚未形成中央集权的专制皇权,这是女真式"御寨"无法与汉式国都相提并论的重要原因。

在熙宗推行汉制改革之前,由于女真传统的勃极烈贵族议事会制度在国家政治生活中还发挥着重要作用,当时的皇权是十分有限的。以皇位继承制度为例。太祖、太宗时代,专制皇权特有的君主世袭制尚未确立,太祖与太宗是兄终弟及,熙宗则是太祖之孙。所以当时也还没有皇太子制度,而是因仍女真旧俗,以元老贵族推选的谙班勃极烈作为皇储①。《金史》说:"国初制度未立,太宗、熙宗皆自谙班勃极烈即帝位。……熙宗立济安为皇太子,始正名位、定制度焉。"②这样一种皇位继承制度,意味着谙班勃极烈的人选不见得能够合乎皇帝本人的意愿。如熙宗被立为谙班勃极烈,即非太宗之本意。太宗即位后,先是以其母弟斜也(完颜杲)为谙班勃极烈,在斜也天会八年死后,太宗有意传子,"无立熙宗意",但左副元帅宗翰、右副元帅宗辅、国论勃极烈宗幹、元帅左监军希尹等元老大臣极力推举太祖嫡孙完颜亶为谙班勃极烈,"言于太宗,请之再三,太宗以宗翰等皆大臣,义不可夺,乃从之"③。太宗虽身为一国之主,但他并不具备专制皇权应有的权威性和神圣性,因而不得不屈服于元老贵族的选择。

对于金初的君臣关系,宋人有一些很细微的观察。据说太祖阿骨打初至燕京大内,"与其臣数人皆握拳坐于殿之户限上,受燕

---

①关于金初的皇位继承制,请参看唐长孺:《金初皇位继承制度及其破坏》,收入《山居存稿》,北京:中华书局,1989 年,第 478—484 页。
②《金史》卷八〇《熙宗二子传·赞》,第 1798 页。
③《金史》卷七四《宗翰传》,第 1699 页;参见卷四《熙宗纪》,第 69 页。

人之降,且尚询黄盖有若干柄,意欲与其群臣皆张之,中国传以为笑"①。这也难怪,女真建国之初,贵族政治凌驾于君主的个人权威之上,在习惯了皇权政治的宋人看来,自然会觉得很可笑。赵子砥《燕云录》讲述的一个故事,最能反映金初君臣关系的真实状态:

> 金国置库,收积财货,誓约惟发兵用之。至是国主吴乞买(按即太宗)私用过度,谙版告于粘罕,请国主违誓约之罪。于是群臣扶下殿庭,杖二十;毕,群臣复扶上殿,谙版、粘罕以下谢罪,继时过盏。②

此事亦见于《呻吟语》,系于绍兴三年(金天会十一年)冬③。按《燕云录》一书记载的是作者靖康二年至建炎二年滞留金朝期间的见闻,成书当在建炎二、三年间,故此事似不应晚于建炎二年(即天会六年)。文中说的"谙版",可能是指时任谙班勃极烈的完颜杲。这个故事向我们生动地诠释了女真军事民主制的传统。我们看到,金初的皇权是如何受到女真贵族的压抑,在朝廷大政上,谙班勃极烈完颜杲和左副元帅宗翰(粘罕)等宗室贵族有权对皇帝进行监督和处罚,甚至可以动用像廷杖这样的非常手段。

另一方面,与有限的皇权形成鲜明对比的,是金初女真军事统帅的高度集权。《金史·太宗纪》天会二年二月乙巳,"诏谕南

---

① 《三朝北盟会编》卷一二宣和四年十二月六日,引蔡絛《北征纪实》,第86页。
② 《三朝北盟会编》卷一六五绍兴四年十二月"虏主吴乞买以病殂"条,引赵子砥《燕云录》,第1194页。
③ 《靖康稗史》之六,见《靖康稗史笺证》,第224页。

京官僚,小大之事,必关白军帅,无得专达朝廷"云云。这里说的南京是指平州,天会元年平定张觉之乱后,镇守南京的军帅是宗望,史称是时南京军政事务"一决于宗望"①。金初军事统帅事权之集中、独立性之强,于此可见一斑。关于这一点,宋人也有很深入的观察,范仲熊《北记》详细介绍了他在金军中的见闻:

> 骨舍与粘罕至相得,而骨舍才尤高。自阿骨打在日,三
> (二)人用事未尝中覆,每有所为便自专,阿骨打每抚其背曰:
> "孩儿们做得事必不错也。"一切皆任之,以至出诰敕命相皆
> 许自决,国中事无大小,非经此二人不行。至于兵事,骨舍又
> 专之,粘罕总大纲而已。②

范仲熊乃范祖禹之孙,靖康元年为怀州河内县丞,是年十一月,宗翰克怀州,仲熊陷于金,次年四月被遣返南归,其间在宗翰军中盘桓数月,因撰《北记》述其见闻③。文中所称骨舍即完颜希尹(《金史》本传谓"本名谷神",骨舍乃谷神之异译)。在金初的军事统帅中,左副元帅宗翰和元帅左监军希尹的强势强权确实是很有代表性的,这种强势与强权恰恰反衬出君主个人权威的卑弱。

由于缺乏中央集权的专制皇权,金初的军事统帅往往拥有对军国大事的决断权和处置权,不妨举一个实例。《金史·太宗纪》

---

① 《金史》卷七四《宗望传》,第 1703 页。
② 《三朝北盟会编》卷六一靖康元年十一月六日引范仲熊《北记》,第 460 页。
③ 参见《三朝北盟会编》卷九九"诸录杂记"引范仲熊《北记》,第 731 页。

天会五年(宋靖康二年)二月丙寅有"诏降宋二帝为庶人"的记载,但据金人《南征录汇》可知,对于如何处置赵宋政权一事,虽有太宗废立之诏,其实主要还是取决于左副元帅宗翰和右副元帅宗望二人的态度。当时宗翰力主废立,宗望则主张保留赵宋藩王,即便在太宗废立诏送达开封城下之后,二人仍为此争执不下。宗望的理由是:"明诏虽允废立,密诏自许便宜行事,况已表请立藩,岂容中变?"宗翰坚执不允,宗望又云:"太祖止我伐宋,言犹在耳。皇帝仰体此意,故令我濊自便。"最终因都元帅斜也支持宗翰的主张,才将徽、钦二帝废为庶人①。《大金吊伐录》有一篇《废国取降诏》,其中说到:"既为待罪之人,自有易姓之事。所有措置条件,并已宣谕元帅府施行。"②这就是天会五年二月丙寅(六日)的废立诏。据宗望说,除了这个"明诏"之外,还另有一封"密诏",允许二人"便宜行事"。虽然这一密诏未能保存下来,但事实已经很清楚,太宗实际上赋予了宗翰、宗望二人自行处置赵宋政权的最终决断权。要知道,这意味着最后的结果甚至有可能是与太宗的废立诏相冲突的。

如上所述,由于金朝前期尚未形成中央集权的专制皇权,皇帝所居的"御寨"并不具备汉式国都那样的政治权威和政治影响,这就在很大程度上限制了它的政治功能。

第二,金朝前期实行的二元政治体制,造成多个政治中心并存的局面,在很大程度上降低了"御寨"作为一国之都的重要性。

---

① 李天民辑:《南征录汇》,《靖康稗史》之四,见《靖康稗史笺证》,第140—142页。此段末有小注:"见《武功记》《秘录》《随笔》《劄记》《日录》。"

② 《大金吊伐录校补》,金少英校补、李庆善整理,北京:中华书局,2001年,第384—385页。

金朝建国之初，朝廷中枢权力机构实行女真传统的勃极烈贵族议事会制度，对于所占领的辽地，也一概搬用生女真旧制。如《金史·太祖纪》谓收国二年（1116）五月占有辽东京州县以后，"诏除辽法，省税赋，置猛安谋克一如本朝之制"。即不管是系辽籍女真，还是汉人、渤海人、契丹人、奚人，全都不加区别，"率用猛安、谋克之名，以授其首领而部伍其人"①。但一到进入燕云汉地，这套女真制度便行不通了，于是只好因仍原有的汉官制度。元人称"太祖入燕，始用辽南、北面官僚制度"②，就是指同时奉行女真旧制和汉制的双重体制。金初的所谓"南面官"，亦即汉地枢密院制度，故《金史》谓"天辅七年，以左企弓行枢密院于广宁，尚踵辽南院之旧"云云③。与此相对的"北面官"，主要指当时实行于朝廷之内的勃极烈制度④。

严格说来，金初的二元政治仅存在于 1123—1138 年。天辅七年（1123），汉地枢密院始设于营州广宁（今河北省昌黎县），后迁平州，再迁燕京，天会间一度分设燕京和云中两枢密院，后又归并为一。熙宗天眷元年八月，颁行"天眷新制"，以三省六部制取代女真勃极烈制度；同年九月，改燕京枢密院为行台尚书省——这不只是简单地改换一个名称而已，它的性质已经发生了变化：汉地枢密院是作为双重体制中的一元而存在的，而行台尚书省则

①《金史》卷四四《兵志》，第 992 页。
②《金史》卷七八"传赞"，第 1779 页。
③《金史》卷五五《百官志·序》，第 1216 页。
④李锡厚《金朝实行南、北面官制度说质疑》（《社会科学战线》1989 年第 2 期）不同意金初曾实行过南、北面官制的说法，按元人无非是借用辽朝北、南面官制之称来代指金初的二元体制而已，此处似不宜太拘泥于字面的意思。

只是中央尚书省的派出机构。这两件事情的发生,标志着二元政治的终结①。

金初的汉地枢密院,是代表女真军事集团势力的汉地最高政权机构,对于朝廷来说,它具有很强的独立性。张汇《金虏节要》对汉地枢密院的政治背景及其重要地位说得很清楚:

> 斡离不初寇燕山,粘罕初寇河东,称都统府,至是改日元帅府,乃刘彦宗之建议也。以谙版孛极烈斜也马为都元帅,伪皇弟卢你移赉孛极烈粘罕为左副元帅,伪皇子斡离不为右副元帅。……东路之军斡离不主之,西路之军粘罕主之,虏人呼作"东军"、"西军"。东路斡离不建枢密院于燕山,以刘彦宗主院事;西路粘罕建枢密院于云中,以时立爱主院事。虏人呼为"东朝廷"、"西朝廷"。②

据李涵教授考证,燕京枢密院与云中枢密院的分立是天会四年的事情,主要是为了适应左副元帅宗翰(粘罕)和右副元帅宗望(斡离不)两大军事集团分治汉地的需要。汉地枢密院的性质,其实就是听命于女真军事统帅的"军政府",而被目为汉人宰相的知

①陶晋生《女真史论》(台北:食货出版社,1981 年,第 34—37 页)将 1123—1150 年称为二元政治时期,即以海陵王天德二年(1150)撤销行台尚书省作为二元政治终结的标志。我认为这种说法欠妥。所谓"二元",一元是指女真制度(勃极烈制),一元是指汉制(汉地枢密院)。自熙宗废弃勃极烈制以后就全盘实行了汉制,"二元"已无从说起。海陵撤销行台尚书省,只是准备迁都燕京的一个步骤,同时也是为了进一步加强中央集权,这与二元政治的兴废没有什么关系。
②见《三朝北盟会编》卷四五,靖康元年四月十五日所引,第 339 页。以活字本校正。

枢密院事,不过是都统府或元帅府的僚属而已①。由于金初尚未形成中央集权的政治体制,缺乏专制皇权的强有力制约,汉地枢密院遂成为独立于"御寨"之外的政治中心,甚至被形象地称之为"东朝廷"、"西朝廷"。汉地枢密院的高度独立性,实际上也就是女真军事统帅高度集权的表现。

汉地枢密院对于朝廷的独立性,在官员选任一事上表现得最为明显。赵子砥《燕云录》说:"金国、渤海、汉儿、契丹等,若差知州、通判、知县、场务官,更有元帅府亦差除;即如外知州、知县,若两处朝廷差官,元帅府更差,即是三人互相争权也。"关于汉地枢密院与朝廷在选任州县官员上的矛盾纠葛,他还讲述了一个有趣的故事:

> 丁未(天会五年)冬,宰相刘彦宗差一人知燕山玉田县,国里朝廷亦差一人来,交割不得,含怒而归。无何,国里朝廷遣使命至燕山拘取刘彦宗赐死,续遣一使来评议,彦宗各赂万缗,乃已。②

刘彦宗时任知燕京枢密院事,由于自行辟署汉地州县官员,导致燕京枢密院与朝廷之间发生了一场严重冲突,但此事最后还是被刘彦宗用钱摆平了。这里说的"国里朝廷"当然就是指"御寨"之女真朝廷,之所以特意说明是"国里"朝廷,正是因为汉地还有"东朝廷"和"西朝廷"的缘故。"国里朝廷"的说法,想必也是出自金人之

---

① 李涵:《金初汉地枢密院试析》,《辽金史论集》第 4 辑,北京:书目文献出版社,1989 年,第 180—195 页。

② 《三朝北盟会编》卷九八"诸录杂记",引赵子砥《燕云录》,第 725 页。前一段引文窒碍不通,以活字本、明抄本、清白华楼抄本校改数字,恐仍有讹误,但其大意可以明白。

口。又据赵子砥说,还有更甚者,有时不但"两处朝廷差官",再加上"元帅府更差",矛盾就愈加复杂了。由此可知,金初汉地枢密院的存在,对"国里朝廷"的政治权威构成了巨大挑战,在这种情况下,作为一国之都的"御寨"恐怕只能是徒有虚名了。

第三,金代帝王的捺钵遗俗在一定程度上弱化了都城的政治功能,这也是"御寨"与京师的地位名实不副的一个原因。

金朝的捺钵可以说是女真人传统渔猎生活方式的象征性保留,金代帝王摹仿和因袭辽朝四时捺钵制度,春水秋山,乐此不疲。直至宣宗南迁以后,捺钵之制才趋于消亡①。

据宋人说,大约从熙宗天眷二年起,金朝捺钵开始形成较为完备的制度:"是冬,金主宣谕其政省:自今四时游猎,春水秋山,冬夏捺钵,并循辽人故事。"②与契丹的四时捺钵相比较,金朝捺钵的季节性不像辽朝那么分明,虽有"春水秋山,冬夏捺钵"之说,实际上只有春水和驻夏时间较长,也比较有规律,所谓"秋山"是指驻夏期间的围猎活动。

由于史料匮乏,金朝前期的捺钵没有留下太多记载,但在金、宋文献中仍然可以找到一些零星的线索。上文提到,据《金史·太宗纪》记载,天会二年曾在上京(御寨)和长春州、泰州之间建设驿道,可能是为了春水捺钵的需要,估计金初暂且在辽朝春捺钵

---

① 有关金朝捺钵的系统性研究,请参看刘浦江:《金代捺钵研究》(上、下),连载于《文史》第49、50辑,1999年12月、2000年7月;收入氏著《松漠之间——辽金契丹女真史研究》,北京:中华书局,2008年,第289—328页。

② 《建炎以来系年要录》卷一三三,绍兴九年(1139)冬,第2142页。《大金国志》卷一一《熙宗孝成皇帝三》将此事记于皇统三年(1143),不可信从。

旧地行春水。熙宗即位后,于天会十三年"建天开殿于爻剌"①,此后爻剌遂成为熙宗朝春水的主要场所。《金史·地理志》上京路下有小注说:"其行宫有天开殿,爻剌春水之地也。有混同江行宫。"但《金史》没有说明爻剌的具体位置。据贾敬颜先生考证,爻剌当在会宁府宜春县境:"宜春县取义于宜于'春水',亦即春水爻剌之地,境内辖有鸭子河,故当求于今扶余、肇州等县地,兹暂订宜春于(吉林省)扶余县东南小城子古城,以待进一步探讨。"②朱熹在谈到金朝前期的捺钵情况时说:"金虏旧巢在会宁,四时迁徙无常:春则往鸭绿江猎;夏则往一山(原注:忘其名),极冷,避暑;秋亦往一山如何;冬往一山射虎。"③宋人所称的鸭绿江实际上就是混同江(鸭子河),故朱熹说的"春则往鸭绿江猎"也是指的爻剌春水。

驻夏(或称秋山)是金代捺钵的主要单元之一。金朝前期的几代皇帝一般都在山后地区驻夏,山后的炭山是辽朝传统的夏捺钵之地,其地在今河北省沽源县境内,契丹语称为"旺国崖",《辽史》中又多称"陉头"、"凉陉",都是指的这个地方,金代文献中通称此地为凉陉。自太宗时起就有在凉陉驻夏的记录,天会七年二月发布的《差刘豫节制诸路总管安抚晓告诸处文字》说:"今缘逆贼逃在江浙,比候上秋再举,暂就凉陉。"④说明是年太宗即驻夏于

---

① 《金史》卷四《熙宗纪》,第 70 页。
② 谭其骧主编:《中国历史地图集释文汇编(东北卷)》,北京:中央民族学院出版社,1988 年,第 165 页。按:据《金史》卷二四《地理志》,宜春县"大定七年置,有鸭子河"(第 551 页)。
③ 《朱子语类》卷一三三《本朝》七"夷狄",王星贤点校本,北京:中华书局,1986 年,第 8 册,第 3192 页。
④ 《大金吊伐录校补》,第 535 页。

凉陉。熙宗朝驻夏山后，《金史·熙宗纪》有明确的记载。另外宋代文献中也有线索可考，天眷三年，熙宗指责左丞相完颜希尹说："凡山后沿路险阻处令朕居止，善好处自作捺钵。"①就是针对山后驻夏一事而发。

由于捺钵制度的存在，金朝诸帝一年之中往往有半年以上的时间不住在都城里。总的来说，金前期的捺钵时间较长，中后期时间较短。如春水，太祖、太宗朝详情已不可知，就熙宗朝的情况来看，每年春水少则一两个月，长则四五个月，并非严格意义上的"春水"；而世宗、章宗时期，每次春水大都在 25 天至 40 天左右。至于驻夏，与辽朝的夏捺钵也不完全是一回事，金朝皇帝的驻夏往往包括夏秋两季，因此也有人姑名之为"夏秋捺钵"。

金朝皇帝的春水秋山，动辄历时数月，在此期间，国家权力机构便随同皇帝转移到行宫，使得春水秋山行宫成为处理国家内政外交事务的重要场所。太祖、太宗时期的情况因缺乏记载无从知晓，姑以熙宗朝为例。熙宗时的汉制改革，其中部分内容就是在爻剌春水行宫进行的。天眷二年二月乙未至五月乙巳，熙宗春水于爻剌，"三月丙辰，命百官详定仪制"；"四月甲戌，百官朝参，初用朝服"②。另外，金宋两国的绍兴和议也是在爻剌春水行宫签订的。据《金史·熙宗纪》，皇统二年（1142）二月二十七日，"宋使曹勋来许岁币银绢二十五万两、匹，画淮为界"，正式签订了绍兴和议。而这年的二月三日至三月八日，熙宗一直住在爻剌的春水行宫天开殿。南宋方面的史料也记载说："签书枢密院事何铸、知阁门事曹勋至金国，见亶（即熙宗）于春

---

① 《三朝北盟会编》卷一九七绍兴九年七月，引苗耀《神麓记》，第 1418 页。
② 《金史》卷四《熙宗纪》，第 74 页。

水开先殿。"①这条史料可以与《金史》的记载相印证，惟"开先殿"为"天开殿"之误。

我们知道，辽朝的五京制度徒有虚名，契丹王朝真正的政治中心是在捺钵和斡鲁朵，而不是在五京之中的任何一个京城②。金朝的春水秋山虽然不像辽朝的四时捺钵那么典型、那么严格，对国家政治生活的影响也不像辽朝那么大，但不可否认的是，捺钵制度在一定程度上弱化了都城的政治功能，尤其是金朝前期更是如此。

综上所述，金朝初叶的"御寨"只是一个名义上的国都，其象征意义大于实际意义。由于缺乏中央集权的专制皇权，没有一元化的政治体制，再加上四时迁徙的捺钵遗俗，注定了女真式"御寨"无法发挥汉式国都的重要作用。于是我们便不难理解，作为一国之都的金上京会宁府，为什么直到建国20多年后才有州府名称和京师名号。

原载《中国社会科学》2013年第3期

【未及补入正文之笔记】

岳珂《桯史》卷五"赵良嗣随军诗"条："余读《北辽遗事》，见良嗣与王瓌使女真，随军攻辽上京，城破，有诗曰：'建国旧碑胡月暗，兴王故地野风干。回头笑向王公子，骑马随军上五銮。'上京，盖今虏会宁，乃契丹所谓西楼者，实耶律氏之咸、镐、丰、沛。"（吴

①《建炎以来系年要录》卷一四四，绍兴十二年二月戊子，第2313页。
②参见杨若薇：《契丹王朝政治军事制度研究》，北京：中国社会科学出版社，1991年，第172—213页。

企明点校,北京:中华书局,2005 年,第 63 页)岳珂亦沿袭了自《松漠记闻》《系年要录》以来的错误,这或许可以说明这种误解的普遍性。

契丹人殉制研究

——兼论辽金元"烧饭"之俗

一、引言

    人类历史上最早的人殉现象通常出现在母系氏族制向父系氏族制过渡或父系氏族制已经确立的历史时期,人殉最初是以妻妾殉夫的形式出现的。黄展岳先生曾对我国考古发现的史前期墓葬中的人殉遗存进行过系统考察,认为可以初步认定甘肃武威皇娘娘台、永靖秦魏家两处齐家文化墓地,以及内蒙古伊克昭盟朱开沟文化墓地和江苏新沂花厅大汶口文化墓地中的某些墓葬,可能存在妻妾殉夫或用幼童殉葬的现象,时代约相当于公元前3000—前1600年[1]。后来随着国家的出现,人殉逐渐成为阶级对立的衍生现象,殉人的对象从早期的妻妾逐步扩大到近臣和近

---

[1] 黄展岳:《古代人牲人殉通论》,北京:文物出版社,2004年,第18—29页。

侍。殷商时代是中国人殉、人牲制的鼎盛时期,尤其是在商代后期。一般认为,人殉之俗原是典型的东夷文化传统,后为周人、秦人、楚人所接受,因此直至春秋战国时代,人殉现象仍然相当普遍。秦汉以后,人殉制基本趋于消亡,惟有明朝前期算是一个例外。明初太祖、成祖、仁宗、宣宗、景帝五朝皇帝,死后皆用宫妃殉葬;风气所及,甚至外藩诸王死后,亦多有用宫妃殉葬者。直至英宗临死前,才明令废止宫妃殉葬制①。清初虽亦有宫妃从殉及奴仆殉主制,但那是源自满洲的传统,另当别论。

当然,人殉制并非汉人社会所独有的文化现象,中原周边诸族(尤其是阿尔泰民族)在其文明进化的某一阶段也大都出现过人殉现象,并在文献中留下了零星的记载:

匈奴。《史记》卷一一〇《匈奴列传》记匈奴葬俗:"其送死,有棺椁金银衣裘,而无封树丧服;近幸臣妾从死者,多至数千百人。"《汉书》卷九四《匈奴传上》亦有同样记载,而末句作"多至数十百人",颜注谓"或数十人,或百人",知《史记》"千"字误。

夫余。《三国志》卷三〇《魏书·东夷列传》谓夫余王死,"杀人殉葬,多者百数"云云。《晋书》卷九七《四夷传·夫余国传》也有"死者以生人殉葬"的说法。

鲜卑。关于鲜卑的人殉制,在《魏书》中可以看到两个实例。卷二八《和跋传》谓"和跋,代人也,世领部落,为国附臣",后为太祖所杀,"妻刘氏自杀以从"。又卷二九《叔孙建传》称"叔孙建,

---

① 王树民:《廿二史劄记校证》卷三二"明宫人殉葬之制"条,北京:中华书局,1984年,下册,第753页。参见刘精义:《明代统治者的殉葬制度》,《史学月刊》1983年第4期,第44—47页;黄展岳:《明清皇室的宫妃殉葬制》,《故宫博物院院刊》1988年第1期,第29—34页。

代人也",长子俊,泰常元年卒,太宗痛悼之,陪葬金陵,"俊既卒,太宗命其妻桓氏曰:'夫生既共荣,没宜同穴,能殉葬者可任意。'桓氏乃缢而死,遂合葬焉"。不过这两者都是妻妾殉夫的例子,不够典型。

突厥。突厥的人殉之俗缺乏明确的史料记载,只能在《资治通鉴》中找到一个间接的证据:太宗死后,"阿史那社尔、契苾何力请杀身殉葬,上遣人谕以先旨不许"[1]。此二人虽是请求为唐太宗殉葬以示效忠,但据此不难推知,在突厥社会中当有近臣殉主的成例。

回纥。据《新唐书》卷二一七《回鹘传》,回纥毗伽可汗娶唐宁国公主,"可汗死,国人欲以公主殉,主曰:'中国人婿死,朝夕临,丧期三年,此终礼也。回纥万里结昏,本慕中国,吾不可以殉。'乃止"。《旧唐书》卷一九五《回纥传》所记略同。

吐蕃。《旧唐书》卷一九六上《吐蕃传》曰:"其赞普死,以人殉葬,衣服珍玩及尝所乘马、弓剑之类,皆悉埋之。"曾于穆宗长庆元年(821)受命担任吐蕃会盟使的刘元鼎,记其出使吐蕃的沿途见闻说:"山多柏,陂皆丘墓,旁作屋,赭涂之,绘白虎,皆夷贵人有战功者,生衣其皮,死以旌勇,殉死者瘞其旁。"[2]

女真。《三朝北盟会编》卷三记女真葬俗:"死者埋之而无棺椁。贵者生焚所宠奴婢、所乘鞍马以殉之。"此段文字又见于《大

---

①《资治通鉴》卷一九九唐贞观二十三年八月庚寅,北京:中华书局,1982年,第13册,第6269页。

②刘元鼎:《使吐蕃经见记略》,《全唐文》卷七一六,北京:中华书局,1983年,第8册,第7360页。

金国志》卷三九"初兴风土",乃系抄自《会编》者①。

　　蒙古。蒙古的人殉制虽不见于元代汉文文献,但在蒙元时代的域外文献中却不乏记载,如《世界征服者史》和《史集》都记述了太宗窝阔台用 40 名女子为成吉思汗殉葬的传说②。另外一个流传甚广的故事,称蒙古合罕死后须归葬于阿勒台山,送葬途中见人辄杀,皆以之作为殉人,据说蒙哥汗出葬时,沿途所杀之人多达二万有余③。1245 年作为教皇的使节出使蒙古的普兰诺·加宾尼,在他写给教皇的报告中谈到蒙古君长以人殉葬的情况:"在把尸体放入墓穴时,他们把他生前宠爱的奴隶放在尸体下面。这个奴隶在尸体下面躺着,直至他几乎快要死去,这时他们就把他拖出来,让他呼吸;然后又把他放到尸体下面去,这样他们一连搞三次。如果这个奴隶幸而不死,那么,他从此以后就成为一个自由的人。"④直至 16 世纪,在漠南蒙古人社会中仍有人殉现象,据明萧大亨《北虏风俗》说:"初,虏王与台吉之死也,亦略有棺木之具,并其生平衣服、甲胄之类,俱埋于深僻莽苍之野。死之日,尽

---

① 有关女真的人殉制,这是目前能够看到的唯一的一条史料,黄展岳先生仅根据宋人的这一记载就得出"女真族盛行生殉奴马习俗"的结论(见前揭《古代人牲人殉通论》,第 276—277 页),似嫌说服力不足。
② 志费尼(Juvaini):《世界征服者史》,何高济译,北京:商务印书馆,2004年,上册,第 206—207 页;拉施特(Rashid al-Din Fadl Allah)《史集》第 2 卷,余大钧、周建奇译,北京:商务印书馆,1997 年,第 30 页。
③ 沙海昂注,冯承钧译:《马可波罗行纪》第 68 章,北京:中华书局,2004年,第 237—238 页。
④ 约翰·普兰诺·加宾尼(John of Plano Carpini):《蒙古史》,见道森编:《出使蒙古记》,吕浦译,周良霄注,北京:中国社会科学出版社,1983年,第 14 页。

杀其所爱仆妾、良马,如秦穆殉葬之意。"①

满族。上文谈到,清初亦有源自满洲传统的人殉制,据《满洲实录》《太祖实录》《太宗实录》《世祖实录》《东华录》等史籍记载,从后金努尔哈赤时代直至清世祖福临,都曾用宫妃或男性奴仆殉葬,康熙以后始被明令废止。由于满族人殉制的材料较为丰富,近年来引起了不少学者关注②。但除此之外,对于中国历史上诸少数族普遍存在的人殉之俗,迄今尚未见有学者进行专题研究。

以上所述历代诸族人殉制,除满族外,其他往往只能在传世汉文文献中见到一鳞半爪的史料记载,若深究其史源,则大抵是来自异邦的传闻,且无法获得考古资料的验证。相形之下,有关契丹人殉制的材料相对来说略为充实,其形态也较为丰富,值得我们进行深入探讨。另外,辽金元时代"烧饭"之俗与殉葬之间的关系,是学术界长期以来颇有争议的一个话题,本文也将连带加以讨论。

二、辽宋文献中所见契丹人殉之俗

契丹社会的人殉制始于何时,目前已无从详考。《辽史》卷一《太祖纪上》有这样一段记载:神册三年(918)四月,"皇弟迭烈哥

①萧大亨:《夷俗记·北虏风俗》"葬埋"条,《北京图书馆古籍珍本丛刊》影印明万历二十二年自刻本,北京:书目文献出版社,1999 年,第 11 册,第 627 页。
②参见前揭黄展岳:《明清皇室的宫妃殉葬制》;冯秋雁:《清初陵寝之殉葬》,《满族研究》2000 年第 2 期,第 29—34 页;葛玉红:《论清代人殉制度的演变》,《满族研究》2000 年第 4 期,第 39—42 页;孙继艳:《从安达里殉葬墓的发掘谈清初的人殉制度》,《满族研究》2006 年第 1 期,第 79—81 页。

谋叛,事觉,知有罪当诛,预为营圹,而诸戚请免。上素恶其弟寅底石妻涅里衮,乃曰:‘涅里衮能代其死,则从。’涅里衮自缢圹中,并以奴女古、叛人曷鲁只生瘗其中。遂赦迭烈哥"。有学者将这条材料视为契丹社会存在人殉现象的证据①,似乎不妥。女古、曷鲁只二人被活埋,应该理解为太祖惩处谋叛者的一个措施,与人殉似无关涉②。

传世文献中有关契丹人殉的明确记载,最早见于 10 世纪中叶,《辽史》卷七七《耶律颓昱传》曰:

> 世宗即位,为惕隐。天禄三年,兼政事令,封漆水郡王。及穆宗立,以匡赞功,尝许以本部大王。后将葬世宗,颓昱恳言于帝曰:"臣蒙先帝厚恩,未能报;幸及大葬,臣请陪位。"帝由是不悦,寝其议。薨。

耶律颓昱所谓"臣请陪位"者,显然是要求为世宗殉葬。穆宗耶律璟乃太宗长子,在太宗朝曾被视为皇位继承者之一,因此他对世宗称帝一直耿耿于怀,及至穆宗即位,凡当初拥立世宗者即多被疏远。耶律颓昱主动提出为世宗殉葬,自然引得穆宗不满,于是便没有同意他的要求。虽然这是一个没有结果的臣子殉主的故事,但它清楚地表明了在契丹社会中存在人殉之俗的事实。

---

① 参见漆侠、乔幼梅:《辽夏金经济史》,保定:河北大学出版社,1994 年,第 160 页;张邦炜:《辽、宋、西夏、金时期少数民族的丧葬习俗》,《四川大学学报》1997 年第 4 期,第 86—93 页。

② 《辽史》卷六一《刑法志上》谓辽初"权宜立法",有"枭磔、生瘗、射鬼箭、砲掷、支解之刑"(第 937 页),可见女古、曷鲁只二人被"生瘗"一事,其性质应属太祖之施行刑法。

景宗死后曾以人殉葬,这在《辽史》中有明确的记载:统和元年(983)正月丙子,"渤海挞马觯里以受先帝厚恩,乞殉葬,诏不许,赐物以旌之";二月甲午,"葬景宗皇帝于乾陵,以近幸朗、掌饮伶人挞鲁为殉,上与皇太后因为书附上大行"①。有意思的是,先是渤海挞马觯里主动要求为景宗殉葬未被允许,而后却以近幸朗、掌饮伶人挞鲁殉葬。——由此不难看出,按照当时的惯例,殉人的对象主要应是皇帝生前的近侍。

辽代石刻中也有一条能够反映契丹人殉之俗的重要史料,统和四年(986)《耶律延宁墓志》曰:

> 公讳延宁,其先祖已来是皇亲。……景宗皇帝念是忠臣之子,致于近侍。始授保义功臣、崇禄大夫、检校太保、行左金吾卫大将军、兼御史大夫、上柱国、漆水县开国子、食邑五百户。公尽忠尽节,竭力竭身。景宗皇帝卧朝之日,愿随从死。今上皇帝念此忠赤,特宠章临,超授保义奉节功臣、羽厥里节度使、特进、检校太尉、同政事门下平章事、上柱国、漆水县开国伯,食邑七百户。②

该墓志 1964 年出土于辽宁省朝阳县的一座辽墓中,是一方汉文与契丹大字合璧的墓志,志石右上部刻有契丹大字 19 行,下半部及左侧刻有汉文 24 行,但两者不是对译的。根据目前对契

---

① 《辽史》卷一〇《圣宗纪一》,北京:中华书局,2000 年,第 1 册,第 108—109 页。
② 向南编著:《辽代石刻文编》,石家庄:河北教育出版社,1995 年,第 85 页。

丹大字《耶律延宁墓志》的解读来判断,其中并没有与上述内容相对应的文字①。

从以上几条例证来看,解里和耶律延宁自愿为景宗殉葬,虽未被允许,但都受到了当朝皇帝或太后的嘉许,或"赐物以旌之",或"特宠章临";至于耶律颓昱请求为世宗殉葬,惹得穆宗"不悦",则是另有缘故。由此可见,至少在辽朝前期,近臣、近侍为皇帝殉葬显然是受到支持和鼓励的行为,但殉人的对象主要还是皇帝生前的近侍,故解里、耶律延宁、耶律颓昱自愿殉葬的请求最终都不了了之。

除了辽朝皇帝的殉葬制之外,有关契丹社会人殉之俗的史料极为有限,所幸的是我们可以从宋代文献中找到一些宝贵的线索。《续资治通鉴长编》卷五五真宗咸平六年(1003)七月己酉有这样一段记载:

> 契丹供奉官李信来归。信言其国中事云:"戎主之父明记,号景宗,后萧氏,挟力宰相之女。……女三人:长曰燕哥,年三十四,适萧氏弟北宰相留住哥,伪署驸马都尉;次曰长寿奴,年二十九,适萧氏侄东京留守悖野;次曰延寿奴,年二十七,适悖野母弟肯头。延寿奴出猎,为鹿所触死,萧氏即缢杀肯头以殉葬。"②

----

① 辽宁省博物馆文物工作队:《辽代耶律延宁墓发掘简报》,《文物》1980年第7期,第18—22页;刘凤翥、于宝林:《〈耶律延宁墓志〉的契丹大字释读举例》,《文物》1984年第5期,第80—81页。

② 此段文字末有李焘注云:"《实录·契丹附传》以隆绪为梁王而不载其弟所封国名,正传则以隆绪为常王,未知孰是,当考。"据此可以判断这段文字的史源所自,《实录·契丹附传》指《真宗实录》之契丹附传,而所谓"正传"当指《三朝国史·契丹传》。

此段记载又见于《宋会要辑稿·蕃夷》一之二六至二七,文字几乎全同,当出自同一史源。《契丹国志》卷一三《景宗萧皇后传》也记有此事,则应是节抄《长编》而成。

来自契丹的归明人李信所介绍的这些情况,大致可以得到辽朝方面的史料印证。据《辽史》卷六五《公主表》,景宗睿智皇后(即《长编》所称"萧氏")生有三女:第一观音女,封齐国公主,适北府宰相萧继先;第二长寿女,封卫国公主,适萧排押;第三延寿女,封越国公主,适萧恒德。按《长编》所称景宗长女燕哥即观音女[1],萧继先《辽史》有传,称其"小字留只哥",知《长编》所谓"留住哥"乃其异译;景宗次女长寿奴即长寿女,三女延寿奴即延寿女,萧排押、萧恒德二人系兄弟,《辽史》卷八八有传,称萧排押尚卫国公主,其弟萧恒德尚越国公主,《长编》所谓"悖野"即"排押"之异译,"肯头"即"恒德"之异译[2]。如此看来,李信所提供的上述信息确实值得我们认真对待。

据李信说,延寿奴出猎时不幸被鹿触死,承天太后遂缢杀驸马都尉萧肯头(萧恒德)来为公主殉葬。然而《辽史·萧恒德传》却是另一种说法:"统和元年,尚越国公主,拜驸马都尉。……十四年,为行军都部署,伐蒲卢毛朵部。还,公主疾,太后遣宫人贤释侍之,恒德私焉。公主恚而薨,太后怒,赐死。后追封兰陵郡王。"关于萧恒德的死因,《辽史》和归明人李信的说法似乎截然不同,如果换一种解释,也许我们会发现这两说其实并无矛盾:萧恒

---

[1] "燕哥"系其契丹语小名,"观音女"则应是汉名。

[2] 《辽史》卷一〇《圣宗纪一》统和三年八月癸酉,"命枢密使耶律斜轸为都统,驸马都尉萧恩德为监军,以兵讨女直"。此"萧恩德"即"萧恒德"之异译,宋人译作"肯头",与"恩德"一名音近。

德因与宫女贤释有私情而惹恼公主可能确有其事,恰好此时延寿奴出猎时不幸被鹿触死,承天太后便迁怒于萧恒德,将其缢杀为公主殉葬。李信对延寿奴和萧恒德的死因介绍得非常具体明确而又合情合理,恐非无稽之谈,而《辽史·萧恒德传》则可能忽略了某些细节。总之,萧恒德之死应该可以反映辽朝前期契丹社会人殉之俗的遗存,而且他为公主殉葬显然并非出于本人自愿。

如上所述,目前辽宋文献所见契丹原始葬俗中的人殉现象,最晚的一条记载是在圣宗统和十四年(996),从种种迹象来看,契丹传统的人殉制大约从 10 世纪末日渐式微。契丹人殉之俗的由盛而衰,从一个侧面反映了这个民族在融入汉文化圈一个世纪之后,其社会礼俗制度所发生的某些根本性变化。当然,这种趋势绝非一个孤立的现象,不妨再举两例。

其一,青牛白马祭仪的消亡。以青牛白马祭天地是契丹人古老的传统礼俗,辽朝前期,凡国有大事,尤其是兵戎之事,照惯例都要行此祭礼,直至西辽时代仍能看到这一传统的孑遗。《辽史》卷三四《兵卫志上》说:"凡举兵,帝率蕃汉文武臣僚,以青牛白马祭告天地、日神,惟不拜月,分命近臣告太祖以下诸陵及木叶山神,乃诏诸道征兵。"据冯家昇先生统计,辽朝用青牛白马祭天地者共计 24 次,其中太祖朝 3 次,穆宗朝 1 次,景宗朝 6 次,圣宗朝 12 次(按实为 11 次),另西辽德宗朝 2 次。值得注意的是,自圣宗统和二十三年(1005)以后直至辽朝末年,包括兴宗、道宗、天祚帝三朝在内,却再也看不到这一祭仪[1]。

---

①冯家昇:《契丹祀天之俗与其宗教神话风俗之关系》,原载燕京大学《史学年报》1 卷 4 期,1932 年 6 月;收入《冯家昇论著辑粹》,北京:中华书局,1987 年,第 51—69 页。

其二,圣宗以后屡禁丧祭之礼杀生。契丹盛行牲殉之俗,尤喜杀马为殉,但自圣宗统和以后,却屡屡见到禁丧祭之礼杀生的诏令:如圣宗统和十年(992)正月丁酉,"禁丧葬礼杀马";兴宗重熙十一年(1042)十二月丁卯,"禁丧葬杀牛马及藏珍宝";又重熙十二年六月丙午,"诏世选宰相、节度使族属及身为节度使之家,许葬用银器,仍禁杀牲以祭";道宗清宁十年(1064)十一月辛未,"禁六斋日屠杀";咸雍七年(1071)八月辛巳,"置佛骨于招仙浮图,罢猎,禁屠杀"①。从前引冯文的统计结果中可以看到,辽朝前期除了以青牛白马祭天地之外,也常以黑白羊或其他野兽野禽作为祭祀的牺牲,而兴宗、道宗、天祚帝三朝却仅有一次用动物(黑白羊)祭天地的例子。

上述现象应当作何解释? 冯家昇先生认为这与契丹人的佛教信仰有关。辽朝以崇佛著称,以至后人有"辽以释废"之说,而辽朝佛教之发达,圣宗时期是一个分水岭②。另外,儒家文化的影响也是一个应该考虑的因素,圣宗以后,辽朝的汉化色彩明显强化,契丹人被打上了越来越多的汉文化的烙印。因此我们很容易理解,佛教信仰和儒家文化在多大程度上改变了契丹传统的礼俗制度,圣宗以后就连丧祭之礼的杀生都遭到禁止,人殉制度的式微也就是理所当然的事情了。

然而,问题却并非如此简单,事情的复杂性在于:直至辽末,契丹社会的人殉现象似乎仍时有所见。《辽史》卷一〇七《列女

①以上均见《辽史》帝纪。
②参见刘浦江:《辽金的佛教政策及其社会影响》,原载《佛学研究》第 5 辑,中国佛教文化研究所,1996 年;收入氏著《辽金史论》,沈阳:辽宁大学出版社,1999 年,第 304—322 页。

传》记载了两个契丹女子殉夫的故事：

> 耶律尤者妻萧氏，小字讹里本，国舅孛董之女。……及居尤者丧，极哀毁。既葬，谓所亲曰："夫妇之道，如阴阳表里。无阳则阴不能立，无表则里无所附。妾今不幸失所天，且生必有死，理之自然。尤者早岁登朝，有才不寿。天祸妾身，罹此酷罚，复何依恃。倘死者可见，则从；不可见，则当与俱。"侍婢慰勉，竟无回意，自刃而卒。
>
> 耶律中妻萧氏，小字挼兰，韩国王惠之四世孙。聪慧谨愿。年二十归于中，事夫敬顺，亲戚咸誉其德。……及金兵徇地岭西，尽徙其民，中守节死。挼兰悲戚不形于外，人怪之。俄跃马突出，至中死所自杀。

此两人中，耶律中妻萧挼兰死于辽末，传中已交代得很清楚，而耶律尤者妻萧讹里本则时代不详。按《列女传》立传者凡五人，皆以时代先后为序，萧讹里本传列于耶律奴妻萧意辛传之后，而萧意辛卒于天祚保大间，由此可推知萧讹里本亦应为辽末人。

上文指出，契丹传统的人殉制从 10 世纪末已趋于式微，那么这两个契丹女子殉夫的故事又当作何解释呢？从《列女传》的记载看得很清楚，萧挼兰和萧讹里本显然都是儒家文化价值观的牺牲品，她们的殉节行为与契丹传统人殉制的性质是截然不同的。自北宋以后，由于程朱理学和礼教社会的影响，妇女殉节的现象相当普遍，清人方苞对此深有感触："尝考正史及天下郡县志，妇人守节死义者，秦、周前可指计，自汉及唐亦寥寥焉。北宋以降，则悉数之不可更仆矣。盖夫妇之义，至程子然后大明。……而

'饿死事小,失节事大'之言,则村农市儿皆耳熟焉。"①明清方志中普遍可以看到以表彰殉节为主要内容的《列女传》,就颇能说明问题。而元朝史官之所以把萧授兰和萧讹里本列入《辽史·列女传》,也正是将她们的殉节行为视为值得表彰的礼教典范,可见这与契丹原始葬俗中的人殉现象完全不是一回事儿,两者不可混为一谈。

不过,有记载表明,直至金元之际,契丹社会中仍有人殉制的残留。何道宁为终南山重阳万寿宫无欲观妙真人李志远所作的本行碑中,记有这样一个故事:辛丑(1241),京兆府"太傅移剌宝俭其母死,欲以二婢为殉,公以古葬礼正之,始罢议。凡契丹人以人殉死者,弊因以革"②。据周清澍先生考证,移剌宝俭即耶律秃花之子耶律朱哥,这是金元之际世居桓州的一个契丹人家族③。耶律朱哥母死后,曾有"以二婢为殉"的动议,事虽未果,但由此可以看出契丹社会中的人殉现象即便在数百年后也尚未完全绝迹。

三、人殉之变种——割体葬仪

辽宋文献中有太祖述律后"断腕"的故事,历来为史家所乐

---

①《方苞集》卷四《岩镇曹氏女妇贞烈传序》,刘季高校点,上海:上海古籍出版社,1983年,上册,第105页。

②何道宁:《终南山重阳万寿宫无欲观妙真人李公本行碑》,《甘水仙源录》卷六,见《道藏》第19册,北京:文物出版社、上海:上海书店、天津:天津古籍出版社,1988年,第768页。

③耶律朱哥见《元史》卷一四九《耶律秃花传》,第3532页。参见周清澍:《元桓州耶律家族史事汇证与契丹人的南迁(上)》,《文史》1999年第4辑,第191—202页。

道。宋代文献里有关此事的最早记载见于《新五代史》：

> 述律为人多智而忍。阿保机死，悉召从行大将等妻，谓曰："我今为寡妇矣，汝等岂宜有夫。"乃杀其大将百余人，曰："可往从先帝。"左右有过者，多送木叶山，杀于阿保机墓隧中，曰："为我见先帝于地下。"大将赵思温，本中国人也，以材勇为阿保机所宠，述律后以事怒之，使送木叶山，思温辞不肯行。述律曰："尔，先帝亲信，安得不往见之？"思温对曰："亲莫如后，后何不行？"述律曰："我本欲从先帝于地下，以子幼，国中多故，未能也。然可断吾一臂以送之。"左右切谏之，乃断其一腕，而释思温不杀。①

此乃目前所能见到的这个故事最为详尽的一个版本，稍后于此的《资治通鉴》两处叙及此事，但并没有超出《新五代史》的内容②。曾于北宋末年出使辽朝的宋人刘跂，在他所作的一首使辽诗中也提到这个传说："礼为王人重，关亭道路除。荒城初部落，名镇古巫闾。习俗便乘马，生男薄负锄。传闻断腕地，岁岁作

---

① 《新五代史》卷七三《四夷附录二》，北京：中华书局，1986年，第3册，第902—903页。又《五代会要》卷二九"契丹"记辽太宗死后诸将拥立世宗事，称"其诸部首领，素畏述律氏之酷法，复以阿保机死于渤海国，被杀者百人，今德光没于汉地，虑必获罪如前"云云，按王溥《五代会要》成书于乾德元年（963），其史源出自五代诸朝实录，此处虽未述及述律后断腕事，但既云阿保机死后"被杀者百人"，似可说明早在五代实录中已有述律后杀殉诸将的记载。
② 《资治通鉴》卷二七五后唐明宗天成元年七月辛巳、天成二年正月，第19册，第8991、9001页。

楼居。"①此诗末两句所指很明确,所谓"断腕地"即指传说中述律后断腕之地的辽上京临潢府,上京亦称"西楼",故曰"岁岁作楼居"。刘跂诗中提到的这个"传闻",或许是来自宋代文献,或许是得自辽人口中。

《辽史》一书虽有两处涉及此事,但均未详述其细节。一处是卷七一《太祖淳钦皇后传》:"太祖崩,后称制,摄军国事。及葬,欲以身殉,亲戚百官力谏,因断右腕纳于枢。"另一处见于卷三七《地理志》"上京道"下:"太祖崩,应天皇后于义节寺断腕,置太祖陵,即寺建断腕楼,树碑焉。"在追索这两条史料的源头时,笔者注意到了《契丹国志》的这段文字:"太祖之崩也,后屡欲以身为殉,诸子泣告,惟截其右腕,置太祖枢中,朝野因号为'断腕太后',上京置义节寺,立断腕楼,且为树碑。"②据冯家昇先生研究,《契丹国志》与辽耶律俨《皇朝实录》、金陈大任《辽史》三书共同构成了元修《辽史》的主要史源③。将上面所引《辽史》与《契丹国志》加以对照,可以看出两者之间存在着明显的源流关系。《契丹国志》旧题南宋叶隆礼撰,实出于元朝书贾之手,其内

①刘跂:《学易集》卷三《使辽作十四首》之三,台湾商务印书馆影印文渊阁《四库全书》本,第 1121 册,第 551 页;又见《永乐大典》卷一〇八七七"虏"字韵,北京:中华书局,1986 年,第 5 册,第 4478 页。按刘跂乃尚书右仆射刘挚之子,登元丰二年进士第,卒于政和末,其使辽年代不详。

②《契丹国志》卷一三《太祖述律皇后传》,上海:上海古籍出版社,1985 年,第 139 页。

③参见冯家昇:《辽史源流考》,见《冯家昇论著辑粹》,北京:中华书局,1987 年,第 117—130 页。

容均杂采自两宋史籍①。因此,《辽史》一书与此事有关的记载很可能是源于宋代文献②。

这个传说的主角之一是赵思温,但《辽史·赵思温传》并没有记载这个故事,在辽金文献系统中,只有元初王恽《卢龙赵氏家传》提到了赵思温与此事的关系:

> 初,辽祖殂,后述律氏智而忍,悉召大将妻谕曰:"我今寡处,汝等岂宜有夫。"复谓诸将曰:"可往从先帝于地下。"有过者多杀于木叶山墓隧中。公后以事忤后,使送木叶山,辞不行,曰:"亲宠莫后,若何不往?"曰:"子幼国疑,未能也。"乃断其一腕以送之,直公而杀。平昔守正不屈类如此。③

这是元成宗大德三年(1299)翰林学士王恽为卢龙赵思温家族撰写的一篇家传。韩、刘、马、赵被称为辽金四大汉人家族,其中的赵氏就是指赵思温一族。据王恽说,此文的资料来源于"访缉谱牒"所得,故可将其归入辽金文献系统,但《卢龙赵氏家传》的这段文字与上文所引《新五代史》的内容完全吻合,估计其最初的

---

① 参见刘浦江:《关于〈契丹国志〉的若干问题》,《史学史研究》1992 年第 2 期;《〈契丹国志〉与〈大金国志〉关系试探》,《中国典籍与文化论丛》第 1 辑,北京:中华书局,1993 年。均收入《辽金史论》,沈阳:辽宁大学出版社,1999 年,第 323—356 页。

② 有关述律后"断腕"的故事,《契丹国志》卷一《太祖大圣皇帝》及卷一三《太祖述律皇后传》均有详细记载,主要取资于《资治通鉴》,但其中"上京置义节寺,立断腕楼,且为树碑"云云为《新五代史》和《通鉴》所无,当另有出处。

③ 王恽:《秋涧先生大全集》卷四八,《四部丛刊》本,叶 5b-6a。

史源也是来自于宋代文献。

对于辽宋文献中的这个传说,陈述先生认为存在两个疑点:第一,述律后杀诸将于太祖墓,此举不近情理,即令有殉葬之俗,也不可能用许多大将来殉葬;第二,赵思温抗辩不从,述律后反断己腕而释思温,亦于情理不合①。根据上文对辽宋文献中相关史料源流的梳理,可知这个传说最初见于《新五代史》,而且目前辽金文献系统有关此事的记载很可能也是源于宋代文献。尽管如此,我们在《辽史》中还是能够找到某些线索,有助于讨论这个传说的真实性问题。

《辽史》卷七四《康默记传》末云:天显二年(927),"既破回跋城,归营太祖山陵毕,卒。佐命功臣其一也"。据《辽史·太祖纪》,天显元年七月辛巳,太祖崩;壬午,"皇后称制,权决军国事";次年八月丁酉,"葬太祖皇帝于祖陵"。《辽史》谓康默记"归营太祖山陵毕",而后突然书一"卒"字,不能不让人生疑,故王民信先生怀疑康默记乃是太祖下葬时被杀殉的②。又《辽史》卷七五《耶律铎臻传》曰:"铎臻幼有志节,太祖为于越,常居左右。……及淳钦皇后称制,恶铎臻,囚之,誓曰:'铁锁朽,当释汝!'既而召之,使者欲去锁,铎臻辞曰:'铁未朽,可释乎?'后闻,嘉叹,趣召释之。天显二年卒。"耶律铎臻是述律后想要清除的太祖功臣之一,《辽史》虽未交代其死因,但他恰好也卒于天显二年,如果不是巧合的话,则也有可能是被述律后诛杀以殉太祖的。

---

①陈述:《契丹政治史稿》,北京:人民出版社,1986年,第69—71页。
②王民信:《辽朝时期的康姓族群——辽朝汉姓集团研究之一》,原载《第二届宋史学术研讨会论文集》,台北,1996年;收入《王民信辽史研究论文集》,台北:台湾大学出版中心,2010年,第124页。

综上所述,《辽史》所记康默记、耶律铎臻二人之死,似乎暗合述律后以殉葬之名诛杀诸将的传说。虽然这个传说的具体细节可能会与实际情况颇有出入,如"被杀者百人"(《五代会要》)、"杀其大将百余人"(《新五代史》)、"前后所杀以百数"(《通鉴》)、"杀诸将数百人"(《契丹国志》)云云显然过于夸张,又如述律后断腕也许是断指之讹传;但从种种迹象来判断,此事恐非无中生有。

自北宋以后,述律后"断腕"的故事广为流传,为人们津津乐道。而我们想要追问的是,这个故事里究竟蕴涵着什么特别的意义? 其实,笔者最感兴趣的并非述律后是否曾以殉葬之名诛杀诸将,而是她断腕以殉太祖的行为。这种行为实际上是人殉的一种变相形式,在人类学上被称之为"割体葬仪"。

割体葬仪主要有两种类型,一种是死者的割体葬,一种是生者的割体葬。死者的割体葬主要见于我国新石器时代墓葬中,是指埋葬亲属或氏族成员时有意识地割裂尸体的某一部分并将其随葬的一种葬俗,就现已发表的考古材料来看,一般多见骨架中缺失指骨、趾骨或腿骨的例子,而有的墓葬则随葬有指骨或趾骨①。关于这种葬俗的宗教意义,一般认为是出于"厌胜巫术"的目的②,也有学者将死者割体理解为奉献给冥世神灵的牺牲③。

---

① 容观夐:《释新石器时代的"割体葬仪"》,《史前研究》1984 年第 4 期,第 23—25 页。
② 肖兵:《略论西安半坡等地发现的"割体葬仪"》,《考古与文物》1980 年第 4 期,第 73 页;宋兆麟:《日月之恋》"割体葬",上海:上海文艺出版社,1997 年,第 209—213 页。
③ 李健民:《我国新石器时代断指习俗试探》,《考古与文物》1982 年第 6 期,第 53—55 页。

生者的割体葬多见于中外历史文献和民族志材料,是指举行葬礼时送葬者的某种自残行为。自残的形式很多,其中以切断指骨为最常见。世界民族志资料中有许多这样的例子,如美国西部草原的克劳人、达科他人,南非的布须曼人,波利尼西亚群岛的萨摩亚人,巴布亚岛上的马富卢人,美拉尼西亚斐济岛土人,澳大利亚新南威尔士土人和新几内亚西部的高地人,都有砍掉自己的手指奉献给部落酋长或丈夫的习俗。除了这种形式外,其他常见的割体形式还有刺破头皮,抓破面孔,烧烫胸、臂、腿、股,打掉门牙,割舌,切耳,或撕破耳垂等等①。对于这种做法的目的和动机,主要有两种不同的解释。一种观点认为,原始人祭祀时多用人牲,后来以伤残部分肢体作为替代,最后才以其他动物代替人类作为牺牲,即认为这种割体葬是人牲的替代形式②;另一种意见认为,由于人殉所付出的代价太高,人们便采用自残的行为来表示自己与死者之间的亲密关系,因此认为生者的割体葬主要是人殉的一种变通形式,但同时也不否认它可以作为人牲的替代方式而出现③。

　　这一分歧的出现与如何界定割体葬仪的概念有关,有些人类学家和考古学家对于割体葬仪存在着某些概念误区,如容观夐、李健民等均将死者的割体葬和生者的割体葬混为一谈,他们在讨论这个问题时所举出的考古材料均为死者割体葬,引证的文献资

①参见容观夐:《释新石器时代的“割体葬仪”》,第23—25页。
②拉法格(Paul Lafargue):《宗教和资本》,王子野译,北京:三联书店,1963年,第31—32页。容观夐《释新石器时代的“割体葬仪”》、李健民《我国新石器时代断指习俗试探》也倾向于这种解释。
③黄展岳:《古代人牲人殉通论》,第7—8页。

料却又基本上都是生者割体葬,而未对两者加以区分①。须知这两种类型的割体葬仪所包含的意义是完全不同的,文献中所见生者割体葬,割体者一般都是死者的亲属或部属,这种割体葬显然不可能是人牲的替代形式,而只能将其视为人殉的变种。

上文说过,生者的割体葬有各种各样的自残方式,广泛见于中外历史文献及人类学和民族志材料。这种习俗最早可以追溯至旧石器时代晚期,1887 年在法国南部比利牛斯山区发现的加尔加斯(Gargas)洞穴,其中保存有约 3 万年前的史前人类留下的壁画、绘画和浮雕,最引人注目的是洞壁上的 150 余个手印,被称为"手印岩画"。由于这些手印绝大多数为阴型手印,故一般认为它的创作方法是将手贴在岩壁上,用红色的赭石颜料或黑色的氧化锰吹喷在上面而形成的手的轮廓。法国史前考古学家安德列·勒鲁瓦—古昂指出,这些手印中"有许多似乎残缺了一个或几个手指,据人种史的某些例证,寡妇在丧失丈夫时斩断自己的手指节,因此这类残缺就作为旧石器时代的奇风异俗而进入史前文献中"②。历史文献中所见割体葬仪的形式则更为丰富,在希罗多

---

① 见前揭容观夐《释新石器时代的"割体葬仪"》、李健民《我国新石器时代断指习俗试探》,以及容观夐、乔晓勤《民族考古学初论》,南宁:广西民族出版社,1992 年,第 87—89 页。

② 安德列·勒鲁瓦—古昂(André Leroi-Gourhan):《史前宗教》,俞灏敏译,上海:上海文艺出版社,1990 年,第 113—115 页。美国古人类学家约翰·内皮尔注意到,加尔加斯洞穴中许多人手的轮廓图画往往缺失手指最末端的指骨,并且这些断指的手总是左手,说明早期人类一定以使用右手为主,所以他们在哀悼死者时一般不会割掉常用的右手手指——他试图通过这种现象来解释人类右手主导性起源,参见约翰·内皮尔(John Napier):《手》,陈淳译,上海:上海科技教育出版社,2001 年,第 124—128 页。实际上,类似的手印岩画在欧洲旧石(转下页注)

德《历史》中就可以看到这样的现象,古希腊斯奇提亚人在为国王送葬时,送葬者和王族成员都要做同样的事:"他们割掉他们的耳朵的一部分,剃了他们头,绕着他们的臂部切一些伤痕,切伤他们的前额和鼻子并且用箭刺穿他们的左手。"[1]据摩尔根说,印第安人克劳部有一种传统的习俗,如某人曾赠送礼物给他的朋友,他死后这些朋友必须表现出某种公认的哀悼行为,如在葬礼时切断自己的一节手指,或将财物归还亡友所属氏族[2]。此外还有人类学家更详细地描述了克劳人的葬俗:送葬者割掉自己的一节手指,割破大腿,从手腕上撕下一条条皮肉,戳破头皮,直至全身鲜血淋漓[3]。以上种种,都是很典型的割体葬仪(生者割体葬)。

在汉语文献中也可以看到类似的葬俗。如《梁书》记述中亚古国嚈哒人的葬俗说:"葬以木为椁。父母死,其子截一耳,葬讫即吉。"[4]《建炎以来系年要录》讲述了这样一个故事:南宋初,陈过庭奉使金朝,被羁留不遣,后于建炎四年(1130)卒于金,"既死,以北俗焚之,其卒又自剔股肉,投之于火,曰:'此肉与相公同焚。'

(接上页注)器时代的许多岩画洞穴中都有发现,朱狄先生曾就这些残缺手印的意义做过详细讨论,参见朱狄:《艺术的起源》,武汉:武汉大学出版社,2007年,第135—146页。

[1]希罗多德:《历史》,王以铸译,北京:商务印书馆,2001年,上册,第292页。

[2]路易斯·亨利·摩尔根:《古代社会》,杨东莼等译,北京:商务印书馆,1995年,上册,第156—157页。

[3]乔治·彼得·穆达克:《我们当代的原始民族》,童恩正译,四川省民族研究所,1980年,第178页。

[4]《梁书》卷五四《诸夷·滑国传》,北京:中华书局,1983年,第3册,第812页。

其感人如此"①。此处所称"其卒"当是指看守侍从他的金人,这可能反映了女真的一种葬俗。明人田汝成曾任职于广西布政司,对西南地区少数民族的情况十分熟悉,据他介绍说,湘黔一带犵狫人分为五个族群,其中之一被称为"打牙犵狫",并解释其得名之由:"父母死,则子妇各折其二齿投之棺中,云以赠永诀也。"②《罪惟录》也有类似的记载,谓"子妇各折其二齿殉棺中"③,这个"殉"字更确切地表达了该行为的性质④。又乾隆《福州府志》有明人刘复之妻断指殉夫的故事:"复之病笃,疑少妇不能为孤地,刘乃啮一指殉棺中以誓,嫠守六十余年。"⑤这些葬俗虽然分属于不同时代的不同民族,看似形式各异,但就其性质而言,均可纳入割体葬仪的范畴。

值得注意的是,在阿尔泰诸民族中,有一种形式的割体葬仪尤为盛行,这就是所谓的"剺面"葬俗。这种葬俗最早见于匈奴。据《后汉书·耿秉传》,东汉章帝时,以耿秉为度辽将军,"视事七年,匈奴怀其恩信",后"匈奴闻秉卒,举国号哭,或至黎面流血"。

---

①《建炎以来系年要录》卷一四九绍兴十三年八月庚子条,北京:中华书局,1988 年,第 4 册,第 2405 页。
②田汝成:《炎徼纪闻》卷四"蛮夷",台湾商务印书馆影印文渊阁《四库全书》本,第 352 册,第 652—653 页。按犵狫即今仡佬族,属汉藏语系民族。
③查继佐:《罪惟录》列传卷三四《蛮苗列传·四川诸蛮苗》,《四部丛刊三编》本,叶 26a。
④据说至今广西隆林仡佬族仍有此种习俗,老人死去后,其子必打掉一枚牙齿放入棺内随葬,以表示与死者之间的血缘关系。参见宋兆麟:《民族志中的割肢葬》,《中原文物》2003 年第 2 期,第 20 页。
⑤乾隆《福州府志》卷六五《列女传一》,乾隆十九年刻本,叶 5b。

李贤注:"'黎'即'剺'字,古通用也。剺,割也。"①很显然,这与上文谈到的古希腊斯奇提亚人的割体葬仪颇为相似。

匈奴之后,这种葬俗又见于突厥。《周书》所记突厥葬俗说:"死者停尸于帐,子孙及诸亲属男女,各杀羊马,陈于帐前,祭之。绕帐走马七匝,一诣帐门,以刀剺面,且哭,血泪俱流,如此者七度,乃止。……葬之日,亲属设祭,及走马剺面,如初死之仪。"②唐太宗太子承乾玩过的一个游戏,可以拿来为上述记载做一注脚。史称承乾"好突厥言及所服,选貌类胡者,被以羊裘,辫发,五人建一落,张毡舍,造五狼头纛,分戟为阵,系幡旗,设穹庐自居,使诸部敛羊以烹,抽佩刀割肉相啖。承乾身作可汗死,使众号哭剺面,奔马环临之"③。对突厥文化情有独钟的李承乾,通过他的游戏向我们展示了突厥人的剺面葬俗,由此也不难看出这是突厥文化的一个重要元素。

回纥的剺面葬俗很可能是从突厥人那里继承过来的,据《旧唐书》卷一九五《回纥传》,回纥毗伽可汗娶唐宁国公主,可汗死后,"其牙官、都督等欲以宁国公主殉葬,公主曰:'我中国法,婿死,即持丧,朝夕哭临,三年行服。今回纥娶妇,须慕中国礼。若今依本国法,何须万里结婚。'然公主亦依回纥法,剺面大哭,竟以无子得归"。从这条史料可以明显看出,割体葬仪确实是人殉的一种替代形式:宁国公主拒绝以身相殉,愿意改行剺面葬俗,而这也是回纥人认为

---

① 《后汉书》卷一九《耿弇列传》附《耿秉传》,北京:中华书局,1982年,第3册,第717—718页。

② 《周书》卷五〇《异域列传下·突厥传》,北京:中华书局,1983年,第3册,第910页。

③ 《新唐书》卷八〇《太宗诸子·常山王承乾传》,北京:中华书局,1986年,第12册,第3564—3565页。

可以接受的结果。在《毗伽可汗碑》中，有如下一段描述可汗葬礼情况的文字："这么多的百姓剪去了头发，划破了耳朵。他们带来的专乘良马、黑貂、兰鼠无数，并全部祭献了。"①剪去头发、划破耳朵皆是割体葬仪的不同形式，而后者也就是劈面葬俗。

女真人也有类似的习俗，据南宋文惟简记述说："尝见女真贵人初亡之时，其亲戚、部曲、奴婢设牲牢、酒馔以为祭奠，名曰烧饭。乃跪膝而哭，又以小刀轻劈额上，血泪淋漓不止，更相拜慰。"②《三朝北盟会编》卷三记女真葬俗亦云："其死亡，则以刃劈额，血泪交下，谓之'送血泪'。"③这是典型的劈面葬俗。

劈面葬俗最晚见于 13 世纪的鞑靼诸部。曾于南宋嘉定十四年（1221）出使蒙古的赵珙，在《蒙鞑备录》一书中谈到蒙古白鞑靼，谓其"容貌稍细，为人恭谨而孝，遇父母之丧，则劈其面而哭。尝与之联辔，每见貌不丑恶而腮面有刀痕者，问曰：'白鞑靼否？'曰：'然。'"④所谓"白鞑靼"即汪古部，主要是由操突厥语的各部人融合而成的，与蒙古人的语言和习俗都有较大差别。1245 年受教皇派遣出使蒙古的普兰诺·加宾尼，对于被蒙古征服的乞儿吉思人的葬俗有这样的描述："当某人的父亲死亡后，悼痛使其儿子们从面部撕下一条肉，从一个耳朵撕到另一个耳朵，以劈面表示哀悼。"⑤乞儿吉思人即唐代之黠戛斯，亦属突厥语族。由于蒙古

---

① 见耿世民：《古代突厥文碑铭研究》，北京：中央民族大学出版社，2005年，第 166 页。

② 文惟简：《虏廷事实》"血泣"条，见涵芬楼本《说郛》卷八，叶 49a。

③ 此段文字又见于《大金国志》卷三九"初兴风土"，乃系抄自《会编》。

④ 王国维：《蒙鞑备录笺证》，《王国维全集》，杭州：浙江教育出版社、广州：广东教育出版社，2010 年，第 11 册，第 335 页。

⑤《柏朗嘉宾蒙古行纪》，耿昇译，北京：中华书局，1985 年，第 59 页。

人本身似乎并没有这样的葬俗,所以汪古人和乞儿吉思人的劓面葬俗,有可能是来自突厥和回纥的文化传统。

历代典籍中所见阿尔泰民族的劓面葬俗,从匈奴直至13世纪的鞑靼诸部,前后延续千余年之久;更令人惊奇的是,这些民族的劓面葬俗竟是如此的相似,具有极为明显的共性。这样看来,劓面葬俗无疑是阿尔泰民族割体葬仪的一种主要形式。

综上所述,作为人殉之变种的割体葬仪,广泛存在于中外各个民族的文明进化史中,阿尔泰民族亦不例外。割体葬仪的形式多种多样,其中以断指和劓面最为常见。述律后"断腕"的传说正是契丹人割体葬仪的一种表征,所谓"断腕"很可能是断指的夸张与讹传,但可以肯定的是,这个故事本身应非子虚乌有的无稽之谈。

四、辽代考古材料中的人殉、人牲遗存

契丹的人殉制不但见于辽宋文献记载,而且还可以得到辽代考古资料的佐证,这将进一步丰富我们已有的认识,对于本文讨论的主题也能够提供重要的帮助。

1972年,考古工作者在吉林省哲里木盟库伦旗(今属内蒙古自治区通辽市)发掘的一座辽代壁画墓中,发现了比较明确的人殉现象。该墓被称为库伦旗一号辽墓,据发掘简报报道,墓中人骨架已遭扰动,共出土十个头盖骨及其他散乱的人体骨骼,其中在墓室门洞内侧两端安置门轴的凹坑里,各放有一个完整的头盖骨。经过对墓中发现的上下颚骨的观察发现,尚存的臼齿绝大多数折皱清晰,磨耗不大,估计主要是青壮年。另外墓中出土的人骨中,还发现有小孩的大腿骨。由这些迹象推断,发掘者认为可能存在人殉现象①。在后来出版的该墓葬考古报告中,发掘者又进一步明确推断说,根据尸床面积及壁画内容来分析,该墓应为夫妻合葬墓,其余的尸骨可能属于殉葬者所有,虽然不能排除其中混杂有盗墓者尸骨的可能性,但从门洞内侧两端凹坑里各放一个完整头骨的情况来看,表明很可能是奴隶殉葬②。

根据发掘者介绍的上述情况来看,我认为库伦旗一号辽墓确实存在人殉现象,不过实际情况可能比发掘者所想象的要更为复杂一些。这里应该考虑的一个问题,是人殉和人牲的区别。殷商时代是中国人殉、人牲制的鼎盛时期,在商王陵墓中往往会同时发现大批殉人和牲人,但这些殉人和牲人的身份是否相同,死亡的性质是否一样,过去的考古报告和研究论著往往混为一谈,笼统地把他们都说成是奴隶。顾德融先生指出,人牲与人殉的性质截然不同,应该加以严格区分。从文献、考古及人类学资料来看,牲人的身份主要是俘虏,其次才是奴隶,而殉人的身份则主要是死者的近亲、近臣和近侍,亲近者相殉是人殉制的共同准则。把人殉中的主人和殉人的关系、人牲中的被祭者和牲人的关系混同起来,显然是不可取的③。黄展岳先生认为应根据人牲和人殉的不同目的对两者加以区分:一般来说,牲人是供"食"的,而吃敌人是人类社会早期的古老传统,所以要用俘虏、仇敌;殉人是供"用(役使)"的,所以殉者须是亲近、故旧,殉者与被殉者的关系应是

①吉林省博物馆、哲里木盟文化局:《吉林哲里木盟库伦旗一号辽墓发掘简报》,《文物》1973 年第 8 期,第 2—18 页。
②王健群、陈相伟:《库伦辽代壁画墓》,北京:文物出版社,1989 年,第 8—9、79—80 页。
③顾德融:《中国古代人殉、人牲者的身份探析》,《中国史研究》1982 年第 2 期,第 112—123 页。

二者生前关系的继续①。这些见解基本上澄清了前人的模糊认识。

就库伦旗一号辽墓的情况而言,我认为不仅存在人殉现象,而且很可能还存在人牲。其理由有二:第一,在墓室门洞内侧两端安置门轴的凹坑里分别放置一个完整的头盖骨,这显然不是殉人而是牲人。因为人殉一般可以保全首领,有的甚至会拥有单独的葬具或随葬品,而人牲的主要特征就是杀祭,这两个头骨完全符合人牲制的特点。第二,据发掘简报说,墓室中除人骨外,还清理出马的上颚骨,野猪的下颚骨以及大量的鸡、鼠、兔等禽兽的骨骼。这些动物骨骼也应该都是用于祭祀的牺牲,说明墓主下葬时确实举行过祭礼,既有牲祭,也有人祭。

库伦旗一号辽墓曾遭严重盗掘,原有经幢一、墓志二,均被砸碎,而且绝大部分都已缺失,故无从判定其年代。墓室中出土有一枚"大康六年"纪年铜钱,但并非当时的流通货币,发掘者认为这也许是因某种葬俗需要而专门铸造的,并据以推断道宗大康六年(1080)可能就是墓主的下葬年代。上文指出,契丹传统的人殉制从 10 世纪末已趋于式微,但直到金元之际,契丹社会中的人殉现象尚未完全绝迹,故不能排除辽朝后期墓葬中出现人殉、人牲现象的可能性。

1981 年,考古工作者在内蒙古兴安盟科尔沁右翼中旗巴扎拉嘎公社清理了两座古墓,根据鸡冠壶等带有明显契丹文化特征的出土器物判定为辽墓,但具体年代不详。其中 2 号辽墓墓室内有一 20 多岁的女性骨架,仰身直肢葬,有少量随葬品;墓底石板下有一腰坑,葬一青年男性,俯身直肢葬,腰坑内无任何随葬器物,

① 黄展岳:《古代人牲人殉通论》,第 1 页。

发掘者推断此人可能是殉葬①。虽然该墓葬的材料并不丰富,但人殉的特征是较为明显的。

另外,有关庆陵的某些记载也向我们提示了契丹人殉的重要线索。庆陵之东陵(圣宗陵)于 1914 年被盗掘,后来亲临现场的刘振鹭先生写下了《辽圣宗永庆陵被掘纪略》一文,文中有这样的描述:"其中遗骸,男女都有。男骸衣甲及袍服,殆皆殉葬者欤?此诸骸骨,有委于地面者,有陈于石床者,更有用铜丝罩护其全体者。石床上,每一骸骨头上,石壁间,各悬一古铜镜。"②这一推断值得我们重视,但圣宗陵未经科学的考古发掘,且盗毁严重,仅凭上述描述来看,恐怕只能算是疑似人殉遗存。

目前辽代考古材料中所见人殉、人牲遗存,虽然信息还不够丰富,内涵也不够明确,但对于本文讨论的契丹人殉制来说,仍然可以提供很大的支持和帮助。

五、殉葬与"烧饭"

契丹、女真、蒙古诸族皆有被称之为"烧饭"的丧祭习俗,在辽宋金元文献中多有记载,但因史料语焉不详,导致学者们对其内涵和外延的理解存在很大分歧,而分歧的焦点主要就在于应如何

---

① 苏日泰:《科右中旗巴扎拉嘎辽墓》,《内蒙古文物考古》第 2 期,1982 年 12 月,第 842—845 页。
② 见《艺林月刊》第 32 期,1932 年 8 月,第 11—12 页。此文后来被金毓黻先生收入《辽陵石刻集录》卷六(奉天图书馆刊,1934 年),但因漏排原刊上栏文字,故上面这段引文讹误较甚,且今人多据以引用,应予以订正。

看待烧饭与殉葬的关系。以王国维、贾敬颜、蔡志纯、韩志远、曹彦生等人为代表的一派观点,认为采取焚烧形式的殉葬葬俗也应属于烧饭的内容;而以陈述、宋德金先生为代表的另一派观点,则主张烧饭仅仅是一种祭祀之礼,与殉葬了无关系。

最早注意到这个问题的是王国维,他在《蒙古札记·烧饭》一文中指出:

> "烧饭"本契丹、女真旧俗,亦辽金时通语。……《三朝北盟会编》卷三:"女真死者,埋之而无棺椁。贵者生焚所宠奴婢、所乘鞍马以殉之。所有祭祀饮食等物尽焚之,谓之烧饭。"此俗亦不自辽金始。王沈《魏书》言乌桓"葬则歌舞相送,肥养一犬,以彩绳婴(牵),并取死者所乘马、衣服,皆烧而送之"。然"烧饭"之名,则自辽金始。……满洲初入关时,犹有此俗。吴梅村《读史偶述》诗云:"大将祁连起北邙,黄肠不虑发邱郎。平生赐物都燔尽,千里名驹衣火光。"后乃以纸制车马代之,今日送三之俗,即辽金烧饭之遗也。[①]

按照王国维的理解,辽金元之所谓"烧饭",既包括祭祀之礼,也包括殉葬之俗,并且这种丧祭习俗可以上溯至乌桓,下延至清初。贾敬颜先生亦持有类似的观点,以为烧饭之名虽起于辽金元三朝,但烧饭之俗则是许多北方民族所共有的,"杀马(甚至杀奴

---

①《观堂集林》卷一六《蒙古札记·烧饭》,北京:中华书局,1984 年,第 3 册,第 812—813 页。按此系王氏遗稿,据赵万里《王静安先生年谱》,此文写定于 1927 年 5 月,经赵万里整理发表于清华学校《国学论丛》1 卷 3 号(1928 年 4 月),后由罗振玉编入《观堂集林·史林》。

婢)殉葬与烧饭祭祀是一回事,'殉'之与'祭'并无绝对的差别"①。蔡志纯先生通过研究元代烧饭之礼,得出了殉葬与烧饭性质相同的结论②。韩志远先生谓烧饭"起源于祭祀时焚烧酒食,但有的贵族也焚烧鞍马、衣服等祭品以至殉葬奴婢"云云,显然也是将祭祀与殉葬均纳入了烧饭的范畴③。甚至有学者认为,早期北方游牧民族的牲殉、牲祭亦可视为烧饭之俗的原始形态④。

陈述先生对烧饭的内涵有着不同的理解,他力主烧饭是祭祀而非殉葬,强调烧饭之俗仅见于辽金元时代,王国维所言乌桓和满族葬俗都属于殉葬,并指出祭祀和殉葬的界限非常清楚:祭祀可以在朔望、节辰、忌日多次举行,而殉葬则只能有下葬时一次⑤。宋德金先生也主张应严格区分烧饭与殉葬,认为它们之间存在两个明显的区别:一是次数不同,殉葬只烧一次,烧饭则是多次;二是所烧对象不同,烧饭仅指焚烧祭祀之酒食,殉葬焚烧之物则包括死者生前所用鞍马衣物等⑥。

如何理解烧饭的内涵,以及如何看待烧饭与殉葬的关系,是一个值得我们重新思考的问题。首先,辽宋金元文献中所见时人

①贾敬颜:《"烧饭"之俗小议》,《中央民族学院学报》1982年第1期,第92—93页。
②蔡志纯:《元代"烧饭"之礼研究》,《史学月刊》1984年第1期,第34—39页。
③《中国历史大辞典(辽夏金元史卷)》,上海:上海辞书出版社,1986年,第410页。
④曹彦生:《北方游牧民族"烧饭"和"豁面"习俗的传承》,《内蒙古大学学报》1995年第2期,第50—57页。
⑤陈述:《谈辽金元"烧饭"之俗》,《历史研究》1980年第5期,第131—137页。
⑥宋德金:《"烧饭"琐议》,《中国史研究》1983年第2期,第143—146页。

对于烧饭的阐释，理应成为事实判断的基本前提和基础。

契丹的烧饭之俗见于《辽史》卷四九《礼志一》"吉仪·爇节仪"：

> 帝崩，所置人户、府库、钱粟，穹庐中置小毡殿，帝及后妃皆铸金像纳焉。节辰、忌日、朔望，皆致祭于穹庐之前。又筑土为台，高丈余，置大盘于上，祭酒食撒于其中，焚之，国俗谓之"爇节"。

《说文》谓"爇，烧也"，"爇节"乃汉语文言。此段文字虽未提及烧饭之名，但参以其他相关史料记载，可知所谓"爇节仪"即指烧饭。宋代文献中也有一段与此内容相近的记载，谓契丹主"既死，则设大穹庐，铸金为像。朔望、节辰、忌日，辄致祭。筑台高逾丈，以盆焚食，谓之烧饭"云云[1]。两相对照，知"爇节仪"即烧饭之雅称。这两条史料都明确指出烧饭是以"致祭"为目的的。

女真的烧饭习俗非常盛行，屡见于《金史》诸纪传，但均未对烧饭的定义加以诠释，有关烧饭的内容也语焉不详，倒是宋代文献里有两条史料对于我们了解女真人的烧饭很有帮助。一条是文惟简《虏廷事实》"血泣"条："尝见女真贵人初亡之时，其亲戚、部曲、奴婢设牲牢、酒馔以为祭奠，名曰烧饭。"[2]虽然这条史料叙述不够详确，没有说明牲牢、酒馔用于祭奠之后是要被烧掉的，但

---

[1]《续资治通鉴长编》卷一一〇仁宗天圣九年六月，北京：中华书局，2004年，第5册，第2561页。此段文字亦见于《契丹国志》卷二三《建官制度》，显系抄自《长编》。

[2] 见涵芬楼本《说郛》卷八，叶49a。

已明确指出烧饭的目的是祭祀。另一条见于《三朝北盟会编》卷三所记女真葬俗:"其死亡,则以刃劙额,血泪交下,谓之'送血泪'。死者埋之而无棺椁。贵者生焚所宠奴婢、所乘鞍马以殉之。所有祭祀饮食之物尽焚之,谓之'烧饭'。"①这是一条牵涉烧饭释义的关键性史料,前人对此有不同的理解。王国维将殉葬之俗亦视为烧饭,显然是把"贵者生焚所宠奴婢、所乘鞍马以殉之"与"所有祭祀饮食之物尽焚之"皆当作烧饭的内容了。而陈述则认为这两句话是互不相干的,一指殉葬,一指烧饭。仔细分析这段史料的内容,可以看出它实际上包含四层意思,即劙面葬俗、棺椁制度、殉葬制度、烧饭之俗,陈述先生的理解可能更接近其原意。

　　蒙古人的烧饭习俗在文献中也不乏记载,其中几条史料有助于判明烧饭的性质。《蒙古秘史》第 70 节"亦捏鲁"一词,旁译"烧饭祭祀"②。根据诸家考释意见,知该词词义与烧饭无关,明人译为"烧饭祭祀"乃系其引申义③。令笔者感兴趣的主要是这条旁

<hr>

① 《三朝北盟会编》,上海:上海古籍出版社影印光绪三十四年许涵度刻本,1987 年,上册,第 18 页。按许刻本系据《四库全书》底本刊刻,故可见四库馆臣删改情况,当时馆臣拟将"贵者生焚所宠奴婢、所乘鞍马以殉之"句删改为"贵者焚所乘鞍马以殉之",而文渊阁《四库全书》本此段文字则已全部被删去。

② 《〈蒙古秘史〉校勘本》,额尔登泰、乌云达赉校勘,呼和浩特:内蒙古人民出版社,1980 年,第 78 页。

③ 关于该词究竟如何引申为"烧饭祭祀"之意,学者们理解不一,一种较为可信的解释是:"亦捏鲁"为"亦纳鲁"之误译,犹言这厢、这边,引申为烧饭祭祀。参见额尔登泰等:《〈蒙古秘史〉词汇选释》,呼和浩特:内蒙古人民出版社,1980 年,第 107—108 页;阿尔达扎布:《新译集注〈蒙古秘史〉》,呼和浩特:内蒙古大学出版社,2005 年,第 119—120 页。

译将"烧饭"与"祭祀"连称的说法:很明显,在明初四夷馆馆臣看来,所谓"烧饭"就是祭祀。叶子奇《草木子》对烧饭的定义是:"元朝人死致祭曰烧饭,其大祭则烧马。"①这条史料对于烧饭的性质说得很清楚,所谓"大祭烧马"与《虏廷事实》所说的牲牢实际上是一回事。又《经世大典序录》记元朝郊庙之制说:"祀,国之大事也,故有国者,必先立郊庙,而社稷继之。我朝既遵古制,而又有影堂焉,有烧饭之院焉,所以致其孝诚也。"②这里将烧饭院列入郊庙之制,可见烧饭的性质属于祭祀之礼③。

总而言之,从以上诸条记载来看,盛行于契丹、女真、蒙古诸族的烧饭之礼,是以祭祀亡者为目的,将祭奠后的酒食等加以焚烧的一种习俗。而在目前见到的辽宋金元时代有关烧饭的记载中,除了少数学者理解有歧义的《三朝北盟会编》的那段文字之外,其实并没有其他史料能够支持王国维等人的结论,即采取焚烧形式的殉葬葬俗也属于烧饭的范畴。

"烧饭"一词的来历及其本义也值得考究,它会有助于我们判断辽金元时代烧饭之俗的真实内涵。在传世辽代文献中并未出现"烧饭"一名,如上所述,《辽史》将它称之为"蒸节仪"。上文所引《长编》卷一一〇仁宗天圣九年(1031)六月条,是"烧饭"一词之最早见于载籍者,此段文字后有李焘小注云:《正史》载此段于《契丹传》末……今依《实录》,仍附隆绪没后。"《正史》指《两朝国

---

① 叶子奇:《草木子》卷三下《杂制篇》,北京:中华书局,1983 年,第 63 页。
② 《国朝文类》卷四二《经世大典序录·工典总叙》"郊庙",《四部丛刊》本,第 13 册,叶 15a。
③ 又据《析津志辑佚》"古迹门"记载,元朝"烧饭园在蓬莱坊南",并谓"每祭,则自内庭骑从酒物,呵从携祭物于内"云云(北京:北京古籍出版社,1983 年,第 115 页),由此亦可看出烧饭是一种祭祀行为。

史》,《实录》即《仁宗实录》,可见熙宁初成书的《仁宗实录》是我们目前能够追溯到的最初史源。而《仁宗实录》的史料依据,估计有可能是来自契丹归明人赵志忠所撰《虏廷杂记》①。"烧饭"一词显然是一个白话汉语词汇,从上面谈到的史源来看,该词最初应是出自辽朝汉人之口,后为金元两朝所沿用。所谓"饭"自然是指祭祀之酒食,可能因为烧饭所烧的对象以祭奠之物为主,故辽金元时代的汉人俗称为"烧饭"。至于"蒸节仪"一名,因仅见于《辽史·礼志》,显然并非当时的习称,可能是汉人史官觉得烧饭之名不雅,故特意采用这样一个文言雅称。

那么,辽朝汉人所称的烧饭,究竟是从契丹语转译过来的名词,还是汉人创造出来的一个说法呢? 在目前出土的契丹大小字石刻资料中,尚未发现烧饭一词。不过,《辽史·礼志》的一条材料对于讨论这个问题可能会有一定参考价值:"岁十月,五京进纸造小衣甲、枪刀、器械万副。十五日,天子与群臣望祭木叶山,用国字书状,并焚之。国语谓之'戴辣'。'戴',烧也;'辣',甲也。"②契丹人所说的"戴辣(烧甲)"与烧饭性质类似,均属祭祀之礼,只是所祭祀的对象以及所烧的内容不同而已。既然连烧甲在契丹语里都可以有一个专名来指称,想必更为流行的烧饭也应该有特定的用语吧。如此看来,烧饭一词似有可能是契丹语的译称。

蒙古语里的烧饭在《蒙古秘史》中先后出现过两次,第 161 节

---

① 赵志忠于庆历元年(1041)八月弃辽奔宋,撰有多种介绍辽朝情况的杂史、笔记、舆图等,其中最重要的一种便是嘉祐二年(1057)四月献上朝廷的《虏廷杂记》十卷,《仁宗实录》所记契丹事即多出自此书。
② 《辽史》卷五三《礼志六》"嘉仪下",第 3 册,第 879 页。

作"土烈食连",第 177 节作"土烈失连",两处旁译均为"做烧饭"①。按该词词根"土烈"(tüle)本义为"烧","土烈食"(tüleši)是"土烈"(tüle)派生的名词,在现代蒙语书面语中义为燃料、柴薪②,也指作为祭品被烧掉的供奉祖灵的食物等,蒙古旧俗用各种饮食品和布帛祭祀亡灵以后再把它烧掉就叫做"土烈食"③。"土烈食连"(tülešilen)由名词再转为动词,故译"做烧饭"。按照蒙古语中烧饭的本义来看,该词对烧饭的目的及所烧的内容都有比较明确的表述。

如上所述,无论是汉文的"烧饭"还是蒙文的"土烈食(tüleši)",其词义均与辽宋金元文献对烧饭的诠释相吻合,表明它是一种祭祀之礼。

虽然笔者基本认同陈述和宋德金先生关于烧饭是祭祀而非殉葬的结论,但同时也要指出他们的一个误解。在他们看来,烧饭与殉葬之不容混同,其中一个最明显的区别就是两者所烧的次数不同,烧饭可以在朔望、节辰、忌日多次进行,而采取焚烧形式的殉葬则惟有下葬时一次。《辽史》卷五〇《礼志二》"凶仪·丧葬仪"有这样一条记载:"圣宗崩,兴宗哭临于菆涂殿。……乃以衣、弓矢、鞍勒、图画、马驼、仪卫等物皆燔之。"宋德金先生认为这显然不应属于烧饭,而更接近于乌桓、女真等族的殉葬葬俗。这个结论本身是没有问题的,不过我同时也注意到了《辽史·兴宗纪》的如下记载:太平十一年(1031)六月,圣宗崩;七月丁卯,"谒

① 见《〈蒙古秘史〉校勘本》,第 343、408 页。
② 《蒙汉词典(增订本)》,呼和浩特:内蒙古大学出版社,1999 年,第 1114 页。
③ 参见道润梯步:《新译简注〈蒙古秘史〉》,呼和浩特:内蒙古人民出版社,1978 年,第 133 页;额尔登泰等:《〈蒙古秘史〉词汇选释》,第 272 页;阿尔达扎布:《新译集注〈蒙古秘史〉》,第 294 页。

太平殿,焚先帝所御弓矢";九月戊午,"焚弧矢、鞍勒于菆涂殿";十一月壬辰,"上率百僚奠于菆涂殿。出大行皇帝服御、玩好焚之,纵五坊鹰鹘。甲午,葬文武大孝宣皇帝于庆陵"。不难看出,《兴宗纪》与《礼志》所记者显然是同一件事,只不过后者记述得较为笼统,容易使人误以为只是在下葬时烧了一次。从《兴宗纪》的上述记载可以得知,在圣宗下葬之前,至少曾三次焚烧其生前御用之物。类似情况也见于清代,据清宫档案记载,嘉庆四年(1799)正月太上皇高宗死后至下葬之前,曾先后二十余次行焚化之礼,烧掉的物品多达八百二十五件套,包括高宗生前御用的朝冠、朝袍、龙袍、棉褂、长襟袍、长褂、棉袄、朝带、皂靴、棉袜、手巾以及车轿幔帐等物①。上述史实说明殉葬只烧一次的结论是靠不住的,因此不能以所烧次数不同来区分烧饭和殉葬。

不过,烧饭与殉葬确实存在一些明显的区别,而并非像贾敬颜先生所称"'殉'之与'祭'并无绝对的差别",至于曹彦生先生将早期北方游牧民族的牲殉、牲祭也视为烧饭之俗的原始形态,就走得更远了——所谓烧饭至少要具备"烧"的形式,而不能无所不包。笔者认为,烧饭与殉葬的区别可以归纳为以下三点:

第一,烧饭与殉葬的目的不同。

上文征引的辽宋金元文献已经清楚地表明,烧饭是一种祭祀之礼,是以祭祀亡者为目的的行为;而焚烧死者生前所用之物乃至坐骑或奴婢,则明显具有殉葬的意义,是人殉制的一种特殊形态。《三朝北盟会编》卷三所称"贵者生焚所宠奴婢、所乘鞍马以

① 见《大事档·白档·乾隆皇帝丧礼》卷三,中国第一历史档案馆藏。转引自苑洪琪:《清代宫廷丧葬礼仪奠献述略》,载清代宫史研究会编《清代宫史论丛》,北京:紫禁城出版社,2001年,第320页。

殉之",把这种葬俗的目的交代得很清楚。这种殉葬方式也常见于其他阿尔泰民族,《周书》所记突厥葬俗说:"取亡者所乘马及经服用之物,并尸俱焚之,收其余灰,待时而葬。"[1]不消说,这条史料所反映的殉葬意图是一目了然的。据一位明清之际来华的耶稣会士观察,满洲人建国前仍延续着焚烧奴婢、马匹之类用以殉葬的习俗,"一个贵人死后,要把他在另一个世界生活所需的仆人、妇女、马匹和弓箭投入他的火葬堆。这一野蛮习惯在后来他们征服了中国之后,由于中国人的反对和纠正而终于放弃了"[2]。当然,更常见的殉葬方式还是焚烧死者生前所用之物,皇太极曾于天聪二年(1628)对侍臣谈到这个问题:"丧葬之礼,原有定制。我国风俗,殉葬燔化之物过多,徒为糜费,甚属无益。夫人生则资衣食以为养,及其死也,以人间有用之物,为之殉化,死者安所用之乎。嗣后凡殉葬燔化之物,务遵定制,勿得奢费。"[3]皇太极所称"殉葬燔化之物"、"殉化"等等,实在是说得再明白不过了。这种以殉葬为目的的葬俗与祭祀亡者为目的的烧饭,其间的差异是很明显的。

第二,烧饭与殉葬所焚烧的内容不同。

宋德金先生在辨析烧饭与殉葬的区别时,指出两者虽然形式相同,但所烧的对象不同,这一看法是颇有见地的。从上文征引的有关史料可以看出,烧饭所烧者通常为祭祀饮食之物。《大金集礼》里的一条史料很能说明问题:"天会四年十月,命勃堇胡剌

①《周书》卷五〇《异域列传下·突厥传》,第 3 册,第 910 页。
②卫匡国著,戴寅译:《鞑靼战纪》,见杜文凯编:《清代西人见闻录》,北京:中国人民大学出版社,1985 年,第 6 页。
③《太宗实录》卷四天聪二年正月丁卯,见《清实录》,北京:中华书局影印本,1986 年,第 2 册,第 56 页。

姑、秘少扬丘忠充使副,送御容赴燕京奉安于庙,沿路每日三时烧
飰(飰,通饭),用羊、豕、兔、雁、鱼、米、面等。"①天会四年(1126),
金朝已攻占燕京,故派人将太祖御容护送到燕京寺庙中安置,途
中每日行烧饭之礼。最为难得的是,这条史料对烧饭所烧的内容
记述得非常具体。元朝专门设有烧饭院,关于烧饭的内容也留下
了比较详细的记载:"每岁,九月内及十二月十六日以后,于烧饭
院中,用马一,羊三,马湩,酒醴,红织金币及里绢各三匹,命蒙古
达官一员,偕蒙古巫觋,掘地为坎以燎肉,仍以酒醴、马湩杂烧之。
巫觋以国语呼累朝御名而祭焉。"②这里记载的是蒙古人以烧饭之
礼祭祖的仪式,值得注意的是,所烧之物除了通常的酒食之外,还
有"红织金币及里绢各三匹"等。叶子奇《草木子》卷三下谓"元
朝人死致祭曰烧饭,其大祭则烧马"云云,虽然烧饭和殉葬都有烧
马的现象,但烧饭所烧之马并非死者生前所乘之马,与殉葬所烧
之马的意义迥然有别。

殉葬所焚之物具有一个最明显的特征,即均为死者生前所用
之物(包括马匹和奴仆)。据《辽史·兴宗纪》和《礼志》记载,圣
宗死后累次所焚者,即包括"先帝所御弓矢"、"大行皇帝服御、玩
好"以及弧矢、鞍勒、图画、马驼、仪卫等物。《宋书》记述鲜卑葬俗
曰:"死则潜埋,无坟垄处所,至于葬送,皆虚设棺枢,立冢椁,生时
车马、器用皆烧之以送亡者。"③可见鲜卑人也有采取焚烧形式的
殉葬葬俗,而焚烧的内容是"生时车马、器用"。类似的记载亦见

①《大金集礼》卷二〇《原庙上·奉安》,《丛书集成初编》本,第171页。
②《元史》卷七七《祭祀志六》"国俗旧礼",北京:中华书局,1983年,第6
  册,第1924页。
③《宋书》卷九五《索虏传》,北京:中华书局,1983年,第8册,第2322页。

于《魏书》卷一三《文成文明皇后传》:"高宗崩,故事:国有大丧,三日之后,御服器物一以烧焚,百官及中宫皆号泣而临之。后悲叫自投火中,左右救之,良久乃苏。"这里记载的是高宗文成帝死后的情况,按照鲜卑人的传统葬俗,所有的"御服器物"都要烧掉。《周书·突厥传》记述突厥葬俗说:"取亡者所乘马及经服用之物,并尸俱焚之,收其余灰,待时而葬。"突厥人殉葬所焚烧的对象,亦为死者生前"所乘马及经服用之物"。《三朝北盟会编》卷三谓女真"贵者生焚所宠奴婢、所乘鞍马以殉之",又上文提到满洲贵族死后,"要把他在另一个世界生活所需的仆人、妇女"一同火葬,这些做法与焚烧亡者生前所用之物具有完全相同的意义。

第三,烧饭与殉葬行焚烧之礼的时间不同。

虽然烧饭与殉葬均采取焚烧的形式,而且都可以多次举行,但两者仍有一个明显的区别:殉葬所行焚烧之礼均在下葬之前,而烧饭所行焚烧之礼则一般都是在下葬之后,前者属凶礼,后者属吉礼。

殉葬因有其特定的目的性,故所行焚烧之礼的时间下限是非常清楚的。上文所引《魏书》述及鲜卑旧制,谓"国有大丧,三日之后,御服器物一以烧焚",即在死后三天行焚烧之礼。据《辽史·兴宗纪》可知,圣宗卒于太平十一年(1031)六月三日,葬于同年十一月二十一日,其间分别在七月二十二日、九月十三日和十一月十九日三次举行焚烧之礼。不过,关于殉葬所行焚烧之礼的时间上限,却是一个需要讨论的问题。《辽史》卷二〇《兴宗纪三》的一段记载引起了我的注意:重熙二十四年(1055)"八月丁亥,疾大渐,召燕赵国王洪基,谕以治国之要。戊子,大赦,纵五坊鹰鹘,焚钩鱼之具。己丑,帝崩于行宫"。所谓"钩鱼之具"乃辽帝春捺钵常用的捕鱼器材,是非常重要的御用之物。令人感到意外的是,在兴宗去世的前一天竟然就已"焚钩鱼之具",尽管如此,我仍然觉得这一举动与殉葬的意义并没有什么区别。因此,我们可以将殉葬所行焚烧之礼的区间界定为从临终之前至下葬之时。

烧饭所行焚烧之礼的时间,一般均在下葬之后。此类例证甚多,如《金史》记世宗元妃李氏卒于大定二十一年(1181)二月戊子,"甲申,葬于海王庄,丙戌,上如海王庄烧饭"①。此甲申、丙戌当分别为闰三月八日和十日,则烧饭在下葬后两日。又据《金史·哀宗纪》,正大元年(1224)十二月甲寅,"宣宗小祥,烧饭于德陵"。按宣宗卒于元光二年(1223)十二月,葬于正大元年三月,此因小祥祭而烧饭。《元史·祭祀志》记蒙古旧俗云:"凡帝后有疾危殆,度不可愈,亦移居外毡帐房。有不讳,则就殡殓其中。葬后,每日用羊二次烧饭以为祭,至四十九日而后已。"又云:皇帝下葬后,"送葬官三员,居五里外。日一次烧饭致祭,三年然后返"②。据此,知皇帝、皇后的烧饭之礼有三年和四十九日的不同,但都是从下葬后才开始烧饭。

然而,下葬以后始行烧饭之礼的惯例似乎也不是一成不变的,笔者在《金史·镐王永中传》中发现了一个例外:"明昌二年正月辛酉,孝懿皇后崩。……二月丙戌,禫祭,永中始至,入临。辛卯,始克行烧饭礼。"结合《章宗纪》的记载,可将孝懿太后去世至下葬的过程梳理如下:明昌二年(1191)正月十二日,孝懿太后崩;

---

① 《金史》卷六四《后妃传下·世宗元妃李氏传》,北京:中华书局,1992年,第5册,第1523页。按是年二月戊子是十一日,而甲申和丙戌则当为二月七日、九日,显然有误。盖二月戊子以下诸条皆脱去月份,此甲申、丙戌当属闰三月。

② 《元史》卷七七《祭祀志六》"国俗旧礼",第6册,第1925—1926页。

二月七日，禫祭①；十二日，行烧饭礼；四月八日，葬孝懿太后于裕陵。此次烧饭是在禫祭之后、下葬之前，且正好在太后死后一月，究竟应当如何解释，仍有待斟酌。因这种情况目前仅发现一例，似乎不影响上文提出的烧饭之礼一般都是在下葬以后举行的结论。

《辽史·礼志》将殉葬所行焚烧之礼列入凶仪中的丧葬仪，而将烧饭所行焚烧之礼列入吉仪中的蕠节仪，贾敬颜先生认为："烧饭属凶仪，《礼志》将蕠节仪放进吉仪门，纯属误入。"②此说似是而非，说到底还是因为混淆了殉葬和祭祀的界限而生出的误解。关于丧祭之礼中凶礼和吉礼的区分，历代礼制有不同的规定。按照《礼记·檀弓下》的说法，下葬之日"以吉祭易丧祭"，即以下葬作为划分凶礼和吉礼的时间界限。而唐宋礼制通常以虞祭、卒哭祭、小祥祭、大祥祭、禫祭皆入凶礼，祔庙以后始为吉礼③。上文指出，殉葬所行焚烧之礼均在下葬之前，而烧饭所行焚烧之礼则一般都是在下葬之后，故《辽史·礼志》参照汉制将二者分别列入凶仪和吉仪，在礼制上也是有依据可循的。

以上对烧饭和殉葬所行焚烧之礼的异同进行了较为全面的辨析，我们发现，它们除了形式相同之外，其行为目的、焚烧内容、行焚烧之礼的时间及其所归属的礼制性质都有明显的区别，故不可将二者混为一谈。

---

① 按王肃之说，二十五月而禫，除丧毕（见《礼记·檀弓上》"孟献子禫"孔颖达疏）。但自汉代以后，皇室之丧多以日易月，此禫祭恰在太后卒后二十五日，盖即因此故。

② 见前揭贾敬颜：《"烧饭"之俗小议》。又宋德金《"烧饭"琐议》谓《辽史·礼志》将二者分别列入凶仪中的蕠节仪和丧葬仪，当属行文偶误。

③ 见《大唐开元礼》卷一三九至一四〇《凶礼·三品以上丧》，《政和五礼新仪》卷二一七《凶礼·品官丧仪下》。

前人有关烧饭与殉葬关系的争议,还牵涉到对烧饭源流的认识问题。王国维、贾敬颜先生等认为,烧饭之名虽仅见于辽金元三朝,但烧饭之俗却是许多北方民族所共有的,这种现象至少可以追溯到乌桓;而陈述、宋德金先生则主张烧饭之俗仅见于辽金元时代,指出王沈《魏书》所记乌桓葬俗乃是殉葬,与烧饭并无渊源关系。

引起争议的王沈《魏书》的那段文字,见于《三国志》裴注:

> 始死则哭,葬则歌舞相送。肥养犬以采绳婴牵,并取亡者所乘马、衣物、生时服饰,皆烧以送之。……敬鬼神,祠天地、日月、星辰、山川,及先大人有健名者,亦同祠以牛羊,祠毕皆烧之。①

需要指出的是,上述争议双方都只引用了这段史料的前一半文字,而没有注意到它后面的内容。很显然,"取亡者所乘马、衣物、生时服饰,皆烧以送之"的行为确实应该属于殉葬所行焚烧之礼,但为了祭祀天地、鬼神、日月、星辰、山川以及祭祖的目的而举行的焚烧之礼,则与烧饭并无二致②。实际上,殉葬所行焚烧之礼

---

① 《三国志》卷三〇《魏书·乌丸列传》,裴注引王沈《魏书》,北京:中华书局,1975年,第3册,第832—833页。此段文字又见于《后汉书》卷九〇《乌桓鲜卑列传》。

② 陈均《皇朝编年纲目备要》卷一六仁宗嘉祐八年三月引范祖禹语,谓嘉祐中契丹曾来求取仁宗御容,据辽使后来介绍说:"今于庆州崇奉,每夕,宫人理衣衾,朔日、月半上食,食气尽,登台而燎之,曰'烧饭'。惟祀天与祖宗则然。"这条材料史源不详,或出自范祖禹《仁皇训典》一书。从末句"惟祀天与祖宗则然"来看,契丹之烧饭除了祭祖的目的之外,也有祀天的功能。

与祭祀所行焚烧之礼并见于乌桓社会,前人失之眉睫,或误将殉葬当作烧饭之源,或误以为烧饭之俗绝不见于前代,皆不免有失偏颇。

　　为祭祀的目的而举行的焚烧之礼甚至可能在比乌桓时代更早的阿尔泰民族中已经出现,郝经《续后汉书·北狄传》记匈奴葬俗曰:"始死,号哭,众以酒酪饮之,谓之'添泪'。杀马、牛、羊祭而食之,焚其骨,谓之'烧饭'。所幸臣妾从死者多至数十百人。"①当然,这条史料并不意味着匈奴时代已有"烧饭"之称,郝经只不过是借用蒙元时期习用的"烧饭"一词来指称匈奴习俗罢了。这种习俗与普兰诺·加宾尼描述的 13 世纪蒙古人的烧饭几乎如出一辙:蒙古人常常在吃完马肉之后,焚烧其骨头以祭祀亡灵②。而这条史料的最大价值就在于,郝经将匈奴人"杀马、牛、羊祭而食之,焚其骨"的习俗视同于蒙古烧饭之礼——熟知辽金元烧饭制度的郝经所得出的这种认识,自然要比今人的纯理性判断更有说服力。

　　以上讨论的是烧饭之源,关于如何辨识辽金元以后烧饭遗俗的存在与否,也是一个有争议的问题。王国维《蒙古札记》举出两个例证,一是引吴梅村《读史偶述》诗以证明满洲亦有烧饭之俗,

---

① 郝经:《续后汉书》卷七九上《北狄·匈奴传》,台湾商务印书馆影印文渊阁《四库全书》本,第 386 册,第 219 页。该卷卷末有四库馆臣的一则题记:"谨按《匈奴传》采《史记》、前后《汉书》、《三国志》、《晋书》,次第删节成篇。"不过据笔者检索的结果,此段引文除末句见于《史记》《汉书》之《匈奴传》,其他内容均无从查考。郝经此书撰于使宋滞留真州期间,从他所处的时代以及他当时能够具备的资料条件来考虑,我们不得不对上述引文的史料来源暂且存疑。
② 见《柏朗嘉宾蒙古行纪》,第 35—36 页。

然其诗有"平生赐物都燔尽,千里名驹衣火光"句,显然是指殉葬而非烧饭,毋需赘言;他举出的第二个例证是:"后乃以纸制车马代之,今日送三之俗,即辽金烧饭之遗也。"这个论据也值得斟酌。据金启孮先生介绍他所见到的民国间北京满人"送三"之俗,所谓"送三",是指死后第三天焚纸人车马的习俗。最初要在纸人背后写上家中婢仆的姓名,其形状也要与之尽量相似,表示到彼世去伺候死者,后来因有所忌讳,改为只写已去世的婢仆姓名,再后来索性连姓名也不写了①。如此看来,这种"送三"之俗分明就是殉葬之遗风,与烧饭毫无相似之处。

贾敬颜先生也接受了王国维的上述观点,并引王恽《论中都丧祭礼薄事状》以证成其说,其文云:

> 今见中都风俗薄恶,于丧祭之礼有亟当纠正者。如父母之丧例皆焚烧,以为当然,习既成风,恬不知痛,败俗伤化,无重于此。契勘系契丹遗风,其在汉民,断不可训,理合禁止,以厚薄俗。外据除六,无问贵贱,多破钱物,市一切纸作房室、侍从、车马等仪物,不惟生者虚费,于死者实无所益,亦乞一就禁止。②

该文是元世祖至元年间王恽任监察御史时所撰,此谓父母之丧例皆焚烧乃系"契丹遗风",说明辽朝时大概已有焚纸人车马的

---

①金启孮:《金启孮谈北京的满族》,北京:中华书局,2009 年,第 105 页;《满族文化史与家族——婚嫁、命名、丧葬之遗俗》,见《爱新觉罗氏三代满学论集》,呼和浩特:远方出版社,1996 年,第 224—225 页。不过作者仍认为"送三"之俗乃辽金元烧饭遗俗,大约是因袭王国维之说。
②王恽:《秋涧先生大全集》卷八四《乌台笔补》,《四部丛刊》本,第 21 册,叶 1a-b。

习俗①。但仔细玩味这段文字,我仍然无法认同贾敬颜先生的看法,因为王恽称中都丧祭之礼所焚烧者乃"纸作房室、侍从、车马等仪物",这与后世的"送三"之俗非常接近,与其说这是烧饭遗俗,毋宁说是殉葬之遗风。

如上所述,由于混淆了烧饭与殉葬的界限,王国维等人指出的烧饭遗俗其实皆系误解,但如果由此便得出烧饭之俗仅见于辽金元时代的结论,则未免失之轻率。实际上,烧饭之名虽然仅通行于辽金元三朝,但这种传统的祭祖习俗直至今天仍广泛存在于蒙古社会之中。

据额尔登泰先生介绍,鄂尔多斯地区有一种旧俗,于每年腊月二十九日夜,在成吉思汗陵庙附近掘地三穴,烧马奶酒、羊肉、面粉等物进行祭祀,并谓"此当为 13 世纪遗俗"②。另外,在鄂尔多斯传统的成吉思汗祭奠中,每年 3 月 20 日要举行祭祀成吉思汗及其后妃的焚食祭仪,被称之为嘎利鲁祭(γaril-un tailγa)。值得注意的是,这一祭仪仍保存有焚烧祭牲骨头的习俗。按照惯例,要从作为牺牲的马、牛、羊中,各取前脖一块、后脖一块、跟骨一块、尾骨一块、腰侧三块,以及脊骨、桡骨、尺骨、膝骨各一根,用于嘎利鲁祭的焚烧祭祀③。显而易见,这与普兰诺·加宾尼笔下

---

① 据《宋会要辑稿·蕃夷》二之三载,大中祥符二年(1009)辽承天太后卒,契丹使副"北向设香酒拜跪……焚纸马",可见辽朝确有此俗。

② 额尔登泰等:《〈蒙古秘史〉词汇选释》,第 108 页。

③ 参见赛音吉日嘎拉、沙日勒俗著,郭永明译:《成吉思汗祭奠》,呼和浩特:内蒙古人民出版社,1987 年,第 86—91 页;赛音吉日嘎拉著,赵文工译:《蒙古族祭祀》,呼和浩特:内蒙古大学出版社,2008 年,第 103—107 页;杨海英:《オルドス·モンゴルの祖先祭祀-末子トロイ·エジン祭祀と八白宮の関連を中心に》,《国立民族学博物館研究報告》(大阪)21 卷 3 号,1997 年 3 月,第 635—708 页。前两书汉译本分别将 γaril-un tailγa 译为嘎利勒祭、嘎尔利祭,不确。

描述的 13 世纪蒙古人的烧饭之俗是一脉相承的。

　　近年蒙古族学者娜仁格日勒在大阪外国语大学完成的博士论文,利用文化人类学的方法,以民俗志记录为基础,并辅之以田野调查资料,为我们提供了有关现代蒙古社会烧祭之俗最为翔实的研究成果。作者将蒙古人焚烧饮食品、纸钱以及布条等以祭祀祖灵的习俗称之为"图勒希(tüleši)祭祀"[1],认为这一习俗源于辽金元时代的"烧饭"。图勒希祭祀主要见于东部内蒙古及西部鄂尔多斯等农耕化程度较高的地区,大体上与土葬的地域分布相吻合。它可以细分为两类祭祀活动,一是作为死后关节礼举行的图勒希,通常是下葬时在死者的脚所在方向焚烧饮食品;二是作为年中祭祀的图勒希,每年在清明节和除夕举行两次。清明节的图勒希,时间通常选择在午后或傍晚,祭祀地点仍在墓地。除夕傍晚举行的图勒希,一般选择离住处稍远、地势较高之处,朝着先人墓地的方向焚烧准备好的祭品。在焚烧祭品时,需告知祭祀祖灵的宗旨,希望祖先接受祭品,守护子孙平安。带出的饮食品必须全部烧掉,不得有残留,更不能再带回家[2]。这是目前能够看到的有关蒙古图勒希祭祀的最为细致的描述,它为我们深入了解辽金元的烧饭之俗提供了一个鲜活的民族学标本。

　　此外,自清代以来被视为契丹遗裔的达斡尔族,也曾经存在

---

①图勒希(tüleši),即《蒙古秘史》之"土烈食"。
②娜仁格日勒:《蒙古族祖先崇拜的固有特征及其文化蕴涵——兼与日本文化的比较》,呼和浩特:内蒙古教育出版社,2005 年。该书第三章《祖灵的祭祀》专门讨论图勒希祭祀,第 83—112 页。此外作者还注意到,在青海蒙古族中盛行这样一种丧祭之俗:死后 49 天之内,每日焚烧以糌粑为主的食物、布条以及杜松等,但她认为这种焚烧祭品的习俗具有浓厚的藏传佛教意味,不应纳入蒙古人传统的图勒希祭祀。

烧饭致祭的习俗。清末民初著名的达斡尔族学者阿勒坦噶塔,在《达斡尔蒙古考》中谈到其丧祭习俗,谓"葬埋有棺椁,并殉死者所爱之良马,埋烧其衣服,及烧饭致祭等之俗,一如旧观"云云[1]。与其同时的另一位达斡尔知识分子钦同普,在介绍达斡尔族传统丧祭之俗时说得更加明确:下葬百日后,"祭坟,备肥猪一口,走兽、飞禽、鱼类所得者并为祭品,同阖族诣墓,祭奠焚烧如例。……此后特祭者周年一次,三周年一次,均用牲;其岁暮、清明节,经常祭,则照例行之,不用牲"[2]。不过从上世纪五六十年代对达斡尔族进行的民族调查结果来看,似乎这种习俗已经不复存在[3]。

由此可见,以祭祀祖灵为其主要目的的烧饭之俗,在阿尔泰民族中的存在可谓源远流长。前人在谈及烧饭源流问题时,或误将烧饭和殉葬混为一谈,或误以为烧饭之俗仅见于辽金元时代,其说皆不可取。

原载《文史》2012 年第 2 辑

【未及补入正文之笔记】

雷闻《割耳劙面与刺心剖腹——从敦煌 158 窟北壁涅槃变王子举哀图说起》,《中国典籍与文化》2003 年第 4 期。

张庆捷《"劙面截耳与椎心割鼻"图解读》,见同氏《民族汇聚

---

①阿勒坦噶塔:《达斡尔民族考》,见《达斡尔资料集》第二集,北京:民族出版社,1998 年,第 18 页。该书原名《达斡尔蒙古考》,1933 年由东布特哈八旗筹办处发行,奉天关东印书馆印刷。
②钦同普:《达斡尔族志稿》第四编《达斡尔风俗习惯》"礼俗·丧礼",见《达斡尔资料集》第二集,第 209 页。
③参见《达斡尔族社会历史调查》,呼和浩特:内蒙古人民出版社,1985 年。

与文明互动——北朝社会的考古学观察》,北京:商务印书馆,2010 年。

弥南德《希腊史残卷》记载突厥人殉葬(被称作"道吉雅")和剺面习俗。见《东域纪程录丛》,H. 裕尔,张绪山译,昆明:云南人民出版社,2002 年,第 181 页。

再论契丹人的父子连名制

——以近年出土的契丹大小字石刻为中心

    契丹人的名字习俗是一种久已湮灭无闻的民族文化,从汉文文献中几乎完全看不出它的丰富内涵①。笔者近年通过对契丹文字石刻资料进行系统的梳理,并借助于文化人类学的知识和方法,揭开了从不为人所知的契丹父子连名制的奥秘②。

---

① 以往辽史学者根据《辽史》等汉文文献对契丹人名字所作的种种诠释,均未能揭示它的真谛。参见都兴智:《契丹族的姓氏和名称》,《辽宁师范大学学报》1990 年第 5 期,第 57—60、80 页;张国庆:《略谈辽代契丹人的命名习俗》,《博物馆研究》1991 年第 2 期,第 67—70 页;冯继钦:《金元时期契丹人姓名研究》,《黑龙江民族丛刊》1992 年第 4 期,第 106—110 页。仅有个别民族语文学家注意到契丹人名字的某些规律,聂鸿音曾从汉语音韵学角度对《辽史》所见契丹人的字的词尾附加成分进行过分析,认为契丹人的字反映出契丹语有 -n 和 -in 两个名词附加成分,并指出契丹人的名和字之间一般没有汉人名、字之间那种词义上的联系,而大多仅表现为某种词尾的转换,见聂鸿音《契丹语的名词附加成分 *-n 和 *-in》,《民族语文》2001 年第 2 期,第 56—60 页。

② 刘浦江、康鹏:《契丹名、字初释——文化人类学视野下的父子连名制》,《文史》2005 年第 3 辑,第 219—256 页;收入刘浦江《松漠之间——辽金契丹女真史研究》,改题《契丹名、字研究——(转下页注)

契丹文字碑刻中所见契丹人名字，通常包括乳名（直译为"孩子名"，辽代汉文文献多称为"小名"或"小字"）、第二名（辽代汉文文献一般译称"字"），全称时则第二名在前，乳名在后。通过对契丹大小字石刻资料进行系统的梳理，笔者发现契丹小字的第二名词尾分别由**伏**、**出**、**与**、**内**、**否**五个原字构成，在契丹大字中发现的第二名词尾用字 **齐** 则与契丹小字 **伏** 的用法相同，这说明契丹人的第二名词尾是由某些特定音节构成的一种附加成分。分析这些词尾用字的音值，可以从中看出两个显而易见的规律：第一，所有契丹大小字第二名词尾附加成分均含有一个基本音值-n；第二，目前发现的五种第二名词尾附加成分具有比较明显的互补关系，想必是为了契合元音和谐律的需要。这些现象暗示我们，契丹语中的各种第二名词尾附加成分应该具有同样的语法功能，它们很可能是属格后缀。

在成功辨析出第二名词尾的附加成分之后，接下来笔者从若干种契丹大小字墓志所记载的墓主世系里看出了一个有趣的规律：在契丹人的某些父子的第二名和小名之间，存在着词法意义上的相同形式的关联，即父亲的第二名与其长子的小名是同根词，前者的惯用词形均为后者添加属格附加成分的形式。这种情况提醒我们，在契丹族的历史上，一定存在某种从不为人知晓的父子连名制。但这究竟是一种什么类型、什么形式的父子连名制，则必须向文化人类学去寻求答案。

（接上页注）文化人类学视野下的父子连名制》，北京：中华书局，2008年，第123—176页。该文有日译本，饭山知保译，刊于日本《唐代史研究》第10号，2007年8月，第47—71页；又有英译本，殷宏译，刊于 *Chinese Scholars on Inner Asia*，Indiana University，2012，pp. 183–253。

杨希枚先生认为亲子连名制理应具备以下两类四型:子连亲名之亲名前连型(某之子—某)、子连亲名之亲名后连型(某—某之子)、亲连子名之子名前连型(某之父—某)、亲连子名之子名后连型(某—某之父)①。但他当时构想的亲连子名制,基本上还停留在理论假设的阶段,未能在人类学资料中找到相应的例证。关于亲连子名之子名前连型,目前能够看到的最典型的民族学资料当属佤族,佤族人的父子连名制可以表达为 BA—CB—DC 的公式,与杨希枚先生所设想的"某之父—某"型的亲连子名制基本吻合,只不过被省略为"某(之父)—某"的形式罢了②。这一类型的连名制还见于瑶族和纳西族的少数地区③,以及婆罗洲的肯雅族(Kenyah)和达雅族(Dayak)部落④。

　　那么,上述契丹人"第二名+小名"的名字全称究竟表达的是一种什么类型和形式的父子连名制呢? 一种可能是子连亲名之亲名后连型,即从子名的角度来看,不妨理解为"本名后续属格后缀+父名"的形式;另一种可能是亲连子名之子名前连型,即从父

①杨希枚:《从名制与亲子联名制的演变关系》,《中研院历史语言研究所集刊》外编第 4 种《庆祝董作宾先生六十五岁论文集》,1961 年 6 月,参下册,第 758—776 页。

②参见魏德明:《佤族文化史》,昆明:云南民族出版社,2001 年,第 155—156 页;李道勇:《佤族》,见张联芳主编:《中国人的姓名》,北京:中国社会科学出版社,1992 年,第 334—342 页;罗之基等:《西盟佤族姓氏调查报告》,载《佤族社会历史调查(四)》,昆明:云南人民出版社,1987年,第 34—35 页。

③胡起望:《瑶族》,见《中国人的姓名》,第 198 页;和即仁:《纳西族》,见《中国人的姓名》,第 361 页。

④C. Hose & W. McDougall, *The Pagan Tribes of Borneo*, London, 1912, Vol. 1, pp. 79-82.

名的角度来看,可以理解为"长子小名后续属格后缀+本名"的形式。笔者认为契丹人的连名制应属后一种类型,在"第二名+小名"的连名形式中,实际上有一个省略成分,即"第二名"之后省略了"父亲"一词,因此可将契丹人的连名制形式准确地表达为"某之(父)—某"型。

以上便是笔者有关契丹父子连名制研究的基本结论。近几年来,从新出土的若干种契丹大小字石刻资料中,笔者又获得了某些重要发现和启示,可以进一步加深对此问题的认识,并完善前文的研究结论,故本文名之曰"再论契丹人的父子连名制"。

一、新发现的契丹大字"第二名"词尾附加成分

在《契丹名、字初释——文化人类学视野下的父子连名制》(以下简称《初释》)一文中,笔者指出,目前所见契丹小字人名资料,所有第二名的词尾均由**伏**、**出**、**与**、**内**、**杏**五个原字之一构成;照理说,在契丹大字石刻资料中也理应存在上述五种第二名词尾,但由于契丹大字的石刻材料相对较少,且目前的解读水平又远不及契丹小字,因此笔者当时在契丹大字石刻中仅发现了一个第二名的标志性词尾字**介**,此字与契丹小字的第二名词尾附加成分**伏**可以相通。

幸运的是,近年面世的几种契丹大字碑刻为进一步完善上述研究结论提供了新的线索,我从这些契丹大字石刻中又发现了两个第二名的标志性词尾字**扎**、**禹**。下面分别举例说明,若字形或词义有疑问者则略加考释。

（一）以 ✦ 收尾者

以 ✦ 收尾的契丹大字第二名词尾，其实在契丹大字石刻中是比较常见的一类，可惜我过去一直未能看出来。根据近年刊布的契丹大字《多罗里不郎君墓志铭》《耶律祺墓志铭》来看，可以确定 ✦ 为契丹大字第二名词尾之一。

以《耶律习涅墓志铭》为例，墓主第二名见于第 1 行志题[①]：

序 荅 ✦

习　涅

据同时出土的汉文《耶律习涅墓志铭》介绍墓主名字说："讳习涅，小字杷八。"[②]其小名杷八见于契丹小字墓志第 2 行，而这里说的"讳"实际上是指他的第二名——这是因为辽代汉文石刻对契丹人名字的表述不像《辽史》那么规范的缘故。不过"习涅"的译名不够准确。《辽史》有耶律习泥烈、萧习泥烈，"习泥烈"是作为小名使用的，而作为第二名使用时有一个词尾附加成分，按辽朝译例应作"习撚"。如《辽史》卷一〇八《方技传》谓耶律乙不哥字习撚，又卷九六《耶律良传》云："耶律良，字习撚，小字苏。"[③]

---

① 该墓志拓本和摹本最初发表于金永田《契丹大字"耶律习涅墓志"考释》，《考古》1991 年第 4 期，第 372—379 页。本文所引录文及释文均据刘凤翥《契丹大字〈耶律习涅墓志铭〉再考释》，《国学研究》第 22 卷，北京：北京大学出版社，2008 年 12 月，第 79—115 页。

② 盖之庸：《内蒙古辽代石刻文研究》，呼和浩特：内蒙古大学出版社，2002 年，第 357 页。

③ 按耶律良系其汉名，《辽史·道宗纪》则称之为耶律白，据沈汇《契丹小字石刻撰人考》（《考古与文物》1982 年第 6 期，第 95 页）解释说，"习撚"一词在今达斡尔语中义为"孝服"，其原义可能指白色，则耶律白当为"习撚"之意译。

"习撚(习涅)"这个第二名是以 ᠠ 收尾的。

再举契丹大字《多罗里不郎君墓志铭》为例,墓主名字见于第 2 行:

充　州　浸　　兂　盂　　　仵　圥　峉　　　峂　ᠠ

多罗　里　不　　郎　君　　　第二的(名)　　特　免

这方墓志是 2006 年夏内蒙古阿鲁科尔沁旗博物馆从民间征集的,在此之前,刘凤翥先生根据所获得的拓本照片首先刊布了该墓志的第一面①。他把墓主的小名译为"多罗里本",不够准确。契丹大字《耶律祺墓志铭》第 7 行有"充 州 夰"者,才能译为"多罗里本",这里的 充 州 浸 没有第二名词尾,故应译为"多罗里不"。墓主的第二名,刘凤翥先生译为"特每",想必是参照《耶律宗教墓志铭》对 峂 一词的汉译。其实,《辽史》里还有一个更加中规中矩的译名,《辽史·萧兀纳传》称其"字特免",即契丹小字《萧仲恭墓志铭》第 2 行之 峂。因此名词首的 令、峇 两个原字可以通用,故知特免、特每乃 峂(令)一词的同名异译,译为"特免"才能将第二名的词尾音节准确地表达出来。这个第二名也是以 ᠠ 收尾的。

关于契丹大字的第二名词尾 ᠠ,还有一个问题需要讨论。乌拉熙春教授将契丹大字《故太师铭石记》第 3 行的 夨 幻 孝 田 释为"敌辇·岩木(古)",第 4 行的 夨 幻 圷 住 释为"敌辇·□□"②,这个释读结果应该问题不大,但其录文的准确性值得怀

---

① 丛艳双、刘凤翥、池建学:《契丹大字〈多罗里本郎君墓志铭〉考释》,《民族语文》2005 年第 4 期,上引录文见第 54 页附录。

② 爱新觉罗·乌拉熙春:《契丹文墓誌より見た遼史》,京都:松香堂,2006 年,第 148—152 页。

疑。该墓志最早的录文见于《契丹大字资料汇辑》[①],是由刘凤翥先生摹录的,他也同样把"敌辇"一名的词尾写作 刃。按照他们的录文,作为第二名使用的 夨 刃(敌辇)一词,乃是以 刃 收尾的。上面谈到的习撚、特免,与"敌辇"一名理应是同样的词尾(说详下文),那么这个词尾究竟应该是 才 还是 刃 呢? 由于《故太师铭石记》原石和拓本均已下落不明,仅有李文信先生发表此碑时留下的一幅很不清晰的拓本照片,好在第 3 行有较大的局部拓片,该词词尾尚可勉强辨识,看上去确实近似 刃 字(见图一)[②]。但近年

图一 《故太师铭石记》第 3 行: 　　图二 《耶律祺墓志铭》第 8 行:
　　敌辇·岩木 　　　　　　　　　敌辇太尉

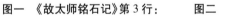

①中国社会科学院民族研究所、内蒙古大学蒙古语文研究室契丹文字研究小组编,油印本,无页码,北京,1978 年 5 月。
②见李文信:《契丹小字"故太师铭石记"之研究》,伪满《国立中央博物馆论丛》第 3 号,1942 年 4 月,第 67—74 页。第 3 行局部拓本照片见第 70 页第 3 图。由于当时学界还不知道这个墓志是契丹大字石刻,故李文信先生误认为这是一件契丹小字石刻的赝品。

出土的契丹大字石刻为我们提供了更确切的证据,在契丹大字《耶律祺墓志铭》第 4、7、8 行三次出现 **发 朴**(敌辇)一名,可以很清楚地看出其词尾是 **朴** 而不是 **刋**(见图二),应该据此订正《故太师铭石记》的录文。

(二)以 **否** 收尾者

以 **否** 收尾的契丹大字第二名词尾虽然不是很常见,但在目前所见契丹大字石刻中可以找到明确的例证。

以契丹大字《耶律祺墓志铭》为例,墓主名字见于第 3 行①:

几 列 午	**正 来**	**伴 扎 谷**	**月 否**
孩子名	阿撒里	第二的(名)	撒班

几 列 午 与契丹小字的 **榖 火化** 同义,指小名。墓主耶律祺,即《辽史》卷九六的耶律阿思,传云:"耶律阿思,字撒班。"《辽史》将其小名译为阿思,省译了词尾音节,刘凤翥先生改译为阿思里。按辽道宗清宁年号,契丹大字写作 **丕 正 来**,契丹小字写作 **尖 冬书**,可知 **正 来** 与 **冬书** 同义②;而契丹小字《耶律智先墓志铭》第 13 行有名为 **冬书** 者,同时出土的汉文墓志译为"阿撒里"③,这就是耶律祺小名 **正 来** 的辽代汉译。上面引文的最后两

①该墓志拓本最早发表于王永强等主编《中国少数民族文化史图典》(北方卷上第 2 分册),南宁:广西教育出版社,1999 年,第 278 页;本文所引释文和释文参照刘凤翥《契丹大字〈耶律祺墓志铭〉考释》,《内蒙古文物考古》2006 年第 1 期,第 52—78 页。

②按契丹大字 **丕** 和契丹小字 **尖** 均为年号之前的惯用词,与清宁年号对译的是 **正 来** 和 **冬书**。

③见赵志伟、包瑞军:《契丹小字〈耶律智先墓志铭〉考释》附录,《民族语文》2001 年第 3 期,第 39、41 页。

字是耶律祺的第二名撒班，《萧义墓志》有"北枢密使耶律撒巴宁"者①，即指耶律祺，"撒巴宁"系撒班的异译。此名也见于志盖及第 1 行志题，这个第二名是以 **舟** 收尾的。

另一个例子见于《耶律祺墓志铭》第 12 行：

冗 议 舟　夫

窝笃盌·□里

此人是耶律祺的从兄。1996 年在内蒙古阿鲁科尔沁旗朝克图山耶律祺家族墓群中出土的契丹小字《耶律副署墓志铭》，墓主正是此人。据该墓志第 3 行交代，墓主的小名为 **尤夹**，可知契丹大字 **夫** 等同于契丹小字 **尤夹**。在契丹小字石刻中，此词常用于 **尤夹 夲**（元年）这个词组，过去契丹文字研究小组曾把它视为汉语借词，故将 **尤夹** 一词读作 ju-uan②，后来即实（巴图）先生根据《耶律宗教墓志铭》所见 **几夲夹**（控骨里）一名，才将 **夹** 改拟为 [ur]③。但原字 **尤** 的音值仍不可知，故暂且将其小名 **夫** 译为"□里"，下文再详细讨论这个问题。此人的第二名见于《耶律副署墓志铭》首行志题，写作 **旗**，与契丹大字 **冗 议 舟** 系同一词。按该词在契丹小字石刻中常用于年号"大安"，清格尔泰先生读为 uduwon，并认为与《辽史·国语解》中的"窝笃盌"一词

---

① 向南编著：《辽代石刻文编》，石家庄：河北教育出版社，1995 年，第623 页。

② 参见清格尔泰、刘凤翥等：《契丹小字研究》，北京：中国社会科学出版社，1985 年，第 115—117 页。**尤夹** 为汉语借词的说法，最初是由日本学者山路广明提出来的。

③ 参见即实：《谜林问径——契丹小字解读新程》（以下简称《谜林问径》），沈阳：辽宁民族出版社，1996 年，后记，第 657—658 页。

有关①。笔者认为这个结论是可以采信的,故此人之第二名亦当译为窝笃盌或讹都椀②。这个第二名也是以 **舌** 收尾的。

综上所述,以上两个契丹大字第二名词尾 **扎**、**舌**,加上笔者在《初释》一文中揭出的词尾字 **齐**,目前在契丹大字石刻资料中已先后发现三个第二名词尾。既然契丹小字有五种第二名词尾附加成分,我相信在契丹大字中也应该有五个与之相对应的词尾,随着契丹大字出土文献的日益增多以及释读的不断深入,可望在不远的将来比较圆满地解决这一遗留问题。

二、契丹大字第二名词尾附加成分 **扎** 和 **舌** 之分析

在《初释》一文中,笔者指出契丹大字第二名词尾 **齐** 与契丹小字第二名词尾附加成分 **伏** 可以相通。那么,上述两个契丹大字第二名词尾 **扎** 和 **舌**,与契丹小字词尾附加成分又是怎样一种对应关系呢?这就需要结合契丹小字石刻资料对这两个词尾成分进行具体分析。

(一)契丹大字第二名词尾附加成分之 **扎**

诸多证据表明,此字与契丹小字的第二名词尾附加成分 **与** 可以相通。

---

① 清格尔泰:《契丹小字研究概况》,《内蒙古大学学报(蒙文版)》1999 年第 4 期,第 4 页。按《辽史·国语解》:"窝笃盌,孳息也。"据《营卫志》记载,兴宗斡鲁朵名曰窝笃盌,汉名延庆宫。
②《辽史》卷一一一《萧余里也传》、卷一一四《萧特烈传》均谓传主字讹都椀。

上文谈到，契丹大字《耶律习涅墓志铭》第1行的序善九，即墓主的第二名习涅（习撚），此名的契丹小字见于《耶律糺里墓志铭》第2行，写作仐雨[1]。这就是说，在"习撚"一名中，契丹大字词尾的九等同于契丹小字词尾的马。我们还可以为此提供一些旁证。《耶律习涅墓志铭》第11行的坐善九，意为"已故"，而该词在契丹小字中写作仐苓（见《耶律智先墓志铭》第20行）；契丹大字《耶律祺墓志铭》第30行的冬善九，意为"嫁"，而该词在契丹小字中写作仌平[2]。从以上诸例中可以得出一个结论，即契丹大字的善与契丹小字的苓相通，契丹大字的九与契丹小字的马相通。

契丹大字《多罗里不郎君墓志铭》第2行的峃九，即墓主的第二名"特免"。此名的契丹小字见于《萧仲恭墓志铭》第2行，作苓金。不妨再举一个旁证。契丹大字《耶律习涅墓志铭》第12行的峃卅九，意为"封（号）"，而契丹小字《许王墓志》第2行的"封"作苓，试将两者作一比较，亦可得出"特免"一词的契丹大字词尾九等同于契丹小字词尾马的结论。

又如契丹大字《耶律祺墓志铭》第4、7、8行三次出现的欠九一词，是契丹人常用的第二名，汉译迪辇或敌辇，它在契丹小字中写作苓用或仐用，契丹大字的词尾九与契丹小字的词尾马相对应。

---

①该墓志拓本照片最初刊布于唐彩兰《辽上京文物撷英》（呼和浩特：远方出版社，2005年，第148页），但被误称为《耶律贵也稀墓志》。关于该墓志的名称问题，留待下文再做解释。

②契丹小字中的"嫁"有几种略微不同的写法，而仌这种写法是最常见的，见《耶律仁先墓志铭》第7、8、63行，《耶律宗教墓志铭》第21、22行等。

再如契丹大字《多罗里不郎君墓志铭》第 2 行和《耶律祺墓志铭》第 3 行都有 ⿰ 一词，与契丹小字的 ⿰ 同义，指"第二的（名）"，可知 ⿰ 等同于 ⿰，⿰ 等同于 ⿰。

以上例证都说明了这样一个事实，⿰ 在契丹大字中作为第二名词尾附加成分使用时，其读音及语法意义与契丹小字的 ⿰ 是完全等同的。笔者在《初释》一文中指出，契丹小字第二名词尾附加成分 ⿰ 的音值范围可拟测为 * in～ian，多出现在 ə 类元音之后[1]；而第二名词尾附加成分 ⿰（契丹小字）和 ⿰（契丹大字）的音值范围可拟测为 * in～ən，只黏附在辅音或元音 u 之后。

不妨试举一例，以验证契丹大字词尾附加成分 ⿰ 和 ⿰ 的区别。上文说过，契丹大字《耶律习涅墓志铭》将其第二名习涅（习撚）写作 ⿰，又该墓志第 2 行有名 ⿰ 者，即习涅之六世祖习宁。据同时出土的汉文《耶律习涅墓志铭》记载："于越王兵马大元帅讳习宁，小字卢不姑，即公之六世祖也。"[2]此人《辽史》卷七六有传，谓"耶律鲁不古，字信宁"。此"鲁不古"即"卢不姑"之异译，"信宁"即"习宁"之异译。再看契丹小字。"习涅（习撚）"一名的契丹小字，《耶律糺里墓志铭》第 2 行作 ⿰；"习宁（信宁）"一名的契丹小字，《耶律奴墓志铭》第 6 行作 ⿰[3]。前面说

---

[1] 清格尔泰先生对笔者的这一拟音提出修正意见，他认为从元音和谐律的角度考虑，⿰ 的音值范围可调整为 ən～en。见氏著《契丹小字几个常用原字读音研究》，《内蒙古大学学报》2007 年第 4 期，第 7—9 页。
[2] 盖之庸：《内蒙古辽代石刻文研究》，第 357 页。
[3]《辽史》卷八三《耶律休哥传》称其字逊宁，亦即习宁之异译，此名在契丹小字《耶律奴墓志铭》第 6 行中写作 ⿰，见石金民、于泽民《契丹小字〈耶律奴墓志铭〉考释》附录，《民族语文》2001 年第 2 期，第 65 页。

到第二名词尾附加成分 伏 和 夲 只黏附在辅音或元音 u 之后，原字 女 拟音 un①，故 夲女伏 / 序 夲 一词的词尾附加成分分别是 伏 和 夲；第二名词尾附加成分 与 和 扎 大多出现在 ɔ 类元音之后，而 谷 正好带有一个 ɔ 类元音②，故 夲而谷与 / 序 谷 扎 一词的词尾附加成分分别是 与 和 扎。

（二）契丹大字第二名词尾附加成分之 禾

从目前掌握的资料来看，此字与契丹小字的第二名词尾附加成分 禸 可以相通。

契丹大字《耶律祺墓志铭》第 3 行的 丹 禾，即墓主第二名撒班，此名在契丹小字《耶律仁先墓志铭》第 7 行中写作 夲年及禸③。又《耶律祺墓志铭》第 12 行的 凡 讼 禾，即墓主的第二名窝笃盌，此名在契丹小字《耶律副署墓志铭》第 1 行中被写作 夲乜禸。这说明，在契丹大字中作为第二名词尾附加成分使用的 禾，其读音、接续特点及语法意义均可等同于契丹小字的 禸。按《初释》一文的推论，契丹小字第二名词尾附加成分 禸 的音值范围可暂拟为 *n~in，多黏附在元音 o 之后④。

以上分析结果说明，目前已经发现的三个契丹大字第二名词

---

① 清格尔泰：《契丹小字釋讀問題》，东京外国语大学亚非语言文化研究所刊行，2002 年 3 月，第 80—81 页。
② 参见清格尔泰：《契丹小字釋讀問題》，第 94 页。
③ 即实先生将此名译作"撒不椀"（见《〈糺邻墓志〉释读》，《谜林问径》，第 210 页），与辽代译例不符。《辽史》中常见撒班、撒版、撒板、萨板、撒本等契丹语名，即此词之汉译。
④ 清格尔泰先生对这一推论提出异议，他认为 与 可读为 on，见《契丹小字几个常用原字读音研究》，第 9 页。

尾附加成分,均与此前发现的契丹小字第二名词尾附加成分可以一一对应:契丹大字的 夵 与契丹小字的 伏 相通,契丹大字的 朮 与契丹小字的 与 相通,契丹大字的 舌 与契丹小字的 內 相通。另外两个契丹小字第二名词尾附加成分 出 和 杏,目前在契丹大字资料中尚未找到相对应的词尾,有待日后做进一步的研究。现综合《初释》及本文的研究结果,将契丹大小字第二名词尾附加成分的分布情况列表条理如下。

表一　契丹大小字第二名词尾附加成分的分布情况

词尾类型	接续特征	用　例	出　处
契丹小字 伏	只黏附在辅音或元音 u 之后	令火伏(习宁、信宁、逊宁)	《耶律奴墓志铭》
契丹大字 夵	同上	序 夵(习宁、信宁、逊宁)	《耶律习涅墓志铭》
契丹小字 与	多出现在 ə 类元音之后	令雨谷与(习涅、习撚)	《耶律糺里墓志铭》
契丹大字 朮	同上	序 荅 朮(习涅、习撚)	《耶律习涅墓志铭》
契丹小字 內	多黏附在元音 o 之后	令全及內(撒班、萨板、撒本等)	《耶律仁先墓志铭》
契丹大字 舌	同上	丹 舌(撒班、撒巴宁)	《耶律祺墓志铭》
契丹小字 出	多出现在 a 类元音之后	令末立出(撒懒)	《耶律迪烈墓志铭》
契丹大字?	同上	待考	
契丹小字 杏	可黏附在元音 u 之后	个火叐杏(勃鲁恩)	《萧图古辞墓志铭》
契丹大字?	同上	待考	

三、契丹大小字石刻所见父子连名现象

笔者此前在《初释》一文中总共揭示了十例契丹人父子连名的例证,其中四例出自契丹小字石刻,两例出自契丹大字石刻,四例出自汉文文献。近几年来,从新刊布的若干种契丹大小字石刻资料中,笔者又发现了几桩父子连名的例证,兹考述如下。

（1）耶律麻隗与耶律蒲鲁

内蒙古巴林左旗博物馆于 2002 年 7 月征集到一方契丹小字墓志,由于对墓主名字的拟音存在分歧,有关该墓志的名称还有很大争议。刘凤翥先生最初将该墓志命名为《耶律贵也稀墓志》[1],后又改称为《耶律贵墓志铭》《耶律迪里姑墓志铭》或《耶律贵·迪里姑墓志铭》[2];乌拉熙春教授则称之为《耶律夷里衍太保墓志铭》或《耶律夷里衍太保位志》[3]。根据对墓志的初步解读,知墓主名字全称为 𘰷𘱰𘲁 𘰚𘱦𘱅,所谓"迪里姑"是对墓主小名 𘰚𘱦𘱅 的音译,"贵也稀"、"贵"及"夷里衍"则都是对墓主第二名 𘰷𘱰𘲁 的不同译法。在笔者看来,这些译名均不足凭信。其实,墓主小名 𘰚𘱦𘱅 一词的音读应该是比较明确的。按《耶律仁先墓志铭》通称墓主

---

① 见唐彩兰:《辽上京文物撷英》,第 148 页。该书所刊布的墓志拓本照片,其题名系采纳刘凤翥先生的意见。

② 见刘凤翥等:《辽代〈耶律隆祐墓志铭〉和〈耶律贵墓志铭〉考释》,《文史》2006 年第 4 辑,第 116—142 页。

③ 爱新觉罗·乌拉熙春:《遼朝の皇族——金啓孮先生逝去二周年に寄せて》(以下简称《遼朝の皇族》),《立命館文學》第 594 号,2006 年 3 月,第 98—101 页;《契丹文墓誌より見た遼史》,第 264 页。

为 [契丹小字], [契丹小字]即《辽史·耶律仁先传》所称仁先之字(第二名)
"糺邻"①,该墓志中作为小名使用的 [契丹小字]显然是 [契丹小字]一词的词根,故
当译作"糺里"。这是一个辽代常见的契丹人名。据《辽史·公主
表》,道宗次女名糺里;《道宗纪》大安十年四月庚戌,有积庆宫使萧
糺里;据《天祚皇帝纪》所附《耶律雅里传》,辽末有西北路招讨使萧
糺里;又《金史·太祖纪》天庆四年十一月下,也有辽都统萧糺里。
基于上述理由,笔者主张将此墓志定名为《耶律糺里墓志铭》。②

该墓志详细追溯了墓主的七代先人,其中第4行有这样一位:

[契丹小字]   [契丹小字]   [契丹小字]
蒲邻 · 麻隗   令稳

此人是孟父房岩木之孙、墓主糺里之五世祖,仕至令稳。其
小名 [契丹小字],刘凤翥先生译为"穆维",与辽代译例不符,故改译为
"麻隗"③。[契丹小字]是他的第二名,刘凤翥先生译作"普你",有辽代汉
文石刻为据:《耶律宗福(韩涤鲁)墓志》称其祖父韩德威"讳普
你"④,而韩德威的契丹语第二名见于契丹小字《韩高十墓志铭》
第6行、《耶律(韩)迪烈墓志铭》第5行和《萧图古辞墓志铭》第4

---

①参见刘浦江:《"糺邻王"与"阿保谨"——契丹小字〈耶律仁先墓志〉二
题》,《文史》2006年第4辑,第109—112页;收入氏著《松漠之间——
辽金契丹女真史研究》,北京:中华书局,2008年,第219—234页。
②详见本书所收《关于契丹小字〈耶律糺里墓志铭〉的若干问题》,第
134—141页。
③《辽史·圣宗纪》统和十九年十一月庚午有侦候名"谋注"者,大概也是
此名的汉译。
④见王青煜:《耶律宗福墓志浅探》,《首届辽上京契丹·辽文化学术研讨
会论文集》,呼和浩特:内蒙古文化出版社,2009年,第218页。

行,均作![契丹字]①,恰与"普你"的译音相合。不过,辽代石刻采用的这一译名并不准确,因为它省译了第二名词尾的属格后缀![契丹字]。在《辽史》中可以找到此名的多种异译:《太宗纪》天显五年九月己卯,有舍利普宁;《耶律阿没里传》称其字蒲邻,又《圣宗纪》统和元年正月乙丑之耶律普领、二年二月丙申之耶律蒲宁、同年四月丁亥之耶律普宁、四年四月戊申之耶律蒲领,都是指耶律阿没里。这些译名虽然很不统一,但都译出了第二名词尾的附加成分,比"普你"的译音更为准确,是以采用"蒲邻"一名。

该墓志第 5 行接下去记述耶律麻隗的三个儿子,其长子是:

![契丹字]		![契丹字]		![契丹字]		![契丹字]
长	子	蒲鲁		郎君		

此人的小名![契丹字],刘凤翥先生译为"福乐",显然不可取;乌拉熙春译为"蒲勒"②,也于辽代文献无征。按《辽史》卷八九《耶律庶成传》后有耶律蒲鲁的附传,谓"蒲鲁,字乃展";卷八七《萧蒲奴传》谓"蒲奴,字留隐"。蒲鲁和蒲奴都是作为小名使用的,这就是![契丹字]一词的辽代汉译③。

---

①见刘凤翥、清格勒:《辽代〈韩德昌墓志铭〉和〈耶律(韩)高十墓志铭〉考释》,《国学研究》第 15 卷,北京:北京大学出版社,2005 年 6 月,第124、136 页;唐彩兰、刘凤翥、康立君:《契丹小字〈韩敌烈墓志铭〉考释》附录,《民族语文》2002 年第 6 期,第 34 页;刘凤翥、梁振晶:《契丹小字〈萧奋勿腻·图古辞墓志铭〉考释》附录,《文史》2008 年第 1 辑,第175 页。

②见爱新觉罗·乌拉熙春:《契丹文墓誌より見た遼史》,第 156 页。

③由此看来,《辽史·圣宗纪》统和四年四月戊申之北大王耶律蒲奴宁、《兴宗纪》重熙六年五月癸亥之乌古迪烈得都详稳耶律蒲奴宁,以及《耶律勃古哲传》称其"字蒲奴隐",这里的蒲奴宁、蒲奴隐大概也都是![契丹字]一名的异译。

试将耶律麻隗的第二名 **⿱⿱夲平伏**（蒲邻）与其长子的小名 **⿱夲平**（蒲鲁）做一比较，可以明显看出两者系同根词，前者仅比后者多了一个属格后缀 **伏** 而已。

（2）耶律兀没里与耶律窝笃斡——见于契丹小字石刻

契丹小字《耶律副署墓志铭》和契丹大字《耶律祺墓志铭》均出土于内蒙古阿鲁科尔沁旗罕苏木苏木朝克图山南麓的同一个家族墓地，两墓墓主为从兄弟，故这对父子的名字同时见于两方墓志之中。

上述两方墓志的墓主均为耶律古昱之孙。《辽史》卷九二《耶律古昱传》谓古昱有二子，长曰宜新，次曰兀没；但同卷《耶律独攧传》又谓独攧为"太师古昱之子"。乌拉熙春和刘凤翥先生根据以上两方墓志的解读结果，指出《辽史》记载有误，耶律古昱之二子，一为宜新，一为独攧，而兀没实为宜新之子①。

从《耶律副署墓志铭》所记墓主事迹来判断，此人就是《辽史·耶律古昱传》所说的兀没。墓主的第二名和小名，分别见于该墓志第 1 行和第 3 行，其全称如下：

⿱⿰金夲⿰丹反南   **尤夹**

窝笃盌·兀没里

关于墓主小名的音读，目前还存在着较大分歧，需要在此做一点解释。上文已经指出，此墓主小名的后一个原字 **夹** 应读 ur，前一个原字 **尤** 音值不详。刘凤翥先生因 **尤夹** 一词常用来表示元年之"元"，故将它译为"脱伦"，其依据是明朝四夷馆之《蒙古译

① 参见爱新觉罗·乌拉熙春：《遼朝の皇族》，第 62—63 页；盖之庸、齐晓光、刘凤翥：《契丹小字〈耶律副部署墓志铭〉考释》，《内蒙古文物考古》2008 年第 1 期，第 87—90 页。

语》谓"初"音"脱仑"①。这个译名与**夹**的音值不符,不足为据。乌拉熙春教授则把这个小名译为"尤里",并谓《耶律副署墓志铭》所记墓主小名和第二名均与"兀没"的读音不合,兀没当是墓主的别名云云②。她之所以将原字**尤**译为"尤",显然仍在沿袭**尤夹**为汉语借词的错误说法③,如此得来的这个译名当然也不可取。

笔者认为,《辽史·耶律古昱传》既称之为兀没,按惯例当是小名,或许省译了词尾辅音 r,其完整的译名当作"兀没里"。《辽史》中有名为"兀里"或"兀里轸"者(前者是小名,后者是第二名)④,可能也是"兀没里(轸)"的省译。另外,契丹大字《多罗里不郎君墓志铭》的一条材料也许有助于笔者的这一推断。该墓志的墓主可能是耶律羽之的后人,其中第 3 行提到这样一个人:

仈	礼	芥	英		再 卆
寅底哂		·兀里			宰相

据刘凤翥先生推测,这很可能就是耶律羽之的契丹语名字⑤。上文说到,《耶律副署墓志铭》墓主的小名**尤夹**,在契丹大字《耶律祺墓志铭》中写作**夹**。因此我怀疑《多罗里不郎君墓志铭》之

---

①见《契丹小字〈耶律副部署墓志铭〉考释》,第 82—83、98 页;《契丹大字〈耶律祺墓志铭〉考释》,第 59 页。

②爱新觉罗·乌拉熙春:《辽朝の皇族》,第 64—65 页。

③《契丹小字研究》第 116 页有这样一个推断:"**尤**当读[ju],或系来自形音均极相似的汉字'尤'。"这就是乌拉熙春的依据所在。

④如《辽史》卷八五《耶律题子传》有耶律兀里,卷七五谓耶律羽之小字兀里、耶律觌烈字兀里轸,卷七四谓萧痕笃字兀里轸等。

⑤见丛艳双、刘凤翥等:《契丹大字〈多罗里本郎君墓志铭〉考释》,第 51 页。《辽史》卷七五《耶律羽之传》称其"小字兀里,字寅底哂"。

英与《耶律祺墓志铭》之羙应该是同一个字,二者或有一误①。若这一假设能够成立,则前者之小名"兀里"与后者之小名"兀没",均应是"兀没里"之省译。按照上述推论,《耶律副署墓志铭》墓主小名尤英当读为 um-ur,汉译兀没里。至于他的第二名䒑,刘凤翥先生据《辽史·耶律古昱传》释为兀没②,乃是误将其第二名当成小名了。上文按照清格尔泰先生为大安年号的拟音,已将此名改译为窝笃盌或讹都椀。

据《耶律副署墓志铭》第 24 行介绍,墓主唯一的一个儿子,其契丹语名为䒑,从词尾即可看出这是他的小名,此名可译为窝笃斡或讹都斡③。值得注意的是,耶律窝笃斡的小名䒑与其父亲的第二名䒑仅词尾原字不同。不过它们之间的区别似乎与一般父子连名的情况不太一样,父亲的第二名不只是简单地在儿子的小名后叠加一个原字构成的。尽管如此,仍可看出它们是同根词的关系,用作第二名的䒑(窝笃盌)是用作小名的䒑(窝笃斡)后续属格附加成分㘝的形式。在契丹小字石刻中还可以看到其他一些与此形式类似的名、字,如用作小名的䒑(挞不也)与用作第

---

①《耶律祺墓志铭》和《多罗里不郎君墓志铭》拓本照片均见盖之庸《内蒙古辽代石刻文研究(增订本)》,呼和浩特:内蒙古大学出版社,2007 年,第 787、791 页。前者保存相当完好,拓本确是作羙;后者拓本虽不甚清晰,但亦大致可以辨识,近似英字。
②见《契丹小字〈耶律副部署墓志铭〉考释》,第 81—82、98 页。乌拉熙春《遼朝の皇族》将这个名字录作䒑(第 64—65 页),对照拓片,可明显看出第一个原字米系伞之误。
③参见爱新觉罗·乌拉熙春:《遼朝の皇族》,第 65—66 页。

二名的⿱(挞不衍)、用作小名的⿱(特末)与用作第二名的⿱

(特免)、用作小名的⿰(迪烈)与用作第二名的⿰(迪辇），也

都是这样的对应关系。清格尔泰先生对这种现象提供了一个合

理的解释。他以⿱（特末）与⿱（特免）为例，认为⿱读为

təmə' ən(特免)，而⿱一词应读为 təmər(特末里)，从小名派生

第二名时，需添加词尾附加成分 ən，为了发音上的方便，遂将词尾

的 ər 换成 ən，在蒙古语族语言中可以见到类似现象①。

（3）耶律兀没里与耶律窝笃斡——见于契丹大字石刻

耶律祺是耶律古昱之孙，耶律独攧之子，故契丹大字《耶律祺

墓志铭》在追述墓主世系时提到了其从兄耶律兀没里父子的名

字，可与契丹小字《耶律副署墓志铭》的记载相互参证。

耶律兀没里的名字见于《耶律祺墓志铭》第 12 行：**冗 议 齐**

米。最末一字 **米** 是小名，在《耶律副署墓志铭》中写作 **尤夾**，汉译

兀没里。**冗 议 齐** 是第二名，即《耶律副署墓志铭》中的 ⿰，刘凤

翥先生将此名与《辽史·耶律古昱传》所说的"兀没"画等号②，显

然是不对的，这个第二名的辽代汉译应是窝笃盌或讹都椀，与兀

没的读音相去甚远。参照契丹大小字中大安年号的写法，可以为

这个名字的释读提供一个旁证。按辽道宗大安年号，在契丹小字

中写作 **又** ⿰，契丹大字中写作 **夾 冗 涡**③，**又** 和 **夾** 分别相当于

年号前面的特定冠词，可知契丹大字的 **冗 涡** 等同于契丹小字的

_____

①参见清格尔泰：《契丹小字几个常用原字读音研究》，第 9 页。

②见《契丹大字〈耶律祺墓志铭〉考释》，第 59、68 页。

③契丹大字中的大安年号写法不太规范，这是其中的一种写法，见《永宁

郡公主墓志铭》第 21、24 行和《耶律祺墓志铭》第 22 行。

[契丹字];既然耶律兀没里的第二名[契丹字][契丹字][契丹字]在契丹小字中写作[契丹字],可知它与用作大安年号的[契丹字][契丹字]是同音词。契丹大字的正词法不如契丹小字严格,[契丹字][契丹字][契丹字]与[契丹字][契丹字]大概只是一种写法上的差异。这说明把《耶律祺墓志铭》的[契丹字][契丹字][契丹字]比定为[契丹字],应该是没有什么问题的。

耶律兀没里之子的契丹语小名见于《耶律祺墓志铭》第38行:[契丹字][契丹字][契丹字]。这就是《耶律副署墓志铭》所见之[契丹字]。将契丹大字的[契丹字][契丹字][契丹字]比定为契丹小字的[契丹字],可以从乾统年号中得到佐证。辽天祚帝乾统年号,在契丹小字中写作[契丹字][契丹字],契丹大字中写作[契丹字][契丹字][契丹字][契丹字],[契丹字]和[契丹字]分别相当于年号前面的特定冠词,可见契丹大字的[契丹字][契丹字][契丹字]等同于契丹小字的[契丹字]。因词首的[契丹字]和[契丹字]可以相通①,故知[契丹字][契丹字]与[契丹字]的读音相同;而根据上面对耶律兀没里第二名的分析,亦可得出[契丹字]与[契丹字]读音相同的结论。由此可见,《耶律祺墓志铭》的[契丹字][契丹字][契丹字]与《耶律副署墓志铭》的[契丹字]无疑是同一人,这正是耶律兀没里之子窝笃斡。

总而言之,耶律兀没里的契丹大字第二名[契丹字][契丹字][契丹字](窝笃盌)与其子的小名[契丹字][契丹字][契丹字](窝笃斡)显然也是同根词的关系,前者是后者后续属格附加成分[契丹字]的形式。若与上文提到的耶律兀没里的契丹小字第二名[契丹字](窝笃盌)及其子的小名[契丹字](窝笃斡)进行比较,可以看出两者之间的对应关系是非常相似的。尤为难得

---

①按辽道宗清宁年号,契丹大字写作[契丹字][契丹字][契丹字],契丹小字写作[契丹字][契丹字][契丹字],知词尾的[契丹字]和[契丹字]可以相通。

的是,这一父子连名的例证居然得到了契丹小字和契丹大字石刻资料的相互印证。

(4)萧敌鲁与萧翰

在辽代汉文文献中,笔者又发现了一桩父子连名的例证。《辽史》卷七三《萧敌鲁传》曰:"萧敌鲁,字敌辇。……(太祖)拜敌鲁北府宰相,世其官。"卷一一三《逆臣中·萧翰传》:"萧翰,一名敌烈,字寒真,宰相敌鲁之子。"萧翰乃其汉语名字,契丹语小名敌烈,第二名寒真。这对父子名、字间的关联是看得很清楚的:萧敌鲁的第二名"敌辇",在契丹小字石刻中写作[契丹小字],其子萧翰小名"敌烈",契丹小字一般写作[契丹小字],两者系同根词,用作第二名的[契丹小字]是用作小名的[契丹小字]后续属格附加成分的形式。

以上新发现的四例契丹人父子连名的例证,其中两例出自契丹小字石刻,一例出自契丹大字石刻,一例出自汉文文献。现将本文及《初释》所考述的所有14例父子连名现象予以整理归纳,列为表二:

表二　契丹人父子连名之例证

父子名氏	长子第二名	长子小名	父亲第二名	父亲小名	出　　处
耶律吼父子	[契丹小字](斜宁)	[契丹小字](何鲁不)	[契丹小字](曷鲁本)	[契丹小字](吼)	契丹小字《故耶律氏铭石》《耶律迪烈墓志铭》
耶律奴父子		[契丹小字](国隐)	[契丹小字](国宁)	[契丹小字](奴)	契丹小字《耶律奴墓志铭》

父子名氏	长子第二名	长子小名	父亲第二名	父亲小名	出　　处
耶律瑰引 父子	[契丹字]（糺邻）	[契丹字] （查剌）	[契丹字]（查懒）	[契丹字]（瑰引）	契丹小字 《耶律仁先 墓志铭》 《耶律智先 墓志铭》
萧挞不也 父子	[契丹字] （兀古邻）	[契丹字]（特末）	[契丹字]（特免）	[契丹字] （挞不也）	契丹小字 《萧仲恭墓 志铭》
耶律麻隗 父子		[契丹字]（蒲鲁）	[契丹字]（蒲邻）	[契丹字] （麻隗）	契丹小字 《耶律糺里 墓志铭》
耶律兀没 里父子(契 丹小字)		[契丹字] （窝笃斡）	[契丹字] （窝笃盌）	[契丹字] （兀没里）	契丹小字 《耶律副署 墓志铭》
耶律兀没 里父子(契 丹大字)		[契丹字] （窝笃斡）	[契丹字] （窝笃盌）	[契丹字]（兀没 里）	契丹大字 《耶律祺墓 志铭》
耶律拔里 得父子	[契丹字] （留隐）	[契丹字]（海里）	[契丹字] （孩邻）	[契丹字]（拔里 得）	契丹大字 《耶律昌允 墓志铭》
耶律解里 父子	[契丹字] （乙信隐）	[契丹字] （直鲁姑）	[契丹字] （直鲁衮）	[契丹字]（解里）	契丹大字 《耶律习涅 墓志铭》
耶律牙里 果父子		[契丹字]（敌烈）	[契丹字]（敌辇）	牙里果	《辽史·皇 子表》
耶律隆裕 父子		[契丹字] （胡都古）	[契丹字] （胡都堇）	高七	《辽史·皇 子表》

父子名氏	长子第二名	长子小名	父亲第二名	父亲小名	出　　处
萧敌鲁父子	寒真	（敌烈）	（敌辇）	（敌鲁）	《辽史·萧敌鲁传》《萧翰传》
耶律铎轸父子		（低烈）	（敌辇）	铎轸	《辽史·耶律铎轸传》
耶律李胡父子	完德	喜隐	奚隐（宁?）	李胡	《辽史·章肃皇帝传》

四、父子连名制的变例——兄弟连名

在实行父子连名制的契丹人社会中,按照常规,父亲理应与长子连名;但如果没有子女,或者尚未成婚而急于获得一个象征身份和地位的尊称(即第二名),亦可与其兄弟或从兄弟连名。这实际上是父子连名制的一种变例。在盛行亲从子名制的婆罗洲达雅族(Dayak)部落以及马来人社会中,都存在类似的情形。但有关契丹人兄弟连名的实例,笔者当初仅从《辽史》中找到耶律觌烈与耶律羽之一例孤证。据《辽史》卷七五《耶律觌烈传》说:"耶律觌烈,字兀里轸。"后附其弟耶律羽之传云:"羽之,小字兀里,字寅底哂。"笔者指出,耶律觌烈的第二名"兀里轸"应是以其弟耶律羽之的小名"兀里"为词根,后续属格附加成分构成的。但由于当时在契丹文字石刻资料中尚未发现此类现象,仅凭汉文文献里的一例孤证,毕竟说服力不强。幸运的是,在近年出土的契丹小字石刻中,我们终于有了新的发现。

目前所见辽代契丹小字石刻,至少有两个比较典型的兄弟连名的例子,现考述如次。

(1)耶律控骨里与耶律兀古匿

此例见于近年刊布的《耶律慈特墓志铭》,该墓志第 5 行有墓主父亲的名字①:

涅邻·兀古匿

关于这个名字,需要在此做一点说明。刘凤翥先生的摹本将此名写作〔契丹文〕,释为"睦里宁·乌理";乌拉熙春则作〔契丹文〕,释为"涅邻·不勒"②。两者的录文都有问题。先说前面的第二名,分歧在于第一个原字究竟是〔契丹文〕还是〔契丹文〕?从拓片来看确实难以判断,但〔契丹文〕一词不见于其他契丹小字石刻,而〔契丹文〕一词在《许王墓志》第 51 行和《耶律仁先墓志》第 61 行中均用作人名,《辽史·道宗纪》谓道宗字涅邻,即此名之汉译。再看后面的小名,其分歧之处也是第一个原字不同,核以拓片,分明应作〔契丹文〕,这是契丹人常用的小名,辽代汉译作兀古匿③。

《耶律慈特墓志铭》第 7 行提到了墓主第二个伯父的名字:

兀古邻·控骨里

---

① 见刘凤翥等:《契丹小字〈耶律慈特·兀里本墓志铭〉考释》,《燕京学报》新 20 期,北京:北京大学出版社,2006 年 5 月,第 270 页。由于对墓主名字的拟音存在分歧,该墓志的名称目前尚无定论,刘凤翥称为《耶律慈特墓志铭》,乌拉熙春称为《郭里本生员墓志铭》,均可酌。本文暂取刘说。

② 见爱新觉罗·乌拉熙春:《遼朝の皇族》,第 55 页。

③ 如《辽史·道宗纪》清宁十年十二月有北院大王萧兀古匿。

作为第二名使用的 ⿱夕平/伏，在辽代也很常见，如《辽史》卷七三谓耶律颇德字兀古邻、卷八〇谓耶律八哥字乌古邻，即此名；又卷四八《百官志四》有"于骨邻"者，亦系该名之异译。后一词 ⿱几水/奂 是此人的小名，这个名字曾见于《耶律宗教墓志铭》第 22 行[1]，同时出土的汉文墓志译作"控骨里"。

据刘凤翥先生考释，耶律慈特的父亲兄弟四人，其父涅邻·兀古匿排行第三，其伯父兀古邻·控骨里则排行第二[2]。可以很清楚地看出他们二人名字之间的关系：其伯父的第二名 ⿱夕平/伏（兀古邻）与其父亲的小名 ⿱夕平（兀古匿）为同词根，前者不过是后续了一个属格后缀 伏 而已。兀古邻·控骨里为何不连子名而连弟名呢？答案就在该墓志第 7、8 两行之中：兀古邻·控骨里无嗣，而以耶律慈特承其帐[3]。显然，正是因为没有子嗣的缘故，兀古邻·控骨里才姑且从其弟名。

（2）耶律糺里与耶律夷列

此项兄弟连名的例子见于《耶律糺里墓志铭》，该墓志第 2 行记载墓主名字说：

孩子	名	糺里	第二的（名）	夷懒

墓主小名 ⿱今丙/刃，上文已释为"糺里"。关于其第二名的音读，也是一个颇有争议的问题。刘凤翥先生将 ⿱刃火/与 一词音译为"贵"，

① 见刘凤翥等：《契丹小字解读五探》附录二，《汉学研究》13 卷 2 期，1995 年 12 月，第 339 页。
② 见《契丹小字〈耶律慈特·兀里本墓志铭〉考释》，第 261—262 页。
③ 参见爱新觉罗·乌拉熙春：《辽朝の皇族》，第 55 页。

乌拉熙春则译为"夷里衍"①。两者的分歧,关键在于第一个原字 **刃** 的读音。有关这个原字的音值构拟,目前存在两种截然不同的意见,清格尔泰先生读为 rə②,刘凤翥先生读作 ku③。由于前者具有较充分的依据,笔者倾向于这种意见。这样看来,乌拉熙春将 **刃关** 一词译为"夷里衍"是有道理的,但若是按照《辽史》的译例加以规范,则应译作"夷懒"才对④。

据该墓志记述,墓主耶律糺里排行第二,墓志中没有谈到他的哥哥,但在第 15 行介绍了他三个弟弟的情况,其中年龄最大的一个弟弟是:

逊宁 · 夷列 郎君

此人之第二名 **仐火伏**,当译为逊宁或信宁,前面曾经谈到过。其小名 **刃关**,参以辽代译例,可译作夷列。西辽仁宗名夷列⑤,大概就是这个名字。从耶律糺里与耶律夷列兄弟二人的名字中,我们可以发现它们之间的关联:哥哥的第二名 **刃关** (夷懒)与弟弟的小名 **刃关** (夷列)为同根词。但需注意的是,两词的区别不是在小名

---

① 见刘凤翥等:《辽代〈耶律隆祐墓志铭〉和〈耶律贵墓志铭〉考释》,第 127 页;爱新觉罗·乌拉熙春:《契丹文墓誌より見た遼史》,第 155—158 页。
② 清格尔泰:《契丹小字釋讀問題》,第 53 页。
③ 刘凤翥:《最近 20 年来的契丹文字研究概况》附录一《契丹原字音值构拟表》,《燕京学报》新 11 期,北京:北京大学出版社,2001 年 11 月,第 235 页。
④ 《辽史·圣宗纪》统和二十四年五月有名"夷懒"者,而目前在辽代汉文文献中尚未见到"夷里衍"的译名。
⑤ 见《辽史》卷三〇《天祚皇帝纪》附《耶律大石传》,第 1 册,第 357 页。

后面叠加一个原字构成为第二名，而是在于词尾原字的不同，前面谈到的 ▨（挞不也）与 ▨（挞不衍）、▨（特末）与 ▨（特免）、▨（迪烈）与 ▨（迪辇）、▨（窝笃斡）与 ▨（窝笃盌），都是类似的同根词关系。

根据刘凤翥先生对墓志的解读结果可以知道，墓主耶律纠里生于清宁七年（1061），自 18 岁开始步入仕途，卒于乾统二年（1102），享年 42 岁。他的大弟夷列时年 41 岁，可见只比他小一岁；而其二弟和三弟都死得很早，只分别活了 19 岁和 18 岁。又据该墓志第 14 行记载，耶律纠里有三个儿子，在他死时长子年仅 14 岁。这就带来了一个疑问，既然耶律纠里有自己的子嗣，那他为何不连子名而连弟名呢？我猜想，这大概是因为他直到 28 岁才有了第一个儿子，而他的第二名很可能是在他 18 岁进入仕途时获得的。契丹人的小名主要是幼年用于族内的称呼，而第二名则是成年后广泛用于社会交际的称呼，当耶律纠里踏上仕途之后，他需要获得一个表明身份和地位的尊称，于是便以兄弟连名的方式取了一个第二名。

从上述兄弟连名例证中可以看出如下规律：兄长在无嗣或暂无子嗣的情形下，通常会与其长弟连名，耶律控骨里与耶律兀古匿、耶律纠里与耶律夷列都是这种情况；若长弟早夭，则与次弟连名，耶律觌烈和耶律羽之兄弟连名就属于这后一种情况。据《耶律羽之墓志铭》介绍，羽之兄弟六人，长兄曷鲁，次兄汗里整（即《辽史·耶律觌烈传》所称"字兀里轸"），羽之排行第四；三兄及两个弟弟均早夭[1]。这么说来，在耶律觌烈的四个弟弟当中，惟有

---

[1] 见内蒙古文物考古研究所等：《辽耶律羽之墓发掘简报》，《文物》1996 年第 1 期，第 32 页。

耶律羽之一人得以长大成人,故觌烈与羽之连名亦在情理之中。

除此之外,笔者在近年出土的契丹小字石刻中还发现两例疑似兄弟连名的情况,但因证据不够充分,暂且搁置不谈。现将上文所述契丹小字资料及汉文文献中发现的三例兄弟连名现象加以归纳,列为表三。

表三　契丹人兄弟连名之例证

兄弟名氏	弟第二名	弟小名	兄第二名	兄小名	出　处
耶律控骨里与耶律兀古匦	(涅邻)	(兀古匦)	(兀古邻)	(控骨里)	契丹小字《耶律慈特墓志铭》
耶律糺里与耶律夷列	(逊宁)	(夷列)	(夷懒)	(糺里)	契丹小字《耶律糺里墓志铭》
耶律觌烈与耶律羽之	寅底哂	兀里	兀里轸	(觌烈)	《辽史·耶律觌烈传》《耶律羽之传》

五、契丹连名制的历史源流

由于过去学界对契丹族的连名制一无所知,所以人们往往对契丹人的"字"的来历发生误解。聂鸿音先生推测说,契丹人幼时取"名",成年后取"字","这大约是直接或间接地受了中原汉文化的影响"[1]。乌拉熙春也认为,契丹人的字"有可能仿自汉人习

---

[1] 聂鸿音:《契丹语的名词附加成分 *-n 和 *-in》,第 56 页。

俗"①。而笔者的研究结果表明,契丹人的"字"其实是一种纯正而地道的民族文化。

有史料表明,契丹族的连名制是一项具有悠久历史的民族传统。史称遥辇氏始祖阻午可汗,"契丹名迪辇俎里"②,迪辇(契丹小字写作 今用马 或 𡘙用马)是辽代契丹人常用的带有属格后缀的第二名,这是汉文文献中有关契丹父子连名制的最早消息。近年刊布的契丹小字石刻可以为此提供更为明确的证据。《耶律慈特墓志铭》第3行在追溯墓主先人时,提到其始祖的名字:

今雨马　　公丝本

习撚·涅里

刘凤翥先生将此名译作"秦安·泥礼",乌拉熙春教授释为"习撚·涅里"③。此人名字亦见于《耶律糺里墓志铭》第2行,写作 今雨荟马 公才本。研究者一致认为,此人就是辽朝皇室之始祖涅里④。虽然以上两种墓志对其名字的拼法有所出入,但读音可以勘同。其小名既可拼作 公丝本,亦可拼作 公才本,此名辽金元时代有不同的译法,"耶律俨《辽史》书为涅里,陈大任书为雅里",元修《辽史》亦

---

①爱新觉罗·乌拉熙春:《〈耶律迪烈墓志銘〉與〈故耶律氏銘石〉所载墓主人世系考——兼論契丹人的"名"與"字"》,《立命館文學》第580号,2003年6月,第11页。

②《辽史》卷六三《世表》,第4册,第955页。

③见刘凤翥等:《契丹小字〈耶律慈特·兀里本墓志铭〉考释》,第269页;爱新觉罗·乌拉熙春:《遼朝の皇族》,第54页。

④参见刘凤翥等:《辽代〈耶律隆祐墓志铭〉和〈耶律贵墓志铭〉考释》,第130—131页;爱新觉罗·乌拉熙春:《契丹文墓誌より見た遼史》,第109—110页。

作"泥礼"①，宜以辽朝人的译名为准。涅里的第二名，两方墓志一作 ![字], 一作 ![字]。按第二名词尾附加成分 ![字] 多出现在 ![字] 类元音之后，前一种拼法接 ![字]，原字 ![字] 拟音 in；后一种拼法接 ![字]，而 ![字] 正好带有一个 ![字] 类元音，可知 ![字] 的写法是比较规范的。此名按辽朝译例应作习撚，即契丹大字《耶律习涅墓志铭》第 1 行之 序 ![字] ![字]。习撚·涅里与阻午可汗是同时代人，《辽史》卷三二《营卫志》曰："当唐开元、天宝间，大贺氏既微，辽始祖涅里立迪辇祖里为阻午可汗。"卷六三《世表》序亦云："迭剌部长涅里立迪辇组里为阻午可汗，更号遥辇氏。"

以上证据说明，早在大贺氏与遥辇氏时代之交，契丹人已在使用带有属格后缀的第二名，而这种形式的第二名正是父子连名的产物。由此可以得出一个结论，至迟在大贺氏时代后期，子名前连型亲连子名制已在契丹人社会中出现。从理论上说，自契丹族进入父系氏族社会以后，就有可能产生父子连名制。

笔者曾试图从古代阿尔泰诸民族中追寻契丹连名制的源流，但由于种种原因没有找到令人满意的答案。鲜卑人和突厥人是否存在连名制，因文献不足征，目前尚无法做出确切判断；回鹘人虽有亲名后连型亲子连名制，但那是伊斯兰化以后的产物，与契丹人的连名制没有逻辑上的联系；至于蒙古、女真和满族，可以肯定其历史上都不存在有系统的连名制度。但不能排除这样一种情况，即辽代契丹人的父子连名习俗有可能影响到同时代的其他民族，如女真人。从金代女真人名资料来看，似乎看不出有连名制的痕迹，但有一个个案引起了我的注意。

---

① 《辽史》卷六三《世表》，第 4 册，第 955 页。

《金史》卷七二《完颜娄室传》曰："完颜娄室,字斡里衍,完颜部人。……子活女、谋衍、石古乃。"而据《完颜娄室神道碑》说,娄室有子七人,并举出其中四人的名字:"长曰活女……曰斡鲁……曰谋衍……曰什古乃。"[1]《金史·完颜娄室传》后有石古乃的附传,称"其兄斡鲁为统军"云云,亦可佐证神道碑的记载。让我感兴趣的是,完颜娄室的字"斡里衍"与其子"斡鲁"之名颇似同根词,符合契丹人父子连名制的基本特征。不过从契丹父子连名的惯例来看,父亲的第二名(字)都是与其长子连名,而斡鲁则很可能是完颜娄室的次子——这或许是女真人有意效仿契丹人的父子连名习俗而又没有学到家的缘故? 完颜娄室是辽末金初的生女真人,辽代的生女真是一个文明程度较低的部族,被宋人称为"夷狄中至贱者"[2],对于生女真来说,契丹文化无疑是一种"先进文化",若完颜娄室受到这种先进文化的熏陶濡染而有所效仿,也不是没有可能的。

原载《清华元史》创刊号,
北京:商务印书馆,2011 年

---

①罗福颐编:《满洲金石志外编》,石印本,1937 年,叶 33b。
②《三朝北盟会编》卷二四四,引张棣《金虏图经》,上海:上海古籍出版社影印光绪三十四年许涵度刻本,1987 年,下册,第 1753 页。

再谈"东丹国"国号问题

公元 926 年渤海亡国之后,辽朝为统治渤海遗民而建立的东丹国,是辽史以及渤海史上的重要篇章。由于史料稀缺,我们对于东丹国的历史所知甚少,已知的史实也存在着诸多分歧。近年来,因契丹文字石刻资料的发现,引起学界对东丹国国号的新思考,但由此而导出的结论,还有必要重新加以讨论。

一、有关东丹国国号的新说

关于"东丹"国名的含义,以往学界多采用金毓黻先生的解释:"东丹之名得自契丹,以其建国在契丹国之东也,亦即'东契丹国'之简称。……清臣撰《续通志》,不知此义,妄改东丹曰'都木达',则无意义之可寻矣。"①金氏的另一部名著《东北通史》也说:

---

① 《渤海国志长编》卷一九《丛考》,赵铁寒主编:《渤海国志》,台北:文海出版社,1977 年,第 359 页。按《续通志》一书并无妄改东丹为"都木达"之例,惟《续文献通考》有将东丹改译为"都木达"者,此乃金毓黻先生偶尔误记。

"东丹之名，盖与契丹对举，义犹东契丹，以其建国于契丹之东也。"①这是一种长期以来得到学界普遍认同的说法。

在近年出土的两种契丹文字石刻资料中，可以看到有关东丹国名的记载，但却与汉文文献中的国号有所不同。1991 年出土于辽宁北镇的《耶律宗教墓志》曰："王讳宗教……母曰萧氏，故渤海圣王孙女迟女娘子也。"该墓志志盖内侧刻有契丹小字墓志 36 行，虽然与汉文墓志并不是对译的，但第 3—4 行也提到了墓主的母亲迟女娘子，其中"渤海圣王"句，契丹小字墓志写作②：

伪吴　九夬冇　火　盈

丹　　国之　　圣　汗

《耶律宗教墓志》是目前发现的契丹小字石刻资料中时代最早的一种，刻于辽兴宗重熙二十二年（1053）。汉文墓志提到的萧氏外祖父"故渤海圣王"，应是指东丹王耶律倍。契丹小字墓志中的 伪吴 一词，乃是汉语"丹"字的译音。该词之前的 札伏� 尔火，刘凤翥先生原释作"迟女、东"，故误以 尔火 伪吴 九夬冇 为"东丹国（之）"，直到契丹小字《耶律智先墓志》出土之后，方知 尔火 意为"娘子"③，可见 札伏� 尔火 即迟女娘子，在这句话中并没有意为

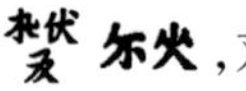

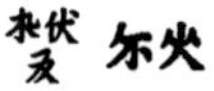

---

①金毓黻：《东北通史》上编，《社会科学战线》杂志社翻印本，1980 年，第 317 页。

②汉文《耶律宗教墓志》最初发表于鲁宝林等：《北镇辽耶律宗教墓》，《辽海文物学刊》1993 年第 2 期，第 40—42、17 页；契丹小字墓志摹本见刘凤翥等：《契丹小字解读五探》附录二，《汉学研究》13 卷 2 期，1995 年 12 月，第 337 页。

③参见赵志伟、包瑞军：《契丹小字〈耶律智先墓志铭〉考释》，《民族语文》2001 年第 3 期，第 34—41 页。

"东"的词汇。这就是说,在契丹小字石刻中,东丹国被称作 **伇哭
几夾**(**几夾**的词尾原字 **利** 为属格后缀),直译即为"丹国"。

2006年7月,内蒙古阿鲁科尔沁旗博物馆从民间征集到一方
契丹大字墓志。在此之前,刘凤翥先生根据所获得的拓本照片首
先刊布了该墓志的第一面,并将其暂时定名为《多罗里本郎君墓
志》①。该墓志刻于辽道宗大康七年(1081),根据目前已释出的
部分内容来判断,估计当出土于阿鲁科尔沁旗罕苏木苏木朝克图
山的耶律羽之家族墓群,墓主是耶律羽之的某位后人。墓志第3
行在介绍墓主人先祖时有这样一段文字②:

仸札尒	英	再坐	丕	皇帝	咨	玫	弃
寅底晒	·兀里	宰相	天	皇帝	之	时	于

舟国	咨	再坐	用工
丹国	之	宰相	授予

《辽史》卷七五《耶律羽之传》说:"羽之,小字兀里,字寅底
晒。"上面这段引文记载的当是耶律羽之在太祖(即天皇帝)时任
东丹国中台省右次相一事。契丹大字兼有表意和拼音的成分,其
中某些表意字有时直接借用汉字或创制与汉字字形相似的字,如
皇帝即是一例;上文的 **舟** 字与汉字"丹"十分近似,应是作为"丹"
的意字来使用的。由此可以推断,契丹大字中的 **舟国** 理应等同于
契丹小字中的 **伇哭 几夾**,直译也是"丹国"。

---

① 丛艳双、刘凤翥、池建学:《契丹大字〈多罗里本郎君墓志铭〉考释》,《民
族语文》2005年第4期,第50—55页。
② 释文参见《契丹大字〈多罗里本郎君墓志铭〉考释》,第51、54页;爱新
觉罗·乌拉熙春:《遼朝の皇族——金啓孮先生逝去二周年に寄せ
て》,《立命館文學》第594号,2006年3月,第86页。

上述两种契丹文字石刻资料中出现的东丹国名,首先引起了契丹语文学家的注意。刘凤翥先生指出,耶律大石之西辽,耶律淳之北辽,其中的"西"和"北"都是后代史家为区别于辽朝而加上的,于是他推测"东丹的国号也与此类似,即东丹国的国号原本是'丹国'而不是'东丹国'",在此基础上他又进一步推论说:"丹国的'丹'字并不是契丹的简称,东丹国号与契丹没有任何关系。"[1]乌拉熙春教授也不约而同地得出了类似的结论:"可知东丹之'东'乃后加之语,至迟在兴宗之世仍称丹国。则'东丹'之本义并非略自'契丹之东',而是源自'丹国'。"[2]

　　乌拉熙春的上述结论依据的是兴宗重熙二十二年(1053)的《耶律宗教墓志》,故谓东丹国至迟在兴宗之世仍称丹国;按照这种推论,既然道宗大康七年(1081)的《多罗里本郎君墓志》也称东丹国为丹国,便可得出东丹国一名不得早于大康七年的结论。照刘凤翥先生看来,东丹国之称似乎有可能是元朝史官修《辽史》时才创造出来的一个称谓。

　　然而从辽宋双方的文献记载及石刻史料来看,有关"丹国"的这一假说是不能成立的。在五代十国至北宋初年的传世文献中,可以看到许多有关东丹国的早期记载。《五代会要》卷二九"契丹"条说:

　　　　天成元年七月,攻渤海国扶余城,下之,命其长子突欲为

①刘凤翥:《从契丹文字的解读说"东丹"国号》,《东北史研究》创刊号,2004 年,第 42 页。
②爱新觉罗·乌拉熙春:《遼金史札記》,《立命館言語文化研究》15 卷 1 号,2003 年 6 月,第 135—152 页;收入同氏《遼金史与契丹、女真文》,京都大学东亚历史文化研究会,2004 年 7 月,参看"丹国与女狄(女真)"条,第 85 页。

国主,号东丹王。……长兴元年十一月,契丹渤海国东丹王
突欲率番官四十余人、马百匹,自登州泛海内附。……敕渤
海国王、人皇王突欲:"契丹先收渤海国,改为东丹,其突欲宜
赐姓东丹,名慕华。"①

　　王溥《五代会要》成书于宋太祖乾德元年(963)②,其内容皆
取资于五代各朝实录。后唐长兴元年即辽太宗天显五年(930),
是年耶律倍浮海奔唐③,唐明宗因其为东丹王,故赐姓东丹(后又
改赐国姓为李,更赐名赞华,故称李赞华)。这是来自后唐方面的
记载,可以确信无疑。

　　在《册府元龟》以及宋初成书的《旧五代史》中,屡见"东丹
王"或"东丹国"之称,不下数十百条。如长兴二年五月,"青州上
言:'有百姓过海北樵采,附得东丹王堂兄京尹污整书,问慕华行
止,欲修贡也。'闰五月,青州进呈东丹国首领耶律羽之书二封"④。
《册府元龟》的这条史料估计也是出自后唐实录。这里说的"慕
华"即耶律倍,"京尹污整"指时任东丹国南京留守的耶律觌烈
(《辽史》本传谓其字兀里轸),至于称他为"东丹王堂兄",则是南
人的误传。耶律羽之在东丹王耶律倍出走后主持东丹国国政,故
称之为"东丹国首领"。又孙光宪《北梦琐言》卷十八"韩伊二妃"

---

①《五代会要》,上海:上海古籍出版社点校本,1978 年,第 456—458 页。
②参见《续资治通鉴长编》卷四,太祖乾德元年七月甲寅条,北京:中华书
　　局,2004 年,第 1 册,第 97 页。
③耶律倍,《辽史·耶律倍传》称其小字图欲,《五代会要》之"突欲"即其
　　异译。
④《册府元龟》卷九八〇《外臣部·通好》,北京:中华书局影印明刻本,
　　1960 年,第 12 册,第 11520 页。

条说:"契丹突欲,名李赞华,所谓东丹王,即阿保机长子。"孙氏五代时任职于荆南高氏政权,此书作于他入宋之前,亦属五代十国文献。

更能说明问题的是,在辽代前期的汉文石刻中,也可以找到有关东丹国号的记载。1992年出土的《耶律羽之墓志》中有这样一段文字:"次兄汙里整,前北大王、东丹国大内相。……比及大圣大明升天皇帝收伏渤海,革号东丹,册皇太子为人皇王,乃授公中台右平章事。"其铭亦曰:"吾皇应运,君临东丹。"①该墓志作于辽太宗会同五年(942),是目前能够看到的有关东丹国名的最原始记录。又《耶律琮神道碑》云:"烈祖讳匀赌衮,乃大圣皇帝之同母弟也……拜为东丹国左宰相。"②这里说的"匀赌衮"即太祖弟迭剌,《辽史·皇子表》谓迭剌字云独昆,"天显元年,为中台省左大相"。《耶律琮神道碑》刻于辽景宗保宁十一年(979),当时东丹国尚存,这也是同时代人留下的第一手记载。

以上石刻史料及文献记载表明,东丹国号的真实性是不容置疑的,"东丹"之名后起说并不可信。其实,东丹国的全称应该是"大东丹国"。东丹国南迁东平后,升东平郡为南京,耶律倍命渤海人王继远"撰建南京碑"③,据《辽史》卷三八《地理志》载,此碑的全称是《大东丹国新建南京碑铭》。又《辽史》卷四五《百官志》在记载东丹国官僚机构时,也称之为"大东丹国中台省"。关于"东丹"一名之取义,我仍倾向于金毓黻先生的解释。《辽史》中

---

① 盖之庸:《内蒙古辽代石刻文研究》,呼和浩特:内蒙古大学出版社,2002年,第2—3页。该墓志拓本照片见第1页。
② 李逸友:《辽耶律琮墓石刻及神道碑铭》,载《东北考古与历史》第1辑,北京:文物出版社,1982年,第181页。
③《辽史》卷七二《宗室·义宗倍传》,第5册,第1210页。

有这样一条史料:太祖命耶律倍为东丹王时,曾对他说:"得汝治东土,吾复何忧。"①此语可以佐证"东丹"为"东契丹国"之简称的推论。

二、释"丹国"

刘凤翥和乌拉熙春教授虽然一致认为东丹国本名丹国,并断定这个国号与"契丹"一词没有任何关联,但他们却都没有说明"丹国"之本义。现在既然东丹国号的真实性已经确信无疑,那么我们接下去要追问的便是,契丹大小字石刻资料中的"丹国"究竟当作何解释呢?

高丽释一然《三国遗事》卷三"皇龙寺九层塔"条,引安弘《东都成立记》云:

> 新罗第二十七代女王为主,虽有道无威,九韩侵劳,若龙宫南皇龙寺建九层塔,则邻国之灾可镇。第一层日本,第二层中华,第三层吴越,第四层托罗,第五层鹰游,第六层鞑靼,第七层丹国,第八层女狄,第九层秽貊。②

《东都成立记》早已不传,该书作者安弘,一般认为就是 7 世

---

①《辽史》卷七二《宗室·义宗倍传》,第 5 册,第 1210 页。
②《大正藏》卷四九史传部一,第 991 页。按一然为高丽忠烈王朝名僧,所著《三国遗事》成书于 1285 年。

纪初叶的新罗僧人安含①。据《三国遗事》说,皇龙寺九层塔始建于新罗善德王十四年(645),高丽高宗二十五年(1238)毁于兵燹。但从上述传说中九层塔所镇服的诸国来看,显然比建塔年代要晚得多,并且也与安含的时代不相吻合。九国中恰恰没有新罗当时的劲敌高丽和百济,而吴越已经晚至 10 世纪;女狄即女真之异译②,女真直到 10 世纪初才作为一个独立的民族出现;托罗见于宋代文献,曾巩《存恤外国人请著为令札子》曰:"臣昨任明州日,有高丽国界讬罗国人崔举等,因风失船,漂流至泉州界。"③这里说的"讬罗国"就是托罗,估计是高丽境内的一个割据政权,至 11 世纪中叶犹存。由此看来,皇龙寺九层塔镇九国之说,大概是在 10 世纪王氏高丽建立之后才附会出来的一个说法,而《东都成立记》恐怕也是后人托名安弘而作的——如果安弘真是安含的话。

　　传说中皇龙寺九层塔所镇服的九国,其中之一是"丹国"。乌拉熙春教授认为:"塔中出现的'丹国'很有可能与契丹小字墓志所出现的'丹国'含意一致,亦即同指渤海故地,辽初之东丹。"日本学者村上四男曾推测"丹国"或许是指契丹,乌拉熙春否定了这种可能性,理由是"契丹(Kitan)乃一独立语词,不可分割为两个部分,因此不可能略之为'丹'"④。乌拉熙春的这一结论很难让

①参见高丽释觉训:《海东高僧传》卷二《释安含传》,《大正藏》卷五〇史传部二,第 1021—1022 页。
②《三国遗事》卷一引《海东安弘记》,其中所记九韩与《东都成立记》的九国相同,惟"女狄"作"女真"。
③《曾巩集》卷三二,陈杏珍、晁继周点校本,北京:中华书局,1984 年,下册,第 471 页。
④爱新觉罗·乌拉熙春:《遼金史札記》"丹国与女狄(女真)"条,见《遼金史与契丹、女真文》,第 85—86 页。

人相信。上文说到,建皇龙寺九层塔以镇九国的传说大约出现在10世纪王氏高丽建国之后,想必这九国都是当时对高丽具有一定威胁的国家或民族,如果这里面没有契丹国却反倒有东丹国,显然是不合情理的。辽朝是当时东亚地区最强大的国家,以致高丽不得不奉辽正朔,而东丹国只不过是辽朝境内的一个自治政权而已,对高丽来说构不成任何威胁。如此想来,这个"丹国"怎么可能是指东丹国呢?

至于乌拉熙春提出的契丹不可能略称为"丹"的理由,只是一种经不起考究的主观见解罢了。在高丽文献中,将契丹略称为"丹"的例子俯拾即是,以下略举数例。

《高丽史》卷四《显宗世家一》:显宗元年(1010)十一月辛卯,"契丹主自将步骑四十万渡鸭绿江";十二月庚戌,"丹兵陷郭州";壬子,"丹兵至清川江";癸丑,"丹兵至西京";壬申,"王与后妃避丹兵南幸";甲戌,"遣河拱辰及户部员外郎高英起奉表往丹营请和"[1]。辽圣宗此次亲征高丽,直接起因是高丽西京留守康肇废杀穆宗诵,擅立穆宗从弟王询为高丽国王。次年正月,因高丽求和,辽军班师。辽圣宗接受高丽求和的一个条件,是要求显宗王询赴辽廷朝觐。显宗三年四月,"契丹诏王亲朝";六月甲子,"遣刑部侍郎田拱之如契丹,夏季问候,且告王病不能亲朝,丹主怒"[2]。以上引文中所称"丹兵"、"丹营"、"丹主"等,都是将契丹略称为"丹"的显例。

---

①《高丽史》卷四《显宗世家一》,平壤:朝鲜科学院古典研究室,1957年排印本,第1册,第53页。原文脱"十二月",按是年十一月丙子朔,十二月乙丑朔,知庚戌以下皆属十二月。

②《高丽史》卷四《显宗世家一》,第1册,第55页。

再举一则高丽石刻的例证。作于高丽文宗二十九年（1075）的《崔士威庙志》记有这样一件事情：显宗时，"丹国使太尉耶律行平到此，群公商议，勒留累年，公独固奏还送本国也"①。此事在《高丽史》中也有线索可考：显宗四年（1013）三月戊申，"契丹使左监门卫大将军耶律行平来，责取兴化等六城"；七月戊申，"契丹使耶律行平复来索六城"；显宗十一年（1020）三月癸丑，"归契丹使耶律行平"②。耶律行平，《辽史》作耶律资忠，《圣宗纪》谓耶律资忠于开泰二年和三年两度出使高丽，被羁留多年，直至开泰九年（1020）五月才被遣返归国③。耶律行平和耶律资忠应该都是他的汉语名字，不知为何双方史料记载不同，但可以肯定这是同一个人，可见《崔士威庙志》所说的"丹国"确实是指辽朝。

高丽对契丹的这种简称，不只是限于辽朝时代的契丹人，即便在辽朝亡国以后，高丽仍将契丹遗民简称为"丹"。《高丽史》卷二二《高宗世家一》：高宗四年（1217）二月戊午，"丹兵三万许来寇"；三月丙戌，"丹贼六人入国清寺"；六月甲戌，"清塞镇执丹人王侯烈来，寻斩之"④。这里记载的是金末耶律留哥起兵叛金时，契丹兵侵入高丽境内的事情。所谓"丹兵"、"丹贼"、"丹人"等，也都是指契丹而言。

综上可知，高丽时代常常习惯于将契丹简称为"丹"。因为高丽通行汉文，大概他们早已将契丹当作一个汉语词汇来对待了，所以不妨按照汉语的习惯作此简称。因此，皇龙寺九层塔所镇服

①金龙善编著：《高丽墓志铭集成》，春川：翰林大学校出版部，1993 年，第 26 页。该墓志拓本照片见卷首图版五。
②《高丽史》卷四《显宗世家一》，第 1 册，第 56、63 页。
③参见《辽史》卷八八《耶律资忠传》，第 5 册，第 1344 页。
④《高丽史》卷二二《高宗世家一》，第 1 册，第 330—332 页。

的九国,放到当时高丽所面临的国际环境中去考虑,其中的"丹国"显然应该是指契丹。

　　既然契丹国简称"丹国"是当时的一种惯例,那么意为"东契丹国"的东丹国当然也可以略称为"丹国"①。但需要说明的是,辽朝文献中从来没有自称"丹国"的例子,足见以"丹国"指称契丹国的说法,大概仅限于作为一种他称来使用;由此推想,契丹文字中简称东丹国为"丹国"也应该只是一种他称。正因为契丹人不会自称"丹国",所以他们笔下的"丹国"只能是指东丹国,此"丹国"断不会与彼"丹国"相混淆。

　　"丹国"作为契丹和东丹的简称,除了高丽文献和契丹文字石刻资料所提供的证据之外,还可以从五代十国文献中得到旁证。陆游《南唐书》卷一五《契丹传》曰:

　　　　烈祖升元二年,契丹主耶律德光及其弟东丹王各遣使以羊马入贡。……于是翰林院进《二丹入贡图》,诏中书舍人江文蔚作赞,其词曰:"……粤六月,契丹使梅里捺卢古、东丹使兵器寺少令高徒焕奉书致贡,咸集都邑……"②

　　这条史料的内容稍欠准确,东丹王耶律倍乃辽太宗耶律德光之兄,又南唐烈祖李昪升元二年(938)时,耶律倍已经死于后唐,当时并没有什么东丹王,暂由耶律羽之主持东丹国国政;但这些并不妨碍我们对这一史实的了解。我们注意到,南唐人将契丹国

------

① 从契丹大小字中"丹国"一词的写法来看,契丹人也是将它作为汉语词汇来拼写的。
②《四部丛刊》本,叶3a-3b。

和东丹国并称为"二丹",这为高丽文献和契丹文字石刻资料中的"丹国"增添了一个很好的注脚,说明契丹和东丹均可简称为"丹"。

综上所述,本文的结论是:东丹国本名丹国的假说是不能成立的,契丹大小字石刻资料中所谓的"丹国",不过是东丹国的简称而已。

原载《中国史研究》2008 年第 1 期

关于契丹小字《耶律紈里墓志铭》的若干问题

契丹小字《耶律紈里墓志铭》,刻于辽乾统二年(1102),出土时间、地点均不详,系内蒙古巴林左旗博物馆于 2002 年 7 月由民间征集而来,估计为上世纪 90 年代盗墓者所发掘。该墓志拓本照片最初发表于 2005 年[①],次年刘凤翥先生撰文对墓志内容进行释读,初步弄清了墓主身份、世系及仕履等情况[②]。但对于这样一种新刊布的契丹小字石刻来说,不消说还有很大的解读空间,本文仅就其中几个问题做一探讨,或许能够提示某些待发之覆。

一、墓志名称之商兑

由于对墓主名字的拟音存在分歧,目前该墓志尚无一个定

① 唐彩兰:《辽上京文物撷英》,呼和浩特:远方出版社,2005 年,第148 页。
② 刘凤翥等:《辽代〈耶律隆祐墓志铭〉和〈耶律贵墓志铭〉考释》,《文史》2006 年第 4 辑,第 116—142 页。

名。刘凤翥先生最初将该墓志命名为《耶律贵也稀墓志》[1]，后来又改称为《耶律贵墓志铭》《耶律迪里姑墓志铭》或《耶律贵·迪里姑墓志铭》[2]；乌拉熙春教授则称之为《耶律夷里衍太保墓志铭》或《耶律夷里衍太保位志》[3]。其中"迪里姑"是墓主小名的音译，"贵也稀"、"贵"及"夷里衍"都是墓主第二名的不同音译。

墓主的小名和第二名均见于该墓志第 2 行，按照刘凤翥先生的释文是这样的[4]：

| 孩子 | 名 | 迪里姑 | 第二的（名） | 贵 |

先说墓主的小名。一词之所以被音译为"迪里姑"，据刘文解释说，该名曾见于契丹小字《耶律智先墓志》，根据同时出土的汉文墓志所提供的线索，它被释为"迪里姑"；并谓"人名'迪里姑'的解读与以往的拟音虽然并不完全吻合，但目前只能姑且作如此释读"，是以该墓志"也可以称为《耶律迪里姑墓志铭》"。

从构成该词的三个原字的拟音来看，把它译为"迪里姑"显然是有问题的，我们不妨追究一下此译名的依据所在。汉文《耶律

①见唐彩兰：《辽上京文物撷英》，第 148 页。该书所刊布的墓志拓本照片，其题名系采纳刘凤翥先生的意见。
②见刘凤翥等：《辽代〈耶律隆祐墓志铭〉和〈耶律贵墓志铭〉考释》，第127—128 页。
③爱新觉罗·乌拉熙春：《遼朝の皇族——金啓孮先生逝去二周年に寄せて》（以下简称《遼朝の皇族》），《立命館文學》第 594 号，2006 年 3月，第 98—101 页；《契丹文墓誌より見た遼史》，京都：松香堂，2006年，第264 页。
④见刘凤翥等：《辽代〈耶律隆祐墓志铭〉和〈耶律贵墓志铭〉考释》附录二《契丹小字耶律贵墓志铭》摹本，第 139 页。

智先墓志》有这样一段文字："先与迪氏胡睹夫人续婚,生子阿撒里。……孙男二:曰迪里姑,即阿(撒)里之子也。"①与此对应的记载见于同时出土的契丹小字墓志第13—14行:

阿撒里	郎君	儿子	一个:	迪里姑

契丹小字《耶律智先墓志》目前已有刘凤翥和清格尔泰先生两个摹本发表,均将"迪里姑"写作②。从上下文来判断,该词确实应该是指阿撒里之子迪里姑;但从该词的拟音来看,它又与"迪里姑"的读音格格不入。"迪里姑"是契丹人常用的小名,在契丹小字中写作。如契丹小字《耶律(韩)迪烈墓志铭》第7行提到墓主父亲韩涤鲁的名字,写作③,即《辽史》本传所称"涤鲁,字遵宁",而《萧乌卢本娘子墓志铭》则直译为"逊宁·迪里姑"④。可见迪里姑、涤鲁都是一词的译名,只不过后者省译了词尾的舌根音而已。又如《耶律仁先墓志》第3行在追溯其

①见赵志伟、包瑞军:《契丹小字〈耶律智先墓志铭〉考释》附录二,《民族语文》2001年第3期,第41页。该文发表时此处录文及断句有误,兹据拓本予以订正。
②前者见赵志伟、包瑞军:《契丹小字〈耶律智先墓志铭〉考释》附录一,第39页,该摹本由刘凤翥先生提供;后者见清格尔泰:《契丹小字释读问题》,东京外国语大学亚非语言文化研究所刊行,2002年3月,第235页。
③见唐彩兰、刘凤翥、康立君:《契丹小字〈韩敌烈墓志铭〉考释》附录,《民族语文》2002年第6期,第34页。
④见刘凤翥、唐彩兰、高娃:《辽代萧乌卢本等三人的墓志铭考释》附录一,《文史》2004年第2辑,第107页。按萧乌卢本娘子即韩迪烈之妻。

先祖时提及太祖阿保机之父，称作 👥①。按太祖父小名的鲁，第二名撒剌的，分别见于《辽史·萧韩家奴传》和《太祖纪·赞》，此处前一词为"撒剌的"，后一词即"的鲁"，亦即"迪里姑"之异译。

在对"迪里姑"一词的契丹小字词形略加辨析之后，我们再回过头来看看《耶律智先墓志》。如果仔细比对一下拓本，可以看出所谓的"迪里姑"其实是写作 👥，第二个原字看似作 丙，实应为 用；而第三个原字 刃，则应该是 父 的误刻。——只有这样解释，才能与汉文《耶律智先墓志》"迪里姑"的译名相吻合。

如此看来，将 👥 释为"迪里姑"只是一个误会罢了，我们需要对它重新加以释读。在该词的三个原字中，前两个原字已有较为可信的拟音：原字 今 被拟为 *t~t`，丙 拟作 *iou②；只有第三个原字 刃 的拟音尚有分歧，这个问题留待下文再作讨论。除了已知的原字音值外，在探索 👥 一词的读音时，我们还有一个比较现成的参照词。按《耶律仁先墓志》通称墓主为 👥，👥 即《辽史·耶律仁先传》所称仁先之字（第二名）"糺邻"③，该词最后一个原字 伏 是第二名词尾附加成分。由此可知，作为小名使用的 👥 显然是 👥 一词的词根，故当译作"糺里"。这是一个辽代常

———————

① 此人之第二名，以往发表的各家摹本均有讹误，兹据刘凤翥《契丹文字研究类编》（北京：中华书局，2014 年，第 3 册，第 694 页）订正。

② 以上两字拟音见清格尔泰、刘凤翥等：《契丹小字研究》，北京：中国社会科学出版社，1985 年，第 153、152 页。

③ 参见刘浦江：《"糺邻王"与"阿保谨"——契丹小字〈耶律仁先墓志〉二题》，《文史》2006 年第 4 辑，第 105—115 页；收入氏著《松漠之间——辽金契丹女真史研究》，北京：中华书局，2008 年，第 219—234 页。

见的契丹人名，据《辽史·公主表》，道宗次女名糺里；《道宗纪》大安十年四月庚戌，有积庆宫使萧糺里；据《天祚皇帝纪》所附《耶律雅里传》，辽末有西北路招讨使萧糺里；又《金史·太祖纪》天庆四年十一月下，也有辽都统萧糺里。考虑到上述诸端，将墓主小名⿰释为"糺里"应当是比较稳妥的结论。

再说墓主的第二名⿰。此名有"贵也稀"、"贵"及"夷里衍"几种不同译法。该墓志拓本照片最初发表时，曾被命名为《耶律贵也稀墓志》。当时之所以将⿰一名音译为"贵也稀"，其中也存在一个小小的误会。2004年辽上京博物馆所征集的《耶律宗福（韩涤鲁）墓志》，其中说到："皇妣夫人曰北也徙，故驸马大王之长女也。"而韩涤鲁母亲的名字见于契丹小字《耶律（韩）迪烈墓志铭》第6行：⿰，于是刘凤翥先生便参照"北也徙"的译音，将⿰一名译为"贵也稀"。但后来看到《耶律宗福墓志》精拓，才发现那段文字有误，原文当作："皇妣夫人曰北也，徙欲驸马大王之长女也。"①遂又将⿰一词改译为"贵"。按他的解释，这个"贵"字是前两个原字⿰和⿰的译音，第三个原字⿰是词尾，故略而不译②。

无论是译作"贵也稀"还是"贵"，显然都是将第一个原字⿰拟读为 ku，这个原字是讨论该词读音的关键所在。关于⿰的音

①参见王青煜：《耶律宗福墓志浅探》，见《辽上京研究论文选》，政协巴林左旗委员会编印，2006年，第441页。按⿰译作"北也"是省译了词尾音节的不规范译法，此名依《辽史》译例当作"蒲延"。
②见刘凤翥等：《辽代〈耶律隆祐墓志铭〉和〈耶律贵墓志铭〉考释》，第127页。

读,向来是一个很有争议的问题。即实(巴图)先生拟为ər,其依据是所谓的"字源法",即认为此字源于汉字"刃"①,这一推论迹近臆测;清格尔泰先生拟音rə,依据是耶律仁先的第二名今丙刃伏,《辽史》本传译称"糺邻"②;刘凤翥先生在《最近20年来的契丹文字研究概况》一文所附录的《契丹原字音值构拟表》中,首次提出此字当读作ku③,虽未说明理由,但究其凭据,无非还是《耶律智先墓志》之今丙刃,上文已经指出,将今丙刃释为"迪里姑"乃是误读。然而近年吴英喆先生又提出一个新的论据,他认为契丹小字《耶律宗教墓志》第20行的今刃分一词,即汉文墓志所称"妘古只",说明刃的对音汉字为"古",可见ku的拟音也不无道理,在rə、ku两说难以取舍的情况下,他觉得目前似乎只能暂且存疑④。

这确是一个值得我们重视的证据,不过对这条材料还需要做一番认真的考究。"妘古只"一名见于汉文《耶律宗教墓志》,刘凤翥先生录文如下:"王所娶夫人萧氏姓,古只涅里衮相公女也。"⑤而向南《辽代石刻文编》则作:"王所娶夫人萧氏,妘古只涅里衮相公女也。"⑥核以拓本,当作"妘"而不作"姓"。这里提到的

①即实:《谜林问径——契丹小字解读新程》(以下简称《谜林问径》),沈阳:辽宁民族出版社,1996年,第442页。
②参见清格尔泰:《契丹小字释读问题》,第53页。
③刘凤翥:《最近20年来的契丹文字研究概况》,《燕京学报》新11期,北京:北京大学出版社,2001年11月,第235页。
④参见吴英喆:《契丹语静词语法范畴研究》,呼和浩特:内蒙古大学出版社,2007年,第45—46页。
⑤见刘凤翥等:《契丹小字解读五探》附录一,《汉学研究》13卷2期,1995年12月,第335页。
⑥向南编著:《辽代石刻文编》,石家庄:河北教育出版社,1995年,第751页。

"涅里衮相公"，见于志盖内侧所刻契丹小字墓志第 20 行，各家摹本均作：①

涅里衮　　　　□□　　　相　　　公

是契丹人常用的第二名，即汉文墓志所称"涅里衮"。一词在契丹小字石刻中仅此一见，刘凤翥摹本未释其意，乌拉熙春译作"迪里都"或"迪里德"②，吴英喆则认为该词就是汉文墓志所说的"姓古只"。然而经笔者仔细比对拓本，发现该词其实当作（见图一拓本照片），也就是契丹人常用的小名"迪烈"③。

图一　契丹小字《耶律宗教墓志》拓片局部：涅里衮迪烈相公

---

① 见刘凤翥等：《契丹小字解读五探》附录二，第 339 页；清格尔泰：《契丹小字釋读問題》，第 197 页。

② 参见爱新觉罗·乌拉熙春：《契丹小字墓誌綜考》，《契丹語言文字研究》，京都大学东亚历史文化研究会，2004 年 5 月，第 228 页；《契丹文墓誌より見た遼史》，第 25 页。

③ 按"迪烈"一名在契丹小字中通常写作或（两词的第一个原字音同，可通用），有时也作。

这一发现与乌拉熙春的一个推论不谋而合。乌拉熙春曾推测《耶律宗教墓志》所说的涅里衮相公就是《辽史》里的萧敌烈，亦即《佐移离毕萧相公墓志》之墓主。其理由有二：第一，《辽史》卷八八《萧敌烈传》称其字涅鲁衮，与墓志相吻合；第二，契丹小字墓志称涅里衮相公为乙室已国舅少父房，而《辽史·圣宗纪》开泰三年六月乙亥有"合拔里、乙室二国舅为一帐，以乙室夷离毕萧敌烈为详稳以总之"的记载，此"乙室夷离毕"当系"乙室已夷离毕"之误，可见二人同属萧氏乙室已一族①。如果仅凭这两点证据，似乎并不足以支撑其上述结论。不过笔者的发现说明，"涅里衮相公"在契丹小字《耶律宗教墓志》中的名字全称 伏友 今田 （涅里衮·迪烈），恰好与萧敌烈的名和字完全相符，这为乌拉熙春的推论提供了一个重要的佐证。

　　既然契丹小字墓志中的名字已被我们释读为涅里衮·迪烈，那么汉文墓志所说的"姓古只"又该如何解释呢？乌拉熙春虽称"古只涅里衮相公或涅里衮迪里都相公其人，或即《辽史》有传的萧敌烈"②，但却没有对（姓）古只、迪里都与萧敌烈名字之间的矛盾加以解释。笔者认为问题可能出在汉文《耶律宗教墓志》的断句上，按我的理解，上面那段文字可读为："王所娶夫人萧氏姓古只，涅里衮相公女也。"也就是说，"姓古只"是墓主夫人的名字，而并非其妻父的名字。我们再拿契丹小字墓志来加以印证，第19—20行有关墓主夫人的记载可释为："妻惕隐夫人 术契 男，乙室己国舅

---

① 参见爱新觉罗·乌拉熙春：《契丹小字墓誌綜考》，第 228 页；《契丹文墓誌より見た遼史》，第 24—25、82 页。

② 《契丹小字墓誌綜考》，第 228 页。按乌拉熙春所依据的是刘凤翥先生的汉文墓志摹本，故称"古只涅里衮"。

少父房涅里衮·迪烈相公、谐领夫人二人的第五个女儿。"①这段文字目前基本可以释读，惟▢▢一词不知何意，我认为这应该就是墓主夫人之名"妊古只"。不过该词第一个原字▢拟音为［ʧʻ］，②而"妊"字《广韵》天口切，二者音韵不合。按《耶律宗福墓志》有名"阻姑只"者，又《说文》谓"妊"字"从女，主声"，所以我怀疑"妊古只"与"阻姑只"或系同名异译，这一点不妨暂且存疑。

行文至此，有关契丹小字原字▢的拟音问题可以得出一个比较明确的结论：目前并无证据表明此字有 ku 的音读，因此将耶律糺里的第二名▢▢译作"贵也稀"或"贵"都是不可取的。从▢在契丹小字石刻中的实际用例来看，只有 rə 的拟音较为可信。不过要是刻板地按照这一拟音去翻译▢▢一名的话，在辽代汉文文献中却找不到相对应的译名。契丹小字中看似以辅音开头的人名，其词首有时还含有一个元音，如原字▢的音值被拟为［pu］，但用作人名时却读"阿不"③；原字▢拟音为［s］，但在契丹人常用名▢▢（乙辛、阿信）一词中，却又分明应该读作［əs］才对。这样看来，乌拉熙春将▢▢一词译为"夷里衍"是有道理的，但若按照《辽史》的译例加以规范，则应译作"夷懒"才对④。

综上所述，本文讨论的这方契丹小字墓志，其墓主当为耶律

---

①参见爱新觉罗·乌拉熙春：《契丹文墓誌より見た遼史》，第24—25页。
②见清格尔泰、刘凤翥等：《契丹小字研究》，第152页。
③《金史·萧仲恭传》称其子萧拱"本名迪辇阿不"，此名见于契丹小字《萧仲恭墓志》第28行，作▢▢ ▢。前者是第二名迪辇，后者是小名阿不。参见即实：《〈戈也昆墓志〉释读》，《谜林问径》，第122页。
④《辽史·圣宗纪》统和二十四年五月有名"夷懒"者，而目前在辽代汉文文献中尚未见到"夷里衍"的译名。

糺里,第二名为夷懒。按照《辽史》习称小名的惯例,该墓志应命名为《耶律糺里墓志铭》。

二、墓志中所见父子连名及兄弟连名现象

父子连名制是契丹人的一种早已湮灭的民族文化,直至近年才被我们认识。根据笔者的研究,在契丹人的某些父子的第二名和小名之间,存在着词法意义上的相同形式的关联,即父亲的第二名与其长子的小名是同根词,前者的惯用词形均为后者添加属格附加成分的形式。对这种现象进行的分析表明,契丹人"第二名+小名"的名字全称所表达的实际上是一种父子连名制,属于杨希枚先生所设想的亲连子名之子名前连型。笔者从契丹文字石刻资料及辽代汉文文献中获得的十个例证,全都说明了同样的现象[1]。

在《耶律糺里墓志铭》中,笔者又再次发现了父子连名的例证。该墓志详细追溯了墓主的七代先人,其中第 4 行有这样一位:

蒲邻　·　麻隗　令稳

---

[1]详见刘浦江、康鹏:《契丹名、字初释——文化人类学视野下的父子连名制》,《文史》2005 年第 3 辑,第 219—256 页;收入刘浦江:《松漠之间——辽金契丹女真史研究》,北京:中华书局,2008 年,第 123—176 页。该文有日译本,刊于日本唐代史研究会《唐代史研究》第 10 号,2007 年 8 月,第 47—71 页;又有英译本,刊于 *Chinese Scholars on Inner Asia*,Indiana University,2012,pp. 183–253。

此人是孟父房岩木之孙、墓主糺里之五世祖,仕至令稳。其小名**𤧟𤧟**,刘凤翥先生译为"穆维",与辽代译例不符,故改译为"麻隗"①。**𤧟𤧟**是他的第二名,刘凤翥先生译作"普你",有辽代汉文石刻为据:《耶律宗福(韩涤鲁)墓志》称其祖父韩德威"讳普你",而韩德威的契丹语第二名见于契丹小字《韩高十墓志铭》第6行和《耶律(韩)迪烈墓志铭》第5行,写作**𤧟𤧟**②,恰与"普你"的译音相合。不过,辽代石刻采用的这一译名并不准确,因为它省译了第二名词尾的属格后缀**𤧟**。在《辽史》中可以找到此名的多种异译:《太宗纪》天显五年九月己卯,有舍利普宁;《耶律阿没里传》称其字蒲邻,又《圣宗纪》统和元年正月乙丑之耶律普领、二年二月丙申之耶律蒲宁、同年四月丁亥之耶律普宁、四年四月戊申之耶律蒲领,都是指耶律阿没里。这些译名虽然很不统一,但都译出了第二名词尾的附加成分,比"普你"的译音更为准确,是以采用"蒲邻"一名。

该墓志第5行接下去记述耶律麻隗的三个儿子,其长子是:

𤧟𤧟　𤧟𤧟　𤧟𤧟　𤧟𤧟

长　　子　蒲鲁　郎君

此人的小名**𤧟𤧟**,刘凤翥先生译为"福乐",显然不可取;乌

---

① 《辽史·圣宗纪》统和十九年十一月庚午有侦候名"谋洼"者,大概也是此名的汉译。

② 见刘凤翥、清格勒:《辽代〈韩德昌墓志铭〉和〈耶律(韩)高十墓志铭〉考释》,《国学研究》第15卷,北京:北京大学出版社,2005年6月,第124、136页;前揭唐彩兰、刘凤翥等:《契丹小字〈韩敌烈墓志铭〉考释》附录,第34页。

拉熙春译为"蒲勒"①,也于辽代文献无征。按《辽史》卷八九《耶律庶成传》后有耶律蒲鲁的附传,谓"蒲鲁,字乃展";卷八七《萧蒲奴传》谓"蒲奴,字留隐"。蒲鲁和蒲奴都是作为小名使用的,这就是 **分平** 一词的辽代汉译②。

试将耶律麻隗的第二名 **分平伏**(蒲邻)与其长子的小名 **分平**(蒲鲁)做一比较,亦可明显看出两者系同根词,前者仅比后者多了一个属格后缀 **伏** 而已。

在实行父子连名制的契丹人社会中,按照常规,父亲理应与长子连名;但如果没有子女,或者尚未成婚而急于获得一个象征身份和地位的尊称(即第二名),亦可与其兄弟或从兄弟连名。这实际上是父子连名制的一种变例。在盛行亲从子名制的婆罗洲达雅族(Dayak)部落以及马来人社会中,都存在类似的情形。但有关契丹人兄弟连名的实例,笔者仅从《辽史》中找到耶律觌烈与耶律羽之一例孤证③,当时在契丹文字石刻资料中尚未发现此类情况。幸运的是,契丹小字《耶律纠里墓志铭》为我们提供了一个难得的兄弟连名的例证。

上文说过,该墓志墓主小名为 **今丙刃**(纠里),第二名为 **刃关与**(夷懒)。根据对墓志内容的考释,得知耶律纠里排行第二,墓志中没有谈到他的哥哥,但在第15行介绍了他三个弟弟的情况,其中年

---

① 见前揭爱新觉罗·乌拉熙春:《遼朝の皇族》,第99页。

② 由此看来,《辽史·圣宗纪》统和四年四月戊申之北大王耶律蒲奴宁、《兴宗纪》重熙六年五月癸亥之乌古迪烈得都详稳耶律蒲奴宁,以及《耶律勃古哲传》称其"字蒲奴隐",这里的蒲奴宁、蒲奴隐大概也都是 **分平伏** 一名的异译。

③ 参见前揭《契丹名、字初释——文化人类学视野下的父子连名制》,第250页。

龄最大的一个弟弟是：

逊宁 · 夷列 郎君

此人之第二名〔契丹字〕，当译为逊宁或遵宁，前面曾经谈到过。其小名〔契丹字〕，参以辽代译例，可译作"夷列"。西辽仁宗名夷列①，大概就是这个名字。从耶律糺里与耶律夷列兄弟二人的名字中，我们可以发现它们之间的关联：哥哥的第二名〔契丹字〕（夷懒）与弟弟的小名〔契丹字〕（夷列）为同根词。但需注意的是，两词的区别不是在小名后面加上一个原字构成为第二名，而是在于词尾原字的不同，辽代契丹人常用的小名和第二名，如〔契丹字〕（特末）与〔契丹字〕（特免）、〔契丹字〕（挞不也）与〔契丹字〕（挞不衍），都是类似的同根词关系。

根据刘凤翥先生对墓志的解读结果可以知道，墓主耶律糺里生于清宁七年（1061），自 18 岁开始步入仕途，卒于乾统二年（1102），享年 42 岁。他的大弟夷列时年 41 岁，可见只比他小一岁；而其二弟和三弟都死得很早，只分别活了 19 岁和 18 岁。又据该墓志第 14 行记载，耶律糺里有三个儿子，在他死时长子年仅 14 岁。这就带来了一个疑问，既然耶律糺里有自己的子嗣，那他为何不连子名而连弟名呢？我猜想，这大概是因为他直到 28 岁才有了第一个儿子，而他的第二名很可能是在他 18 岁进入仕途时获得的。契丹人的小名主要是幼年用于族内的称呼，而第二名则是成年后广泛用于社会交际的称呼，当耶律糺里踏上仕途之后，他需要获得一个表明身份和地位的尊称，于是便以兄弟连名

①见《辽史》卷三〇《天祚皇帝纪》附《耶律大石传》，第 357 页。

的方式取了一个第二名。这与耶律觌烈和耶律羽之的情况十分相似。

原载《北大史学》第 14 辑，
北京:北京大学出版社,2009 年

《契丹地理之图》考略

中国国家图书馆所藏元刻本《契丹国志》,卷首冠图三幅,分别是《契丹地理之图》《晋献契丹全燕之图》和《契丹世系之图》。其中的《契丹地理之图》是流传至今的唯一的一幅辽朝地图(见图一)①,有着弥足珍贵的地理文献价值。自《契丹国志》点校本问世以后,此图已广为古地图学界所知晓②,但关于这幅地图的来历和创作时代,却始终无人加以探究,本文希望能够对此提供一个初步答案。

---

① 姜念思《一幅珍贵的契丹地理图——苏州藏〈地理图〉碑考略》一文(《辽海文物学刊》1992年第2期),将南宋绍熙二年(1191)黄裳所作《地理图》的北方部分称为"契丹地理图",并称"这是我们今天所能看到的最早最详尽的契丹地图"。按黄裳《地理图》是按照宋人的"中国"观绘制的一幅以宋为主、兼及长城以北地区的地图,将图中的某一局部称为"契丹地理图"显然是不合适的,况且《契丹地理之图》的绘制年代还要早于《地理图》,详见下文。

② 贾敬颜、林荣贵点校《契丹国志》,系以元刻本为底本,由上海古籍出版社出版于1985年。该书卷首所载《契丹地理之图》和《晋献契丹全燕之图》,后收入曹婉如等编:《中国古代地图集(战国—元)》,北京:文物出版社,1990年。

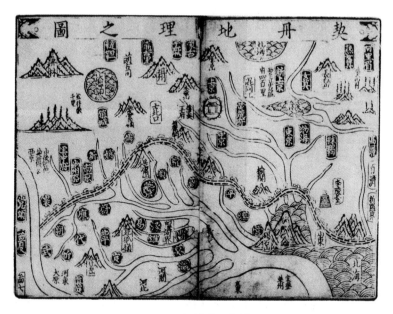

图一　契丹地理之图

一

　　关于《契丹国志》一书的真伪问题,学界长期存在着不同意见。据该书卷首所载《进书表》称,是书系宋孝宗淳熙七年(1180)秘书丞叶隆礼所撰,而据笔者考订,该书当是元朝前期某家书肆所作的伪书,成书于元成宗大德十年(1306)以前①。

---

① 详见刘浦江:《关于〈契丹国志〉的若干问题》,《史学史研究》1992 年第
　2 期;《〈契丹国志〉与〈大金国志〉关系试探》,《中国典籍与文化论丛》
　第 1 辑,北京:中华书局,1993 年。两文均已收入《辽金史论》,沈阳:辽
　宁大学出版社,1999 年,第 323—356 页。

《契丹国志》真伪问题的考定，并不意味着《契丹地理之图》的成图时代由此得以明确，因为这部以牟利为目的的伪书是由坊肆书贾拼凑而成的，它的所有内容均从各种宋代文献中稗贩而来，冠于卷首的这几幅地图自然也不例外。因此要想探明此图的来历和绘制年代，还必须从地图本身去寻找答案。

　　首先应该明确的一点是，这幅《契丹地理之图》究竟是出自宋人之手抑或出自辽人、金人之手？这个问题不难判断。图中称女真、熟女真而不称女直、熟女直，称鞑靼而不称阻卜或阻鞑，置木叶山于祖州附近，云中府旁注"山后四邑，契丹改名西京"，等等。以上诸点，足以说明此图作者不可能是辽人或金人，显然当是宋人所为。

　　该图有关辽金京城的标识，对于考订地图的撰制时代是最为关键的因素。我们注意到，图上既有辽上京，又有金上京。在祖州和木叶山以东有一"上京"，这是指辽上京；而在混同江（今松花江）以北又有所谓"新上京"，这自然就是指金上京了①。"新上京"的说法为我们确定此图的时代提供了一个重要依据。

　　金初自太宗朝已定都会宁府（今黑龙江省哈尔滨市阿城区白城子），但直至熙宗天眷元年（1138）始建号上京。《金史·地理志》谈及上京名号沿革时说："天眷元年号上京。海陵贞元元年迁都于燕，削上京之号，止称会宁府，称为国中者以违制论。大定十三年七月，复为上京。"《熙宗纪》对建号上京一事也有明确记载：天眷元年八月，"以京师为上京，府曰会宁，旧上京为北京"。这里说的"旧上京"，即指原辽朝上京临潢府，因金朝新建上京之号，故将辽之上京改称北京，以免混淆。

———————————

①金上京的地理位置应在混同江以南，此图的定位不够准确，但大致方位没有什么问题。

对于《金史》的上述记载，曾有学者提出质疑。朱国忱先生指出，《大金国志》卷二《太祖武元皇帝下》有这样一条史料："天辅六年春，升皇帝寨曰会宁府，建为上京，其辽之上京改作北京。"且《金史·太祖纪》及《太宗纪》都有称会宁府为上京的例子。遂由此得出结论说，早在太祖天辅六年（1122），会宁府已有上京之号，在天眷元年改辽上京为北京之前，金上京与辽上京可能同时并存不废①。这种意见显然是缺乏说服力的。首先，《大金国志》是一部为学界所公认的伪书，其中不乏篡改史料、混淆史实之处②。关于会宁府建号上京的时间，此书还有另一种截然不同的说法，卷九《熙宗孝成皇帝一》在天会十三年（1135）下说："升所居曰会宁府，建为上京。"文渊阁本《四库全书》此条下有馆臣按语："金之建上京、定官制实在天眷元年，此书一书于天辅七（六）年，又书于天会十三年，重复舛误。"③可见此书的记载本身就是自相矛盾的。其次，《金史·太祖纪》和《太宗纪》称会宁府为上京，应属史臣追叙之语。元修《金史》的基本史料来源是金朝实录，而《太祖实录》和《太宗实录》分别成书于皇统八年（1148）及大定七年（1167）④，均在天眷元年建号上京以后，若将会宁府追记为上京也是很正常的。许子荣先生曾对《金史》纪、志、传中所见"上京"进行过逐条辨析，指出天眷元年以前所称上京既有指辽

---

①朱国忱：《金源故都》，《北方文物》杂志社刊行，1991年，第30—39页。
②参见刘浦江：《再论〈大金国志〉的真伪——兼评〈大金国志校证〉》，《文献》1990年第3期，第96—108页；收入氏著《辽金史论》，沈阳：辽宁大学出版社，1999年，第335—356页。
③台湾商务印书馆影印文渊阁《四库全书》，第383册，第878页。
④《金史》卷四《熙宗纪》，第84页；卷六《世宗纪上》，第139页。

上京者,也有指金上京者,后者均为史臣追叙之辞,其说有理有据①。

自天眷元年建号上京后,海陵朝曾一度废去上京名号。《金史·地理志》称"海陵贞元元年迁都于燕,削上京之号,止称会宁府"云云,若依此说,似乎是在贞元元年(1153)迁都燕京的同时就废去了上京之号,这个说法不够准确。《海陵纪》正隆二年八月甲寅有"罢上京留守司"的记载;十月壬寅,"命会宁府毁旧宫殿、诸大族第宅及储庆寺,仍夷其址而耕种之"。由此可见,削上京之号是正隆二年(1157)的事情②。此事与金朝统治集团内部的政治斗争形势有关。海陵迁都燕京遭到女真旧贵族的激烈反对,徒单太后此后几年就仍然留居上京而不肯南迁,故海陵废除上京名号,其目的是打击女真旧贵族势力。世宗即位后,矢志弘扬女真民族传统,遂于大定十三年(1173)恢复上京之号。

综上所述,根据金上京名号之沿革,可以大致推定《契丹地理之图》的撰制时代。因作者以"新上京"指称金朝之上京,可见此图之创作当在天眷元年(1138)之后,其下限不应晚于正隆二年(1157);若是在大定十三年恢复上京名号以后,则为时太晚,恐不宜称作"新"上京。

---

① 许子荣:《〈金史〉天眷元年以前所称"上京"考辨》,《学习与探索》1989年第2期,第141—147页。
② 中华书局点校本校勘记已经指出这一点,见《金史》卷二四《地理志上》,北京:中华书局,1975年,第2册,第578—579页。又,《建炎以来系年要录》卷一六四绍兴二十三年三月小注引海陵王迁都燕京改元诏,有"上京、东京、西京依旧"的说法,可知贞元元年迁都时尚未削去上京之号。

二

接下来需要讨论的是《契丹地理之图》的来历问题。五代至两宋时期，有线索可考的契丹地图不外以下几种：

(1)耶律倍献于后唐之契丹地图。《旧五代史》卷四三《唐书·明宗纪》：长兴三年(932)二月己卯，"怀化军节度使李赞华进契丹地图"。李赞华即辽太祖太子、东丹王耶律倍，天显五年(930)投奔后唐，明宗赐姓李，名赞华。他进献的契丹地图可能是历史上绘制最早的一幅辽朝地图，但五代以后未见有人提及，恐早已失传。

(2)赵志忠《契丹地图》。《续资治通鉴长编》卷一八五仁宗嘉祐二年(1057)四月辛未："通判黄州、殿中丞赵至忠上《契丹地图》及《杂记》十卷。"赵至忠(一作赵志忠)本为辽朝进士，兴宗重熙间官至中书舍人，后因事得罪，遂于庆历元年(1041)投奔宋朝，入宋后撰有多种介绍契丹情况的杂史、笔记、舆图等，嘉祐二年献上朝廷的《契丹地图》和《虏廷杂记》便是其中的两种。上引《长编》文末有李焘小注云："此据正史《契丹传》。《实录》云上《契丹建国子孙图》及《纂录事》三册，与本传不同。"据此可知，《长编》的史料来源为《两朝国史·契丹传》，此事虽与《仁宗实录》的记载有所出入，但神宗朝曾任《两朝国史》编修官的李清臣也说："(赵)志忠仕虏为中书舍人，得罪宗真来归，上此书(指《虏廷杂记》)及《契丹地图》，言契丹事甚详。"① 又《玉海》卷十六《地理

---

① 见衢本《郡斋读书志》卷七伪史类《虏廷杂记》条所引，孙猛：《郡斋读书志校证》，上海：上海古籍出版社，2005年，上册，第294页。

门》有所谓"嘉祐《契丹地图》"者,亦即此图。

（3）佚名《契丹疆宇图》。此书最早见于《遂初堂书目》地理类,《直斋书录解题》卷八地理类也有著录:"《契丹疆宇图》一卷,不著名氏。录契丹诸夷地及中国所失地。"[1]《玉海》卷十六《地理门》"熙宁《北道刊误志》"条和《宋史·艺文志》地理类则均作二卷。王仁俊《辽史艺文志补正》疑此书或即赵志忠《契丹地图》[2],其说颇不足信。

（4）佚名《契丹地里图》。此书一卷,见《通志》卷七二《图谱略》、《玉海》卷十六《地理门》"熙宁《北道刊误志》"条及《宋史·艺文志》地理类,均谓"不知作者"。

将以上四种契丹地图与《契丹地理之图》的创作年代以及它被收入《契丹国志》的情况结合起来考虑,我得出的结论是,《契丹地理之图》很可能出自《契丹疆宇图》一书。理由如下:

第一,《契丹疆宇图》的著作时代与《契丹地理之图》基本吻合。

在上述四种契丹地图中,前两种一出于五代,一出于北宋,第四种《契丹地里图》既已见于《通志》,也不大可能出自南宋人之手[3]。惟《契丹疆宇图》较为晚出,南宋前期各种官私书目,如《郡斋读书志》《秘书省续编到四库阙书目》《中兴馆阁书目》《通志·艺文略》等,均未著录此书。是书始见于尤袤《遂初堂书目》,尤袤为南宋前中期人,一说卒于光宗绍熙五年(1194),一说卒于宁宗

---

[1]《直斋书录解题》,徐小蛮、顾美华点校本,上海:上海古籍出版社,1987年,第267页。

[2] 见《二十五史补编》,北京:中华书局,1986年,第6册,第8147页。

[3]《通志》成书于绍兴末年,但其《艺文略》《图谱略》等皆系抄撮前朝书目而成,故几乎没有南宋人的著作。

嘉泰四年（1204）①。由此看来，《契丹疆宇图》很可能问世于南宋初，与上文推定的《契丹地理之图》的成图时代约略相当。

第二，《契丹疆宇图》是唯一保存至元朝以后的契丹地图。

除《契丹疆宇图》之外的其他三种契丹地图，或见于史书，或见于类书，它们是否流传到南宋时代还无法予以证实。只有《契丹疆宇图》著录于《遂初堂书目》《直斋书录解题》这样的实藏书目，说明当时尚有传本。不仅如此，甚至有证据表明，此书直到明末尚未亡佚。陈第《世善堂藏书目录》卷上著录有《契丹疆宇图》一卷，该书目编成于万历四十四年（1616），而陈氏世善堂藏书至清初始散佚无存②。可见在元初编撰《契丹国志》之时，还有可能看到《契丹疆宇图》一书。

第三，《契丹国志》卷首三图之间的关系，暗示它们可能出自《契丹疆宇图》。

将元刻本《契丹国志》卷首的三幅图拿来做一比较，可以发现它们之间存在着微妙的关系：首先引起我注意的是，这三幅图的版式和绘图手法一模一样，顶头是地图名称，两边都有类似鱼尾的边框；更有意思的是，《契丹地理之图》的左下角标记有"图七"二字，《晋献契丹全燕之图》左下角标记为"图八"，而《契丹世系之图》则在同一位置注明为"世系图四"。这些标记文字在不经意间露出了《契丹国志》一书作伪的马脚。很明显，这三幅图必定是取自同一部书，这部书就是《契丹疆宇图》。据陈振孙《直斋书录

---

①参见于北山：《陆游年谱》，上海：上海古籍出版社，1985年，第400—401页。
②《知不足斋丛书》本有跋云："乾隆初年，钱塘赵谷林先生（昱）赍多金往购，则已散佚无遗矣。"

解题》说,此书"录契丹诸夷地",可以想见,除了图四、图七和图八的契丹地图及世系图之外,该书的其他部分可能还包括党项、女真等"诸夷"地图①。

从这三幅图的内容来看,也颇能说明一些问题。《契丹世系之图》的下限晚至辽朝末代君主天祚帝,可见为南宋人所作。至于《晋献契丹全燕之图》,其内容完全符合前文对《契丹疆宇图》的分析,因为据陈振孙介绍说,《契丹疆宇图》一书不仅"录契丹诸夷地",而且也包括"中国所失地",这句话不啻向我们暗示了《晋献契丹全燕之图》的出处。

另外,《契丹地理之图》与《晋献契丹全燕之图》在内容上还存在着某些共同点。譬如两者都没有标注辽西京,仍称为云中府,仅《契丹地理之图》以小字注记曰:"山后四邑,契丹改名西京。"估计《契丹疆宇图》的作者在绘制这两幅图时是以赵志忠《契丹地图》为蓝本的,赵志忠由辽入宋是兴宗重熙十年(1041)的事情,而云中府重熙十三年才升改西京,因此他所作的《契丹地

①对于本文的这一结论,辛德勇教授和毛利英介博士持有不同看法,他们认为"图七"、"图八"和"世系图四"可能是元刻《契丹国志》一书的页码。据笔者查阅中国国家图书馆所藏元刻本《契丹国志》,其卷首部分的顺序和篇幅是这样的:《经进契丹国志表》1页、《契丹国初兴本末》2页、《契丹世系之图》1页、《契丹国九主年谱》2页、《契丹地理之图》1页、《晋献契丹全燕之图》1页。如此算来,《契丹世系之图》《契丹地理之图》和《晋献契丹全燕之图》恰好排在第4、7、8页,似乎确有可能是该书的页码。但笔者认为这大概只是一种巧合罢了,理由有三:第一,元刻本《契丹国志》卷首部分并没有页码;第二,若是该书页码,理应标记于版心位置才对,而"图七"、"图八"和"世系图四"却都是标识在图表之内的,说明应是原图的标记,只因为刻工依样画葫芦,没有对原图进行任何加工处理,所以才留下了这些文字;第三,如将"图七"、"图八"和"世系图四"理解为页七、页八、页四,似乎也很难令人信服。

图》应该是没有西京的。又如黄龙府在这两幅地图上都被非常突出地标识出来,并且《契丹地理之图》"新上京"旁还有注记曰"西至黄龙府四百里"。黄龙府是辽朝控驭生女真的一个军事重镇,僻处东北边裔之地,本来默默无闻,它之所以为宋人所熟知,是因为生女真起兵攻辽之初,一举攻克黄龙府而远近闻名,以致宋人误以为黄龙府是女真人的巢穴,故岳飞有"痛饮黄龙"之豪言。单从黄龙府如此被作者所看重这一点,亦可断言这两幅地图必为南宋人作品无疑。

在得出《契丹地理之图》出自《契丹疆宇图》一书的结论之后,还有一个与成图时代相关的问题,需要在此做一点补充说明。苏州碑刻博物馆所藏南宋《地理图》碑,上石年代为淳祐七年(1247);据考证,原图由黄裳作于绍熙二年(1191)[1]。值得注意的是,该图把金上京标记为"御寨新京"[2]。上文曾将《契丹地理之图》中"新上京"的标记作为判断其绘制年代的一个重要依据,并据此认为其创作下限不应晚于上京之号被废的正隆二年(1157)。那么,对于黄裳《地理图》在金朝建号上京半个多世纪以后,仍将它称为"御寨新京"的事实,又应当作何解释呢?我认为,黄裳《地理图》与出自《契丹疆宇图》一书的《契丹地理之图》,两图情况有所不同:前者基本上是一幅宋朝地图,长城以北地区主要取材于宋人所绘辽金地图,其"御寨新京"的标记应当是照抄底图的文字;而后者是专门绘制的契丹地图,其"新上京"的标记应当更注重时效性。就辽金地理而言,两幅地图的一个重要区别在

---

[1] 钱正、姚世英:《墬理图碑》,《中国古代地图集(战国—元)》,第46—49页。

[2] 见《中国古代地图集(战国—元)》,图版72。

于,前者为因袭,后者为创作,故尽管都称为"新上京"或"新京",但它们所传达的信息却是不一样的。本文对《契丹地理之图》成图时代的判断,并不会因此而受到动摇。

原载《邓广铭教授百年诞辰纪念论文集》,

北京:中华书局,2008 年

金世宗名字考略

一

《金史·世宗纪》谓世宗"讳雍,本讳乌禄"①,张棣《正隆事迹》则称世宗"字彦举……小字忽辣马,即位后改名雍"②。完颜雍是世宗的汉名,金代女真人取汉名者例皆有字,世宗字彦举仅见于此。据宋人说,《正隆事迹》的作者张棣是"淳熙中归明人"③,则其入宋当在大定间,故其有关世宗名字的记载应该是相当可靠的。

《金史》所谓"本讳乌禄",亦即《正隆事迹》所称"小字忽辣马",是指世宗的女真语名,乌禄、忽辣马当是同名异译,前者省译

---

①《金史》卷六《世宗纪上》,北京:中华书局,1992年,第121页。

②《三朝北盟会编》卷二三三绍兴三十一年十月八日引张棣《正隆事迹》,上海:上海古籍出版社影印光绪三十四年许涵度刻本,1987年,下册,第1676页。

③见《直斋书录解题》卷五伪史类《金国志》,徐小蛮、顾美华点校本,上海:上海古籍出版社,1987年,第141页。

了词尾音节①。从金代汉文文献及女真字石刻资料来看,女真人不像契丹人那样既有小名,又有第二名,一般只有一个女真语名字——金代习称"小字"。如《金史·章宗纪》称章宗"讳璟,小字麻达葛"②。世宗以后,由于女真汉化程度日益加深,不少女真贵族已经不再取用女真语小字,故大定十六年世宗诏谕宰执曰:"诸王小字未尝以女直语命之,今皆当更易,卿等择名以上。"③金代避讳之法,习惯上只避汉名而不避女真语名,赵翼说:"盖国语之名便于彼此相呼,汉名则用之诏令章奏,亦各有所当也。其避讳之法,则专避汉名,而国语之名不避,盖国语本有音而无正字也。"④不过这种说法只能反映章宗以前的实际情况。泰和元年三月辛巳,"敕官司私文字避始祖以下庙讳小字,犯者论如律"⑤。可见金代后期避讳制度越来越严格,就连女真语小字亦在避讳之列。

乾隆间官修的《钦定金史语解》,号称"以满洲语正《金史》"⑥,该书卷一对世宗的女真语名乌禄做了如下解释:"乌禄:空松子也。从史卷六原文,世宗名。"⑦核以文渊阁《四库全书》本

①据《金史》卷五九《宗室表》,世宗有一弟,女真语名吾里补,与乌禄、忽辣马似是同根词。

②《金史》卷九《章宗纪一》,第 207 页。章宗生于大定八年七月丙戌,时允恭从世宗驻夏金莲川,秋猎于麻达葛山(麻达葛为女真语),章宗生于此地,故"以山名之"。可见小字就是出生时所取的女真语小名。

③《金史》卷七《世宗纪中》大定十六年十月丙申,第 165 页。

④王树民:《廿二史劄记校证》卷二八"金一人二名",北京:中华书局,1984 年,下册,第 624 页。

⑤《金史》卷一一《章宗纪三》,第 256 页。"司"字疑为衍文。

⑥《四库全书总目》卷四六,《钦定辽金元三史国语解》提要,北京:中华书局影印浙本,2003 年,上册,第 415 页。

⑦《钦定金史语解》卷一"君名",光绪四年江苏书局本,叶 2a。

《金史》,见于卷五《海陵纪》、卷六《世宗纪》的"乌禄"一名,确实均仍旧未改。然《钦定金史语解》卷一另有一条说:"乌噜:是非之是也。卷一作乌鲁,德帝名。"①据《金史》卷一《世纪》,金之始祖函普之子德帝"讳乌鲁",女真人重名的现象十分普遍,世宗小字"乌禄"与德帝的女真语名"乌鲁"理应是同一词,然而《钦定金史语解》却做出了完全不同的解释,释乌禄为"空松子",释乌鲁为"是非之是",前者因循未改,后者改译为乌噜。而同样编纂于乾隆年间的《续文献通考》则云:"世宗……讳雍,本讳乌噜。"②此书系乾隆十二年奉敕所撰,文渊阁本书前提要写成于乾隆五十四年正月,当是《钦定辽金元三史国语解》编成后据以改译的本子,但改译的结果却与之不符。另一部编纂于乾隆年间的官书《日下旧闻考》,也有一段文字涉及世宗的女真语名:"(海陵王)复召葛王乌噜妃乌凌阿氏,妃谓乌噜曰:'妾不行,上怒,必杀王。'……乌噜:满洲语'是'也,旧作乌禄。"③这里亦将世宗的女真语名乌禄改译为乌噜,并释为满洲语"是",则是与上引《钦定金史语解》释德帝名乌鲁为"是非之是"同④。《日下旧闻考》为乾隆三十九年奉敕所纂,四十七年进呈,与《三史国语解》的编纂几乎同时,而彼

---

① 《钦定金史语解》卷一"君名",叶 1a。文渊阁《四库全书》本《金史》卷一《世纪》已改"乌鲁"为"乌噜"。

② 《续文献通考》卷一九九《帝系考》,台湾商务印书馆影印文渊阁《四库全书》本,第 630 册,第 692 页。

③ 于敏中等编纂:《日下旧闻考》卷一三三"京畿·良乡",北京:北京古籍出版社,1981 年,第 7 册,第 2150 页。此事出自《金史》卷六四《后妃下·世宗昭德皇后传》,乌凌阿氏原作乌林荅氏。

④ 李有棠:《金史纪事本末》卷三〇《世宗致治》:"讳雍,本讳乌禄。"《考异》曰:"满洲语'是'也。"(北京:中华书局,1980 年,第 2 册,第 487 页)此处释义当是据《日下旧闻考》。

此出入有若此者。

上文说到，《正隆事迹》所称"忽辣马"当为"乌禄"之异译，《建炎以来系年要录》卷一九三绍兴三十一年十月丁未李心传注引张棣《正隆事迹》，称世宗"小字呼喇美"，文渊阁《四库全书》本该卷卷末所附《金人地名考证》云："呼喇美，原书作忽剌马，误。"①此忽剌马与《三朝北盟会编》所引《正隆事迹》作"忽辣马"者小异，在辑本《系年要录》中被改译为呼喇美。但文渊阁《四库全书》本《三朝北盟会编》却又采用了另一种译名，该书卷二三三绍兴三十一年十月八日所引张棣《正隆事迹》，称世宗"小字呼喇穆尔，即位后改名雍"②，即将"忽辣（剌）马"改译为"呼喇穆尔"。而文津阁《四库全书》本《三朝北盟会编》此处仍作"忽剌马"③，未加改动。

综上所述，对于世宗的女真语小字，四库馆臣竟有五种不同的释义及处理办法，一是从《金史》原文，仍作乌禄；二是将乌禄改译为乌噜；三是将忽剌马改译为呼喇美；四是将忽剌马改译为呼喇穆尔；五是因仍《正隆事迹》原文，作忽剌马。四库馆臣改译辽金元人地名的工作是如何的随意和草率，由此即可见一斑④。

---

① 《建炎以来系年要录》卷一九三附《金人地名考证》，台湾商务印书馆影印文渊阁《四库全书》本，第 327 册，第 772 页。按今日通行之商务印书馆排印本出自广雅书局本，此卷末无《金人地名考证》。

② 台湾商务印书馆影印文渊阁《四库全书》，第 352 册，第 358 页。

③ 北京商务印书馆影印文津阁《四库全书》，第 349 册，第 241 页。

④ 参见刘浦江：《从〈辽史·国语解〉到〈钦定辽史语解〉——契丹语言资料的源流》，《欧亚学刊》第 4 辑，北京：中华书局，2004 年，第 145—164 页；收入氏著《松漠之间——辽金契丹女真史研究》，北京：中华书局，2008 年，第 177—206 页。

二

世宗汉名完颜雍系后来所改，其原名不见《金史》，仅见于宋代文献，不过宋代文献的相关记载颇为纷歧，需要略作考辨。

《三朝北盟会编》引张棣《正隆事迹》云："褎乃太祖第三子潞王宗辅之子也，亮之从弟。褎字彦举，乙巳三月一日寅时生，小字忽辣马，即位后改名雍。"①据此说，世宗原名当为完颜褎。李心传在《系年要录》小注中也引到这段文字："张棣《正隆事迹》云：褎乙巳年三月一日寅时生，小字呼喇美。"②按"褎"字可通"褎"，则两者并无实质性的歧异。张棣又有《金虏图经》一书，其中记金朝田猎制度曰："虏人无他技，所喜者莫过田猎。……褎立尤甚，有三事令臣下谏：曰饭僧，曰作乐，曰围场。其重田猎也如此。"③这里所称"褎"也是指世宗。张棣本为金朝士人，其入宋不晚于世宗末年，宋代文献中有关金世宗名字的记载，大概最初就出自他的笔下。

李心传也曾不止一次地提到世宗的这个汉名，其中最常见的是《建炎以来系年要录》卷一九三绍兴三十一年十月丁未条的记

---

① 《三朝北盟会编》卷二三三绍兴三十一年十月八日引张棣《正隆事迹》，第 1676 页。此据许刻本，活字本、白华楼本亦同。
② 《建炎以来系年要录》卷一九三绍兴三十一年十月丁未，台湾商务印书馆影印文渊阁《四库全书》本，第 327 册，第 756 页。按商务印书馆国学基本丛书排印本将"褎"误为"褎"。
③ 《三朝北盟会编》卷二四四绍兴三十一年十一月二十八日引张棣《金虏图经》"田猎"条，下册，第 1754 页。褎，活字本作"褎"。

载："是日，金人立其东京留守葛王褎为皇帝。"下有小注云："褎，太祖旻孙，晋王宗辅子。"①此条先后七次提及世宗名，通行的商务印书馆排印本均作"褒"，核以文渊阁《四库全书》本，以上七处皆为"褎"，今本作"褒"者应是排印本之误。又《建炎以来朝野杂记》乙集卷一九"女真南徙"条也提到世宗此名："葛王褒……褒亦旻孙，晋王宗辅之子也。"②根据上引《系年要录》的情况来判断，这里提到的"褒"也很可能是"褎"之误。

另一种不同的记载见于《续编两朝纲目备要》卷一三嘉定六年八月："葛王褒……褒亦旻孙，晋王宗辅之子也。"③此书大约成书于理宗时，这段文字几乎是照抄《朝野杂记》"女真南徙"条，但世宗之名却作"褒"而不作"褎"。同样的记载还见于《朱子语类》，朱熹曾对学生说："葛王先名褒，后以其字似'衰'字，遂改名雍。"④《大金国志》也有两处提到世宗此名，却是彼此不同的说法，一处见于卷一六《世宗圣明皇帝上》："世宗圣明皇帝初名褒，后改名雍。"另一处见于卷首《金国九主年谱》，称世宗"元名裒，改名雍"⑤。《大金国志》系元人杂抄宋代文献而成，内容相互矛

①此据中华书局重印商务印书馆国学基本丛书本，1988 年，第 4 册，第 3234 页。

②《建炎以来朝野杂记》乙集卷一九"女真南徙"条，徐规点校本，北京：中华书局，2000 年，下册，第 841 页。

③《续编两朝纲目备要》卷一三嘉定六年八月，汝企和点校本，北京：中华书局，1995 年，第 243 页。

④《朱子语类》卷一三三"本朝七·夷狄"，王星贤点校本，北京：中华书局，1986 年，第 8 册，第 3195 页。此段末署"卓"，当是指黄卓（见卷首《朱子语录姓氏》，第 18 页），朱子对黄卓所说的这段话当在壬子（1192）前后。

⑤见崔文印校证：《大金国志校证》，北京：中华书局，1986 年，第 6、221 页。

盾并不奇怪。

就目前所见宋代文献来看,关于世宗之名共有衷、襄、褒、褱四种不同的记载,其中"褱"与"衷"可以通假,"褒"当为"襄"之误,故实际上主要是衷、襄二者的分歧。

金代石刻材料为解决这个问题提供了关键性证据。1981年发现于辽阳的《通慧圆明大师塔铭》,是正隆六年(1161)六月世宗为其母贞懿皇后李氏所立,《塔铭》末句称"正隆六年□□□□□□九日,崇进、东京留守、郑国公男完颜褒建"[1]。按《金史·世宗纪》曰:"贞元初,为西京留守,三年,改东京,进封赵王。正隆二年,例降封郑国公,进封卫国。三年,再任留守,徙封曹国。"又据《海陵纪》,正隆六年十月丙午,"东京留守曹国公乌禄即位于辽阳"。据此,正隆六年世宗当为曹国公,不知《塔铭》何以仍称郑国公。世宗汉名,《塔铭》称为完颜褒,褒即"襄"之碑别字。这是目前能够看到的有关世宗原名的最直接证据。

其实,世宗此名在传世金代文献中也是有线索可考的。《大金集礼》卷二三"御名"有这样一条记载:

> 大定九年正月二十三日,检讨到《唐会要》,该古不讳嫌名,若"禹"与"雨"是也,后世广避,故讳同音,别无回避相类字典故。今御名同音已经颁降回避,外有不系同音相类字,盖是讹误犯,止合省谕,各从正音。余教切二十八字系正字

---

① 邹宝库:《辽阳市发现金代〈通慧圆明大师塔铭〉》,《考古》1984年第2期,拓本照片见第176页。又王晶辰主编《辽宁碑志》有《辽阳通慧圆明大师塔铭》录文,"完颜褒"被误录为"完颜褒"(沈阳:辽宁人民出版社,2002年,第40页)。

同音,合回避;尤救切十六字不系同音,不合回避。敕旨
准奏。①

陈垣先生敏锐地指出:"所谓'余救切'者,世宗初名褎也。"②
他并未说明"世宗初名褎"的文献依据所在,可能是得自《大金国
志·世宗纪》的记载。按"褎"有两读,一音 xiù,《广韵》似祐切;
一音 yòu,《广韵》余救切。《大金集礼》所谓"余救切二十八字系
正字同音,合回避"云云,就是指后者而言。这条史料为世宗初名
完颜褎提供了一个有力的佐证。

三

世宗更名完颜雍一事,也有必要稍加说明。有学者以为"世
宗更名,不见载于《金史》"③,可谓失之眉睫。《金史·世宗纪》明
确记载:大定十四年三月甲辰,"上更名雍,诏中外"④。《金史·
礼志》亦云:"大定十四年三月十七日,诏更御名,命左丞相良弼告
天地,平章守道告太庙,左丞石琚告昭德皇后庙,礼部尚书张景仁

---

①《大金集礼》卷二三"御名",《丛书集成初编》本,第 203 页。
②陈垣:《史讳举例》"辽金讳例",上海:上海书店出版社,1997 年,第
  116 页。
③张博泉:《〈辽阳市发现金代通慧圆明大师塔铭〉补证》,《考古》1987 年
  第 1 期,第 90 页。近年方殿春《金代〈通慧圆明大师塔铭〉再证》(《北
  方文物》2007 年第 1 期,第 50 页)仍袭此说,仅指出此事见于毕沅《续
  资治通鉴》。
④《金史》卷七《世宗纪中》,第 161 页。

告社稷,及遣官祭告五岳。"①《大金集礼》卷二三"御名"详细记录了世宗更名的全过程:"大定十四年三月四日,礼部尚书张景仁进入下项更名典故。五日,宰臣奉敕旨检拟字样。十一日,奏定於容切字,命学士撰诏。十七日,颁下,仍遣官分告天地、宗庙、社稷、五岳。"这里说的"於容切"即代指"雍"字。此外,在宋代文献中也可以看到世宗更名的记载,《建炎以来系年要录》卷一九三绍兴三十一年十月丁未条小注记世宗更名事云:"淳熙元年更名雍。"淳熙元年(1174)即金大定十四年。《建炎以来朝野杂记》乙集卷一九"女真南徙"条说得更为明确:"淳熙元年春,更名雍。"

关于世宗此次更名之缘由,《大金集礼》所载大定十四年三月十七日诏做了如下解释:

> 制曰:天子之名,贵难知而易避;人君之德,当宽御以简临。以其字有于协音,是使语涉于触讳。若因循而不改,则过误以谁。朕甚愍焉,期无犯者。今更名,仍令所司择日告天地、宗庙、社稷、五岳,其旧名更不须回避。布告中外,咸使闻知。②

此诏言及世宗更名动机,似乎是说"褎"字易触讳,而"雍"字便于避讳,这一说法让人很难理解。当然还可以有另一种解释,

---

①《金史》卷三一《礼志四》"奏告仪",第 752 页。是年三月甲辰即十七日。
②《大金集礼》卷二三"御名",《丛书集成初编》本,第 204 页。"若因循而不改"句,"而"原误作"为",据文渊阁《四库全书》本改。

易避难犯不应仅就这两字来考虑,而应包括两字的同音字。所谓"以其字有于协音,是使语涉于触讳",或许是指"裒"字的同音字较多,余救切二十八字,再加上时人习惯避讳的尤救切十六字,则多达四十四字,故较易触讳;而"雍"字《广韵》同音仅十六字,相对较容易避讳。至于朱子所言"以其字似'裒'字,遂改名雍"的说法,恐系宋人猜度之辞,不足取信。

原载《北大史学》第 18 辑,

北京:北京大学出版社,2013 年

祖宗之法:再论宋太祖誓约及誓碑

一、问题之缘起

清人潘永因所编《宋稗类钞》一书,卷一《君范》开篇有关于宋太祖的两则轶闻,一则记太祖于太庙所立"不杀大臣"的誓碑,一则记太祖亲书"南人不得坐吾此堂"语刻石于政事堂。20世纪40年代初,张荫麟先生首先注意到这两则记事,遂撰《宋太祖誓碑及政事堂刻石考》一文(以下简称"张文")予以考辨①。关于前一个问题,张文指出,太祖誓约最初见于曹勋《北狩见闻录》,而有关誓碑的故事仅见于题名陆游的《避暑漫抄》,故推断"誓碑之说,盖由《北狩见闻录》所载徽宗之寄语而繁衍耳"。不过值得注意的是,张荫麟先生虽不相信有所谓太庙誓碑,但他并未否认太祖誓

①《文史杂志》第1卷7期,1941年1月;收入《张荫麟文集》,张云台编,北京:教育科学出版社,1993年,第497—501页。有关政事堂刻石的传闻可信度很低,笔者基本赞同张荫麟先生的结论,故本文不拟涉及。

约的存在,且谓"北宋人臣虽不知有此约,然因历世君主遵守惟谨,遂认为有不杀大臣之不成文的祖宗家法"。

上述考证虽然只是一篇短文,但因其涉及宋代政治史上一个比较重要的关节,故自此文发表以后,太祖誓约及誓碑的真伪便成为宋史学界非常关注的一个话题。近30年来,有几位学者相继撰文否定誓碑乃至誓约的真实性,同时也有一些学者坚持认为太祖誓约及誓碑均确有其事,纷纭众说,迄今尚未形成共识。

持否定论者可以杜文玉先生为代表。他在《宋太祖誓碑质疑》一文(以下简称"杜文")中对太祖誓约及誓碑予以全盘否定,质疑的理由主要有两点:第一,所谓"不杀大臣"的誓约与宋代的实际情况不符,宋朝诸帝对待臣下确实比较宽容,与其他朝代相比诛杀较少,但并非从来不开杀戒,尤其太祖朝和高宗朝更是如此;第二,太祖将誓碑秘藏于太庙的做法不合情理,从誓约内容来看,完全没有保密的必要,公诸于世反倒对赵宋王朝更加有利。作者最后提出一个推论,认为所谓太祖誓约可能是高宗和曹勋出于某种政治目的而共同编造出来的一个故事,"是高宗笼络士大夫以换取他们支持的一种权术"①。由于作者没有见过张荫麟先生的上述考证,加之又非专治宋史的缘故,此文存在着不少纰漏,最大的问题是将太祖"誓约"与"誓碑"混为一谈,且谓其最初史源当出自王明清《挥麈后录》,又将《避暑漫抄》的作者误题为叶梦得②,并进而推论其信息来源等等。尽管此文的考证和结论都

---

① 杜文玉:《宋太祖誓碑质疑》,《河南大学学报》1986年第1期,第19—22页。
② 杜文所引《避暑漫抄》未注明出处,可能是转引自丁传靖《宋人轶事汇编》卷一。按丁氏引用书目已将《避暑漫抄》误题为叶梦得,大概是与叶氏《避暑录话》相混淆而引起的误解。

不够严密,但还是引起了一些学者的共鸣。近年有人撰文讨论北宋不杀士大夫的祖宗家法,就基本接受了杜文的上述结论,所不同者,则是认为所谓太祖誓约可能出自徽宗而非高宗的杜撰①。

针对杜文否认宋代存在"不杀大臣"的祖宗家法,徐规先生曾撰文提出异议,指出所谓不杀士大夫应理解为"不轻率诛杀",并举出多条例证,"证明北宋确有一条不轻杀臣下的不成文之祖宗家法";至于太祖誓约及誓碑的真伪问题,徐文基本认同张荫麟先生的见解,认为太祖誓碑不足凭信,而"藏于太庙的宋太祖誓约是否真有其事,当可作进一步的研究"②。同样对太祖誓约及誓碑持怀疑态度的还有邓小南教授,她在讨论宋代祖宗之法时认为,从宋代的政治实践来看,"不杀士大夫"可以算是祖宗之法的内容之一,"但这并不等于说确有这样的成文规定",若真有这样的誓约存在,照理说是"不应当隐秘不宣的"③。

在对太祖誓约及誓碑的真实性持肯定态度的学者当中,以王曾瑜先生的观点最为鲜明。他在谈及岳飞之死时指出,"宋朝与明朝不同,明朝滥杀臣僚如草芥,宋朝却特别优礼臣僚。因为宋太祖传下秘密誓碑,规定'不得杀士大夫及上书言事人'",并认为高宗杀岳飞即是违背了太祖誓约④。张希清先生亦持有类似观

---

① 李峰:《论北宋"不杀士大夫"》,《史学月刊》2005 年第 12 期,第 31—35 页。

② 徐规:《宋太祖誓约辨析》,《历史研究》1986 年第 4 期,第 190—192 页;收入《仰素集》,杭州:杭州大学出版社,1999 年,第 589—592 页。

③ 参见邓小南:《祖宗之法:北宋前期政治述略》,北京:三联书店,2006年,第 475 页。

④ 王曾瑜:《岳飞之死》,《历史研究》1979 年第 12 期,第 27—28 页。又见同氏《岳飞和南宋前期政治与军事研究》,开封:河南大学出版社,2002年,第 212—214 页。

点,不同之处在于,他虽然相信太祖誓约实有其事,但对太祖誓碑的真伪则持较为审慎的态度,认为陆游《避暑漫抄》有关誓碑的故事"系得之于传闻,其中恐有差误,难以作为信史,有待于作进一步的研究考证"①。顾宏义先生倾向于相信太祖誓碑的存在,不过他以为岳飞被杀与否与太祖"不杀大臣"的誓约实不相干,"此处所谓'大臣',实指文臣士大夫,而不包括武将在内"②。此外,余英时先生在论及宋代士的政治地位时,也专门讨论过不杀大臣的祖宗家法,并对太祖誓碑的故事表现出深信不疑的态度,谓《避暑漫抄》"原文细节颇详,必有所本"云云③。

自80年代中期以后,无论是否相信太祖誓约及誓碑的真实性,有一点在宋史学界可以说已经基本达成共识,即普遍承认在宋代(尤其是北宋时代)确实存在着"不杀士大夫"的祖宗家法。如张其凡先生在讨论宋代"皇帝与士大夫共治天下"的问题时即表明了这样的态度:无论太祖誓约存在与否,"北宋一代不杀大臣言事官却是不争的客观事实,故可说是不成文的习惯法——故事"④。这种说法大致可以代表目前宋史学界多数学者的倾向。

研究宋代政治史和政治文化,太祖誓约及誓碑的真伪是一个

---

① 张希清:《宋太祖誓约与岳飞之死》,岳飞研究会编:《岳飞研究》第2集,《中原文物》1989年特刊,第127—145页。

② 顾宏义:《岳飞之死与宋太祖"不杀大臣"誓约考》,《华东师范大学学报(哲学社会科学版)》33卷第1期,2001年1月,第114—116页。

③ 余英时:《朱熹的历史世界》,北京:三联书店,2004年,上册,第203—206页。

④ 张其凡:《"皇帝与士大夫共治天下"试析——北宋政治架构探微》,《暨南学报》23卷第6期,2001年11月,第116页。

不容回避的问题。而就现有的研究成果来看,其中还有许多细节值得深究。本文准备在对相关史料源流进行系统梳理和考证的基础之上,提出笔者的一家之言。

二、秘而不宣的太祖誓约

关于太祖誓约,目前在北宋文献中找不到任何相关的记载。此事的最初史源,乃是出自曹勋所转述的徽宗之言。

靖康之变时,时为阁门宣赞舍人的曹勋随徽宗北迁,后在徽宗安排下自燕山遁归,于建炎元年(1127)七月到达行在南京,并带回徽宗写在衣领上的“可便即真,来救父母”八字御笔,使高宗继位的合法性得以解决。据曹勋说,临别时徽宗命他转告高宗的各种紧要事项,其中就包括太祖誓约一事。此事始末见于曹勋《进前十事札子》:

> 臣昨日伏蒙圣恩,赐对便殿,漏移数刻,下询周悉,使得尽所欲言,而三圣人之意俱获条陈。……再蒙圣训,令臣今日入对,将房中所见具札子进呈。今谨条画,事涉国体者,伏望万机之暇,特赐睿览。

此札子共包括十项内容,其中第一条提到徽宗向他交代的一段话:

> 归可奏上:“艺祖有约,藏于太庙,誓不诛大臣、言官,违者不祥。故七祖相袭,未尝辄易。每念靖康年中诛罚为甚,

今日之祸,虽不止此,然要当知而戒焉。"①

从这个札子的内容来看,应写于曹勋甫归朝廷之时,这是目前所见宋代有关太祖誓约的最原始的文字记录。但由于曹勋《松隐文集》在南宋只有抄本流传,此文罕为人知,故它显然并非宋人所传太祖誓约的直接史源。

曹勋后来又将他跟随徽宗北迁的过程详细记录成书,题为《北狩见闻录》。此书今有《学海类编》《学津讨原》及《四库全书》本,其中也转述了徽宗告诉他的那段话:

> (徽庙)又宣谕曰:"艺祖有约,藏于太庙,誓不诛大臣、用宦官,违者不祥。故七圣相袭,未尝辄易。每念靖康中诛罚为甚,今日之祸,虽不止此,要知而戒焉。"②

这段文字亦见于《三朝北盟会编》卷九八,但种种迹象表明,《会编》所征引者与传世的《北狩见闻录》并非出自同一个版本系统。首先,两者书名不同。《会编》卷八九和卷九八所引此书均作《北狩闻见录》,在南宋人的著录中③,以及《建炎以来系年要录》小注中屡屡引及此书,也都是采用这一书名,而传世诸本则均作《北狩见闻录》。其次,书中对徽宗的称呼用语不同。《进前十事札子》提及徽宗时均称"太上皇帝",《会编》所引《北狩闻见录》皆

①曹勋:《松隐文集》卷二六《进前十事札子》,《嘉业堂丛书》本,叶 1a-2a。
②此据《学津讨原》本。"誓不诛大臣、用宦官"句,诸本皆同。
③见《遂初堂书目》本朝杂史类,涵芬楼《说郛》卷二八,叶 12a;陈振孙:《直斋书录解题》卷五杂史类,上海:上海古籍出版社,1987 年,第 156 页。

称"太上",而今本《北狩见闻录》则改称"徽庙"。再次,传世本的编定时间是有迹可循的。按今本书名下题"保信军承宣使知阁门事兼客省四方馆事臣曹勋编次",曹勋知阁门事是绍兴十一年(1141)的事情①,又据《系年要录》卷一五一绍兴十四年四月戊戌条,曹勋"以尝将到先朝御笔及编修接送馆伴例册有劳,迁保信军承宣使"②。由此可知,今本《北狩见闻录》当是绍兴十四年以后经作者重新整理编定的,而《会编》所征引者则是此书原本。

徽宗所说的那段话,《会编》的引文是这样的:

> (太上)又曰:"艺祖有约,藏于太庙,誓不诛大臣言有,违者不祥。相袭未尝辄易。每念靖康诛罚为甚,今日之祸,虽不在此,要当知而戒焉。"③

这段引文中"誓不诛大臣言有"句显有讹误,今本《北狩见闻录》作"誓不诛大臣、用宦官",亦误,应据《进前十事札子》改为"誓不诛大臣、言官"。

对于《北狩见闻录》一书的史料价值,四库提要给予高度评价:"(曹)勋身自奉使,较他书得自传闻者节次最详,……纪事大

---

① 见《建炎以来系年要录》卷一四二绍兴十一年十一月戊戌条,北京:中华书局,2013 年,第 2687 页。
②《建炎以来系年要录》卷一五一,绍兴十四年四月戊戌条,第 2856 页。
③《三朝北盟会编》卷九八《诸录杂记》引曹勋《北狩闻见录》,上海:上海古籍出版社影印光绪三十四年许涵度刻本,1987 年,第 722 页下栏。据活字本校正。

都近实。虽寥寥数页,实可资史家之考证也。"①曹勋转述的太祖
誓约一事出自徽宗之口,是非常可贵的第一手资料。徽宗之所以
要特意让曹勋将此事转告高宗,是因为他对钦宗在位时诛杀王
黼、朱勔、童贯等人,违背太祖誓约的做法十分不满,所以希望高
宗能够引以为戒②。值得注意的是,虽然此前宋人对这个据说是
"藏于太庙"的太祖誓约闻所未闻,但南宋一代却从来无人对曹勋
的话产生过任何怀疑。今人在没有任何史料凭据的情况下,随意
推断这是曹勋、高宗或徽宗杜撰出来的故事,恐怕是不够慎重的。
至于太祖誓约为何在北宋一代始终秘而不宣,这个问题且待下文
再做解释。

自《北狩见闻录》一书问世之后,有关太祖誓约的记载便多见
于南宋史籍或笔记,如《系年要录》卷四建炎元年四月丁亥条记徽
宗语:"艺祖有誓约,藏之太庙,誓不杀大臣及言事官,违者不祥。"
此段有注云:"此并据曹勋所进《北狩录》。"同样的记载亦见于
《皇宋中兴两朝圣政》卷一建炎元年四月乙酉条及《宋史·曹勋
传》。又王明清《挥麈后录》卷一也谈到此事:

> 明清尝谓本朝法令宽明,臣下所犯,轻重有等,未尝妄加
> 诛戮。恭闻太祖有约,藏之太庙,誓不杀大臣、言官,违者不
> 祥。……太祖誓言得之曹勋,云从徽宗在燕山,面喻云尔。

---

① 《四库全书总目》卷五一史部七杂史类,北京:中华书局影印浙本,1965
年,第464页下栏。
② 关于靖康间诛杀大臣的问题,在南宋是颇有争议的一件事情。《清波
杂志》卷二"王黼身任伐燕"条曰:"或以靖康刑戮为疑,识者云:'祖宗
特不诛大臣尔,若首祸贼党,罪恶显著,在天之灵当亦不赦也。'"见刘
永翔:《清波杂志校注》,北京:中华书局,1994年,第42页。

勋南归,奏知思陵。①

以上这些有关太祖誓约的记载,考其史源,均出自曹勋《北狩见闻录》。

三、太祖誓碑之真伪

与太祖誓约直接相关的问题,便是关于太祖誓碑的故事。此事见于旧题陆游《避暑漫抄》:

> 艺祖受命之三年,密镌一碑,立于太庙寝殿之夹室,谓之"誓碑"。用销金黄幔蔽之,门钥封闭甚严。因敕有司,自后时享及新天子即位,谒庙礼毕,奏请恭读誓词。是年秋享,礼官奏请如敕。上诣室前,再拜升阶,独小黄门不识字者一人从,余皆远立庭中。黄门验封启钥,先入焚香、明烛、揭幔,亟走出阶下,不敢仰视。上至碑前,再拜,跪瞻默诵讫,复再拜而出,群臣及近侍皆不知所誓何事。自后列圣相承,皆踵故事,岁时伏谒,恭读如仪,不敢漏泄。虽腹心大臣如赵韩王、王魏公、韩魏公、富郑公、王荆公、文潞公、司马温公、吕许公、(吕)申公,皆天下重望,累朝最所倚任,亦不知也。
>
> 靖康之变,犬戎入庙,悉取礼乐祭祀诸法物而去,门皆洞开,人得纵观。碑止高七八尺,阔四尺余,誓词三行。一云:"柴氏子孙有罪不得加刑,纵犯谋逆,止于狱中赐尽,不得市

---

① 王明清:《挥麈录》,北京:中华书局,1961 年,第 69 页。

曹刑戮,亦不得连坐支属。"一云:"不得杀士大夫及上书言事人。"一云:"子孙有渝此誓者,天必殛之。"后建炎中曹勋自虏中回,太上寄语云:祖宗誓碑在太庙,恐今天子不及知云云。①

在讨论这条史料的真伪之前,首先需要考究一下《避暑漫抄》一书的来历。此书始见于明代中叶,今天所能看到的最早的本子,即是刻于嘉靖二十三年(1544)的《古今说海》本②,但这个本子并未注明《避暑漫抄》的作者。此书后来又被收入《历代小史》、陶珽重编《说郛》及《续百川学海》等明人丛书,则分别题为"宋陆游"或"宋陆游抄",《澹生堂藏书目》史部上杂史类著录此书,亦题为陆游。按《历代小史》刻于万历十四年(1586),重编《说郛》初雕于万历末至天启年间,《续百川学海》编刻年代不详,据昌彼得先生考证,当在天启以后③。由此判断,最早将《避暑漫抄》一书署名陆游者,当是李栻所编《历代小史》。

明人刻书妄题作者乃是司空见惯的事情,《避暑漫抄》之题名陆游自然也不可当真。今检《古今说海》本,《避暑漫抄》一书共计 28 条纪事,多抄自唐宋笔记及杂史,文末大多有出处,所引书计 18 种。从这些引用书目中可以发现一个明显的破绽:其中有

---

①陆楫编:《古今说海》说纂九,嘉靖二十三年刻本。
②按《避暑漫抄》在明代中期以前未见著录,首先著录此书者是明末藏书家祁承爜的《澹生堂藏书目》。又明清文献征引此书者甚多,但均在明中晚期以后,其中最早者当属明人陈全之《蓬窗日录》。该书卷五《事纪一》节引有关太祖誓碑的那段记载,虽未注明出处,但显然是引自《避暑漫抄》。按《蓬窗日录》刻于嘉靖四十四年,核其所据,恐亦不出《古今说海》本。
③参见昌彼得:《说郛考》,台北:文史哲出版社,1979 年,第 29—31 页。

两条注明出自《嘐呓集》，而《嘐呓集》系元人宋无所撰①。宋无，《新元史》卷二三七《文苑上》有传，其《嘐呓集》著录于《四库全书总目》卷一七四别集类存目一②。仅据此点即可断言，《避暑漫抄》题名陆游是绝不可信的。

如此看来，《避暑漫抄》很可能是明代中叶某位读书人随手杂抄而成的一部笔记，后因收入丛书，遂被书贾嫁名陆游而已。既然如此，此书究竟出自哪位编者之手实已无关紧要，重要的是记述太祖誓碑的那条材料来自何处。《古今说海》本在此条文字后面注明的出处是《秘史》③，我想这可能是某部宋人野史或笔记的简称，但遍检宋元明书目，却无从找到线索。据我估计，或许这条文字抄自陶宗仪《说郛》。因为从《避暑漫抄》所抄录的28条材料来看，一半以上见于《说郛》。《说郛》在明代中叶已无全本，今天通行的涵芬楼本是张宗祥用几种明抄残本配补而成的，虽称百卷，其实亦非完帙。因此，《秘史》记述太祖誓碑的这条材料若出自《说郛》佚篇，并不是完全没有可能的。

从这条材料的内容来看，其史源显然不是出自曹勋《北狩见闻录》，因为它所记述的太祖誓碑的故事，是曹勋未曾提到的。张荫麟先生认为这可能是由《北狩见闻录》所载徽宗寄语而敷衍出来的故事，也仅仅是一种推测而已。若不考虑其出处问题，单就这段文字的内容来分析，似乎看不出有什么明显的疑点，与曹勋转述的徽宗之言也并不矛盾。徽宗所称"誓不诛大臣、言官"，就是指

---

①这两条均见于陶宗仪《说郛》（见涵芬楼本《说郛》卷三三，叶 9b—10b），亦注明出自宋无《嘐呓集》，《避暑漫抄》当是从《说郛》转抄而来。
②此书尚存于世，见《四库存目丛书》集部第 23 册，济南：齐鲁书社，1997 年。
③《避暑漫抄》今存诸本中，仅《古今说海》本各条后面有出处，此后《历代小史》、宛委山堂本《说郛》及《续百川学海》均已删去其出处。

誓碑第二条"不得杀士大夫及上书言事人";"违者不祥"则是誓碑第三条"子孙有渝此誓者,天必殛之"的一种比较委婉的说法。

关于此誓碑立于太庙寝殿之夹室的说法,似有必要做一点注脚。按礼制,太庙夹室主要用于安置祧迁之主。唐宪宗时的太常博士王泾说:"三昭三穆之外,谓之亲尽,迁于太庙夹室,礼则然也。"①朱熹亦云:"亲尽则迁其主于太庙之夹室,谓之祧。"②北宋建隆元年(960),初建本朝太庙之制,"立太庙七室,及追尊四亲庙"③。康定元年(1040),直秘阁赵希言奏:"太庙自来有寝无庙,因堂为室,东西十六间,内十四间为七室,两头各一夹室。"④不过直到神宗之前,太庙尚无祧迁之主,故夹室还有别的用途。据至道三年(997)太常礼院的说法,太庙"东西二间充夹室,分藏册宝法物",⑤这些所谓的"册宝法物",其中是否包括太祖誓约或誓碑亦未可知。

对于太祖誓约及誓碑的真伪问题,人们最难以理解的一点是,像这样一个似乎并没有什么内容可忌讳的誓约,为何要藏于太庙秘而不宣?以至于在北宋时代文献中竟找不到任何蛛丝马迹,就连高宗即位之前也对此一无所知。我的理解是,就太祖本意而言,此誓约应视为宋代君主的一种自我约束,是自律而非他

---

① 《册府元龟》卷五九一掌礼部奏议一九,北京:中华书局,1960年,第7册,第7064页。
② 《玉海》卷九七《郊祀门》"绍熙庙议图",南京:江苏古籍出版社、上海:上海书店影印本,1987年,第3册,第1778页。
③ 《宋会要辑稿·礼》一五之二二,北京:中华书局影印本,1957年,第662页上栏。
④ 《宋会要辑稿·礼》一五之二九,第665页下栏。
⑤ 《宋会要辑稿·礼》一五之一,第651页上栏。

律,不杀士大夫只是由君主掌握的一项施政原则,正如徐规先生所指出的那样,不杀应理解为"不轻率诛杀",而不可能绝对不杀一人。宋代的某些祖宗家法是只可意会的,属于"内部掌握"的政治原则,譬如太祖若是真的发过"子孙有渝此誓者,天必殛之"之类诅咒式的毒誓,又怎好公诸于世?

综上所述,就现有史料来看,对太祖誓约及誓碑的记载似应区别对待。太祖誓约一事有明确可信的史源,没有理由怀疑它的真实性。至于太祖誓碑,虽然这个故事本身似乎没有什么破绽,但因史料来历不明、出处待考,且缺乏必要的旁证材料,本着不轻信、不妄疑的原则,目前对誓碑之真伪虚实,不可言其必有,亦不可言其必无。

此外尚需补充的是,源于曹勋《北狩见闻录》和佚名《避暑漫抄》的宋太祖誓约及誓碑的故事,经后人辗转传说,又出现了若干新的版本。如俞德邻《佩韦斋辑闻》卷一有这样一说:

> 昌陵(按即宋太祖)初即位,誓不杀大臣、不杀功臣、不杀谏臣,折三矢藏之太庙,俾子孙世守之。徽宗北狩,惧祖训之失坠也,以黄中单亲书之,遣内侍曹勋间道归国,付之思陵。子孙罔敢逾越。[1]

俞德邻为咸淳九年(1273)乡贡进士,宋亡不仕[2]。据李裕民

---

①俞德邻:《佩韦斋辑闻》,《学海类编》本,叶9b-10a。以《读画斋丛书》本校正。
②见至顺《镇江志》卷一九《人材·隐逸》,《宛委别藏》本,叶17b-18a。

先生考证,此书系其晚年所作,时距宋亡已 20 余年①。俞氏讲述的这个故事理应是源自《北狩见闻录》,但因年代久远,传闻辗转,不免有演义的成分。另外一个版本见于王夫之《宋论》卷一:"太祖勒石,锁置殿中,使嗣君即位,入而跪读。其戒有三:一保全柴氏子孙,二不杀士大夫,三不加农田之赋。"②这个说法显然是来自《避暑漫抄》的誓碑故事,"三不加农田之赋"云云,则可能是作者记忆之误。像《宋论》这样一部专发议论的书,出现此类问题并不奇怪。不管这些讹传是怎样形成的,都不应当影响我们对于太祖誓约及誓碑真伪问题的判断。

四、太祖誓约与宋朝的"祖宗之法"

对于太祖誓碑的三项内容,清人袁栋有与众不同的理解:

> 虽有三语,其实止一语也。末行是总束语,中行是陪衬语,止有首行是主意。宋祖得天下于小儿,原有歉于隐微,故为是誓碑,而其忠厚处实过于六朝五代远矣,宜其享国久长哉。③

按照他的理解,这三项内容的重点是在第一项,即"保全柴氏子孙"的戒约。如果设身处地想一想,建隆三年(962)立此誓碑之

---

①李裕民:《四库提要订误(增订本)》,北京:中华书局,2005 年,第 256 页。
②王夫之:《宋论》卷一"太祖",北京:中华书局,1964 年,第 4 页。
③袁栋:《书隐丛说》卷六"宋祖誓碑"条,清乾隆刻本,叶 2a-2b。

时,按太祖的本意,其侧重点恐怕也正在于此,所以将其列为第一条不是没有道理的。然而时过境迁之后,柴氏子孙的命运已经淡出人们的视野,后人所看重的几乎都是不杀士大夫的誓言——譬如徽宗对曹勋强调的就只有这一条,同时这也是今天的历史学家对太祖誓约如此关注的原因。

在整个北宋一代,太祖誓约始终被作为一个密约封存在太庙。尽管宋人并不知道太祖曾立下不杀士大夫的誓约,但因历朝皇帝均恪守"不轻率诛杀"的施政原则,遂使这一观念渐渐深入人心。至迟从北宋中叶开始,"不杀士大夫"、"不诛大臣"已经被人们理所当然地视为祖宗家法的一项重要内容。吕大防曾对宋代的祖宗之法做过一个颇有条理的归纳和诠释,这是宋史学者很熟悉的一条史料。元祐八年(1093)正月,时任宰相的吕大防借经筵讲读《宝训》的机会,向哲宗宣讲祖宗之法:"祖宗家法甚多,……臣请举其略。"他共列举出以下八项祖宗之法:事亲之法、事长之法、治内之法、待外戚之法、尚俭之法、勤身之法、尚礼之法、宽仁之法。其中对宽仁之法的解释是:"前代多深于用刑,大者诛戮,小者远窜,惟本朝用法最轻,臣下有罪,止于罢斥,此宽仁之法也。"[1]所谓宽仁之法,其主旨就是不杀士大夫。

学界近年的研究成果表明,宋代"祖宗之法"的正式提出及其趋于"神圣化",大致是仁宗前期的事情[2]。在宋人言论中,较早将"不杀士大夫"目为祖宗"故事"者,可以范仲淹为例。庆历三年(1043),群盗剽劫淮南,高邮知军晁仲约不能御,遣人迎劳,"事

---

[1]《续资治通鉴长编》卷四八〇,元祐八年正月丁亥条,北京:中华书局,2004 年,第 19 册,第 11416 页。

[2] 参见邓小南《祖宗之法:北宋前期政治述略》第五章,第 340—421 页。

闻,朝廷大怒,枢密副使富弼议诛仲约以正法",参知政事范仲淹
坚执不许,谓富弼曰:"祖宗以来,未尝轻杀臣下,此盛德之事,奈
何欲轻坏之。"①范仲淹的话不仅揭示了一个基本事实,同时这也
是他据以力争的重要理据。

神宗以后,这种观念更是屡屡见于时人言行,侯延庆《退斋笔
录》讲述了一个很生动的故事:

> 神宗时,以陕西用兵失利,内批出,令斩一漕臣。明日,
> 宰相蔡确奏事,上曰:"昨日批出斩某人,已行否?"确曰:"方
> 欲奏知。"上曰:"此事何疑?"确曰:"祖宗以来未尝杀士人,
> 臣等不欲自陛下始。"上沉吟久之,曰:"可与刺面配远恶处。"
> 门下侍郎章惇曰:"如此,即不若杀之。"上曰:"何故?"曰:
> "士可杀,不可辱。"上声色俱厉曰:"快意事更做不得一件!"
> 惇曰:"如此快意事,不做得也好。"②

这真是一个令人印象深刻的典型事例。从这段精彩的对白
中,可以看出不杀士大夫的祖宗之法无形中所具有的强大约束
力,蔡确、章惇可以据此公然抵制神宗的内批,而神宗却奈何不
得。就北宋一代的情形来看,太祖誓约虽不为外人所知,但不杀
士大夫的做法一旦成为"祖宗故事",就形同于一种无所不在的政
治原则。宋代君主之所以不能恣意妄为——如神宗所说"快意事
更做不得一件",与祖宗之法的这种权威有很大关系。

---

① 《续资治通鉴长编》卷一四五,庆历三年十一月壬午条,第 6 册,第 3499 页。
② 侯延庆:《退斋笔录》,涵芬楼本《说郛》卷四八,叶 12b。据《历代小史》
  本校正。

对于不诛大臣的祖宗家法,不仅是士大夫,北宋诸帝也是基本认同的。元符元年(1098),宰相章惇欲遣吕升卿、董必察访岭南,穷治元祐党人,"将尽杀流人"。此举遭到哲宗反对,反对的理由便是:"朕遵祖宗遗制,未尝杀戮大臣,其释勿治。"①时有告梁焘逆谋事,同知枢密院事曾布奏曰:"窃闻欲遣(吕)升卿等按问梁焘……祖宗以来,未尝诛杀大臣,令焘更有罪恶,亦不过徙海外。"哲宗亦明确表态说:"祖宗未尝诛杀大臣,今岂有此。"②可见在哲宗的观念里,不诛大臣的"祖宗遗制"是不能逾越的底线,这是他与曾布君臣之间存在的一种共识。

在宋代,只有两宋之际的钦宗和高宗朝算是"破例"行事,有违不杀士大夫的祖宗之法。钦宗诛杀六贼之一的大臣王黼、高宗诛杀曾被金人立为伪楚皇帝的张邦昌,在以忠奸善恶标准评断是非的宋人看来,也许算不上很严重的问题;至于岳飞之被冤杀,虽颇受宋人谴责,但因岳飞的武将身份,一般不以违背祖宗之法责之;惟有建炎元年陈东、欧阳澈因上书言事受戮,被后人认为是严重践踏太祖誓约的一个事件。明人陈汝锜质问道:高宗即位之初,"道君从燕中寄书,首以誓碑嘱之,虑高宗之不及见也。乃不数月,而遂以黄潜善谮杀大学士陈东、布衣欧阳澈,何耶?"③清人尤侗也有类似的批评意见,谓"曹勋北回,徽宗寄语云:'祖宗誓碑在太庙,恐今天子不及知。'呜呼,高宗果未之见耶,何陈东、欧阳澈杀之不疑也!"④不过我们也应当看到,钦宗、高宗之偶开杀戒,

①《宋史》卷四七一《奸臣一·章惇传》,北京:中华书局,1985 年,第13711—13712 页。
②《续资治通鉴长编》卷四九五,元符元年三月辛亥条,第 19 册,第 11764 页。
③陈汝锜:《甘露园短书》卷六"誓碑"条,明万历刻清康熙重修本,叶 6b。
④尤侗:《看鉴偶评》卷四,清康熙刻本,叶 14b。

在两宋三百余年的历史上毕竟属于个案。况且钦宗之诛王黼,实与徽宗朝的储位之争有关,而当时尚且讳称"盗杀"①,因为钦宗心里明白,不管王黼的罪恶多么深重,杀戮大臣终归是有违祖宗家法的,他不能不有所顾忌;对陈东、欧阳澈的因言获罪竟至被杀,高宗很快就感到后悔,仅一年多以后即为二人公开昭雪②。总之,"不轻率诛杀"的施政原则始终是宋代政治的主流,宋人声称"本朝家法,不杀大臣"③,应该说大致是符合实际情况的。

对于"不杀士大夫"、"不诛大臣"的祖宗家法,宋人多给予高度赞扬。程颐说过这样一段话:

> 尝观自三代而后,本朝有超越古今者五事:如百年无内乱;四圣百年;受命之日,市不易肆;百年未尝诛杀大臣;至诚以待夷狄。④

这段话屡被后人称引,成为元儒"后三代"说的源头之一。按邵雍已有类似的说法,其中"百年未尝诛杀大臣"句作"未尝杀一无罪"⑤,似不如程说明晰⑥。在邵雍、程颐们的眼中,"未尝杀一无罪"或"百年未尝诛杀大臣"被视为"超越古今"的一项圣

①《宋史》卷二三《钦宗纪》,靖康元年正月庚寅条,第 424 页。
②《建炎以来系年要录》卷二〇,建炎三年二月乙亥条,第 473 页。
③马廷鸾:《碧梧玩芳集》卷二〇《祭亡弟总幹文》,《豫章丛书》本,叶 7a。
④《河南程氏遗书》卷一五《伊川先生语一·入关语录》,《二程集》,王孝鱼点校本,北京:中华书局,1981 年,第 1 册,第 159 页。
⑤见邵雍《伊川击壤集》卷一五《观盛化吟》之二自注,《四部丛刊》本,叶 5b。
⑥余英时先生谓此说"始作俑者是邵雍,程颐居洛阳时必曾亲闻其说,而略加变易推衍而已",见《朱熹的历史世界》,上册,第 204—205 页。

政,这评价不可谓不高。宋代士大夫如此称颂这一祖宗之法,似乎是理所当然的事情。然而持有类似看法的并不仅仅是宋人,理宗景定元年(1260)使宋的元人郝经,对宋朝的政治传统有如下的评价:

> 贵朝之建国也,家法之美,体统之正,治内者甚备,御下者甚严,唐末五季之弊一皆革之,纯乎其一王也。……而外戚不与政,宦官不典兵,而不杀大臣,此又汉唐之所不敢望,与三代可以比隆者也。①

郝经认为,"外戚不与政"、"宦官不典兵"及"不杀大臣"是宋代政治最值得称道的三项特色,是堪称超越汉唐、比隆三代的政治成就。郝经曾滞留于宋十余年,他对宋朝政治的观察可以说相当深入,作为一位价值中立的旁观者,他的评价或许更有说服力。

宋代"不杀大臣"的祖宗家法也始终受到后人的关注,并常为史家所提及,其中大概以顾炎武的观点最为人们所熟悉:

> 宋世典常不立,政事丛脞,一代之制,殊不足言。然其过于前人者数事,如人君宫中自行三年之丧,一也;外言不入于梱,二也;未及末命即立族子为皇嗣,三也;不杀大臣及言事官,四也。此皆汉唐之所不及,故得继世享国至三百余年。②

---

① 郝经:《陵川集》卷三九《上宋主陈请归国万言书》,台湾商务印书馆影印文渊阁《四库全书》本,第1192册,第462页。
② 《日知录》卷一五"宋朝家法",见黄汝成:《日知录集释》,上海:上海古籍出版社,2006年,中册,第919—920页。

老实说,顾炎武对宋代政治的总体评价并不高,但对"不杀大臣及言事官"的赵宋家法却赞誉有加,誉为超越汉唐的德政。在这一点上,他与邵雍、程颐和郝经具有高度的共识。

不过这些只是问题的一个方面,实际上,"不杀士大夫"、"不诛大臣"的祖宗家法在宋代也曾引起过非议,如宋孝宗就对此持有不同看法。淳熙六年(1179),刘光祖召试馆职,其对策论科场取士之道,孝宗读后有感而发,在其对策后面写下一段数百字的批语,并以之宣示近臣,其中有这样的话:

> 国朝以来,过于忠厚,宰相而误国者,大将而败军师者,皆未尝诛戮之。要在人君必审择相,相必为官择人,悬赏立乎前,严诛设乎后,人才不出,吾不信也。①

从孝宗的整段批语来看,其主旨是针砭用人之弊,但无意中却流露出他内心的一个真实想法,即对本朝不杀大臣的祖宗之法不以为然。在南宋诸帝中,孝宗被认为是最有作为的一位君主,故元朝史家称其"卓然为南渡诸帝之称首"②,对于这样一位积极有为而不失英锐之气的统治者来说,一味讲究忠恕之道的祖宗之法显然不太合乎他的政治取向,故对此有"过于忠厚"之批评③。然而出乎孝宗意料的是,这段文字引起了朝廷臣僚的激烈反应,

①李心传:《建炎以来朝野杂记》乙集卷三"孝宗论用人择相",北京:中华书局,2000年,第545页。
②《宋史》卷三五《孝宗纪·赞》,第692页。
③清人姚莹在这一点上与孝宗颇有同感,谓"孝宗所云国朝以来过于忠厚,此于事颇得实"云云。见姚莹:《康輶纪行》卷一一,清同治刻本,叶23b。

据说"御笔既出,中外大耸",右丞相史浩上奏说:

> 唐虞之朝,四凶极恶,止于流窜;而三考之法,不过黜陟幽明而已,未尝有诛戮之科也。
>
> 我太祖皇帝深以行一不义、杀一不辜为戒,而得天下,制治以仁,待臣下以礼,列圣传心……故本朝之治,独与三代同风,此则祖宗之家法也。而圣训则曰"过于忠厚",夫为国而底于忠厚,岂易得哉?而岂有过者哉?臣恐议者以陛下自欲行刻薄之政,而归过祖宗,此不可不审思也。

与前朝士大夫们的做法相同,史浩照样又搬出了"祖宗家法"来与孝宗对抗。在这种情况下,孝宗不得不妥协退让,最后采纳史浩的建议,将"过于忠厚"改为"一于忠厚",并"召从官宣示都堂,仍付史馆",朝野舆论才得以平息①。这件事情可以说明两个方面的问题。一方面,对于"不杀士大夫"、"不诛大臣"的祖宗家法,宋代君臣的认识并不统一,既有对其积极意义的充分肯定,也有对其消极影响的认真反思;另一方面我们也可以看到,在宋代士大夫群体中,捍卫祖宗之法的力量是多么强大——这种力量主要来自于祖宗之法本身的权威,不管是神宗还是孝宗,与之相比总是处于下风。

---

① 《建炎以来朝野杂记》乙集卷三《孝宗论用人择相》,第 545—546 页。孝宗批语及史浩上奏全文均见《鄮峰真隐漫录》卷一〇《回奏宣示御制策士圣训》,台湾商务印书馆影印文渊阁《四库全书》本,第 1141 册,第 614—616 页。

对宋代此项祖宗之法所产生的消极作用,后人也曾提出过批评。清初学者朱一是如此评价说:

> 赵宋之得天下,亦法乎周而全用王,虽无分封世卿之祸,然立碑太庙,垂不杀大臣之戒,柄臣误国者世有之,国亦久长而不振。惟汉之制度,承周秦之后,鉴其弊而伯王杂用,庶为近之,有天下者所当法也。①

这里牵涉到一个儒法之争语境下的政治取向问题。在朱一是看来,宋代"不杀大臣"的祖宗之法有过于宽厚之弊,用周政而行王道,近乎汉元帝"纯任德教"的主张,这是两宋政治"不振"的重要原因,而他更欣赏汉武帝"霸王道杂之"的治国之道,认为那才是最理想的政治模式。朱一是的这一见解与宋孝宗可谓同气相通,在世人普遍对此祖宗之法给予高度赞扬的同时,他们看到的是问题的另一面。

就这一祖宗家法对宋代历史所带来的影响,张荫麟先生有一段很精辟的分析:

> 太祖不杀大臣及言官之密约所造成之家法,于有宋一代历史影响甚巨。由此事可以了解北宋言官之强横,朝议之嚣杂,主势之降杀,国是之摇荡,而荆公所以致慨于"今人未可非商鞅,商鞅能令法必行"也。神宗变法之不能有大成,此其远因矣。此就恶影响言也。若就善影响言,则宋朝之优礼大臣言官实养成士大夫之自尊心,实启发其对于个人人格尊严

---

①朱一是:《为可堂初集》卷二《三桓论》,顺治十一年刻本,页16b。

之认识。此则北宋理学或道学之精神基础所由奠也。①

对于此项祖宗家法的积极意义和消极作用,张荫麟先生有其独到的认识和理解。就其正面影响而言,他着重强调宋代优礼士大夫的国策所营造的宽松的政治环境及君臣关系,以及在此基础上形成的士大夫的独立自尊地位;就其负面影响而言,他注重的是"过于忠厚"的祖宗之法所导致的行政效率低下的弊端——不难看出,这个评价是建立在"民主制度缺乏效率"的价值预设之上的。

无论人们对于宋代"不杀士大夫"、"不诛大臣"的祖宗家法有什么样的批评意见,但无可否认的是,它的主流是值得充分肯定和高度评价的。宋代士大夫阶层的一个重要变化,就是从对皇权的完全依附,到相对独立人格的建构。余英时先生说:"宋代不但是'士'最能自由舒展的时代,而且也是儒家的理想和价值在历史上发挥了实际影响的时代。"②宋代士大夫"以天下为己任"的集体意识,"共治天下"的政治理想,也就是余英时先生一再强调的士大夫政治主体意识的形成,都与这一祖宗之法有着密不可分的关系。

正如程颐等人所说,宋代"不杀大臣"的祖宗之法乃是超越汉唐的政治成就;不仅如此,这一成就更是后来的元、明、清所望尘莫及的。蒙元史学界有一种观点,认为宋代开创的政治文明之所

---

① 张荫麟:《宋太祖誓碑及政事堂刻石考》,《张荫麟文集》,第 498—499 页。
② 余英时:《朱熹的历史世界》,上册,第 290 页。关于宋代士大夫政治主体意识的形成,可看该书上篇第三章,第 210—230 页。

以未被后代继承下来,主要应归咎于蒙古入主中原所造成的唐宋政治传统的断裂,蒙元时代"家天下"的政治形态,主奴色彩浓厚的君臣关系,"对宋代而言,实质上是一种逆转","从严格的角度讲,以北宋为代表的中原汉族王朝的政治制度,到南宋灭亡,即陷于中断"①。元、明、清时代高度发达的专制主义皇权制度与宋代士大夫政治形态之间的巨大反差,可以由此得到一个合理的解释。

原载《文史》2010 年第 3 辑

---

① 周良霄、顾菊英:《元代史》序言,上海:上海人民出版社,1993 年,第 5 页。参见张帆:《元朝的特性——蒙元史若干问题的思考》,《学术思想评论》第 1 辑,沈阳:辽宁大学出版社,1997 年,第 457—480 页;姚大力:《论蒙元王朝的皇权》,《学术集林》卷十五,上海:上海远东出版社,1999 年,第 282—341 页。

从神界走向人间:宋辽金时代宗教的世俗化与平民化

唐宋时代是中国历史上从贵族社会到平民社会的重要转折期①。自 1910 年内藤湖南发表他的名著《概括的唐宋时代观》以来,唐宋时代的社会变革引起了中外历史学家的深切关注。那么,如果从宗教社会史的角度来看这一问题,唐宋社会的这种变化究竟给宗教带来了什么样的影响呢? 这就是本文所要讨论的问题的主旨。

一、佛教义学的衰微与佛教世俗化倾向

自佛教东来以后,它始终与中国社会的变迁息息相关。最明显的事实是,中国佛教的盛衰基本上是与门阀社会的盛衰相始终的。一部中国佛教史,大致可以分为这样三个阶段:魏晋南北朝

————————

① 日本东洋史学界习惯上将六朝至唐代中期称为贵族制社会,本文所谓的平民社会,即是相对于中古门阀时代的贵族社会而言的。

是佛教信仰最纯正的时代,隋唐是佛教义学最繁荣的时代,两宋以下是佛教的社会影响最广泛的时代。由此我们不难理解,中国佛教发展史与中国社会的历史变迁有着多么密切的关系。

唐代佛教之所以被人们视为中国佛教的高峰,主要就是因为义学宗派的繁荣以及佛学研究的发达。但是,唐代的宗派佛学大都是贵族化的经院佛学,是一种高级学僧所从事的专门之学,孜孜于艰深而又缜密的佛学义理的探讨考究,诸如华严、慈恩、天台等宗的教义都极为烦琐,理论色彩太浓,距离俗世太远,对社会大众谈不上有什么影响。在唐代众多的佛学宗派中,除了净土宗和禅宗以外,其他各宗各派的社会影响都仅限于少数士族和上层知识分子之间,它们主要是作为学派而不是作为教派存在的。

一般认为,中古门阀社会的瓦解、贵族社会向平民社会的实质性转变发生在唐朝中后期;而中国佛教的革命性变革,即慧能(638—713)以后新禅宗的崛起,也正是发生在这同一个时期之内。正如余英时先生所指出的那样,唐代中后期兴起的新禅宗、宋代出现的新儒学(理学)和两宋之际兴起的新道教鼎立而三,“都代表着中国平民文化的新发展,并取代了唐代贵族文化的位置”①。

慧能以前的禅宗(包括神秀一派的北宗在内)与唐代的其他义学宗派相比,并没有什么太大的区别,大抵上也是属于贵族化的经院佛学。慧能对禅宗的改造,其基本方向就是世俗化和平民化,这主要是为了顺应当时的社会变化。慧能立教,标榜“不立文字”,声称“诸佛妙理,非关文字”(《坛经·机缘品》)。樵夫出身的慧能,被神秀门下的弟子们讥为“不识一字”(《坛经·顿渐

---

①余英时:《中国近世宗教伦理与商人精神》,见《士与中国文化》第八篇,上海:上海人民出版社,1987年,第462页。

品》),他即便识字,其文化程度显然是不高的。我们知道,南宗讲究"明心见性"、"直指人心,见性成佛",看重内心的体认和观悟,而不尚经义的研习记诵。慧能传法四十年,最后只留下一部由他人记录整理而成的万余字的《坛经》,就很能说明问题。自达摩以来的禅宗,传统上信奉《楞伽经》,慧能开创的南宗则推重内容浅显、文句通俗的《金刚经》,使禅宗的教义更易于为普通民众所接受。

除了使教义趋于简易通俗之外,慧能对禅宗的修行方式也进行了重要的改造,由此形成最富南宗特色的"顿悟"说,以至后人称南宗为"顿教"。"顿悟"法门之便捷,至谓"一念悟时,众生是佛","一念平直,即是众生成佛","若识自性,一悟即至佛也"。(《坛经·付嘱品》)成佛与否,只在悟与不悟之间。佛国就在自己心中,只要心静,便可立地成佛,后来民间遂有"放下屠刀,立地成佛"的说法,就是对"顿悟"说的一种最通俗的理解。不但成佛途径如此便捷,而且人人都有成佛的机会,用慧能的话来说:"愚人智人,佛性本无差别,只缘迷悟不同,所以有愚有智。"(《坛经·般若品》)这就完全泯灭了现实社会中的等级差别,向芸芸众生敞开了进入佛国的大门。

慧能创立的新禅宗在佛教思想史上的革命性意义,是使得中国佛教的基本精神从出世转向入世。慧能公开声称:"若欲修行,在家亦得,不由在寺。"这是佛教入世的最明确的宣言。《坛经》记慧能之说,谓"佛法在世间,不离世间觉;离世觅菩提,恰如求兔角"(《坛经·般若品》)。慧能的晚期弟子、荷泽宗的创始者神会也有类似的说法:"若有世间即有佛,若无世间即无佛。"[1]在佛教

---

①刘澄集:《南阳和尚问答杂征义》,载杨曾文编校:《神会和尚禅话录》,北京:中华书局,1996年,第88页。

思想史上,南宗禅第一次把俗世与天国、此岸与彼岸、人与佛之间的那道鸿沟给消灭了。传统佛学宣称求佛是为了上西天佛国,慧能对此不以为然,他说:"东方人造罪,念佛求生西方;西方人造罪,念佛求生何国?"照他的理解,身处俗世,只要保持心性清净,也照样可以超越世俗人生,可以臻于佛的境界。用他的话来说,就是"自家求清净,即是西方";"但心清净……天堂只在目前"(《坛经·疑问品》)。后来的禅宗就是沿着这一方向,一直发展到不坐禅、不读经、不拜佛,鼓吹坐卧行走、挑柴担水皆可悟道成佛的地步。新禅宗从出世向入世的转变,对于宋代以后中国佛教的世俗化和平民化,无疑是一个非常重要的因素。

平民化的教义、简易便捷的顿悟法门、入世的宗教精神,这就是新禅宗(南宗禅)能够在宋代以后的平民社会中风靡于世的原因。关于禅宗南北正统之争的最后结局,其实也可以从这一点上得到解释。按照历来通行的说法,南宗的正统似乎是有典有据的,神会称北宗"师承是傍,法门是渐",其中前一句话就是否认北宗的禅门正统地位。但所谓弘忍秘密传法与慧能,只不过是神会一派们后来的说法,其真实性很值得怀疑;另外慧能为何南归,也是一个不明不白的问题。唐朝后期,南宗黄檗禅师希运的弟子就曾向他提出过这样一个疑问:"六祖不会经书,何得传衣为祖?秀上座(即神秀)是五百人首座,为教授师,讲得三十二本经论,云何不传衣?"①就连南宗中人都对此事满怀狐疑,可见所谓弘忍传法之说是靠不住的。自五祖弘忍以后的南北正统之争,最后以贞元十二年(796)朝廷敕立神会为禅宗七祖而告结束,但南宗之所以能够最终获得唐朝政府的承认,并不是因为它真的继承了弘忍的

① 裴休集录:《黄檗山断际禅师传心法要》,《大正藏》第 48 卷,第 383 页。

法统,这一结局,实际上是平民化的南宗禅对贵族化的北宗禅的胜利。唐末五代以降,南宗一统禅宗的天下,而禅宗则几乎成为中国佛教的代名词,关键就在于经过慧能改造以后的新禅宗顺应了中国社会在唐宋之际所发生的巨大变化。另一方面,唐代那些繁荣的佛教义学宗派,其深奥玄妙的教义,繁文缛节的修持,实在是与宋代以后的平民社会格格不入,于是纷纷呈现出衰落之势。中国佛教从此进入了一个新时代。

在谈到新禅宗平民化的努力方向时,还应该提到百丈怀海大师创立的禅门清规和丛林制度。魏晋六朝以来,大型律寺是佛教寺院的主流。百丈怀海在宪宗元和年间进行的教规改革,把禅院从普通律寺中分离出来,缩小寺院规模,简化寺院形式,只立法堂而不设佛殿。寺院内部的等级壁垒也不再像过去那么森严,僧众均行普请法,无论地位高低都必须参加劳动,"一日不作,一日不食",这就是为人盛赞的农禅生活,节俭和勤劳成为禅宗的伦理规范。唐末五代以后,随着禅宗的风行天下,百丈怀海创立的丛林制度为各地佛教寺院普遍采纳,尤其是宋真宗时杨亿将《百丈清规》呈进朝廷后,原来私订的清规从此取得了合法的地位,对宋代以后的中国佛教影响很大。如果说慧能主要是从教义和修行方式上使佛教世俗化的话,而百丈怀海则从教规上推动了佛教的平民化。

从唐朝中叶以来,除了新禅宗之外,另一种极富平民色彩的佛教宗派就是净土宗。比起禅宗来,净土宗的教义更为简单,理论内容更为粗疏。按照净土宗的说法,它以"净土"作为崇佛修行的目标,信仰者毋需即身成佛,而只要能够往生到阿弥陀佛所在的西方极乐世界就行了。净土宗最能吸引人的地方在于,它是以念佛作为修行的主要手段,只要念诵佛号就可以往生净土,实在是没有比这更简便易行的修持方式了,难怪宋释慧亨称赞净土法门"神方简易真希有"①,可算是说到了点子上。此外这种修行方式还有一个优点,禅宗讲求顿悟,简便倒也简便,可虽说"一念悟时,众生是佛",然而一旦不悟,"即佛是众生",到底不如净土法门来得稳妥。因此,像净土宗这样一种义理贫乏、方法简单的信仰法门,特别适合宋代以后的平民社会。两宋时期,净土宗不但在社会下层广泛传播,而且为佛教各宗派共同信仰和兼修。严格地说,净土宗本身是不能算作一个佛教宗派的,它主要是作为一种修行法门而受到人们的普遍欢迎。

唐宋之际佛教宗派的盛衰,昭示着佛教世俗化时代的到来。人们一般都把唐代义学宗派的衰落看作中国佛教由盛而衰的重要标志,然而竺沙雅章氏却并不这么认为,他在《中国佛教社会史研究》一书的序言中发表了如下的见解:不应该说宋代是佛教的衰退期,由于深受唐宋间政治、社会变革的影响,宋代佛教表现为与唐代不同的另一种形式的兴盛。他指出,宋代佛教教团的规模(寺院和僧尼数量)比唐朝要大,而且佛教更加深入社会生活,具有中国近世佛教特色的居士佛教相当盛行,这些都说明宋代佛教并未衰落②。

关于佛教盛衰的标准,佛教思想史的研究者与佛教社会史的研究者肯定会有不同的理解,其间的是非可以暂且不论。至于竺沙雅章所说的宋代佛教的"兴盛",实际上就是佛教世俗化的结果。世俗化的社会基础是信徒的平民化。六朝隋唐时期,佛教的

①宗晓编次:《乐邦文类》卷五《化导念佛颂》,《大正藏》第 47 卷,第 220 页。
②竺沙雅章:《中国佛教社会史研究》,京都:同朋舍,1982 年,第 2 页。

信仰者和支持者以门阀士族为中心,这是一个范围很小的社会圈子,而宋代的情形则大不相同,朱熹说:"佛氏乃为逋逃渊薮。今看何等人,不问大人、小儿、官员、村人、商贾、男子、妇人,皆得入其门。最无状,是见妇人便与之对谈。"①朱熹站在儒者的立场上,对佛家不无诋毁之嫌,但他指出的这种现象确实可以说明宋代佛教信徒的平民化倾向。另外,由于宋代实行鬻牒制度,使得佛教僧侣也大都来自于社会下层,宋人指出:"自朝廷立价鬻度牒,而仆厮下流皆得为之,不胜其滥矣。"②这更是前代所没有的现象。

　　宋人形容当时佛教信仰之普及程度,有"家家观世音,处处弥陀佛"的说法。与唐朝相比较,佛教对于宋代社会的影响要广泛和深入得多,文献史料为我们提供了大量的例证。在宋代社会生活的各个方面,几乎都能看到佛教的影子,其中最典型的例子莫过于民间丧葬。因为佛教主要是关心来世的问题,所以丧葬的方式自然与它很有关系。宋人胡寅说:"自佛法入中国,以死生转化恐动世俗千余年间,特立不惑者,不过数人而已。"③这就说明了为何丧葬特重佛法的缘故。在谈到宋代丧葬礼俗佛教化的问题时,王栐《燕翼诒谋录》卷三的一条史料常为人们所征引:"丧家命僧道诵经,设斋作醮作佛事,曰资冥福也;出葬用以导引,此何义耶?……开宝三年十月甲午,诏开封府禁止士庶之家丧葬不得用僧道威仪前引。……今犯此禁者,所在皆是也。"北宋初年,朝廷

①黎靖德编:《朱子语类》卷一二六"释氏",王星贤点校本,北京:中华书局,1986年,第3037页。

②王栐:《燕翼诒谋录》卷三,诚刚点校本,北京:中华书局,1981年。

③胡寅:《斐然集》卷二○《悼亡别记》,容肇祖点校本,北京:中华书局,1993年,第412页。

还曾试图以政令的权威移易丧葬风俗,但却没有收到任何效果。到宋英宗时,蔡襄就说当时民间丧礼已"尽用释氏"①。北宋中期的郑獬在抨击这种习俗时说:"今之举天下,凡为丧葬,一归之佛屠氏。不饭其徒,不诵其书,举天下诟笑之以为不孝,狃习成俗,沈酣溃烂,透骨髓,入膏肓,不可晓告。"②佛教化的丧葬礼俗俨然已经成为全社会公认的行为准则,若不依此行事就会遭到社会舆论的严厉批评。俞文豹《吹剑录外集》中就有两个这样的例子:一个是宗室赵希梦,治父丧"不用僧道……而室人交谪,群议沸腾,虽屹立不动,而负谤不少";另一个类似的例子是:"临川黄少卿莘卒,其子堮欲不用僧道,亲族内外群起而排之,遂从半今半古之说,祭享用荤食,追修用缁黄。"宋代的儒家士大夫虽然普遍对佛教化的丧葬礼俗持反对态度,但在现实生活中却往往不得不顺从于这种强大的民俗力量。如宋代民间"世俗信佛屠,以初死七日至七七日、百日、小祥、大祥必作道场",司马光虽"至不信佛,而有十月斋僧、诵经追荐祖考之训",至于像程颐那样公开宣称"吾家治丧不用佛屠"③的士人,在当时是被人们视为标新立异的。

丧葬礼俗佛教化的另一个重要表现就是火葬的盛行。宋代是中国历史上火葬最盛的一个朝代,有一种估计,认为宋朝全国各地的火葬率约在 10% 至 30% 之间,而直到今天,我国的平均火

①蔡襄:《端明集》卷二二《国论要目·明礼》,台湾商务印书馆影印文渊阁《四库全书》本,第 1090 册,第 507 页。
②郑獬:《郧溪集》卷一六《礼法论》,台湾商务印书馆影印文渊阁《四库全书》本,第 1097 册,第 261 页。
③俞文豹:《吹剑录外集》,《知不足斋丛书》本,叶 53b-54a。

葬率也才不过 30%①。当然,宋代火葬的盛行,其原因也是多种多样的。一种是像真德秀所说的这种情况:"贫窭之家,委之火化,积习岁久,视以为常。"②这可以说主要是由贫困造成的。另一种是像周煇所说的这种情况:"浙右水乡风俗,人死,虽富有力者,不办蕞尔之土以安厝,亦致焚如。"③这就只能以佛教的影响来解释了。以往学者们在谈到宋代以后火葬盛行的原因时,多引用清人吴景潮的下述说法:"自释氏有火化之说,于是死而焚尸者所皆然,美其名曰火葬。其间无赀营葬者半,惑于释氏之说者半。"④不过就宋代的情况而言,佛教的影响恐怕应是更主要的原因。有关研究表明,宋代凡是火葬盛行的地区,佛教都非常发达;如两浙路和福建路是宋代火葬最盛的地区,同时也是佛教最发达的区域。⑤这种现象是很能说明问题的。朱熹曾告诫他的弟子,不要因循陋俗"用僧道火化"⑥。将火葬称之为"僧道火化",可见在宋人的心目中,火葬与佛教是怎样一种关系。近年有学者撰文否认宋代火葬盛行是因为受佛教的影响,他们所持的理由是:唐代为中国佛教的全盛期,宋代佛教业已衰落,而宋代火葬却远盛于唐,若是用

① 参见张邦炜、张敏:《两宋火葬何以蔚然成风》,《四川师范大学学报》1995 年第 3 期,第 97—103 页。
② 真德秀:《西山文集》卷四〇《泉州劝孝文》,台湾商务印书馆影印文渊阁《四库全书》本,第 1174 册,第 628 页。
③ 《清波杂志》卷一二"火葬",刘永翔校注本,北京:中华书局,1994 年,第 508 页。
④ 见《申报》馆辑《寰宇琐记》卷一一引松风草堂(吴景潮)《劝戒火葬》,《申报馆丛书》本。
⑤ 徐吉军:《论宋代火葬的盛行及其原因》,《中国史研究》1992 年第 3 期,第 74—83 页。
⑥ 《朱子语类》卷八九《礼六》"冠昏丧",第 2281 页。

佛教的影响来解释火葬盛行的话,这道理怎么能讲得通①? 本文的结论正好可以回答这种疑问。唐代经院佛学的那种全盛局面对社会的影响其实是很有限的,而只有竺沙雅章所说的宋代佛教的那种"兴盛"状况,才真正拥有最广泛的社会影响,火葬就是在佛教世俗化和平民化的背景之下盛行起来的。

在谈到宋代佛教的世俗化时,佛教僧侣和佛教信徒的非信仰倾向很值得注意。宋代僧侣的社会成分非常复杂,遁入佛门者往往不是因为受到佛的感召,而是别有所图。《佛祖统纪》卷四七就指出了这种现象:"今之为僧者,未暇以学道言之,或迫于兄弟之众多,或因无田而不耕,皆天下之闲民也。"宋人张表臣也说:"近世二浙、福建诸州,寺院至千区,福州千八百区。……游惰之民,窜籍其间者十九,非为落发修行也,避差役为私计耳。"②在宋代,上述情形是非常普遍的。僧侣出家大都有各种各样的现实考虑,对于大多数贫困的下层民众来说,这只不过是一种生计、一种谋生手段而已,与佛教信仰毫不相干。至于广大的佛教信徒,皈依佛祖的动机就更加复杂。譬如作为佛教支持者的官僚士大夫阶层,他们支持佛教的动机就很值得怀疑。南宋淳祐十年(1250),有朝廷臣僚上疏说:"国家优礼元勋大臣、近贵戚里,听陈乞守坟寺额,盖谓自造屋宇,自置田产,欲以资荐祖父,因与之额。……迩年士夫一登政府,便萌规利。指射名刹,改充功德;侵夺田产,如置一庄。子弟无状,多受庸僧财贿,用为住持。米盐薪炭,随时

---

① 见前揭张邦炜、张敏《两宋火葬何以蔚然成风》一文。
② 《珊瑚钩诗话》卷二,《历代诗话》本,北京:中华书局,1981 年,第 462—
463 页。

供纳,以一寺而养一家。"①显然,这些官僚之立功德寺,绝不是因为信仰佛教而做功德种福田,完全是把它作为一种牟利的手段。这是只有在佛教世俗化的时代才能看到的现象。

度牒的商品化,也是宋代佛教世俗化的结果之一。关于鬻牒的起源,宋人有一种误解。据《新唐书·食货志》记载,肃宗至德二载(757),"以天下用度不充,诸道得召人纳钱,给空名告身、授官勋邑号、度道士僧尼"②。故宋人书如高承《事物纪原》、王应麟《困学纪闻》、志磐《佛祖统纪》等均谓鬻牒始于唐肃宗。竺沙雅章指出,肃宗此举只是开唐代进纳度僧之先例,与宋代鬻卖空名度牒还不是一回事③。而且唐代的进纳度僧统共只有那么三四次,是在国家财政困难时期采取的一种特殊措施,而不是一贯性的政策。大规模地出卖度牒,是在佛教流于世俗化以后的宋代才出现的。

据《宋史·神宗纪》载,治平四年(1067)十月庚戌,"给陕西转运司度僧牒,令籴谷振霜旱州县"。④ 这是见于文献记载的最早出卖空名度牒的事件。自此以后,鬻牒便成为两宋宗教政策和财政政策的一项制度化常规化内容,且规模也越来越大。元丰六年(1083),"尚书礼部言:'祠部出度僧牒,……乞岁以一万为率。'"⑤至大观四年(1110),每岁卖出空名度牒已近三万,当时有朝廷臣僚上疏说:"伏见天下僧尼,比之旧额,约增十倍,不啻数十

---

①志磐:《佛祖统纪》卷四八,《大正藏》第 49 卷,第 431 页。
②《新唐书》卷五一《食货志一》,北京:中华书局,第 1344 页。
③见前揭竺沙雅章《中国佛教社会史研究》,第 22 页。
④《宋史》卷一四《神宗纪一》,治平四年十月庚戌,第 267 页。
⑤《宋会要辑稿·职官》一三之二二,北京:中华书局影印本,1957 年,第 2675 页上栏。

万人。尝究其源,乃缘尚书祠部岁出度牒几三万道,以其岁给数多,民间止直九十已下缗。"①南渡以后,为了应付庞大的军费开支,更是毫无节制地出卖度牒。绍兴二年(1132),祠部员外郎王居正称"本部岁降诸路空名度牒各不下五六万,而其间乃无一人缘试经者"②。这就是说,祠部每年发出的五六万度牒全都是卖出去的。《云麓漫钞》卷四云:"绍兴中,军旅之兴,急于用度,度牒之出无节,上户和籴所得,减价至三二十千。时有'无路不逢僧'之语。……佛法之盛,无出斯时。"③鬻牒之无节制,导致了僧侣的冗滥。故绍兴和议订立后,南宋朝廷禁卖度牒达二十年之久,至高宗末年才恢复了出卖度牒的政策。

自从实行鬻牒制度以后,传统的试经度僧制即已有名无实。绍兴六年(1136年),一份尚书省的报告谈到了这个问题:"近年僧徒猥多,寺院填溢,冗滥奸蠹,其势日盛。诸州每年试经,其就试者率不过三四十人,经业往往不通,州郡姑息,惟务足额。盖给降度牒,许人进纳官中,旧价百二十贯,民间止卖三十千,稍能营图,便行披剃,谁肯勤苦试经? 显见此科亦是虚设。"④由于鬻牒制度的实行,买牒成为出家人的一条捷径,于是再也无人愿意下工夫苦读佛经,试经度僧制已没有什么实际意义可言。此后南宋一朝就基本上取消了这种制度,至于恩度、普度则可以说没有,买牒度僧几乎成为僧侣的唯一来源。

宋代僧侣的冗杂,给佛教史研究者留下了深刻的印象。这种

---

① 《宋会要辑稿·职官》一三之二三,第 2675 页下栏。
② 《建炎以来系年要录》卷五一,绍兴二年二月癸酉条,第 1057 页。
③ 赵彦卫:《云麓漫钞》卷四,北京:中华书局,1996 年,第 64 页。
④ 《宋会要辑稿·道释》一之三三,第 7885 页上栏。

现象的产生,与度牒的商品化有直接的关系。徽宗时,朝廷臣僚谓岁出度牒太多,"遂致游手慵懒之辈,或奸恶不逞之徒,皆得投迹于其间,故冒法以干有司者,曾无虚实"①。南宋庆元年间,臣僚上疏言:"闻二广州军,凡为僧者,岂真出家之人?盖游手之徒,遍走二广,夤缘州郡,求售为帖,号曰沙弥,即擅自披剃为僧,或即营求住持寺院。不数年间,常住财物,掩为己有,席卷而去,则奔走他乡,复为齐民。"②又如两浙、福建等地,出家者多是游惰之民,"以故居积货财,贪毒酒色,斗殴争讼,公然为之"③。这些记载虽然都出自于世俗文献,但却并非污蔑不实之辞。试想,只要有钱就能买牒剃度,就能取得僧侣身份,佛门还会再是一片净土么?

由于同样的原因,宋代僧侣的世俗化特征极为明显。身在佛门,不奉佛法、不守戒律,乃是司空见惯的现象。仁宗时,枢密直学士李及说:"伏睹剃度僧尼,崇奉法教,其中修行者少,违犯者多。"④像《水浒》中鲁智深那样行为不检的"花和尚",确实是这个时代僧侣世俗化的一个真实写照。宋元佛教文献中记载有很多破戒无行的僧人的故事。如北宋中期的遇贤禅师,"唯事饮酒,醉而成歌警世道,俗号之《酒仙歌》",歌曰:"生在阎浮世界,人情几多爱恶。只要吃些酒子,所以倒街卧路。死后却产婆婆,不愿超生净土。何以故?西方净土,且无酒酤。"⑤这位嗜酒如命的禅师毫不隐讳他放浪不羁的生活作风,看来他对酒的喜好远甚过对佛的向往。另一位僧人真净作有一偈,更是非常坦白地表达了他无

①《宋会要辑稿·职官》一三之二三,第 2675 页下栏。
②《宋会要辑稿·刑法》二之一三〇,第 6560 页下栏。
③《珊瑚钩诗话》卷二,《历代诗话》本,第 463 页。
④《宋会要辑稿·道释》一之二六,第 7881 页下栏。
⑤觉岸:《释氏稽古略》卷四,《大正藏》第 49 卷,第 862—863 页。

拘无束的生活态度："事事无碍，如意自在。手把猪头，口诵净戒。趁出淫坊，未还酒债。"①而这在当时却被某些僧人视为能够融通佛法、臻于无碍法界而受到赞许。名僧延寿曾对这种破戒无行的举止予以诋斥："深嗟末世诳说一禅，只学虚头，全无实解……便说饮酒食肉不碍菩提，行盗行淫无妨般若。"②延寿说的"末世"，就是唐末五代以来的佛教世俗化时代。问题是，在当时的佛教界内，对破戒僧人并不都是持谴责态度的，延寿所批驳的那种说法代表的是一派人的主张。而在当时的社会上，一般民众对于僧人的破戒行为也习以为常，不是不能接受的。譬如南宋僧人道济，"风狂不饬细行，饮酒食肉，与市井浮沉，人以为颠也，故称济颠"③。这就是我们非常熟悉的济公。济公原是这样一个无行僧人，可在民间传说中，他却是一位和善可亲的人物，说明人们对他的破戒行为并没有什么恶感。

宋代佛教的世俗化是中国佛教发展史上的一大转折，这种变化不以佛教自身的演变逻辑为转移，而主要取决于唐宋时代的社会变革。

二、走向民间的道教

与佛教不同的是，道教原本来自于民间宗教。一部中国道教

---

① 释晓莹：《罗湖野录》卷一，《丛书集成初编》本，第 7 页。
② 释延寿：《万善同归集》卷下附《永明寿禅师垂诫》，《大正藏》第 48 卷，第 993 页。
③ 田汝成：《西湖游览志余》卷一四"方外玄踪"，杭州：浙江人民出版社排印本，1980 年，第 244 页。

史，就是从民间社会走向上层社会，又由上层社会走向民间社会的历史。而在这个过程中，我们同样可以发现它与中国社会的历史变迁之间的内在逻辑关系：当东晋南北朝时期道教从民间走向上层社会之时，正好是门阀社会的全盛时期，而且民间道教的改造者也大都是一些士族出身的人；宋金以后道教从上层社会走向民间，又几乎是与平民社会的到来同步的。

　　道教有过一个贵族化的时代。自南北朝以后，道教成为与佛教并称的正统宗教。到了唐代，宗派的繁荣，义理的严密，科律的健全，斋醮仪式的完备，呈现出中国道教的全盛景象。唐代道教基本上是一种贵族化的宗教，其中最正统、最有代表性的就是上清派。上清派有比较系统的教义和较为规范的宗教仪轨，特别看重道士的文化修养和宗教道德修养，要求道士研习道经，恪守法戒。要想成为一名上清派的法师，必须具备相当程度的文化水准和良好的个人道行，这显然不是一般人能够做得到的。在道教主要作为上层社会的正统宗教而存在的几百年中，上清派—茅山宗始终代表着这种正统道教的主流方向，这就是宗教思想上的学理化和宗教性格上的贵族化。

　　道教世俗化和平民化的过程与佛教的情况有很大的不同。因此日本学者窪德忠认为，就宗教史而言，似乎很难在唐宋之间划出一条明确的界限，因为佛教自唐朝后期即已出现某些新的动向，而道教到北宋时期仍是与前代一脉相承的，直到金朝才有新道教的崛起①。这确实给我们提出了一个值得认真思考的问题。不过我觉得，新道教的崛起固然是道教世俗化、平民化的重要标志，但早在新道教崛起之前，主要流行于上层社会的正统道教实

---

① 窪德忠：《道教史》，萧坤华译，上海：上海译文出版社，1987年，第188页。

际上已经发生了一些虽不那么显眼但却是意义重大的变化，如果我们充分理解了这种变化的意义，就不能无视北宋时代的道教与前代道教之间的区别。

唐末五代以后的道教，至少有两个新的动向值得我们注意。其一就是道教神仙信仰的动摇。道教宗教观念的核心是得道成仙，不管是符箓派还是丹鼎派，其终极目标都无非是长生不死、修炼成仙，各派的分歧只是在于为达到这个目的所采取的不同手段和途径。南北朝至隋唐是道教神仙信仰最虔诚的时代，人们信奉道教、追求方术，是基于神仙可成的宗教信念。尽管当时有许多人因服食金丹致死，但仍有那么多帝王显贵热衷于服饵仙术，可见神仙信仰之坚定。而自唐末五代以后，道教的神仙信仰发生了严重的动摇，人们不再相信长生成仙的虚幻目标，于是道教的宗教精神从出世转向入世，过去那种只注重个人修炼成仙的道术式微了，修炼的目的主要是解决如何度世的问题，修习方术为的是拯救尘世的苦难。得道成仙既是那样的虚无缥缈，于是地仙之说就盛行起来，《太上感应篇》谓积三百善即可成地仙，这是一个很切实的目标。可以说，道教神仙信仰的动摇，大大拉近了道教与俗世的距离，使这种正统宗教具备了重新融入民间社会的可能。这正是宋代道教世俗化的一个征象。

自五代宋初以来，道教的另一个新动向便是内丹术取代外丹术。在内丹术成为主要练养方术之前，道教的养生、服食、炼丹、房中等术，都是很贵族化的东西，其中尤以外丹黄白之术花费不赀，一般人显然是难以问津的。唐代是道教外丹术的全盛时期，但因服饵修炼的修行方式无法为普通民众所接受，故对民间社会的影响很有限。随着唐宋之际贵族社会向平民社会的转变，外丹术开始衰落，以钟离权、吕洞宾为代表的内丹法取而代之。至宋神宗时,集内丹学大成的张伯端《悟真篇》的问世,标志着道教修习方术开始专主内丹。内丹术之取代外丹术,是道教史上的一件大事,引起这种变化的一个重要原因,就是耗资昂贵的服饵仙术无法适应宋代以后的平民社会,而简单易行的内丹练养则特别容易为人们所接受。内丹家声称内丹练养法的适应性非常广泛,"有志之士若能精勤修炼,初无贵贱之别,在朝不妨为治国平天下之事,在市不失为士农工商之业"①。从这里可以清楚地看到道教世俗化和平民化的轨迹,后来具有广泛社会基础的民众道教派别全真道和南宗的出现,就是北宋以来内丹盛行的结果。

不过,尽管北宋时代在道教内部就已经发生了上述变化,但受到官方支持的正统道教在宋代并没有什么生气。北宋时以三山符箓为代表的符箓诸派,因得到真宗、徽宗等皇帝的大力扶持,呈现出一片虚假的繁荣。高宗南渡后,这种符箓道教趋于萎缩,故朱熹谓"道教最衰","如今恰成个巫祝,专只理会厌禳祈祷"②,主要就是说的受到官方支持的符箓诸派。朱熹又谓"老氏煞清高,佛氏乃为逋逃渊薮"③,则是说这种正统道教缺乏群众基础,不如佛教的社会影响那么广泛。真正能够代表道教世俗化、平民化潮流的,还是12世纪中叶兴起于中国北方的新道教。

北宋亡国后,依恃赵宋皇室保护的正统道教中断了它在北方地区的传统,这就给新道教的崛起让出了地盘。金代新兴的全真道、真大道和太一道,都是真正的民众道教,具有相当广泛的社会

---

①夏元鼎:《紫阳真人悟真篇讲义》卷六,《正统道藏》本,第3册,第57页。
②黎靖德编:《朱子语类》卷一二五"论道教",第3005页。
③黎靖德编:《朱子语类》卷一二六"释氏",第3037页。

影响。太一道创立之初，即"远迩向风，受箓为门徒者，岁无虑千数"①。初创于熙宗皇统年间的真大道，"以去恶复善之说以劝诸人，一时州里田野，各以其所近而从之。受其教戒者，风靡水流，散在郡县"②。至世宗大定初，"传其道者几遍国中"③。至于全真道的影响则尤为可观，元好问在《紫微观记》一文中描述了金代全真道的盛况："（全真道）本于渊静之说，而无黄冠禳禬之妄；参以禅定之习，而无头陀缚律之苦。耕田凿井，从身以自养，推有余以及之人。视世间扰扰者，差若省便然，故堕窳之人翕然从之。南际淮，北至朔漠，西向秦，东向海，山林城市，庐舍相望，什百为偶，甲乙授受，牢不可破。……今河朔之人，什二为所陷没。"④这段话解释了全真道为何在民间社会广为流行的原因。"本于渊静之说，而无黄冠禳禬之妄"，是指全真道专修内丹练养之法，摒弃符箓祈禳之术；"参以禅定之习，而无头陀缚律之苦"，是指参用百丈怀海创立的平民化的禅门清规和丛林制度。全真道的盛行，首先是因为它符合唐末五代以来宗教世俗化和平民化的历史趋势。

全真道的教旨最能体现金代新道教的平民化特征。自王嚞创教之始，即把立足点放在民间社会，广泛吸纳社会各阶层的信

---

① 王恽：《秋涧先生大全集》卷六一《故太一二代度师先考韩君墓碣铭并序》，《四部丛刊》本，叶 6b。
② 虞集：《道园学古录》卷五〇《真大道教第八代崇玄广化真人岳公之碑》，《四部丛刊》本，叶 1a。
③ 宋濂：《宋文宪公全集》卷二六《书刘真人事》，《四部备要》本，叶 10b。
④ 元好问：《遗山集》卷三五，台北：成文出版社影印《九金人集》本，第 959—960 页。

徒。金人称谭处端传教"不择贵贱贤鄙,不异山林城市,俱以道化"①。为了争取社会大众,全真道人援取禅宗"众生皆有佛性"说,声称人人均可修道成仙,丘处机谓"凡有七窍者,皆可成真",甚至"畜生饿鬼,皆堪成佛"②。修炼成仙之容易,是缘于全真道所主张的内丹练养法,元人谓内丹术"至简至易,一得永得,得其口诀,虽至愚小人,直跻圣位"③,因此谁都可以毫不费力地修炼成仙。全真道一反自南北朝隋唐以来正统道教的义理化倾向,标榜全真之教"以识心见性为宗,损己利物为行,不资参学,不立文字"④。这分明是在效仿禅宗的立教主张,其目的当然也是为了面向普通民众。全真道还刻意效仿禅宗的明心见性、见性成佛说,声称一念之间即可超越生死,得到解脱。谭处端说"一念不生,则脱生死"⑤,丘处机说"一念无生即自由"⑥,都是这个意思。这与禅宗所说的"一念悟时,众生是佛"、"自性觉即是佛",完全是同一个腔调。总之,在教义的世俗化和平民化上,全真道对禅宗可以说是亦步亦趋。

　　谈到新道教的世俗化,理应注意到它们的三教合一主张。大概是由于道教在三教中力量最弱小的缘故吧,三教合一实际上应该说是道教的一贯立场,但南宋金元以后的新道教在这个方面的

---

①李道谦辑:《甘水仙源录》卷一《长真子谭真人仙迹碑铭》,《正统道藏》本,第19册,第732页。

②《长春祖师语录》,《道藏》本。

③陈致虚:《上阳子金丹大要》卷五,《正统道藏》本,第24册,第17页。

④李道谦辑:《甘水仙源录》卷五《玄门掌教宗师诚明真人道行碑铭》,《正统道藏》本,第19册,第758页。

⑤谭处端:《水云集》卷上《示门人语录》,《正统道藏》本,第25册,第852页。

⑥丘处机:《磻溪集》卷二《弃本逐末》,《正统道藏》本,第25册,第818页。

努力尤其引人注目。三教合一的重点是尽量靠拢并依托于儒家，利用儒教的社会影响来为道教张目。因此，南宋金元的民众道教无不大肆张扬儒家的伦理道德，把道教教义与儒家忠孝观念紧密地结合在一起。金代真大道教的创始人刘德仁向门徒宣示的九则戒条，其中之一就是强调要"忠于君、孝于亲"[1]。太一道六祖萧全祐宣称："太一教法，专以笃人伦、翊世教为本。"[2]俨然是一副儒家伦理卫道士的模样。内丹家则这样阐释内丹之术与儒家纲常之间的关系："夫金丹之道，先明三纲五常，次则因定生慧。纲常既明，则道自纲常而出，非纲常之外别有道也。"[3]按照这种解释，道家的内丹练养与儒家的伦理纲常简直就是一种鱼水关系了。

道教对儒家的趋附和利用，其中一个最成功的例子，大概要算是道教劝善书《太上感应篇》了。从来没有哪一部道教典籍像这部书那么流行，这主要应归功于它把道教的天人感应、因果报应理论与儒家伦理道德观念的完美结合，故清末大儒俞樾谓此书"虽道家之书，而实不悖乎儒家之旨"[4]。自该书问世以来，事实上它就一直是中国民间社会最初级最通俗的儒家伦理教科书，以至于日本学者窪德忠认为不应该将《太上感应篇》等善书视为民众道教的经典，理由是这些书的内容均为儒教教化，宗教色彩很淡薄[5]。这个问题其实也与道教对三教合一的积极态度有关。人们历来对《道藏》收书太滥太杂颇有微词，其中不少书都是与道教无关或关系不大的，故将《太上感应篇》之类的善书收到里面并不让

---

① 《宋文宪公全集》卷二六《书刘真人事》，叶 10b。
② 《秋涧先生大全集》卷六一《太一三代度师先考王君墓表》，叶 8b。
③ 《金丹大要》卷九，第 24 册，第 9 页。
④ 《〈太上感应篇〉缵义》序，《春在堂全书》本，叶 1a。
⑤ 参见前揭窪德忠《道教史》，第 264—270 页。

人感到奇怪。不过就《太上感应篇》的形式来说,把它算作道教经典也不是没有道理的。此书借"太上"之口宣谕儒家伦理道德观念,基本的理论框架是因果报应,所以称为道教经典亦无不可。

关于《太上感应篇》的伦理价值观,前些年还有学者提出另一种看法,认为该书的某些词句与《抱朴子》所引六朝道书的内容非常相似,故认定它主要继承了前代道书的伦理观念,所以不过是新瓶装老酒而已①。我对这种说法颇不以为然。拿《太上感应篇》与《抱朴子》作一比较,可以看出前者与六朝道书的相似内容只不过是那套因果报应的理论罢了,而体现在它所胪举的诸恶诸善之中的伦理道德观念,则主要是宋代新儒学的三纲五常说,所以倒应该说是旧瓶装新酒才对——形式是道家的,内容是儒家的。

宋代以后各种劝善书、功过格的出现,乃是新兴的民众道教为了适应当时的平民社会而做的一种尝试,其目的是以最通俗的形式普及道教的教义,推动道教向世俗化、大众化的方向发展。真德秀在《〈太上感应篇〉序》中指出了道教劝善书的世俗教化作用:

> 余连蹇仕途,志弗克遂,故常喜刊善书以施人。以儒家言之,则《大学》章句、小学字训等书;以释氏言之,则所谓《金刚经注》者,凡三刻矣。然大、小学可以诲学者而不可以语凡民,《金刚》秘密之旨,又非有利根宿慧者不能悟而解也。顾此篇指陈善恶之报,明白痛切,可以扶助正道,启发良心,故

---

① 卿希泰、李刚:《试论道教劝善书》,《世界宗教研究》1985 年第 4 期,第 50—58 页。

复捐金赀镂之塾学，愿得者辇以与之，庶几家传此方，人挟此剂，足以起迷俗之膏肓，非小补也。①

诚如真德秀所言，就通俗性和大众化这一点来说，道教劝善书确实要胜过儒、释两家的任何一部典籍。明清时期，善书在民间的流通量大概已超过了四书五经，鲁迅所谓"中国（的）根柢全在道教"②，主要就是着眼于道教对社会下层和普通民众的影响。而这一切都是宋金以后新道教从上层社会走向民间社会的结果。

关于宋辽金时代宗教的世俗化和平民化问题，除了佛、道二教之外，照理说民间信仰（即广义的民间宗教）也应在本文的讨论范围之内。但由于民间信仰原本就具有世俗化、平民化的特点，所以它在这个时代的变化远不如佛、道二教那么明显。如果一定要说宋辽金时代的民间信仰与前代相比毕竟有些什么不同的话，那主要是表现在崇拜对象的多元化；而说到民间信仰的多元化问题，其实要到明清时期才显得最为突出，故本文可以略而不论。

原载《中国史研究》2003 年第 2 期

---

① 真德秀：《西山文集》卷二七《感应篇序》，台湾商务印书馆影印文渊阁《四库全书》本，第 1174 册，第 418 页。
② 《致许寿裳》，1918 年 8 月 20 日。《鲁迅全集》第 11 卷，北京：人民文学出版社，1982 年，第 353 页。

文化的边界

——两宋与辽金之间的书禁及书籍流通

从公元 10 世纪至 13 世纪,东亚大陆上两宋与辽、金始终处于对峙状态。在这种特定的政治环境和时代背景下,南北中国之间的联系与交流有赖于多种途径的资讯传播,其中最重要的一种途径大概就是民间的书籍流通。由于印刷术的普及,这个时代的书籍传播是过去任何一个时代都无法比拟的。尽管宋辽或宋金双方基于国家利益的考虑,常常设置许多禁令以阻止本朝著述的外流,但这些人为的障碍并未能有效地阻隔相互间的书籍流通。政治的疆界是有形的,文化的边界是无形的。以往学者们在研究宋辽金时期南北中国之间的联系和交流时,多着眼于政治、战争与外交关系,有意或无意地忽视了双方的民间文化交流。虽有不少学者注意到两宋与辽金之间的书禁问题①,但多侧重于讨论宋代

——————

① 有关宋代的书禁问题,可参见刘铭恕:《宋代出版法及对辽金之书禁》,《中国文化研究汇刊》第 5 卷,1945 年 9 月,第 95—112 页;仁井田陞:《慶元條法事類と宋代の出版法》,收入氏著《中国法制史研究》第 4 卷,东京:东京大学出版会,1964 年,第 445—465 页;莞公:《宋朝对于书报的管制》,《文献》第 1 辑,1979 年 12 月,第 268—280 页;陈学霖:《宋代书禁与边防之关系》,收入氏著《宋史论集》,台北:东大图书公司,1993 年,第 175—209 页。

书籍雕印、流通中的各种禁例,而对处于严格管制之下仍相当活跃的南北书籍流通状况却缺乏足够的了解,希望本文的研究能够进一步丰富我们对这个问题的认识。

一、书籍流通:南北中国之间的文化交流

宋辽两国自澶渊定盟以后,双方的文化交流趋于频繁,其中尤为引人注目的现象,便是宋人著作的大量北流。元祐四年(1089),翰林学士苏辙充贺辽国主生辰使,次年还朝后,在呈上朝廷的一首札子中说:

> 本朝民间开版印行文字,臣等窃料北界无所不有。臣等初至燕京,副留守邢希古相接送,令引接殿侍元辛传语臣辙云:"令兄内翰(谓臣兄轼)《眉山集》已到此多时,内翰何不印行文集,亦使流传至此?"及至中京,度支使郑颛押宴,为臣辙言先臣洵所为文字中事迹,颇能尽其委曲。及至帐前,馆伴王师儒谓臣辙:"闻常服伏苓,欲乞其方。"盖臣辙尝作《服伏苓赋》,必此赋亦已到北界故也。臣等因此料本朝印本文字多已流传在彼。[①]

根据苏辙介绍的情况,可以看出北宋书籍外流之普遍。《渑水燕谈录》卷七所记张舜民绍圣元年(1094)出使辽朝时的见闻,

[①] 苏辙:《栾城集》卷四二《北使还论北边事札子五道》之一"论北朝所见于朝廷不便事",曾枣庄、马德富点校本,上海:上海古籍出版社,1987年,第937页。

正好可以佐证苏辙的上述记载:"张芸叟奉使大辽,宿幽州馆中,有题子瞻《老人行》于壁者。闻范阳书肆亦刻子瞻诗数十篇,谓《大苏小集》。子瞻才名重当代,外至夷虏,亦爱服如此。芸叟题其后曰:'谁题佳句到幽都,逢着胡儿问大苏。'"①张舜民的题诗实际上是借用苏辙的诗句而稍作改动,苏辙元祐四年使辽时曾写下《神水馆寄子瞻兄四绝》,其中一首曰:"谁将家集过幽都,逢见胡人问大苏。莫把文章动蛮貊,恐妨谈笑卧江湖。"②苏轼本人对辽朝人喜欢他的诗文也深有感触,据他说:"昔余与北使刘霄会食,霄诵仆诗云:'痛饮从今有几日,西轩月色夜来新。公岂不饮者耶?'虏亦喜吾诗,可怪也。"③又《东坡前集》卷一八《次韵子由使契丹至涿州见寄四首》之三云:"毡毳年来亦甚都,时时鴃舌问三苏。(原注:予与子由入京时,北使已问所在;后余馆伴,北使屡诵三苏文。)那知老病浑无用,欲问君王乞镜湖。"④

比起宋人著作的大量北流,辽朝典籍传入宋朝的情况则很罕见。学者们在提及辽朝书禁时,常常引用《梦溪笔谈》卷一五的一条史料:

幽州僧行均集佛书中字为切韵训诂,凡十六万字,分四

---

①此事当出自张舜民《使辽录》。《使辽录》一书今无完本,仅《类说》卷一三、涵芬楼本《说郛》卷三和《契丹国志》卷二五存有几则佚文,但均无上述内容。
②《栾城集》卷一六《奉使契丹二十八首》,第398页。《苕溪渔隐丛话》前集卷四一谓张舜民所题诗"与子由之诗全相类,疑好事者改之也"(北京:人民文学出版社,1962年,第280页),这种猜测似乎不合情理。
③《苏轼文集》卷六八《记虏使诵诗》,孔凡礼点校本,北京:中华书局,1986年,第5册,第2154页。
④《苏东坡全集》,台北:世界书局,1969年,上册,第249页。

卷,号《龙龛手镜》,燕僧智光为之序,甚有词辩。契丹重熙二年集。契丹书禁甚严,传入中国者法皆死。熙宁中,有人自虏中得之,入傅钦之家,蒲传正帅浙西,取以镂板。其序末旧云"重熙二年五月序",蒲公削去之。①

有关《龙龛手镜》的成书年代,沈括的记叙可能有误②,但此书系熙宁间传入宋朝,这一点应无疑问。

张秀民先生在谈到辽板书流入宋朝的问题时曾说:"宋人曾见到寿昌元年刻的《金刚经》与统和板的《龙龛手镜》,……辽板书传入宋代,可考者只此二种。"③所谓"寿昌元年刻的《金刚经》",其依据是《云麓漫钞》卷三的一条史料:"《金刚经》凡有六译,……经中有'即'、'则'二字,高丽大安六年以义天之祖名稷,故易'即'为'则'。寿昌元年刊于大兴王寺。后从沙门德诜、则瑜之请,仍还本文,而以'则'音呼之,此本或传入国中故也。"④这里存在着一个误解,此处提到的《金刚经》并非辽板书。兴王寺乃是高丽京城的一所名刹,《宣和奉使高丽图经》卷一七《祠宇》"王

---

①沈括:《梦溪笔谈》卷一五,胡道静校证本,上海:上海古籍出版社,1987年,第513页。
②衢本《郡斋读书志》卷四小学类著录此书,谓"僧智光为之序,后题云统和十五年丁酉,……岂(沈)存中不见旧题,妄记之耶?"按此书今有《四部丛刊续编》景印江安傅氏双鉴楼藏宋刊本,智光序末署"时统和十五年丁酉七月一日癸亥序"(叶5b);又中华书局1982年影印出版的高丽本,亦作统和十五年(997)。沈括的重熙二年(1033)说或系传闻之误。
③《中国印刷史》,上海:上海人民出版社,1989年,第239页。
④赵彦卫:《云麓漫钞》卷三,北京:中华书局,1996年,第40页。

城内外诸寺"条曰："兴王寺,在国城之东南维,出长霸门二里许,前临溪流,规模极大。"①辽释法悟《释摩诃衍论赞玄疏》、志福《释摩诃衍论通玄钞》、思孝《妙法莲花经观世音菩萨普门品三玄圆赞科文》,书末均有"寿昌五年己卯岁,高丽国大兴王寺奉宣雕造"的题识②,这是义天刊行《高丽续藏》时留下的印记。可见《云麓漫钞》提到的《金刚经》实际上是一个高丽刊本,之所以称"寿昌元年"者,乃是因为当时高丽奉辽正朔的缘故。

　　虽然辽板《金刚经》入宋的故事只是一个误解,但我并不否认辽朝佛学著作传入北宋的可能性,请看下面这个例子。收入日本《续藏经》中的辽朝名僧鲜演所撰《大方广佛华严经谈玄决择》③,卷二之末有这样一段题记："写本记云:高丽国大兴王寺寿昌二年丙子岁奉宣雕造,大宋国崇吴古寺宣和五年癸卯岁释安仁传写。……"④这条题记表明,鲜演的《华严经谈玄决择》一书在宣和五年(1123)已经传入宋朝。考虑到高丽与辽朝之间佛学交流

---

①徐兢:《宣和奉使高丽图经》卷一七《祠宇》,《知不足斋丛书》本,叶5a。

②《释摩诃衍论赞玄疏》《释摩诃衍论通玄钞》分别见于京都藏经书院编纂《卍续藏》一编72套第5册和73套第2册,《妙法莲花经观世音菩萨普门品三玄圆赞科文》书末题识见神尾弌春《契丹仏教文化史考》(大连:满洲文化协会,1937年)第122页书影。

③1986年在内蒙古自治区巴林左旗林东镇出土的《鲜演大师墓碑》,称其著有《花严经玄谈决择记》(见向南编著:《辽代石刻文编》,石家庄:河北教育出版社,1995年,第668页),即此书。

④见《卍续藏》一编11套第5册。按崇吴寺是苏州的一所禅寺,范成大《吴郡志》卷三一"宫观门"(陆振岳点校本,南京:江苏古籍出版社,1999年,第469页)有记载说:"广化寺在长洲县西一十步,梁乾元三年诸葛氏舍宅为之,名崇吴禅院,本朝大中祥符元年改赐今额。"

的频繁①，像这样通过高丽传入北宋的辽朝佛学著作，大概不会仅此一例。

此外，还有三种见于宋人著录的书需要提出来讨论，这就是《契丹实录》②、《契丹会要》③和《大辽国登科记》④。从书名来看，这三种书不像是宋人或由辽入宋的归正人、归明人所著，而颇似辽朝官书。但问题是它们都晚至南宋才见于著录，所以很有可能是在宣和间燕京六州入宋之后始为宋人所获。

有关辽朝典籍流入宋朝的情况，目前所知仅止于此。宋辽之间的书籍流通状况如此不平衡，这种现象应如何解释？"契丹书禁甚严"固然是一个原因，但更重要的一点，我想还是因为辽朝著述本来就为数不多。据台湾学者李家祺先生统计，自清初至民初，各家补《辽史》艺文志者共计 11 种，所收书目累计为 414 种，除去各家的重复，再剔除不应入《辽史·艺文志》而阑入者 101 种，剩下的真正属于辽朝的著作仅 61 种而已⑤。

对于宋金之间的书籍流通状况，我们可以有更多的了解。赵翼《瓯北诗话》卷一二"南宋人著述未入金源"条，对南宋书籍的北流有一个总的估量："宋南渡后，北宋人著述有流播在金源者，

---

① 参见神尾弌春：《契丹仏教文献の東流》，载同氏《契丹仏教文化史考》，第 115—151 页；朱子方：《辽朝与高丽的佛学交流——读〈大觉国师文集〉、〈外集〉及其他》，载《辽金史论集》第 5 辑，北京：文津出版社，1991 年，第 114—137 页。
② 见《遂初堂书目》地理类、《宋史·艺文志》传记类。
③ 见《遂初堂书目》地理类。
④ 见《秘书省续编到四库阙书目》卷一传记类。《通志》卷六五《艺文略》作《大辽登科记》，《宋史·艺文志》作《辽登科记》。
⑤ 李家祺：《各家补辽艺文志研究》，台北《幼狮》32 卷第 4 期，1970 年 10 月，第 34—38 页。

苏东坡、黄山谷最盛。南宋人诗文则罕有传至中原者。疆域所限,固不能即时流通。"南宋人著述之入金者,赵翼仅举出朱熹、吕祖谦、杨万里三人,并谓"陆放翁与朱子、诚斋同时,而金源诸名人集中,无有言及者"①。钱锺书先生曾对此提出异议,指出元好问在金末所作《被檄夜赴邓州幕府》诗,有"未能免俗私自笑,岂不怀归官有程"句,与陆放翁《思子虡》之"未能免俗余嗟老,岂不怀归汝念亲"何其相似,似不得谓其未见放翁诗。②

今天看来,赵瓯北对南宋人著述传入金朝的情况未免估计不足。孔凡礼先生做过一个很有意义的统计,在王若虚《滹南遗老集》前 40 卷杂著中,提到的南宋作者就有 40 人左右,著述达 50余种,涉及经义、史学、文学诸方面③。这个统计结果很能说明问题。再举一例。《宾退录》卷八在提到洪迈《夷坚庚志》时说:"《庚志》谓:'假守当涂,地偏少事。济南吕义卿、洛阳吴斗南,适以旧闻寄似,度可半编帙,于是辑为《庚志》。……'末又载章德懋使虏,掌讶者问《夷坚》自《丁志》后,曾更续否? 而引乐天、东坡之事以自况。"④据孔凡礼先生考订,《夷坚丁志》约完成于淳熙三四年间,而章森(德懋)使金是淳熙十三年(1186)的事情——也就是说,《夷坚丁志》成书后不到十年就已传入金朝,并且此书在金朝还颇有影响,后来元好问作《续夷坚志》便是一个证明。

---

①赵翼:《瓯北诗话》卷一二"南宋人著述未入金源"条,北京:人民文学出版社,1963 年,第 180—181 页。

②钱锺书:《谈艺录》,北京:中华书局,1984 年,第 158 页。

③孔凡礼:《南宋著述入金述略》,《文史知识》1993 年第 7 期,第 98—101页。孔氏谓王若虚虽卒于金朝亡国后九年,但收入《滹南遗老集》中的杂著,其成稿的时间下限均在金亡之前。

④赵与时:《宾退录》卷八,上海:上海古籍出版社,1983 年,第 97—98 页。

在考察南宋人著述入金的情况时,不能不涉及南宋理学北传的问题。按照元明以来的传统观点,金代是理学史上的一段空白,理学在北方的复兴,始自 1235 年宋儒赵复的北上,《元史》卷一八九《儒学·赵复传》称:"北方知有程朱之学,自复始。"[1]直到 20 世纪 90 年代问世的《剑桥中国辽西夏金元史》,仍然秉承这种传统认识[2]。但是近 20 年来,先后有几位学者撰文探讨程朱理学在金朝的传播问题。一种观点认为,金代的理学虽然尚未形成赵复之后那样明确的师承授受体系,但程朱之学自贞祐南迁后已在北方悄然兴起[3]。另一种观点认为,早在金章宗初期,即 12 世纪 90 年代,南宋理学著作已经开始传入金朝[4]。

尽管在南宋理学著作北传的时间问题上,学者们尚存在一定分歧,但对朱子之学传播于金朝的事实,目前已经基本达成了共识。元人文集中的某些史料透露了南宋理学著作入金的消息,郝经在谈及元代理学源流时说:"金源氏之衰,其书浸淫而北,赵承旨秉文、

①《元史》卷一八九《儒学·赵复传》,北京:中华书局,第 4314 页。
②傅海波(Herbert Franke)、崔瑞德(Denis Twitchett)等:《剑桥中国辽西夏金元史》,史卫民等汉译本,北京:中国社会科学出版社,1998 年,第 354 页。此书英文版出版于 1994 年,其中金代部分由傅海波执笔。
③姚大力:《金末元初理学在北方的传播》,《元史论丛》第 2 辑,北京:中华书局,1983 年,第 217—224 页;周良霄:《程朱理学在南宋、金、元时期的传播及其统治地位的确立》,《文史》第 37 辑,1993 年,第 139—168 页。
④田浩(Hoyt Cleveland Tillman):《金代的儒教——道学在北部中国的印迹》,《中国哲学》第 14 辑,北京:人民出版社,1988 年,第 107—141 页;魏崇武:《金代理学发展初探》,《历史研究》2000 年第 3 期,第 31—44 页。

麻徵君九畴始闻而知之，于是自称为道学门弟子。"①关于朱子《四书》的北传，据苏天爵《默庵先生安君行状》说："国初有传朱子《四书集注》至北方者，滹南王公雅以辩博自负，为说非之。"②这里说的"国初"，理应指蒙古太祖时期，大致相当于金章宗至宣宗时代。而许有壬则更加明确地指出，朱子《四书》是由南宋使者传入金朝的③。

　　这里须附带澄清一个长期以来流传甚广的传闻。丁传靖《宋人轶事汇编》卷一六记有一则洪皓使金的故事："皓留金时，以教授自给。无纸则取桦叶写《论语》《大学》《中庸》《孟子》传之，时谓'桦叶《四书》'。"④直至今日，辽金史研究者还每每对这个故事津津乐道⑤。这一记载之不可信，一望而可知。洪皓使金是建炎三年（1129）的事情，而朱熹建炎四年才出生。绍熙元年（1190），朱熹在知漳州任上将《大学》《中庸》《论语》《孟子》合而刊之，是为《四书章句集注》，此后经学史上始有"四书"一名⑥。

①郝经：《陵川集》卷二六《太极书院记》，台湾商务印书馆影印文渊阁《四库全书》本，第 1192 册，第 288 页。
②《滋溪文稿》卷二二，陈高华、孟繁清点校本，北京：中华书局，1997 年，第 363 页。
③许有壬：《至正集》卷三三《性理一贯集序》，《北京图书馆古籍珍本丛刊》影印清抄本，北京：书目文献出版社，1998 年，第 95 册，第 169 页；许有壬：《圭塘小藁》卷六《雪斋书院记》，《丛书集成续编》影印《三怡堂丛书本》，台北：新文丰出版公司，1989 年，第 136 册，第 674 页。
④编者注明这条史料出自《一统志》，据《宋人轶事汇编》书后所附引用书目，知《一统志》即《大清一统志》。可见这个传说出现很晚。
⑤误信这一传说者并非始于今人，清末洪汝奎所撰《洪忠宣公年谱》（见《洪氏晦木斋丛书》）已取此说。
⑥王懋竑：《朱熹年谱》卷四，何忠礼点校本，北京：中华书局，1998 年，第 209—212 页。

说到金朝典籍的南流，最值得注意的是《靖康稗史》。此书为宋度宗咸淳三年（1267）耐庵所编，卷首的耐庵序交待了它的来历："《开封府状》《南征录汇》《宋俘记》《青宫译语》《呻吟语》各一卷，封题'《同愤录》下帙，甲申重午碻庵订'十二字，藏临安顾氏已三世。甲申当是隆兴二年。上册已佚，碻庵姓氏亦无考。……上帙当是靖康元年闰月前事，补以《宣和奉使录》《瓮中人语》各一卷，靖康祸乱始末备已。咸淳丁卯耐庵书。"①碻庵于隆兴二年（1164）编成的《同愤录》，其下帙共收入五种书，其中有三种为金人所撰：王成棣《青宫译语》、可恭《宋俘记》、李天民辑《南征录汇》。全靠这两位佚名的宋人，金人的这些著述才能够保存至今。但它们是如何传入南宋的，现已无从考证②。

有关金朝典籍流入南宋的情况，在宋代文献中还可以找到若干例证。《直斋书录解题》卷八目录类有《释书品次录》一卷，解题曰："题唐僧从梵集。末有黎阳张翚跋，称大定丁未。盖北方板本也。"③大定丁未即金世宗大定二十七年（1187）。宋人书

---

① 《靖康稗史》自宋以后诸家书目皆未著录，仅高丽有抄本存世，清末始传入国内，民国二十八年王大隆刊印的《己卯丛编》收入此书，今有崔文印《靖康稗史笺证》本，北京：中华书局，1988 年。

② 据邓子勉先生考证，碻庵编订《同愤录》时所参据的蓝本之一是李浩《普天同愤录》，其中《呻吟语》一种即为李浩所撰，而李浩曾随徽钦二帝北迁，绍兴十二年（1142）与韦太后同归；但邓氏亦认为《青宫译语》《宋俘记》《南征录汇》诸书系碻庵编订《同愤录》时增入，则其来源仍不清楚。见氏著《〈靖康稗史〉暨〈普天同愤录〉及其编著者等考辨》，《文史》2000 年第 3 辑，第 169—177 页。

③ "北方板本"，《文献通考》卷二二七《经籍考》子部释氏类《释书品次录》条引作"虏中板本"，《直斋书录解题》通行之《武英殿聚珍版丛书》本为四库馆臣从《永乐大典》中辑出，此系馆臣所改。

目中著录的与金朝有关的文献,多为南宋使者、原燕云地区汉人或由金入宋的归正人、归明人所著,但下面这几种书却是例外:《女真实录》①、《金国大定官制》②、《金国明昌官制新格》③、《金国刑统》④、《金大明历》⑤。单凭书名即可看出,这五部书全都是金朝的官书,而它们均见于南宋的著录。再有一个例证是,中国国家图书馆藏南宋眉山万卷堂刊刻《新编近时十便良方》,卷首刊有庆元元年(1195)汾阳博济堂序文——这里说的"汾阳"当是金汾州之古称。宿白先生指出,这是宋金两国文化交流的一个线索⑥。

与宋金间书籍流通的话题有关,有两个误解需要在此予以澄清。第一个是陶晋生先生的误解。氏著《女真史论》从清人孙德谦《金史艺文略》中转引了下述文字:"洪容斋云:太史公书,若褒赞其高古简妙,殆是模写日星之辉,多见其不知量。近年得溧南《经史辨惑》,论《史记》者十一卷,采摭之误若干,取舍不当若干,议论不当若干,姓名字语冗复若干,文势不接若干,重叠载事若干,指瑕摘疵,略不少恕,且有'迁之罪不容诛矣'之辞。"陶晋生先生由此得出洪迈曾经读过王若虚《经史辨惑》的结论⑦。令我感到

① 见《遂初堂书目》地理类。
② 见《遂初堂书目》职官类。《直斋书录解题》卷六"职官类"(第 181 页)作《金国官制》,谓"虏雍(按:即金世宗完颜雍)伪大定年所颁"。
③ 见《宋史》卷二〇三《艺文志二》职官类,第 5110 页。
④ 见《遂初堂书目》刑法类。
⑤ 见《直斋书录解题》卷一二历象类,谓"金大定十三年所为也"(第 368 页);《遂初堂书目》数术家类作《金国大明日历》(涵芬楼《说郛》卷二八,叶 26b)。
⑥ 宿白:《南宋的雕版印刷》,载同氏《唐宋时期的雕版印刷》,北京:文物出版社,1999 年,第 97—98 页。
⑦ 陶晋生:《女真史论》,台北:食货月刊出版社,1981 年,第 114—115 页。

蹊跷的是,洪迈居然称王若虚为"滹南"——恐怕没有哪个宋人知道"滹南"为何许人,更何况洪迈还要早于王若虚半个多世纪呢。今查这段引文出自元人盛如梓《庶斋老学丛谈》卷上,再查洪迈之语,见《容斋五笔》卷五"史记简妙处"条,原来洪迈的话只到"多见其不知量"句,而自"近年得滹南《经史辨惑》"以下则是盛如梓的自述。据我孤陋之所见,王若虚的著述似乎没有传入南宋的迹象。

第二个是宿白先生的误解。据宿白先生《南宋的雕版印刷》一文介绍,中国国家图书馆藏有一部金刻残本《集韵》,残存卷六至卷十,此书版心下部所见刻工姓名,有十余人署长沙籍。宿白先生的解释是:"南宋初期,长沙富庶,商业发达,所以其地雕印手工业亦日趋兴盛……因此长沙有较多的刊工受雇于北方,亦是可以理解的事,而金代雕印与长沙的密切关系,则是前无闻焉的新发现。"[1]以常识判断,南宋时期有十几位长沙刻工受雇于金朝,这实在是一桩匪夷所思的事情。我没有见过这个本子,但国图藏有一部宋刻《集韵》(据李致忠先生推断,当为宋孝宗时期荆湖南路刻本)[2],有中华书局 1989 年影印本,而宿白先生列出的金刻残本《集韵》中的 11 位长沙刻工姓名,全都见于这部宋刻本的版心。可见所谓的金刻本,实际上就是我们现在所看到的宋刻《集韵》的一个残本[3]。

---

[1] 见前揭《唐宋时期的雕版印刷》,第 103 页。
[2] 李致忠:《宋版书叙录》,北京:北京图书馆出版社,1994 年,第 294—300 页。
[3] 宿白先生没有说明他判定这个残本为金刻本的依据是什么,也许这个宋刻本曾为金人所获,上面有金人题跋之类的文字。

二、书禁:构筑文化的疆界

宋辽金时期,不论是宋朝还是辽、金,主要出于维护国家利益的考虑,都以各种方式禁止本朝书籍外流。但由于辽金史料的匮乏,我们现在只能对宋朝方面的书禁有比较多的了解。

两宋与辽、金的民间书籍流通,榷场贸易是一个重要途径,北宋自榷场建立之初,就注意到了这个问题。真宗景德三年(1006)九月,诏曰:"民以书籍赴缘边榷场博易者,自非九经书疏,悉禁之。违者案罪,其书没官。"①澶渊之盟后,宋朝于景德元年(1004)首先设置了雄州、霸州、安肃军三处榷场,次年又设广信军榷场,迄北宋末年,"河北四榷场"始终是宋辽边贸的主要场所②。景德三年的这一禁令,是在榷场刚刚建立之初就颁布的。根据这个规定,北宋政府允许在榷场进行的合法书籍贸易,仅限于"九经书疏"而已。

元丰元年(1078)四月,针对榷场书籍贸易颁布了一个更为严厉的禁令:"诸榷场除九经疏外,若卖余书与北客,及诸人私卖与化外人书者,并徒三年,引致者减一等,皆配邻州本城,情重者配千里。许人告捕,给赏。著为令。"③此诏除了重申久已有之的榷

①《宋会要辑稿·食货》三八之二八,北京:中华书局影印本,1957年,第5480页下栏。
②参见张亮采:《宋辽间的榷场贸易》,《东北师范大学科学集刊》1957年第3期,第146—155页。
③《续资治通鉴长编》卷二八九,元丰元年四月庚申条,北京:中华书局,2004年,第12册,第7068页。

场书籍贸易禁令之外,还明确了具体处罚措施。南宋时期,针对违禁的书籍贸易也有类似的处罚规定,淳熙二年(1175)二月十二日诏曰:"自今将举人程文并江程地里图籍与(兴?)贩过外界货卖或博易者,依与化外人私相交易条法施行。"①参照元丰元年的诏令来看,大概也是处以三年的徒刑。

在书籍流通环节上的防范,当然不仅是榷场贸易一个方面。《长编》卷一七四皇祐五年(1053)二月癸巳有记载说:"诏仪鸾司,自今毋得以天下州府图供张都亭驿。初,户部副使傅永言,奉使契丹,而接伴者问益州事,且云曾见驿中画图,故请禁之。"②从这件事情可以看出,北宋的书禁可谓周密之至。宋朝书籍外流的另一个可能的途径,是通过高丽而传入辽、金,因为宋朝对高丽的书禁远不像对辽、金那么严格。元祐八年(1093),高丽使者向北宋政府提出购买《册府元龟》、历代正史、太学敕式等书籍的要求,当时朝廷臣僚对此事意见分歧很大,礼部尚书苏轼极力反对,他的理由是:"臣闻河北榷场,禁出文书,其法甚严,徒以契丹故也。今高丽与契丹何异?乃废榷场之法。……臣所忧者,文书积于高丽而流于北虏,使敌人周知山川险要、边防利害,为患至大。"③虽然此事掺杂着朝廷政争的因素,但苏轼的忧虑确实也不无道理。

至于辽朝对宋的书禁,在辽代文献中缺乏记载。沈括《梦溪笔谈》卷十五谓"契丹书禁甚严,传入中国者法皆死"④,沈括曾于

①《宋会要辑稿·刑法》二之一一八,第 6554 页下栏。
②《续资治通鉴长编》卷一七四,皇祐五年二月癸巳条,第 7 册,第4201 页。
③《续资治通鉴长编》卷四八一,元祐八年二月辛亥条,第 19 册,第 11439 页。据《苏轼文集》卷三五《论高丽买书利害札子三首》校改(北京:中华书局,1986 年,第 3 册,第 995—996 页)。
④沈括:《梦溪笔谈》卷一五,胡道静校证本,第 513 页。

熙宁八年（1075）出使辽朝，他对辽朝情况的介绍应该是可以信赖的。如果这个说法没有夸张的成分，那么辽朝的书禁显然要比宋朝方面更为严厉。

关于金朝对南宋的书禁，洪皓《跋金国文具录札子》透露了一点消息："臣拘縶绝域十有五年，凡所见闻，亦尝记录。比闻孟庾南还，发箧得其状稿，几沮归计，应有书籍，悉被敛留。臣之所编，若紧切者惩艾焚毁，独存此书。"①孟庾绍兴十年（1140）在开封留守任上时，宗弼来攻，举城降金，后于绍兴十二年遣返南宋②。据洪皓说，孟庾南还时因被查出携有违禁文字，差点让他不能归国，洪皓吸取了这个教训，遂将其滞留金朝十五年间所作文字大都付之一炬。此事从一个侧面反映了金朝对南宋的书禁。

宋朝政府除了在流通环节上限制、防范书籍的外流，还屡屡颁布对于民间雕印书籍的禁令，以期从源头上加以控制。自北宋中期以后，随着雕板印刷术的成熟，民间雕印手工业日趋兴盛，政府遂相应加强了控制力度。康定元年（1040）五月二日诏曰："访闻在京无图之辈，及书肆之家，多将诸色人所进边机文字镂板鬻卖，流布于外。委开封府密切根捉，许人陈告，勘鞫闻奏。"③此诏所针对的主要是"边机文字"，即有关宋辽关系的奏议章疏，这是最为宋朝政府所忌讳的内容。又徽宗大观二年（1108）三月十三日，有诏曰："访闻房中多收蓄本朝见行印卖文集书册之类，其间

---

① 《鄱阳集》卷四，台湾商务印书馆影印文渊阁《四库全书》本，第1133册，第420页。参见《松漠记闻》卷末洪适跋语。
② 见《建炎以来系年要录》卷一三五绍兴十年五月丙戌条，北京：中华书局点校本，2013年，第2520—2523页；卷一四五绍兴十二年五月乙卯条，第2734—2735页。
③ 《宋会要辑稿·刑法》二之二四，第6507页下栏。

不无夹带论议边防、兵机、夷狄之事，深属未便。其雕印书铺，昨降指挥，令所属看验，无违碍然后印行，可检举行下，仍修立不经看验校定文书、擅行印卖告捕条禁，颁降其沿边州军。"①类似这样的禁令先后发布过多次，说明民间非法雕印书籍的现象是屡禁不止的。

在宋人文集中可以看到朝廷臣僚对于民间雕印书籍的态度。至和二年（1055），欧阳修在《论雕印文字札子》中谈到当时坊间书肆普遍违禁雕印书籍的情况："臣伏见朝廷累有指挥，禁止雕印文字，非不严切，而道（近?）日雕板尤多，盖为不曾条约书铺贩卖之人。臣窃见京城近有雕印文集二十卷名为《宋文》者，多是当今论议时政之言，其首篇是富弼往年让官表，其间陈北虏事宜甚多，详其语言，不可流布，而雕印之人不知事体，窃恐流布渐广，传入虏中，大于朝廷不便。"他提出的对策是："臣今欲乞明降指挥，下开封府访求板本焚毁，及止绝书铺。今后如有不经官司详定，妄行雕印文集，并不得货卖，许书铺及诸色人陈告，支与赏钱贰百贯文，以犯事人家财充，其雕板及货卖之人并行严断，所贵可以止绝者。"②元祐五年（1090），翰林学士苏辙在出使辽朝归来后，写有《北使还论北边事札子五道》，其中之一是《论北朝所见于朝廷不便事》，文中描述了他在辽朝境内所看到的北宋"印本文字"无所不有的状况，并建议朝廷采取有效措施加以制止。苏辙认为，因书籍走私有暴利可图，故很难止绝，"惟是禁民不得擅开板印行文字"，才能从根本上解决问题③。苏辙的这首札子很快便有了回

①《宋会要辑稿·刑法》二之四七，第6519页上栏。
②《欧阳文忠公文集》卷一〇八，《四部丛刊》本，叶12a—12b。
③《栾城集》卷四二。

应，《长编》卷四四五元祐五年七月戊子条有记载说："礼部言：'凡议时政得失、边事军机文字，不得写录传布，本朝会要、国史、实录不得雕印，违者徒二年，许人告，赏钱一百贯。……'从之。以翰林学士苏辙言，奉使北界，见本朝民间印行文字多已流传在彼，请立法故也。"①

辽朝对于民间雕印书籍的政策，仅有的一条史料见于《辽史·道宗纪》：清宁十年（1064）十月戊午，"禁民私刊印文字"②。这条史料虽很简约，但大致可以代表辽朝政府对此事的一个基本态度。

南宋时代的民间雕印手工业更趋发达，政府为限制某些书籍的雕印、传播而三令五申。绍熙四年（1193）六月十九日，"臣僚言：'朝廷大臣之奏议，台谏之章疏，内外之封事，士子之程文，机谋密画，不可漏泄。今乃传播街市，书坊刊行，流布四远，事属未便。乞严切禁止。'诏四川制司行下所属州军，并仰临安府、婺州、建宁府，照见年条法指挥，严行禁止。其书坊见刊板及已印者，并日下追取，当官焚毁；具已焚毁名件，申枢密院。今后雕印文书，须经本州委官看定，然后刊行，仍委各州通判专切觉察，如或违戾，取旨责罚。"③这里提到的临安府、婺州、建宁府以及成都府，都是南宋时期印刷业比较发达的地区，此诏即专门针对这些州府而发。又嘉定六年（1213）十月二十八日，"臣僚言：'国朝令甲，雕印言时政边机文书者皆有罪。近日书肆有《北征谠议》《治安药石》等书，乃龚日章、华岳投进。书札所言，间涉边机，乃笔之书，锓之

---

① 《续资治通鉴长编》卷四四五，元祐五年七月戊子条，第 18 册，第 10722 页。
② 《辽史》卷二二《道宗纪二》，第 264 页。
③ 《宋会要辑稿·刑法》二之一二五，第 6558 页上栏。

木,鬻之市,泄之外夷。事若甚微,所关甚大。乞行下禁止,取私雕龚日章、华岳文字尽行毁板,其有已印卖者,责书坊日下缴纳,当官毁坏。'从之"①。

南宋对于非法雕印书籍者的处罚规定,在《庆元条法事类》中有明文记载:"诸雕印御书、本朝会要及言时政边机文书者,杖捌拾,并许人告;即传写国史、实录者罪亦如之。……诸举人程文辄雕印者,杖捌拾;事及敌情者,流叁仟里(内试策事干边防及时务者准此),并许人告。"②禁止雕印的书籍包括皇帝御书、国史、实录、会要,涉及时政、边防的奏议章疏,乃至举人程文等等,究其动机,主要还是为了防止这些书籍传入金朝。

两宋对辽、金实行的书禁政策,贯穿在从书籍雕印到书籍流通的各个环节,但是宋朝典籍大量北流的事实,说明书禁政策的实际效果远远没有达到宋朝政府的预期目的。

三、书籍流通的渠道

两宋与辽、金之间的书籍流通,因主要是一种不为官方所认可的民间行为,所以在史籍中留下的直接记载不多。分析起来,书籍流通的渠道大致有四条,即榷场贸易、走私贸易、官方的馈赠以及战争中的掳掠,其中前两者是主要的、经常性的流通渠道。

---

① 《宋会要辑稿·刑法》二之一三八,第 6564 页下栏。
② 《庆元条法事类》卷一七文书门"雕印文书"条,《中国珍稀法律典籍续编》第 1 册,戴建国点校,哈尔滨:黑龙江人民出版社,2002 年,第 364—365 页。

（一）榷场贸易

宋辽、宋金之间通过榷场进行的书籍流通，其中既有合法的交易，也有非法的交易。

在榷场公开或半公开地进行非法的书籍贸易，是宋朝政府严加防范和打击的行为。尽管如此，这种现象在当时仍是司空见惯的。仁宗天圣五年（1027），"上封者言，契丹通和，河北缘边榷场，商人往来，多以本朝臣僚文集传鬻境外，其间载朝廷得失，或经制边事，深为未便"①。上文谈到两宋政府曾三番五次地颁布榷场书籍贸易禁令，恰恰从反面说明了这种现象虽屡禁而不止。

可以在榷场合法进行的书籍贸易，首先是"九经书疏"。有这样一个故事。据朱熹说，他曾从范仲彪手里得到一部司马光《易说》，惜非完本，"后数年，予乃复得其全书，云好事者于北方互市得版本焉"②。也就是说，这部完整的《易说》是金朝的刻本。靖康之变时，金人曾积极搜罗司马光的著述，《易说》也许就是这个时候传入金朝的，而在南宋反倒只有残本流传，后来此书又通过榷场为宋人所获。

除了"九经书疏"之外，也有某些涉及时事的书籍可以在榷场公开交易。据李心传说："往岁榷场有货板行《明昌事实》者。"③此书如为金人所著，不大可能被允许在榷场公开贩卖，所以我估计此书作者应是由金入宋的归正人，之所以拿到榷场发售，主要

① 《续资治通鉴长编》卷一〇五，天圣五年二月乙亥条，第4册，第2436页。
② 《晦庵先生朱文公文集》卷八一《书张氏所刻潜虚图后》，《四部丛刊》本，叶11b。
③ 《建炎以来系年要录》卷一九六绍兴三十二年正月己丑条注，第3859页。

是面向金人。再举一例。张端义《贵耳集》卷下云："道君北狩,在五国城或在韩州,凡有小小凶吉、丧祭节序,北虏必有赐赉。一赐必要一谢表,北虏集成一帙,刊在榷场中博易四五十年,士大夫皆有之,余曾见一本,更有《李师师小传》同行于时。"①照说像这类书籍理应是南宋朝廷所忌讳的,居然可以在榷场长期发售而不为宋朝政府干涉,以致士大夫人手一册。这未免有点让人诧异②。

　　书画艺术品是榷场中的合法交易物,这类交易在文献里留下了若干线索。《齐东野语》卷六"绍兴御府书画式"条曰："思陵(即宋高宗)妙悟八法,留神古雅。当干戈俶扰之际,访求法书名画,不遗余力。……后又于榷场购北方遗失之物,故绍兴内府所藏,不减宣政。"③这就是说,在绍兴和议后,南宋往往通过榷场从金人手中收购法书名画,大概其中有不少是靖康之变时流入金朝的。从传世绛州法帖摹本中可以窥探到更明确的信息。清初孙承泽谓绛帖"乃潘师旦用淳化帖重摹。……靖康兵火,石并不存。金人百年之间,重摹至再,南渡后潘氏真本已称难得,今传世者大约皆榷场中翻刻,所谓亮字不全本、新绛本、北本是也"④。所谓

---

①张端义:《贵耳集》卷下,《丛书集成初编》本,第45页。
②又《四库全书总目》谓《大金吊伐录》"与徐梦莘《三朝北盟会编》详略互见"(卷五一史部七杂史类,北京:中华书局,1965年,第465页下栏),因疑此书可能也曾通过榷场传入南宋,并为徐梦莘所见。余嘉锡先生指出这种推断有误,认为徐梦莘并未见过此书,元明以来所传《大金吊伐录》乃出自金刻本。见《四库提要辨证》卷五,北京:中华书局,1980年,第1册,第286—290页。
③周密:《齐东野语》卷六"绍兴御府书画式"条,北京:中华书局,1983年,第93页。
④孙承泽:《庚子销夏记》卷四"宋搨绛帖"条,台湾商务印书馆影印文渊阁《四库全书》本,第826册,第45页。

"亮字不全本"，宋曹士冕《法帖谱系》卷下解释说："亮字不全本：此帖与东库本绝相似，或只是一石，但庾亮帖内'亮'字，皆无右边转笔，盖避逆亮讳也。"①那么这种摹本是何时传入南宋的呢？清王澍《淳化秘阁法帖考正》卷二引孙仲墙之言，谓"靖康之变，帖石沦没于金，开禧以后榷场中来者，则剜去庾元规之名，以避废主之讳，所谓亮字不全本是也。今钟元常帖中亦剜去'英'字末笔，得非避亮子光瑛讳欤？"②此谓"开禧以后榷场中来者"，不知有何根据。自世宗大定以后，海陵名分陵替，初降封郡王，继又降封庶人，揆之情理，似不应再避其名讳。我估计这种"亮字不全本"之传入南宋，应该是海陵王在位时期的事情。至于海陵王太子光英之名讳，《金史》确有明文记载，如改"鹰坊"为"驯鸷坊"即其一例（见《金史》卷八二《海陵诸子传》），但"英"字之讳肯定只限于海陵一朝。

　　下面谈到的这个例子也许更能说明问题。周密《志雅堂杂钞》卷上记述他曾见过的一幅唐人画说：癸巳年（1293）四月二十八日，"庄肃蓼塘出示……李思训《巫山神女图》，明昌御题，榷场物，曾入秋壑家"③。明昌指金章宗，秋壑即贾似道。这幅有金章宗题识的《巫山神女图》，后来通过榷场流入南宋，为贾似道所获。这种情况并非特例。见于元明以来著录的传世书画艺术品中，既有章宗印鉴或题识、又有贾似道鉴藏印的作品至少还有以下八种：王羲之《快雪时晴帖》《古千字文》《此事帖》《远宦帖》、怀素

----

① 《百川学海》本。《辍耕录》卷一五"淳化阁帖"条也有类似的说法。
② 王澍：《淳化秘阁法帖考正》卷二，《四部丛刊三编》本，叶8a。
③ 周密：《志雅堂杂钞》卷上，《丛书集成初编》本，第4—5页。又见《云烟过眼录》卷下。

《自叙帖》、顾恺之《女史箴图》、尉迟乙僧《天王像》、宋徽宗摹张萱《虢国夫人游春图》①。我想这些东西不大可能是金末蔡州之围时为宋人所获，而极有可能也是像《巫山神女图》那样通过榷场流入南宋的。

以上谈的是榷场贸易中书画艺术品由金朝流入南宋的情况，我们再看看另一个流向。据外山军治氏统计，见于元明清三代著录的有金章宗题签或鉴藏印的书画共计 30 余件，不妨设想它们是靖康之变时流入金朝的；但值得注意的是，其中十余件书画作品上有宋高宗的印鉴、题识，或金章宗以前的南宋人题记，那么这些东西究竟又是如何落入金人之手的呢？外山氏认为有两种可能：其一，南宋内府的部分收藏品由于某种原因而流失民间，后通过榷场传入金朝；其二，这些书画也可能是南宋政府作为礼品馈赠给金朝皇帝的②。另一个例子可能更能说明问题。元好问有一首七言绝句，诗题为"刘寿之买南中山水画障，上有朱文公元晦淳熙甲辰中春所题五言，得于太原酒家"③。淳熙甲辰即淳熙十一年（1184）。有朱熹题诗的山水画障之所以会流落到太原酒家，最大的可能就是通过榷场这个渠道。

（二）走私贸易

两宋与辽、金之间的书籍走私贸易，主要表现为两种方式，一种是沿边州县的边界走私，另一种是使节的夹带走私。

---

① 参见外山军治：《金朝史研究》附录五《金章宗收藏の书画について》，京都：同朋舍，1979 年，第 660—669 页。
② 见前揭外山军治《金章宗收藏の书画について》。
③《元好问全集》卷一三，太原：山西人民出版社，1990 年，上册，第 391 页。

北宋时期,河北沿边地区对辽朝的书籍走私十分猖獗,输入辽朝的多是宋人文集等违禁书籍,据苏辙说:"访闻此等文字贩入虏中,其利十倍。人情嗜利,虽重为赏罚,亦不能禁。"①上文曾经谈到,尽管北宋政府三令五申,但这种现象却屡禁不止,以至苏辙认为打击书籍走私活动根本无济于事,只有严格雕印书籍之禁才能解决问题。

宋金两国间虽有淮河天险之阻隔,但两淮沿边州县的走私活动照样很盛行。绍兴十二年(1142),知盱眙军沈该在写给朝廷的一首札子中描述两淮地区的走私状况说:"窃惟朝廷创置榷场,以通南北之货,严津渡之禁,不许私相买易。然沿淮上下,东自扬、楚,西际光、寿,无虑千余里。其间穷僻无人之处,则私得以渡;水落石出之时,则浅可以涉。不惟有害榷场课利,亦恐浸起弊端。欲望严赐戒饬沿淮一带州县重立罪赏,觉察禁止。"②这段话虽不是专门针对书籍走私而说的,但大致可以说明当时两淮沿边地区民间走私活动之泛滥。淳熙九年(1182),给事中施师点在谈到沿边州县书籍走私情况时说:"文字过界,法禁甚严。人为利回,多所抵冒。"③可见这种现象在当时是司空见惯的。《建炎以来朝野杂记》甲集卷六"嘉泰禁私史"条记载了一桩书籍走私的案例:嘉泰二年(1202)秋,"商人载十六车私书,持(熊)子复《中兴小历》及《通略》等书欲渡淮,盱眙军以闻,遂命诸道帅、宪司察郡邑书坊

---

① 《北使还论北边事札子五道》之一"论北朝所见于朝廷不便事",《栾城集》卷四二,第938页。
② 《宋会要辑稿·食货》三八之三四,第5483页下栏。
③ 《宋会要辑稿·刑法》二之一二一,第6556页上栏。

所鬻书,凡事干国体者,悉令毁弃"①。从事这种走私活动的商人大概具有职业化的特点,故一次走私的书籍可以多达 16 车,其规模相当可观。

另外一种常见的书籍走私方式,是外交使者私下携带违禁书籍出境进行交易。宋朝方面史料中有不少记载间接地反映了这类走私活动。绍兴十四年(1144)八月八日诏曰:"右承议郎、监潭州南岳庙万俟允中奉使金国礼物官日,私以违禁之物附载入国博易,厚利游贷。命追毁出身以来文字,不刺面,配贵州本城收管。"②此诏虽然没有说明万俟允中携带的"违禁之物"是什么东西,但可以看出这类走私方式在当时是很通行的。又绍兴十八年(1148)闰八月三十日诏曰:"今后奉使生辰、正旦下三节人过界,并不许与北人博买,如违,从徒二年科罪,使副不觉察同罪。"③宋朝出使辽金者,使、副以下随员往往多达上百人,按其地位高低分为上节、中节、下节,合称"三节人",他们往往利用出使的机会,私下携带包括书籍在内的违禁物品以牟取暴利,这种情形几成惯例,尤其是像万俟允中那样的管押礼物官,从事走私活动尤为便

---

① 李心传:《建炎以来朝野杂记》甲集卷六"嘉泰禁私史"条,北京:中华书局,2000 年,第 149—150 页。此事在其他史籍中的记载有所不同,《续编两朝纲目备要》卷七嘉泰二年二月癸巳条说(汝企和点校本,北京:中华书局,1995 年,第 125 页):"其秋,商人戴十六者,私持(熊)克所著《中兴小历》及《通略》《事略》等,欲渡淮。……"《宋会要辑稿·刑法》二之一三二至一三三作"盱眙军获到戴十六等辄将《本朝事实》等文字欲行过界"(第 6561 页下栏—6562 页上栏)。比较一下这三条史料的内容,我认为《朝野杂记》所记较为可取,《续编两朝纲目备要》和《宋会要辑稿》可能是将"商人载十六车私书"句误为"商人戴十六"了。
②《宋会要辑稿·职官》五一之一六,第 3544 页上栏。
③《宋会要辑稿·职官》五一之一七,第 3544 页下栏。

利。三节人来源的复杂,也是造成走私活动泛滥的一个重要因素。绍兴间,有人称"比年以来,奉使官属不问贤否,惟金多者备员而往,多是市廛豪富巨商之子"①。左正言何溥也上疏说:"比岁奉使所辟官属,多募人代行,市井狡狯之徒,冒法私贩。"②奉使之三节人竟如此猥滥,其结果如何,自然可想而知。

据元人说,朱子《四书》最初就是由南宋使者带到金朝的。许有壬《性理一贯集序》云:"前辈言,天限南北时,宋行人箧《四书》至金,一朝士得之,时出论说,闻者叹竦,谓其学问超诣,而是书实未睹也。文轨混一,始家有而人读之。"③许氏《雪斋书院记》一文说得更明白:"宇宙破裂,南北不通,中原学者不知有所谓《四书》也。宋行人有箧至燕者,时有馆伴使得之,乃不以公于世,时出一论,闻者竦异,讶其有得也。"④许有壬是元代中后期人,这个从"前辈"那里听来的故事大概是确有其事的。根据这一传闻,《四书》是由南宋使者带到燕京,然后传到了金朝馆伴使的手里。不过这位南宋使者不像是为了牟利而从事走私活动,此书可能是作为礼物赠与金人的。

辽金外交使者与宋人的私下交易,也可纳入书籍走私贸易的范畴。从宋朝政府的某些禁令中可以间接地了解这方面的情况。据苏轼说,《元祐编敕》中有这样的条文:"诸以熟铁及文字禁物与外国使人交易,罪轻者徒二年。"⑤又《宋会要辑稿·食货》三八之三七载绍兴十四年(1144)正月二十九日诏曰:"北使所过州军,如

---

① 《宋会要辑稿·职官》五一之一八。
② 《建炎以来系年要录》卷一八〇,绍兴二十八年十一月戊午条。
③ 《至正集》卷三三。
④ 《圭塘小藁》卷六。
⑤ 《论高丽买书利害札子三首》之二,《苏轼文集》卷三五,第3册,第999页。

要收买物色,令接引送伴所应副,即不得纵令百姓与北使私相交易,可立法禁止。"①

(三)官方的馈赠

官方的馈赠虽不是两宋、辽金之间书籍流通的主要渠道,但其重要性也不可忽视。作为馈赠品的书籍自然是与政治、时事无关的,如《玉壶清话》卷七记载的一个例子:"祥符中,契丹使至,因言本国喜诵魏野诗,但得上帙,愿求全部。真宗始知其名,将召之,死已数年。搜其诗,果得《草堂集》十卷,诏赐之。"②魏野被称为"草泽",未曾入仕,他的诗文肯定无关于时事,故可以赠与辽使而无妨。

《开宝藏》的入辽,是有关本文主旨的一个值得讨论的话题。吕澂先生曾经有过一个论断,谓辽朝在圣宗太平元年(1021)得到宋朝颁赐的一部《开宝藏》天禧修订本,兴宗重熙以后遂在此基础上雕刻《契丹藏》③。此说被学者们普遍沿用,但它完全是一个误解。做出这个论断的依据,是见于缪荃孙《辽文存》卷四的《大慈恩玄化寺碑阴记》,为太平二年(1022)蔡忠顺所撰,其中有云:"昨令差使将纸墨价资去入中华,奏告事由,欲求《大藏经》,特蒙许送金文一藏,却不收纳所将去价资物色。"④按此碑乃高丽石刻,作者蔡忠顺为高丽显宗朝参知政事,传见《高丽史》卷九三。此碑碑文及碑阴记均收入清刘燕庭《海东金石苑》卷四,作《宋高丽大慈恩

---

① 《宋会要辑稿·食货》三八之三七,第5485页上栏。
② 文莹:《玉壶清话》卷七,北京:中华书局,1984年,第66页。《续资治通鉴长编》卷七五大中祥符四年三月甲戌条所载略同。
③ 吕澂:《契丹大藏经略考》,《现代佛学》1卷5期,1951年。
④ 缪荃孙编:《辽文存》卷四,长春:吉林人民出版社,1998年,第34页。

玄化寺碑并碑阴记》，末有刘氏按语："右碑在朝鲜开城府灵鹫山，宋天禧五年七月周伫撰，蔡忠顺书，高丽显宗王询篆额；碑阴记，辽太平二年蔡忠顺撰并书。……案《东国通鉴》，宋大中祥符九年，复行宋年号；辽太平二年四月，契丹遣御史大夫萧怀礼等册封高丽，复行辽年号。故前碑首题'有宋'，末署'天禧'，而碑阴记则止末署太平二年也。"[1]缪荃孙因碑阴记有太平二年之纪年，遂阑入《辽文存》，而吕澂先生未加考究，于是便得出了那样一个错误的结论[2]。

尽管在文献中找不到《开宝藏》入辽的记载，但从《契丹藏》里却可以发现《开宝藏》的踪迹。1974 年 7 月在应县木塔四层主像释迦牟尼腹内发现的 12 卷《契丹藏》，其中的"刻"字号（527号）《佛说大乘圣无量寿决定光明王如来陀罗尼经》和"勿"字号（564 号）《一切佛菩萨名集》，与房山云居寺金代所刻同经版式、帙号全同[3]，这证明云居寺金代刻经皆准辽藏覆刻。据《房山云居寺石经简目》，自"刻"字号至"说"字号（527—557）共 31 帙系宋

---

[1] 见《石刻史料新编》第 2 辑，台北：新文丰出版公司，1979 年，第 15 册，第 11622 页。

[2] 吕澂先生又说："据是，宋藏之赐契丹应在太平元年，《佛祖统纪》卷四四谓宋天禧三年（即契丹开泰）赐大藏于契丹者，疑误。"这条史料也有问题。查《佛祖统纪》卷四四，在天禧三年十一月下有"东女真国入贡，乞赐大藏经，诏给与之"的记载（《大正藏》第 49 卷，第 406 页）。"东女真"是高丽人对分布在高丽东北方诸女真部落的称呼，大略相当于辽朝所称的长白山女真三十部，辽朝对这些女真部落仅仅是一种羁縻关系，怎能根据这条史料得出"宋赐大藏于契丹"的结论呢？况且《佛祖统纪》的这一记载，其真实性也很值得怀疑，据我所知，北宋与长白山女真之间并未发生过什么联系。

[3] 参见《房山云居寺石经简目》，载中国佛教协会编《房山云居寺石经》，北京：文物出版社，1978 年，第 97—142 页。

代新译经,是从宋太宗太平兴国七年到真宗咸平二年(982—999年)陆续雕印入《开宝藏》的,而这 31 种宋代新译佛典大概都被收入了《契丹藏》①。

1987 年 8 月,在河北省丰润县天宫寺塔塔心室内发现一箱辽代印经,其中有卷装本《佛说大乘圣无量寿决定光明王如来陀罗尼经》,卷尾经题下有帙号"刻",其帙号与应县木塔发现的《契丹藏》以及云居寺金刻相同,但版式大不相同,估计这不属于官版《契丹藏》,而是单刻经②。《契丹藏》"刻"字号《佛说大乘圣无量寿决定光明王如来陀罗尼经》系宋代新译经之一,为中天竺摩伽国僧法天所译,太祖开宝六年(973)进呈宋廷,太宗端拱元年(988)诏佛法院入藏。

综上所述,《契丹藏》中收入宋代新译经的事实,证明《开宝藏》确实传入了辽朝。虽然缺乏直接的文献依据,但我估计这极有可能是宋朝赠与辽朝的,因为有记载表明,西夏、高丽、日本、安南等国都曾获得过宋朝馈赠的《开宝藏》。至于《开宝藏》何时入辽,这涉及《契丹藏》的雕印时间问题。一般认为,《契丹藏》雕印于兴宗重熙间,而张畅耕先生则认为始刻于圣宗统和年间,甚至称之为"统和藏",并谓《龙龛手镜》所称"新藏"即此③。我对这种说法有所怀疑,《龙龛手镜》成书于统和十五年(997),而《开宝藏》之入辽,无论如何也应该是澶渊之盟以后的事情。

---

① 参见张畅耕、毕素娟:《论辽朝大藏经的雕印》,《中国历史博物馆馆刊》总第 9 期,1986 年 9 月,第 69—89、96 页。
② 罗炤:《有关〈契丹藏〉的几个问题》,《文物》1992 年第 11 期,第 90—96 页。
③ 张畅耕:《〈龙龛手镜〉与辽朝官版大藏经》,《中国历史博物馆馆刊》总第 15、16 期合刊,1991 年 5 月,第 101—108、14 页。

（四）战争中的掳掠

这是宋辽金时期一种特殊的书籍流通方式，虽然这种情况只是偶一有之，但数量之大却让人无法忽略。其中最典型者当属靖康之变。

靖康元年（1126）冬，金军攻下汴京后，即在开封城内大肆搜罗各种书籍。据宋人记述，是年十二月二十三日，"金人索监书、藏经，如苏、黄文及《资治通鉴》之类，指名取索，仍移文开封府，令见钱支出收买，开封府直取书籍铺"①；次年正月二十九日，"差董逌权司业监，起书籍等，差兵八十运赴军前"②。在金朝方面的史料中也能看到类似记载，金人李天民辑《南征录汇》引阿懒《大金武功记》云：天会五年（1127）三月初四日，"阿懒监押书籍、礼器千五十车北渡阳武"③。据崔文印先生考证，这个"阿懒"就是宗翰弟完颜宗宪④。宗宪传见《金史》卷七〇："宗宪本名阿懒。……未冠，从宗翰伐宋，汴京破，众人争趋府库取财物，宗宪独载图书以归。"⑤正好可与《大金武功记》的自述相印证。

通过上面列举的这些史料可以想见，靖康之变时流入金朝的图书，其数量必定相当可观。这使我想起了一个故事。明昌元年（1190），时任提点辽东路刑狱的王寂出巡州县，途经宜民县时，福严院僧人"出示画十六罗汉像……视其背，有跋云：'熙宁二年九

①丁特起：《靖康纪闻》，《丛书集成初编》本，第17—18页。
②《三朝北盟会编》卷七八，靖康二年正月二十九日，第587页上栏。"差兵八十运赴军前"句，许刻本原作"八千"，疑太多，据活字本、白华楼本改。
③李天民辑：《南征录汇》，《靖康稗史》之四，崔文印笺证本，第162页。
④崔文印：《靖康稗史笺证》前言，第10页。
⑤《金史》卷七〇《宗宪传》，第615页。

月，入内高班张俊送到罗汉十六轴。'又旁有小帖子云：'待诏侯馀庆等再定及第一品。'审知宋朝之旧物，非兵火流落，安得至于此耶"①。宜民县是辽东的一个偏僻小县，在这种地方居然也能见到北宋内府旧物，这不能不让王寂心生感慨。

战争造成的书籍流通，当然不限于靖康之变。元好问《朝散大夫同知东平府事胡公神道碑》记载了这样一件事：武安胡益，"家累巨万……正隆南征，以良家子从军，载国子监书以归，因之起'万卷堂'"②。"正隆南征"指正隆六年（1161）海陵王发动的侵宋战争。但金军的此次南征只进至两淮，未能渡江，旋即因海陵王被弑而草草撤兵，不知胡益如何能够获得国子监书？姑志此疑待考。

原载《中国史学》（东京）第12卷，2002年；
《10—13世纪中国文化的碰撞与融合》，
上海：上海人民出版社，2006年

【未及补入正文之笔记】

李浩楠：金代医学家成无己的著作《伤寒明理论》中，有宋代医学家严器之的序，具述了于南宋得到此书的时间，他还认为成氏应是宋朝培养的人才。这个序见于中国中医药出版社主编《唐宋金元名医大成》之《成无己医学全书》里面的《伤寒明理论》卷首。（北京：中国中医药出版社，2004年，第153页）

---

① 王寂：《辽东行部志》，《辽海丛书》本，第4册，第2532页。
② 《元好问全集》卷一七，上册，第482—483页。

宋代使臣语录考

　　史料匮乏是辽金史研究难以深入的一个重要障碍。自厉鹗以来，学者们开始有意识地从宋代文献中发掘辽金史史料。宋代使臣因出使辽金而留下的各种文字记录，往往是宋人有关辽金知识的最初来源。因此，要想厘清宋代典籍所见辽金史料的源流，就必须从语录入手。傅乐焕先生发表于 20 世纪 30 年代的《宋人使辽语录行程考》①，早已成为辽史研究的经典之一。本文或可为傅文拾遗补阙，对于宋辽金史研究者当不无参考价值。

一、语录之经纬

　　宋人出使辽金的语录，时人或称行程录。首先需要说明的是，宋人所说的"语录"，通常有两种含义，一种是宋代理学家讲学之语录，一种是使臣出使归来后按惯例呈交给国信所的语录。在

---

① 傅乐焕：《宋人使辽语录行程考》，原载《国学季刊》5 卷 4 号，1936 年 9 月；收入《辽史丛考》，北京：中华书局，1984 年，第 1—28 页。

宋代的目录学著作中,这两种语录的部类是泾渭分明的。赵希弁《郡斋读书志附志》在别集类与总集类之间列有一个“语录类”,专收理学家的讲学语录。至于使臣出使的语录,一般目录学家并没有替它专设一个门类,且各家分类也颇有出入:《郡斋读书志》衢本入伪史类,袁本入地理类或杂史类;《直斋书录解题》入传记类;《遂初堂书目》或入地理类,或入本朝故事类,或入本朝杂史类;《秘书省续编到四库阙书目》入地理类或传记类;《宋史·艺文志》的分类最为混乱,传记类、地理类、故事类都收有使臣语录,甚或重复收录,这大概是因为元人修《宋史》时所依据的几种宋朝国史对语录的分类各不相同的缘故。在我们今天所能看到的宋人著录中,只有《通志·艺文略》对语录的归属是费过一番斟酌的,郑樵专门为它在史部地理类下划出一个小类,名曰“朝聘”,不过归入此类的并不限于宋代狭义的使臣语录,实际上包括出自历代使臣之手的各种形式的文字记录。

在宋代,使臣“语录”有其特定的含义,需要在此略加辨析。宋人出使辽金所存留下来的各种文字记录,大致上可以分为三类。

第一类是语录。严格意义上的语录亦即行程录,它是每位使臣完成使命归朝后均须向国信所递交的一份例行的出使报告,就连接伴使、馆伴使、送伴使也不例外。按宋人的习惯,前者称为入国语录,后者分别称为接伴语录、馆伴语录、送伴语录。关于语录的内容和格式,在宋代文献中看不到明确的制度性规范。据《宋史》卷二八八《范坦传》说,范氏“使于辽,复命,具语录以献。徽宗览而善之,付鸿胪,令后奉使者视为式”[1],但范坦的语录究竟什

---

[1]《宋史》卷二八八《范坦传》,北京:中华书局,1985 年,第 9680 页。

么样已不得而知。在传世的宋人语录中,大概以钟邦直《宣和乙巳奉使金国行程录》最为规范;而倪思《重明节馆伴语录》则为我们提供了一个馆伴语录的范本。

第二类是泛使向朝廷提交的专题报告。宋代遣使辽金,有常使、泛使之分,常使不过"诞辰岁节致礼而已,至若事干大体,则有专使导之",是谓泛使,亦称横使①。泛使一般都负有特殊使命,因此在出使归来后,除了向国信所递交一份例行的语录之外,往往还需要向朝廷呈上一份专题报告。如富弼于庆历二年(1042)四月和七月两度使辽,其使命是以增加岁币来回应辽朝割让关南地的要求,故既有《奉使语录》一卷,又有《奉使别录》一卷,前者是按常规提交国信所的语录,后者是奏上朝廷的专题报告,涉及某些敏感问题,在一定时期内属于机密档案资料。《直斋书录解题》卷七传记类为《奉使别录》所作解题说:"庆历使契丹,归为语录以进,机宜事节则具于此。"②又如沈括熙宁八年(1075)使辽交涉代北缘边地界事,也留下了不止一种文字记录,幸存于《永乐大典》残卷中的《熙宁使虏图抄》是他此次出使的语录,故只记其行程及沿途见闻,而见于《续资治通鉴长编》的《乙卯入国奏请》和《乙卯入国别录》则是有关其使命的专题报告,所以非常详尽地记述了与辽朝方面的整个谈判过程。此外,南宋使臣出使金朝的文献记录,如赵良嗣《燕云奉使录》、郑望之《靖康奉使录》、李若水《山西军前和议奉使录》、傅雱《建炎通问录》、王绘《绍兴甲寅通

---

① 苏颂:《苏魏公文集》卷六六《华夷鲁卫信录总序》,王同策点校本,北京:中华书局,1988年,下册,第1004页。
② 陈振孙:《直斋书录解题》卷七传记类,徐小蛮、顾美华点校本,上海:上海古籍出版社,1987年,第203页。

和录》等等，都是属于这一类的专题报告。

按照惯例，常使只需递交一份语录就可交差了，但也有例外。苏辙元祐四年（1089）以贺生辰国信使的身份出使辽朝，回朝后"已具语录进呈讫"，复谓"于北朝所见事体，亦有语录不能尽者，恐朝廷不可不知"，于是又写下《北使还论北边事札子五道》①。到了南宋高宗年间，更有人提出一项新的动议，主张将常使回朝复命时"具札子闻奏"作为一项制度规定下来：

> （绍兴三十一年七月十八日）臣僚言："遣使金国，往来所有得语言，率皆大事，往往先照（后？）不相照知，酬应之间，不无差舛，此为非便。每遇使回，有所受事，不载语录，诚为阙典。欲自今后，奉使回程各具所得之语实，具札子闻奏，降付三省、密院，编录成册，不许泄漏。遇遣使命，则令通知前后事宜。如此则其知首尾，应答之间，无失词之患，可以专对。"从之。②

据说此建议得到了高宗的采纳，不过我很怀疑这项制度是否能够坚持下去，最后恐怕是不了了之了。从孝宗以后的情况来看，似乎很少看到像苏辙那样在语录之外另"具札子闻奏"的情况。

第三类是私人记录。某些传世的"行程录"，实际上是出自使团成员之手的私人笔记，如楼钥《北行日录》就是一个典型的例

---

①苏辙：《栾城集》卷四二《北使还论北边事札子五道》，曾枣庄、马德富点校本，上海：上海古籍出版社，1986年，第937—942页。
②《宋会要辑稿·职官》三六之五四，北京：中华书局影印本，1957年，第3098页下栏。

子。与前两类作品所不同的是，这类文字记录毋需交付有司备案，故每有私事掺杂其间。另外，在宋人文集中还有许多述见闻的出使诗①，照说也属于使臣的私人记录，但这不在本文的考察范围之内，故略而不谈。

以上三类使臣记录，一般来说可以借助其出使背景、文献著录及文本内容加以区别。有的学者将沈括《乙卯入国别录》、赵良嗣《燕云奉使录》、郑望之《靖康奉使录》、李若水《山西军前和议奉使录》、傅雱《建炎通问录》、王绘《绍兴甲寅通和录》、楼钥《北行日录》等通通列入语录的范围②，显然是不合适的。本文虽以考察语录为主，但对后两类使臣记录也一并加以梳理，并尽可能判明其文献性质。

前面已经说过，语录是呈交国信所以供存档备案之用的。国信所的全称是管勾往来国信所，南宋因避高宗讳改称主管往来国信所，它专掌宋朝与辽金的外交事务。关于国信所的由来，高承《事物纪原》卷七"国信所"条说得很明白：

> 国信所掌契丹使介交聘之事。景德初，遣内臣排办礼信，四年改。初，雄州用兵之际，每密事，择吏主之，号机宜司。及契丹请和，改曰国信司。又景德四年八月，帝谓近臣曰："契丹使副到阙见、辞及馆、接伴支赐例物，并朝廷遣使合行之事，并有规制，行之二年，已成定例，可特置管勾往来

①北宋使臣的使辽诗，多已收入蒋祖怡、张涤云编纂的《全辽诗话》（长沙：岳麓书社，1992 年），可供参考。
②参阅赵永春辑注：《奉使辽金行程录》，长春：吉林文史出版社，1995 年；同氏：《宋人出使辽金"语录"研究》，《史学史研究》1996 年第 3 期，第 47—54 页。

国信所一司。"旧止云排办礼信所,至是立局置印也。①

　　这段文字也大致见于《宋会要辑稿·职官》三六之三二至三三,只不过上述引文经过高承的归纳,显得比较有条理罢了。关于国信所的渊源,上文提供了两种说法,一说谓管勾往来国信所的前身是排办礼信所,而排办礼信所则应是景德二年(1005)与契丹通使后新设的一个临时性机构;另一说谓雄州机宜司在澶渊定盟后改为国信司,暗示它与国信所之间存在某种渊源关系。按雄州机宜司改称国信司是景德三年十二月的事情②,它与景德四年八月改排办礼信所为管勾往来国信所并没有什么必然联系。将国信所的渊源追溯到澶渊之盟以前雄州地方所置机宜司,似有牵强附会之嫌。

　　北宋时,管勾往来国信所分别隶属于入内内侍省和鸿胪寺。《宋史》卷一六五《职官志五》鸿胪寺下说:"其官属十有二:往来国信所,掌大辽使介交聘之事。"③卷一六六《职官志六》入内内侍省下说:"管勾往来国信所管勾官二人,以都知、押班充。"④建炎三年(1129),鸿胪寺并入礼部,绍兴二十五年(1155)一度复置,旋即废去,此后不再置司⑤。南宋时代,主管往来国信所改隶于太常

<hr>

① 高承:《事物纪原》,金圆、许沛藻点校本,北京:中华书局,1989 年,第350 页。
② 见《续资治通鉴长编》(以下简称《长编》)卷六四,景德三年十二月戊子条,第 3 册,第1437 页。
③《宋史》卷一六五《职官志五》,第3903 页。
④《宋史》卷一六六《职官志六》,第3940 页。
⑤ 参见《建炎以来系年要录》(以下简称《系年要录》)卷二二,建炎三年四月庚申条,卷一六九,绍兴二十五年十月庚辰、丁酉条,北京:中华书局,2013 年点校本,第 551 页、第3219 页。

寺，仍由入内内侍省派员提举。绍兴十九年十一月，礼部在讨论如何处理金使病故的对策时，以"太常寺开具到（元祐七年）正旦接送伴语录"作为参考①，就是因为北宋的语录当时都保存在太常寺下主管往来国信所的缘故。周必大文集里的两条史料，更清楚地指明了国信所的隶属关系：淳熙十四年（1187）十月二十七日《分付告哀使事目》曰："告哀使副三节人从，已据太常寺国信所检照到嘉祐八年、元丰八年遗留使副禫除后吉服过界体例等，自合遵守。"②同年十一月戊午，"延和奏事，呈：礼部、太常寺国信所讨论到将来贺正人使到阙筵宴并御前桌幄之类欲用黄，其余用绯者易以青紫"云云③。直至金朝亡国以后，主管往来国信所依然存在，职掌宋朝与蒙古的外交事务④。

宋代的语录虽然多算在使臣名下，但执笔者往往并非使臣本人。苏辙元祐四年（1089）论北边事札子说："臣等近奉使北朝，窃见每番人从内，各有亲从官二人充牵枕官。……缘选差使副，责任不轻，谓不须旁令小人更加伺察。况已有译语殿侍别具语录，足以关防。"⑤傅乐焕先生据此指出，语录的真正作者乃是译语殿侍，他们"随时将使人的言行记录下来以备政府的查考"⑥。揆之情理，使团中的译员确是撰写语录的最佳人选。有史料表明，译

①《宋会要辑稿·职官》三六之四六，第3094页下栏。
②《周益国文忠公集》卷一五〇《奉诏录·分付告哀使事目》，光绪二十五年刻本，叶13a。
③《周益国文忠公集》卷一七二《思陵录（上）》，叶1a。
④参见《宋史》卷四六九《宦者·董宋臣传》，第13676页。
⑤《栾城集》卷四二《北使还论北边事札子五道》之三，《乞罢人从内亲从官》，第940—941页。
⑥《宋人使辽语录行程考》，见《辽史丛考》，第4页。

语殿侍是国信所的属员。宋制,国信所置"译语殿侍二十人,通事十二人"①。通事是普通译员,而译语殿侍大约是最高级别的通事。《宣和乙巳奉使金国行程录》逐一开列了许亢宗宣和七年(1125)奉使金国的使团成员职别,其中有译语指使二人,而别无所谓译语殿侍②。我想两者的身份应该是相似的。

语录按惯例可能应由译语殿侍执笔,但也不是绝对的。《直斋书录解题》卷七传记类著录雍希稷《隆兴奉使审议录》一卷,谓"隆兴二年,编修官胡昉、阁门祗候杨由义使金人军前,审议海、泗、唐、邓等事,不屈而归。希稷,其礼物官也"③。另一个为人们所熟知的例子是《宣和乙巳奉使金国行程录》,经陈乐素先生考证,此书作者实为"管押礼物官"钟邦直④。从该行程录所列使团成员名目来看,钟邦直的正式职务应称为"礼物祗应"⑤。据我判断,礼物祗应也是由国信所派出的随团人员。该行程录开篇有一说明:"随行三节人,或自朝廷差,或由本所辟,除副外,计八十人。"⑥傅乐焕先生解释说,所谓"本所"即指管勾往来国信所,这段话显然不是许亢宗本人的叙述,而必定是徐梦莘抄自国信所所保存的旧档(傅氏所引《宣和乙巳奉使金国行程录》出自《三朝北

①《宋会要辑稿·职官》三六之三二,第 3087 页下栏。

②钟邦直:《宣和乙巳奉使金国行程录》,《靖康稗史》本,第 2 页。

③陈振孙:《直斋书录解题》卷七传记类,第 205 页。

④参阅陈乐素:《三朝北盟会编考》,原载《历史语言研究所集刊》6 本 2、3 分,1936 年 7 月;收入《求是集》第 1 集,广州:广东人民出版社,1986 年,第 246—248 页。

⑤据《宋会要辑稿·职官》五一之一一(第 3541 页下栏),礼物祗应属三节人之上节。

⑥钟邦直:《宣和乙巳奉使金国行程录》,《靖康稗史》本,第 2 页。

盟会编》），故径称"本所"云云①。我的理解与此不同。行程录中说得很明白，许亢宗的使团成员"或自朝廷差，或由本所辟"，其中的礼物祗应钟邦直当是由国信所辟差，因此在他写给国信所的语录中径称"本所"也就不奇怪了。又据《宋会要辑稿·职官》三六之五四，绍兴间，国信所置指使祗应二十人、准备祗应五人，其职责是："逐年轮番随从奉使入国，及差赴接、送伴使副下掌管引揖仪范，听审语录，并遇使人到阙在驿祗应。"②此处所谓"听审语录"，其意不详，我想可能是指由指使祗应、准备祗应负责撰写或审查接伴、送伴语录。

总之，不管是译语殿侍或是礼物祗应、指使祗应、准备祗应，语录的执笔者大抵都是国信所的属员，由他们负责记录出使日程及沿途见闻，既有"谙熟使事"的便利，又可以对使臣起到一种监督作用，回朝后将语录上交国信所存档备案，以供日后处理外交事务时参考。这就是语录产生的基本流程。

由此可知，语录原是出自胥吏之手的案牍文字，可以想见当时人对于这种司空见惯的东西并不是很在意。相对而言，入国语录比较为人所看重，因为它是宋人了解辽金的主要信息渠道之一。至于接伴语录、馆伴语录、送伴语录等，几乎都没有什么实际内容。我们看看倪思的《重明节馆伴语录》就可以知道，那纯粹是一篇逐日应酬的流水账，绝不言及国事，也全未涉及金朝国情，正如倪思自序所称："与虏使周旋半月，不过寒暄劳问而已。"③在两

①《宋人使辽语录行程考》，见《辽史丛考》，第 25 页。
②《宋会要辑稿·职官》三六之五四，第 3098 页下栏。
③见《永乐大典》卷一一三一二"馆"字下引倪思《重明节馆伴语录序》，北京：中华书局影印本，1986 年，第 4811 页上栏。

宋与辽金的交聘中,宋朝政府一向注意防止使臣生事,早在大中祥符八年(1015),真宗就下过这样一道诏书:"接伴使管押二番使臣等,不得妄有言说及询察契丹事宜,务存大体。"①可见朝廷并不鼓励接伴使打探契丹方面的情报。南宋政府的态度也大体相似,倪思说:"中兴讲和好,务大体,厌生事,于是馆伴、接伴与夫使虏,皆有语录。"②照他这种说法,南宋政府之所以要求每位使臣都必须撰写语录上交,主要目的竟是为了防止使臣滋事。李心传也说,"旧例,馆客者寒暄之外,劳问而已",至乾道六年(1170)赵雄充馆伴使,"始探赜虏中事宜以奏"③。两宋的接伴、馆伴、送伴语录为数当以千计,由于缺乏有价值的信息,自然很难流传下来,至今尚能见到的此类语录,除去倪思《重明节馆伴语录》之外,仅有元祐七年《贺正旦使接送伴语录》的一个残本④。

于是我们就明白了,为什么宋人一般不把语录收入自己的文集。如余靖有《庆历正旦国信语录》⑤,欧阳修有《北使语录》⑥,王安石有《王介父送伴录》⑦,但都不见于他们的文集。又范镇有

①《宋会要辑稿·职官》三六之三四,第 3088 页下栏。
②《永乐大典》卷一一三一二"馆"字下引倪思《重明节馆伴语录序》,第 4811 页上栏。
③李心传:《建炎以来朝野杂记》乙集卷八"赵温叔探赜虏情"条,徐规点校本,北京:中华书局,2000 年,下册,第 630 页。
④见《宋会要辑稿·职官》三六之四六至四八,第 3094—3095 页下栏。
⑤见《直斋书录解题》卷七传记类、《通志》卷六六《艺文略》四史部地理类朝聘、《宋史·艺文志》史部故事类。
⑥胡柯:《庐陵欧阳文忠公年谱》嘉祐元年条,载《四部丛刊》本《欧阳文忠公文集》卷末。
⑦见《遂初堂书目》本朝故事类,同书本朝杂史类作《王文公送伴录》,涵芬楼《说郛》本,叶 11b、13a。

《使北录》，其生前所编文集未曾收录，乾道间汪应辰知成都府时重新编次《范蜀公集》，始收入此书①。陈襄今传有《神宗皇帝即位使辽语录》一卷，其子陈绍夫绍兴五年（1135）所编《古灵先生文集》并未采录，庆元三年（1197）陈晔重刊《古灵集》于汀州，始将语录附刊于卷末②。除此之外，目前可考的宋人语录，只有沈括《熙宁使虏图抄》和倪思《重明节馆伴语录》分别出自他们的文集③，但不知道究竟是他们自己收录的呢，还是后人替他们补进去的。语录不入文集，无非有两方面的原因：第一，在宋人眼里，语录不过是一种例行的官样文章，形式千篇一律，内容大同小异，一般人可能不屑把这样的东西放进自己的文集；第二，尽管语录一般都算在使臣的名下，但往往不是由使臣亲自执笔，收入文集也颇有名实不副之嫌。

在宋代，语录除了用于存档备案，以作为日后处理外交事务的参考文献之外，它还被用作修史的原始资料。《元丰类稿》卷三二《英宗实录院申请札子》曰：

> 奉敕修撰英宗皇帝一朝实录……而未有日历，至于时政记、起居注亦皆未备。今此论次，实忧疏略。其于搜访事迹以备撰述，尤在广博，使无阙遗。……乞下管勾往来国信所，

① 汪应辰：《文定集》卷一〇《题范蜀公集》，台湾商务印书馆影印文渊阁《四库全书》本。
② 参见《神宗皇帝即位使辽语录》所附乾道元年陈辉跋、庆元三年陈晔跋，《辽海丛书》本，沈阳：辽沈书社，1985年，第2545页。
③ 《熙宁使虏图抄》出自《永乐大典》卷一〇八七七"虏"字下所引《沈氏三先生文集》，第4480页上栏；《重明节馆伴语录》出自《永乐大典》卷一一三一二"馆"字下所引《承明集》，第4811页上栏。

契勘嘉祐八年四月至治平四年正月末以来所差入国、接伴、馆伴官等正官借官簿等册并语录,权借赴当院照证修纂,仍不妨彼所使用。①

这是熙宁元年(1068)曾巩任英宗实录院检讨时所上的一篇札子,它说明语录是修实录所依据的文献资料之一。据傅乐焕先生考证,见于《续资治通鉴长编》和《文献通考》的王曾、薛映、宋绶三人的行程录,全都是从《三朝国史·契丹传》转抄而来的②。宋人的入国语录有许多关于辽金山川、道路、城邑、风俗的描述,自然是修《契丹传》的第一手资料。对于今天的历史学家来说,它们更是研究辽金史的不可多得的珍贵史料。

二、北宋使辽语录考

1)王曙《戴斗奉使录》

《郡斋读书志》卷七伪史类:"《戴斗奉使录》二卷:右皇朝王曙撰。曙景德三年为契丹主生辰使、祥符二年为弔慰使所录也。"③《遂初堂书目》本朝故事类亦著录此书,但未标注卷数。《宋史·艺文志》传记类有王曙《戴斗奉使录》一卷,而《宋史》本

---

① 曾巩:《元丰类稿》卷三二《英宗实录院申请札子》,《四部丛刊》本,叶12b—13a。
② 傅乐焕:《宋人使辽语录行程考》,见《辽史丛考》,第11—15页。
③ 晁公武:《郡斋读书志》,光绪十年王先谦校刻衢本。袁本入卷二下地理类。

传称"王曙字晦叔……（有）《戴斗奉使录》二卷"①。《河南先生文集》卷一二《文康王公神道碑》曰："再使北虏,作《戴斗奉使录》二卷。"②《曲洧旧闻》卷四说："王文康再使北,有《戴斗奉使录》三卷。"③此书卷数,各家之说颇有歧异,但以作二卷者居多,当是。关于其书名之取义,《困学纪闻》卷二〇"杂识"有一解释："赵安仁作《戴斗怀柔录》,王晦叔作《戴斗奉使录》。戴斗,谓北方。"④

王曙两度使辽,均有记载可考。《长编》卷六四景德三年（1006）十月乙亥："以太常博士王曙为契丹国主生辰使,内殿崇班、阁门祗候高维忠副之。"卷七二大中祥符二年（1009）十二月,"契丹国母萧氏卒",甲辰,命"太常博士判三司催欠凭由司王曙、供奉阁门祗候王承瑾为吊慰使"⑤。《戴斗奉使录》大概是他两次使辽语录的合编本。宋人语录一般多为一卷,此乃合两种语录为一书,故多著录为二卷。

这是目前有著录可考的年代最早的宋人使辽语录,而且直至南宋末年仍有单行本流传于世,但现已只字无存。

2）宋搏行程录

《长编》卷六六景德四年（1007）九月："命户部副使、祠部郎中宋搏为契丹国母正旦使,供奉官、阁门祗候冯若拙副之。"⑥又卷

①《宋史》卷二八六《王曙传》,第 9632—9633 页。
②尹洙:《河南先生文集》卷一二《文康王公神道碑》,《四部丛刊》本,叶14b。
③朱弁:《曲洧旧闻》卷四,北京:中华书局,2002 年,第 141 页。
④王应麟:《困学纪闻》卷二〇,《四部丛刊》本,叶 18b。
⑤《长编》卷六四,景德三年十月乙亥条,第 3 册,第 1428 页;卷七二,大中祥符二年十二月癸卯、甲辰,第 3 册,第 1645 页。
⑥《长编》卷六六,景德四年九月甲申条,第 3 册,第 1489 页。

六八大中祥符元年(1008)三月:

> 宋搏等使契丹还,言:"契丹所居曰中京,在幽州东北,城垒卑小,鲜居人,夹道多蔽以墙垣。宫中有武功殿,国主居之;文化殿,国母居之。又有东掖、西掖门。大率颇慕华仪,然性无检束,每宴集有不拜、不拱手者。惟国母愿固盟好,而年齿渐衰。国主奉佛,其弟秦王隆庆好武,吴王隆裕慕道,见道士则喜。又国相韩德让专权既久,老而多疾。"①

此段引文亦略见于《文献通考》卷三四六《四裔考·契丹中》,大概也是出自《三朝国史·契丹传》所节引的宋搏语录。宋搏,《宋史》卷三〇七有传,《长编》卷六六和《文献通考》均误作"宋搏"。

宋搏语录未见著录,其书名亦不详。尽管仅留下了百余字佚文,但这是目前能够看到的宋人使辽语录中最早的一种。

3)路振《乘轺录》

衢本《郡斋读书志》卷七伪史类:"《乘轺录》一卷:右皇朝路振子发撰。振大中祥符初使契丹,撰此书以献,事见其传。"《直斋书录解题》卷七传记类:"《乘轺录》一卷,知制诰祁阳路振子发撰。祥符中使契丹,归进此录。"②《玉海》卷五八《艺文门》:"路振祥符初使契丹,撰《乘轺录》以献。"《宋史·艺文志》传记类有路振《乘轺录》一卷,又卷四四一《文苑·路振传》曰:"大中祥符初,

①《长编》卷六八,大中祥符元年三月丁卯条,第3册,第1527—1528页。
②王应麟:《玉海》卷五八《艺文门》"天禧云南录",南京:江苏古籍出版社,1987年,第2册,第1114页。

使契丹,撰《乘轺录》以献。"①

以上著录对路振使辽的具体年份均无交代,今本《长编》也漏记此事。《续谈助》卷三引《乘轺录》,谓大中祥符元年(1008)"振受诏充契丹国主生辰使"。而据《乘轺录》记载,路振一行于是年十二月四日过白沟河,二十八日在中京贺辽圣宗千龄节。

《乘轺录》是传世宋人使辽语录中时间较早的一种,故历来颇为人们所重视。此书凡有五种本子,其中前两种系宋人之节本,后三种为今人整理本。

①《续谈助》本。晁载之《续谈助》卷三节抄《乘轺录》,起自白沟河以下。末有题记云:"崇宁五年岁次丙戌八月三日壬戌,陈留县故墙法云寺伯宇记。"伯宇即晁载之字。《续谈助》今有《粤雅堂丛书》本、《十万卷楼丛书》本。又,道光间钱熙祚将《乘轺录》从《续谈助》中析出单行,刊入《指海》第九集。

②《皇朝事实类苑》本。江少虞《皇朝事实类苑》成书于绍兴十五年(1145),有日本元和七年(1621)木活字本,系七十八卷完本。此本于清末民初传入国内,董康刊入《诵芬室丛刊初编》,1981年上海古籍出版社据以标点出版,书名改为《宋朝事实类苑》。此本卷七七安边御寇门抄引《乘轺录》,起幽州以下。在日本木活字本传入我国之前,国内流传的《皇朝事实类苑》均为六十三卷本,其中并无《乘轺录》。

③闵宣化笺证本。比利时神父闵宣化(J. Mullie)以《续谈助》本为底本,作《乘轺录笺证》,发表于瑞典人种地理协会1935年《地理年鉴》。有冯承钧汉译本,附刊于《东蒙古辽代旧城探考

①《宋史》卷二〇三《艺文志二》、卷四四一《文苑·路振传》,第5119、13062页。

记》一书之后①。

④罗继祖合校本。1937 年,罗继祖对《续谈助》本和《皇朝事实类苑》本进行合校,收入氏著《愿学斋丛刊》。罗氏校本后记云:"兹合两书辑录,首尾粗具。……厉氏《辽史拾遗》、杨氏《补遗》皆未及见,顷将更为《续补》,求前人未见之书,此其一矣。"

⑤贾敬颜疏证本。贾敬颜先生有《〈乘轺录〉疏证稿》②,后出转精,足称善本。

4)王曾《契丹志》

《长编》卷七九大中祥符五年(1012)十月己酉条:"以主客郎中、知制诰王曾为契丹国主生辰使,宫苑使、荥州刺史高继勋副之。"③《玉海》卷一六《地理门》"嘉祐契丹地图"条云:"祥符中,知制诰王曾奉使,撰《契丹志》一卷,载经历山川城郭。"④《宋史·艺文志》地理类亦著录王曾《契丹志》一卷。又《遂初堂书目》地理类有《契丹志》一书,虽未注明作者,但应该就是此书。

该书书名颇有歧异。《辽史·地理志》两引此书,均作"宋王曾《上契丹事》"⑤,今人多取此名,甚为不妥。按《宋会要辑稿·蕃夷》二之六谓"知制诰王曾充使还,上契丹事,曾上七事"云

①闵宣化著、冯承钧译:《东蒙古辽代旧城探考记》,北京:中华书局,1956年,第83—107页。此书已收入《西域南海史地考证译丛》第 3 卷,北京:商务印书馆,1999 年,第647—756页。
②贾敬颜:《〈乘轺录〉疏证稿》,《历史地理》第 4 辑,上海:上海人民出版社,1986 年。已收入贾敬颜:《五代宋金元人边疆行记十三种疏证稿》,北京:中华书局,2004 年,第39—79页。
③《长编》卷七九,大中祥符五年十月己酉条,第 3 册,第 1794 页。
④王应麟:《玉海》卷一六《地理门》"嘉祐契丹地图"条,第 1 册,第 304 页。
⑤《辽史》卷三九《地理志三》、卷四〇《地理志四》,第 485、496 页。

云①,很显然,"上契丹事"本非书名,元人修《辽史》者乃误取为书名。又《契丹国志》卷二四引作《王沂公行程录》②,"行程录"乃语录之泛称,而非此书之专名。《元史》卷六四《河渠志》引作"王曾《北行录》"③,此名晚出,亦不足据。总之,此书书名还是应以宋人著录之《契丹志》为准。

此书所记使辽行程,宋元史籍多有节引,其中《长编》卷七九大中祥符五年十月己酉条、《宋会要辑稿·蕃夷》二之六至八、《文献通考》卷三四六《四裔考·契丹中》、《契丹国志》卷二四所引内容相对比较完整,《辽史》卷三九、卷四〇《地理志》及《元史》卷六四《河渠志》也有片段引文。傅乐焕先生早已指出,《长编》和《文献通考》的引文都是从《三朝国史·契丹传》转抄而来的。经查《宋会要辑稿》等书的引文均不出《长编》和《文献通考》之外,可以推断它们的资料来源是相同的。贾敬颜先生校以诸本,撰成《王曾上契丹事疏证稿》④,最便参考。

5)晁迥《北庭记》

《玉海》卷一六《地理门》"熙宁北道刊误志"条曰:"《晁迥传》:使契丹,还,奏《北庭记》。"⑤《宋史》卷三〇五《晁迥传》也有完全相同的记载,显然它们都取材于《三朝国史·晁迥传》。晁迥使辽事见《长编》卷八一大中祥符六年(1013)九月乙卯:"以翰林

---

①《宋会要辑稿·蕃夷》二之六,第 7695 页上栏。
②旧题叶隆礼:《契丹国志》卷二四,上海:上海古籍出版社,1985 年,第230 页。
③《元史》卷六四《河渠志一》,北京:中华书局,1976 年,第 1601 页。
④贾敬颜:《王曾上契丹事疏证稿》,《北方文物》1987 年第 1 期。已收入《五代宋金元人边疆行记十三种疏证稿》,第 80—103 页。
⑤《玉海》卷一六《地理门》"熙宁北道刊误志"条,第 1 册,第 304 页。

学士晁迥为契丹国主生辰使,崇仪副使王希范副之。……迥等使还,言'始至长泊……'"云云。末有李焘小注:"此据《契丹传》及《会要》。"①这里说的《契丹传》亦即《三朝国史·契丹传》。李焘从《三朝国史》转引晁迥语录百余字,内容主要记述辽朝之春水,这是今天能够见到的有关辽朝四时捺钵的最早记载,虽寥寥数语,亦弥足珍贵。

6)薛映行程录

《长编》卷八八大中祥符九年(1016)九月己酉条:"命枢密直学士、工部侍郎薛映为契丹国主生辰使,东染院使刘承宗副之。"②《宋会要辑稿·蕃夷》二之八谓"枢密直学士薛映、直昭文馆张士逊充使,至上京。及还,上房中境界:上京者,自中京正北八十里至临都馆……"云云③。这里说的"虏中境界"不见得是书名,贾敬颜先生据以改称此书为《辽中境界》,未必妥当。又《辽史·地理志》上京道下引作"宋大中祥符九年,薛映记曰"④,故也有学者径称《薛映记》。按此处所谓"薛映记"者,肯定不是书名,其上文引胡峤《陷虏记》,谓"周广顺中,胡峤记曰"云云,显然也不能据此认定"胡峤记"为书名。薛映使辽语录不见于著录,在不知其书名的情况下,可姑名为"薛映行程录"。

此书节本见于《长编》卷八八及《文献通考·四裔考》者,已经傅乐焕先生考定出自《三朝国史·契丹传》。又《宋会要辑稿·蕃夷》二之八至九及《辽史》卷三七《地理志》所引,内容、起

---

①《长编》卷八一,大中祥符六年九月乙卯条,第4册,第1848页。
②《长编》卷八八,大中祥符九年九月己酉条,第4册,第2015页。
③《宋会要辑稿·蕃夷》二之八,第7696页上栏。据《长编》,薛映是贺契丹国主生辰使,张士逊是贺正旦使,两人同行。
④《辽史》卷三七《地理志一》,第441页。

讫与《长编》略同,可见也是直接或间接来源于《三朝国史》。又《契丹国志》卷二四所引《富郑公行程录》,实亦薛映语录,前人已有定论①。此书今有贾敬颜先生疏证本,题为《薛映〈辽中境界〉疏证稿》②。

7)宋绶行程录

《长编》卷九六天禧四年(1020)九月辛酉条:"命知制诰宋绶为契丹国主生辰使,阁门祗候谭伦副之。"又据《辽史·圣宗纪》,开泰九年(1020)九月,"宋遣宋绶、骆继伦贺千龄节"③。《宋会要辑稿·蕃夷》二之九,谓"知制诰宋绶充使,始至木叶山。及还,上虏中风俗:山在中京东微北……"云云④。《长编》卷九七天禧五年九月甲申条说:"先是,宋绶等使还,上契丹风俗云……"⑤《长编》说的"契丹风俗"就是《会要》所称"虏中风俗",此系清人辑本所改。但"虏中风俗"未必是书名,此书未见宋人著录,姑称为"宋绶行程录"。

该语录节本见于《长编》卷九七天禧五年九月甲申条和《文献通考·四裔考》,经傅乐焕先生考证,乃转抄自《三朝国史·契丹传》。《宋会要辑稿·蕃夷》二之九至一一所引,起讫全同《长编》,当亦出自《三朝国史》。又《契丹国志》卷二三"衣服制度"

---

① 傅乐焕:《宋人使辽语录行程考》,见《辽史丛考》,第15—17页。《契丹国志》当抄自《长编》,而改题《富郑公行程录》。

② 《中国蒙古史学会论文选集(1981)》,呼和浩特:内蒙古人民出版社,1986年。已收入《五代宋金元人边疆行记十三种疏证稿》,第104—109页。

③ 副使之姓名,两书均误,《长编》脱"继"字,《辽史》则误"谭"为"骆"。按圣宗生日在十二月二十八日,北宋贺圣宗生辰使一般于九月出发,十二月到达,《辽史》此处所记九月应为宋使的出发时间。

④ 《宋会要辑稿·蕃夷》二之九,第7696页下栏。

⑤ 《长编》卷九七,天禧五年九月甲申条,第4册,第2253页。

条,基本上以宋绶行程录敷衍成文,可能是抄自《长编》。贾敬颜先生汇校诸本,作《宋绶〈契丹风俗〉疏证稿》①,便于参考。

8)寇瑊《生辰国信语录》

衢本《郡斋读书志》卷七伪史类:"《生辰国信语录》一卷:右皇朝寇瑊撰。瑊与康德舆天圣六年使契丹贺其主生辰往返语录,并景德二年至天圣八年使副姓名及杂仪附于后。"②《遂初堂书目》本朝故事类作"寇瑊《奉使录》",《宋史·艺文志》传记类亦著录寇瑊《奉使录》一卷。

寇瑊使辽事见《长编》卷一○六天圣六年(1028)八月戊寅条:"枢密直学士、给事中寇瑊为契丹生辰使,内殿崇班、閤门祇候康德舆副之。"③在《辽史·圣宗纪》中也可以找到相应的记载:太平八年(1028)十二月丁亥,"宋遣寇瑊、康德(下脱"舆"字)来贺千龄节"。又据《长编》卷一一○天圣九年七月戊午条,是年寇瑊以贺契丹登位使的身份再度使辽。寇瑊之语录既称为《生辰国信语录》,则应作于天圣六年;《郡斋读书志》谓书末附"景德二年至天圣八年使副姓名"者,"八年"当为"六年"之误。此书今已全佚。

9)富弼《入国语录》

衢本《郡斋读书志》卷七伪史类:"《富公语录》一卷:右皇朝富弼使虏时所撰。"④又赵希弁《郡斋读书志附志》地理类:"《富文忠入国语录》一卷:右富弼庆历二年以右正言、知制诰为回谢契丹

① 《中国历史文献研究集刊》第 3 集,长沙:岳麓书社,1983 年。已收入《五代宋金元人边疆行记十三种疏证稿》,第 110—121 页。
② 据袁本校补两字。袁本入卷二下地理类。
③ 《长编》卷一○六,天圣六年八月戊寅条,第 5 册,第 2480 页。
④ 参见孙猛:《郡斋读书志校证》,上海:上海古籍出版社,1990 年,第282 页。

国信使……所说机宜事件具载(此处当阙一"别"字)录中。"①《直斋书录解题》卷七传记类曰:"《奉使别录》一卷:丞相河南富弼彦国撰。庆历使契丹,归为语录以进,机宜事节则具于此录。又一本有两朝往来书归于末。"②《遂初堂书目》本朝故事类作《富公奉使录》及《富公奉使别录》。《宋史·艺文志》传记类有富弼《奉使语录》二卷,又《奉使别录》一卷。《秘书省续编到四库阙书目》卷一传记类和《通志·艺文略》史部地理类均作《富韩公入国语录》一卷。此书书名,各家著录每不相同,大概是由于语录原本多无定称,各种传本随意题名的缘故。

富弼在仁宗朝曾先后三次使辽:康定元年(1040)八月乙未,以"太常丞、史馆修撰富弼为契丹主正旦使,供备库副使赵日宣副之(原注:据富弼《语录》,副使乃张从一,非赵日宣也)"③;庆历二年(1042)四月庚辰,"以右正言、知制诰富弼为回谢契丹国信使④;同年七月癸亥,再使契丹议关南地⑤。其中后两次均为泛使,最终达成增加岁币的协议。《长编》小注提到的"富弼《语录》"是指康定元年使辽语录,但上文列举的各种著录,却都应该是庆历二年的泛使语录,《奉使别录》则是有关其使命的专项报告。

---

①参见孙猛:《郡斋读书志校证》,第 1130 页。
②陈振孙:《直斋书录解题》卷七传记类,第 203 页。
③《长编》卷一二八,第 5 册,第 3033 页;又见《辽史·兴宗纪》重熙十年正月辛亥朔。
④《长编》卷一三五,第 6 册,第 3234 页;又见《辽史·兴宗纪》重熙十一年六月乙亥。
⑤《长编》卷一三七,第 6 册,第 3286 页;又见《辽史·兴宗纪》重熙十一年八月丙申。

富弼庆历二年使辽语录在宋代广为流传。洪迈说："富公奉使契丹……语录传于四方。"①苏轼曾与人谈起少年时代父子兄弟"同读富郑公《使北语录》"的往事②。司马光曾手书富弼语录一卷，为人所珍藏，据元人汤允谟说："余家旧藏司马文正公手录富郑公《使北日抄》一卷，其长五尺，大字书，虽若古拙，而首尾端书如一。……丞相益国公周必大子充为之跋，贾师宪物也。"③周必大《跋司马文正公手抄富文忠公使北录》曰："司马文正公于广记备言，不啻饥渴之嗜饮食，况国家重事乎。富文忠《使北语录》，首尾万有余字，手自抄录，他人安能为此。"④直到明代，此书仍见于著录。《文渊阁书目》卷六史杂类，有《富郑公使北语录》一部一册，叶盛《菉竹堂书目》卷二也有《富郑公使北语录》一册。在宋人语录中，此书大概是最具影响力的作品，孰料今日竟已只字无存。

《契丹国志》卷二四所载《富郑公行程录》，经傅乐焕先生考定为伪书，实际上是薛映行程录之节本。《长编》所引薛映语录，出自《三朝国史·契丹传》，而富弼三次使辽均在仁宗朝，他的行程录不可能见于《三朝国史》⑤。《契丹国志》的作者将《长编》所引薛映行程录整段抄了下来，却在前面加上一句"富郑公之使北

---

① 洪迈：《容斋四笔》卷二"用兵为臣下利"条，孔凡礼点校本，北京：中华书局，2005年，第648页。
② 马永卿：《嬾真子》卷一，扬州：广陵书社影印本，1983年，叶7a；周辉：《清波杂志》卷一"用兵利害"条，刘永翔校注本，北京：中华书局，1994年，第29页。
③ 汤允谟：《云烟过眼录续集》"靳公子家所藏"条，附载《十万卷楼丛书》本《云烟过眼录》之后。
④ 《益公题跋》卷三，《丛书集成初编》影印《津逮秘书》本，第31页。
⑤ 傅乐焕：《宋人使辽语录行程考》，见《辽史丛考》，第15—17页。

朝也"，显然是有意张冠李戴；之所以要冒称《富郑公行程录》，也许是因为富弼语录广为人知的缘故。类似的作伪手法在《契丹国志》中并不鲜见①。

10）余靖《庆历正旦国信语录》

《直斋书录解题》卷七传记类："《庆历正旦国信语录》一卷：余靖庆历三年使辽所记。"②《宋史·艺文志》故事类亦有余靖《国信语录》一卷。《通志·艺文略》史部地理类则作《余襄公奉使录》一卷。又《遂初堂书目》地理类著录有《庆历奉使录》，未记作者名氏，不知是否此书。

余靖于庆历三、四、五年三次使辽，其中庆历三年（1043）为契丹国母正旦使，其他两次均为泛使③。《直斋书录解题》所著录者即庆历三年使辽语录，《宋史》和《通志》所著录者，虽语焉不详，估计也是同一种语录。此书今已不存。

余靖"前后三使契丹，益习外国语，尝对契丹主为蕃语诗"④，在北宋士人中堪称一位契丹通。他的使辽语录虽已失传，但在他的文集中还存有一篇《契丹官仪》。关于此文的由来，作者本人有一个交代："契丹旧俗皆书于国史夷狄传矣。予自癸未至乙酉，三使其庭。凡接送馆伴使副、客省、宣徽，至于门阶户庭趋走卒吏，

---

① 参阅刘浦江：《关于〈契丹国志〉的若干问题》，《史学史研究》1992 年第 2 期，第 59—63 页，收入氏著《辽金史论》，沈阳：辽宁大学出版社，1999 年，第 323—334 页；都兴智：《有关辽代科举的几个问题》，《北方文物》1991 年第 2 期，第 56—112 页。

② 陈振孙：《直斋书录解题》卷七传记类，第 204 页。

③ 见《长编》卷一四四，庆历三年十月丁未条，卷一五一，庆历四年八月戊戌条，卷一五四，庆历五年正月庚辰条。

④《长编》卷一五五，庆历五年五月戊辰条。

尽得款曲言语,虏中不相猜疑,故询胡人风俗,颇得其详。退而志之,以补史之阙焉。"①这篇文字是根据他的调查结果而撰写的一份私人笔记,具有很高的史料价值。

11) 欧阳修《北使语录》

据宋人胡柯所作《庐陵欧阳文忠公年谱》记载,至和二年(1055)八月辛丑,"假右谏议大夫充贺契丹国母生辰使,将持送仁宗御容。会虏主殂,癸丑,改充贺登位国信使";次年二月甲辰,"使还,进《北使语录》"②。欧阳修使辽事,亦见《长编》卷一八〇至和二年八月辛丑条:"翰林学士、吏部郎中、知制诰、史馆修撰欧阳修为契丹国母生辰使,四方馆使、果州团练使向传范副之。……时朝廷未知契丹主已卒,故生辰、正旦遣使如例。……癸丑,改命欧阳修、向传范为贺契丹登宝位使。"③又《辽史·道宗纪》载:清宁元年(1055)十二月丙申,"宋遣欧阳修等来贺即位"④。

《北使语录》未见宋人著录,早已不传。

12) 刘敞《使北语录》

《宋史·艺文志》传记类有刘敞《使北语录》一卷,《遂初堂书目》本朝故事类作《刘原父奉使录》。据《长编》卷一八〇至和二年八月辛丑条,刘敞是年与欧阳修同时奉命使辽,刘敞为契丹国主生辰使,欧阳修为契丹国母生辰使,后因得知辽兴宗死讯,遂改

①余靖:《契丹官仪》,《武溪集》卷一八,台湾商务印书馆影印文渊阁《四库全书》本。
②载《四部丛刊》本《欧阳文忠公文集》卷末。
③《长编》卷一八〇,至和二年八月辛丑、癸丑条,第7册,第4365—4366页。
④《辽史》卷二一《道宗纪一》,第253页。

命欧阳修为贺契丹登宝位使,刘敞为契丹国母生辰使①。《使北语录》就是刘敞此次使辽的行程录,今已不传。

13)范镇《使北录》

《长编》卷一八〇至和二年(1055)八月辛丑条:"起居舍人、直秘阁、知谏院范镇为契丹国母正旦使,内殿承制、阁门祇候王光祖副之。"②范镇是年与欧阳修、刘敞同时受命使辽,但因各人使命不同,所以三位使者须分别向国信所呈交一份语录。

汪应辰《题范蜀公集》曰:"按《蜀公墓志》:公文集一百卷,谏垣集十卷,内制集二十卷,外制集十卷,正书三卷,乐书三卷。公成都人也,某守成都凡三年,求公文集,虽搜访殆遍,来者不一,而竟无全书。……于是以意类次为六十二卷,曰《乐议》、曰《使北录》,不见于墓志,亦恐其初文集中未必载也,而《乐议》或特出于世俗所裒辑,今皆存之。又以谏疏、内制、外制、正书、乐书附之,通为一百十二卷。"③汪应辰知成都府是乾道间事,据称《使北录》当时被他收入了《范蜀公集》。但《范蜀公集》现仅存一卷(见《两宋名贤小集》),《使北录》当已久佚。

14)宋敏求《入番录》

《长编》卷一九五嘉祐六年(1061)闰八月己丑条:"度支判官、刑部员外郎、集贤校理宋敏求为契丹生辰使。"④《宋史·艺文志》传记类有宋敏求《入番录》二卷,即嘉祐六年使辽语录。《石湖居士诗集》卷一二《琉璃河》,末有自注云:"此河大中祥符间路

---

① 《长编》卷一八〇,至和二年八月辛丑、甲寅条,第7册,第4365—4366页。
② 《长编》卷一八〇,至和二年八月辛丑条,第7册,第4365页。
③ 汪应辰:《文定集》卷一〇,台湾商务印书馆影印文渊阁《四库全书》本,第1138册,第682页。
④ 《长编》卷一九五,嘉祐六年闰八月己丑条,第8册,第4717页。

振《乘轺录》亦谓琉璃河,惟嘉祐中宋敏求《入番录》乃谓之六里河,大抵胡语难得其真。"①除此之外,未见宋人称引此书。

15)陈襄《神宗皇帝即位使辽语录》

《秘书省续编到四库阙书目》卷一传记类有陈襄《奉使录事》一卷,《通志·艺文略》史部地理类作陈襄《奉使录》一卷,《宋史·艺文志》故事类则著录陈襄《国信语录》一卷。据陈襄后人所编《古灵先生年谱》记述,治平四年(1067),"神宗皇帝即位,公以谏议大夫奉使于辽,八月还,有《使辽录》一卷"②。而今天我们所看到的传本名为《神宗皇帝即位使辽语录》,开篇曰:"臣襄等昨奉敕,差充皇帝登宝位北朝皇太后皇帝国信使副,于五月十日(原注:治平四年)到雄州白沟驿。"今本《长编》治平四年四月以下阙佚若干卷,故不载此事,但《辽史·道宗纪》有记载可考:咸雍三年(1067)六月辛亥,"宋以即位,遣陈襄来报"③。

保存至今的各种宋人语录虽不下十余种,但多为残本,而《神宗皇帝即位使辽语录》是少有的几种足本之一。此书的流传过程比较复杂。陈襄《古灵集》由其长子陈绍夫编成于绍兴初年④。陆心源《宋本陈古灵集跋》云:"是集为古灵长嗣绍夫所编,同里徐世昌刊于家,岁久漫漶。绍兴三十年,其四世侄孙辉知赣州,命僚士参校,及其子晔推次年谱,锓木赣州。"⑤可以肯定的是,绍兴年间

①范成大:《范石湖集》,上海:上海古籍出版社,1981年,第156页。
②见《古灵先生文集》附录,该年谱为陈襄五世侄孙陈晔绍兴三十年所编。
③《辽史》卷二二《道宗纪二》,第266页。
④见绍兴五年李纲序,《古灵先生文集》卷首。
⑤《仪顾堂题跋》卷一〇。参阅绍兴三十年陈晔跋,见《皕宋楼藏书志》卷七四,《清人书目题跋丛刊》,北京:中华书局影印本,1990年版,第837页。

的两个刊本都没有收录使辽语录。因为直至乾道元年（1165），陈辉才费尽周折搜访到这份语录并首次刊刻，详情可见陈辉跋文："先密学少师，治平中抗节北辽，使不辱命，归而以往来所纪为语录一编，恭上之。岁月云远，偶失其传。辉自幼年闻有是书，长而随牒四方，博访莫获，常疚于怀。近者九江令叔祖祖卿寄示其本，谨令烨（应作晔）子校正，仍求序于御史芮公，刊以传永。……乾道改元十月己丑，玄侄孙辉谨书。"庆元三年（1197），陈晔重刊《古灵集》于汀州，遂将语录附刊于文集之后，并有跋云："先正文哲公家集二十五卷，先君少师顷岁刊于章贡郡斋，垂三十有七年，字将讹阙，晔今刊于临汀郡斋，附以《治平使辽录》一卷于后，用示毋忘先君克扬前休之意。庆元三年七月一日，五世孙晔拜手谨题。"①

目前通行的《神宗皇帝即位使辽语录》，系金毓黻先生抄自日本静嘉堂文库所藏宋刊《古灵先生文集》，并刊入《辽海丛书》第八集。金氏题记云："日本静嘉堂文库所藏宋本《古灵集》，末附使辽语录一卷，中有阙文，幸库中别有钞本，据以校补，缺者复完。此所谓宋本者，即归安陆氏皕宋楼故物也。……余商文库主人允为录出，爰吪刊入丛书，以备征辽事者采撷焉。"②静嘉堂文库所藏宋本《古灵先生文集》，曾被陆心源误断为绍兴三十年刻本，《皕宋楼藏书志》卷七四云："案此绍兴三十年重刊本，……扩字缺笔，避宁宗嫌名，当是绍兴刻而宁宗时修补者。"《仪顾堂题跋》卷十《宋本陈古灵集跋》亦云："宋绍兴刊本。……原文孝宗嫌名慎字、宁

---

①《辽海丛书》本《神宗皇帝即位使辽语录》卷末，沈阳：辽沈书社，1985年，第2546页。
②《使辽语录》，《辽海丛书》本，第4册，第2541页。

宗讳扩字缺笔者,后人所剜改也。"①今既知此本附有语录,则显然
不会是绍兴刻本,而应该是庆元三年陈晔汀州重刊本。不过绍兴
刻本今日仍有存世者,据《中国古籍善本书目》著录,上海图书馆
藏有一部《古灵先生文集》,系"绍兴三十一年刻本,四库底本"。
我相信这才是真正的绍兴刻本,因为《四库全书》本《古灵集》并
没有语录,这正符合绍兴本的特征。

16)窦卞《熙宁正旦国信录》

《直斋书录解题》卷七传记类:"《熙宁正旦国信录》一卷:天
章阁待制窦卞熙宁八年使辽所记。"②窦卞使辽事见《长编》卷二
六七熙宁八年(1075)八月丙申条:"刑部员外郎、集贤校理、同修
起居注窦便为正旦使,皇城使曹诵副之。"③窦卞之名,此处误作
"窦便",此人屡见于《长编》,除此条外均作"窦卞",且《宋史》卷
三三〇有窦卞传。

此书今已不传。

17)沈括《熙宁使虏图抄》

《秘书省续编到四库阙书目》卷一地理类有沈括《使虏图钞》
一卷,《通志·艺文略》史部地理类作《使辽图钞》一卷,《宋史》卷
三三一《沈括传》则作《使契丹图抄》。《永乐大典》卷一〇八七七
"虏"字下引作《熙宁使虏图抄》。沈括使辽事见《长编》卷二六一
熙宁八年(1075)三月癸丑条:"右正言、知制诰沈括假翰林院侍读
学士,为回谢辽国使,西上閤门使、荣州刺史李评假四方馆使副

①此说误后人不浅,河田羆《静嘉堂秘籍志》卷一〇、沈治宏《现存宋人别
　集版本目录》(成都:巴蜀书社,1990年)均谓此本为绍兴三十年刊本。
②陈振孙:《直斋书录解题》卷七传记类,第204页。
③《长编》卷二六七,熙宁八年八月丙申条,第11册,第6545页。

之。"①沈括此次使辽为泛使，主要使命是与辽朝谈判解决代北缘边诸州的领土纠纷问题。

关于此书的缘起，《熙宁使虏图抄》有一段交代："臣某、臣评准三月癸丑诏书，充大辽国信使、副使。……山川之夷险、远近、卑高、横从之殊，道途之陟降、纡屈、南北之变，风俗、车服、名秩、政刑、兵民、货食、都邑、音译、觇察变故之详，集上之外，别为《图抄》二卷，转相补发，以备行人以五物反命，以周知天下之故。"②细绎文意，似乎此书是在按惯例呈交国信所的语录之外另写成的一份补充材料（其内容与语录约略相似），而且很像是出自沈括本人之手。我们知道，使臣语录一般是没有图的，此书既称为"图抄"，原本当附有图，共计两卷；或许是因为刊刻不便，后来的传本只保留其文字部分，所以宋代的著录也仅有一卷。

《图抄》曾被收入沈括文集。今本仅见于《永乐大典》卷一〇八七七"虏"字下，引作"宋沈存中《西溪集·熙宁使虏图抄》"③。按沈括有《长兴集》四十一卷，而《西溪集》乃其侄沈遘所著。南宋初，处州司理参军高布将沈括《长兴集》、沈遘《西溪集》、沈辽《云巢集》合刻为《沈氏三先生文集》，而以《西溪集》居首，故《永乐大典》编者误以《西溪集》为沈括所著④。今《四部丛刊三编》本所收《沈氏三先生文集》系一残本，其中《长兴集》残阙过半，《图

①《长编》卷二六一，熙宁八年三月癸丑条，第 11 册，第 6362 页。

②《永乐大典》卷一〇八七七"虏"字下引《熙宁使虏图抄》，北京：中华书局影印本，1986 年，第 5 册，第 4480 页。

③ 见《永乐大典》，北京：中华书局影印本，1986 年，第 5 册，第 4480—4482 页。

④ 参阅陈得芝：《关于沈括的〈熙宁使虏图抄〉》，《历史研究》1978 年第 2 期，第 66 页。

抄》当在缺卷之中。今存《永乐大典》本《图抄》,有王民信《沈括熙宁使虏图抄笺证》和贾敬颜《〈熙宁使契丹图抄〉疏证稿》可供参考①。

除了《图抄》之外,作为泛使出使辽朝的沈括,还向朝廷提交了两份题为《乙卯入国奏请》和《乙卯入国别录》的专题报告。这两种文献虽未见于宋人著录,但李焘《长编》多次引及,卷二六二熙宁八年四月丙寅条注云:"沈括有《乙卯入国奏请》并《别录》,载萧禧不肯习仪及朝辞事颇详。"卷二六五熙宁八年六月壬子条注云:"沈括自有《乙卯入国奏请》并《别录》,载使事甚详,今掇取其间辩论地界处具注括《自志》下。其紧要亦不出括《自志》也,恐岁久不复见括《别录》,故且存之。"②从这两份报告的内容来看,它们与记述行程及沿途见闻为主的语录迥然不同,基本上是宋辽双方的谈判实录。李焘小注有三处地方大段引用《乙卯入国奏请》和《乙卯入国别录》,引文多达17000余字③。

18)张舜民《使辽录》

衢本《郡斋读书志》卷七伪史类:"《张浮休使辽录》二卷:右皇朝元祐甲戌春张舜民被命为回谢大辽吊祭使,郑介为副,录其

---

① 王民信:《沈括熙宁使虏图抄笺证》,台北:学海出版社,1976 年;贾敬颜:《〈熙宁使契丹图抄〉疏证稿》,《文史》第 22 辑,1984 年,已收入《五代宋金元人边疆行记十三种疏证稿》,第 122—169 页。

② 《长编》卷二六二,熙宁八年四月丙寅条,第 11 册,第 6386 页;卷二六五,熙宁八年六月壬子条,第 11 册,第 6498 页。此处所称沈括《自志》似乎不是指《熙宁使虏图抄》,因为该段正文所记内容并不见于今本《图抄》。

③ 分别见于《长编》卷二六一,熙宁八年三月辛酉条,卷二六三,熙宁八年闰四月丙申条,卷二六五,熙宁八年六月壬子条,第 11 册,第 6368—6369、6428—6432、6498—6513 页。

往返地里及话言也。舜民字芸叟,浮休居士其自号云。"①袁本入卷二下地理类,作《浮休居士使辽录》二卷。《遂初堂书目》本朝故事类有《张芸叟使辽录》,地理类又有《张浮休使辽录》,两者显系重出。《宋史·艺文志》故事类著录张舜民《使辽录》一卷。

张舜民《投进使辽录长城赋札子》云:"臣近伏蒙圣慈差奉使大辽,寻具辞免,不获俞允。勘会昨于元祐九年差充回谢大辽吊祭宣仁圣烈皇后礼信使,出疆往来,经涉彼土,尝取其耳目所得,排日纪录,因著为《甲戌使辽录》,其始以备私居宾友燕言之助。今偶尘圣选,辞不免行,因检括旧牍,此书尚在,其间所载山川井邑道路风俗,至于主客之语言,龙庭之礼数,亦可以备清闲之览观;并《长城赋》一篇,涉猎古今,兼之风戒。谨缮写成册,副以缣幖,随状进呈。"②此文作于建中靖国元年(1101)。是年二月十四日,"命尚书吏部侍郎张舜民为辽国贺登位国信使",后改命黄寔"代张舜民"③。故张氏其实仅在元祐九年(1094)出使过一次辽朝,其事见于《宋会要辑稿·职官》五一之六,《使辽录》就是那次出使所留下的记录。据张氏自称,此书"其始以备私居宾友燕言之助",似乎它并非按惯例呈交国信所的语录,而是作者的一部私人笔记。

此书仅存佚文若干条。《类说》卷一三载《使辽录》八则:割马肝、吹叶成曲、打围、南朝峭汉、银牌、黑山、佛妆、以车渡河④。

---

① 参见孙猛:《郡斋读书志校证》,第 282 页。
② 张舜民:《画墁集》卷六,台湾商务印书馆影印文渊阁《四库全书》本,第 1117 册,第 37 页。
③ 《宋会要辑稿·职官》五一之八,第 3540 页上栏。
④ 《类说》,北京:文学古籍刊行社,1955 年,据明天启刊本影印,第 937— 941 页。

涵芬楼本《说郛》卷三载《使辽录》四条（打围、银牌、黑山、佛妆），均见于《类说》。《契丹国志》卷二五有张舜民《使北记》，共八条：杀狐林、兜玄国、割马肝、雕窠生猎犬、吹叶成曲、银牌、佛妆、以车渡河。其中"杀狐林"出自《类说》卷一二所引《纪异记》，"兜玄国"出自《类说》卷一一所引《幽怪录》；后六条均见于《类说》本《使辽录》，所不同者，"割马肝"和"雕窠生猎犬"两条系由《类说》"割马肝"一条分析而成。

阮廷焯先生有《张舜民使辽录辑》①，可供参考。

19）陆佃《使辽录》

陆游《渭南文集》卷二七《跋先左丞使辽语录》云："右先楚公《使辽录》一卷，三十八伯父手书。……淳熙八年四月五日某谨识。"②楚公即陆游祖父陆佃。陆佃使辽事见《宋史·徽宗纪》：元符三年（1100）七月癸未，"遣陆佃、李嗣徽报谢于辽"③。陆氏《使辽录》未见宋人著录，现已只字无存。

20）林撝《北朝国信语录》

《通志·艺文略》史部地理类有林内翰《北朝国信语录》二卷。此书亦见于《秘书省续编到四库阙书目》卷一传记类，作"□翰《北国信语录》二卷"④，"翰"字上应阙二字，又"北"字下夺一"朝"字。但检诸典籍，并无林内翰其人。按宋代翰林学士别称内翰，所以我估计此人应是一林姓翰林学士。其语录既已著录于绍

---

①《大陆杂志》第 72 卷 3 期，1986 年 3 月。
②陆游：《渭南文集》卷二七《跋先左丞使辽语录》，《陆游集》，北京：中华书局，1976 年，第 2235 页。
③《宋史》卷一九《徽宗纪一》，第 359 页。
④见《宋史艺文志·宋史艺文志补·宋史艺文志附编》，北京：商务印书馆，1957 年，据《观古堂书目丛刻》本排印，第 344 页。

兴间编纂的《秘书省续编到四库阙书目》),则作者当为北宋人。查宋人之使辽者,林姓者凡三人:林旦,元祐五年(1090);林邵,绍圣四年(1097);林摅,崇宁四年(1105)。而这三人之中,只有林摅一人曾任翰林学士①。

林摅使辽事见《皇宋十朝纲要》卷十六:崇宁四年五月壬子,"命龙图阁直学士林摅为辽国回谢使,客省使高俅副之。时蔡京欲启边衅,密喻摅令激北虏之怒"②。其语录现已不存。

21)李罕《使辽见闻录》

《直斋书录解题》卷七传记类:"《使辽见闻录》二卷:尚书膳部郎中李罕撰。"③此书作者之始末及何时使辽均不可考。检《宋会要辑稿》有李罕其人:宣和六年(1124)九月十八日,"中奉大夫直龙图阁知怀州李罕为秘阁修撰"④;同年十二月十一日,"知怀州李罕(等)……送吏部,皆王黼党也"⑤。但不知两者是否一人。

22)王安石《王文公送伴录》

《遂初堂书目》本朝杂史类有《王文公送伴录》,本朝故事类又有《王介父送伴录》,二者重出。王安石为送伴契丹使,时在皇祐二年(1050)。顾栋高《王荆国文公年谱》卷上皇祐二年条:"公在京师候差遣,授殿中丞。是年春,送契丹使出塞,有《伴送北朝人使诗序》。"⑥《临川先生文集》卷八四《伴送北朝人使诗

①见《宋史》卷三五一《林摅传》,第 11110—11111 页。
②参见燕永成:《皇宋十朝纲要校正》,北京:中华书局,2013 年,下册,第 462 页。
③陈振孙:《直斋书录解题》卷七传记类,第 204 页。
④《宋会要辑稿·选举》三三之三八,第 4774 页下栏。
⑤《宋会要辑稿·职官》六九之一六,第 3937 页下栏。
⑥《王安石年谱三种》,裴汝诚点校本,北京:中华书局,1994 年,第 41 页。

序》曰："某被敕送北客至塞上,语言之不通,而与之并辔十有八日,亦默默无所用吾意。时窃咏歌以娱,愁思当笑语。鞍马之劳,其言有不足取者,然比诸戏谑之善,尚宜为君子所取,故悉录以归,示诸亲友。"①按《秘书省续编到四库阙书目》卷一别集类有《王荆公奉使集》一卷,大概就是皇祐二年《伴送北朝人使诗》②。

23)沈季长《接伴送语录》

《直斋书录解题》卷七传记类:"《接伴送语录》一卷:集贤校理沈季长熙宁九年接伴送辽使耶律运所记。"③证以《长编》卷二七九熙宁九年(1076)十二月丁未条,有"辽主遣左监门卫上将军耶律运、西上阁门使李逯来贺正旦"的记载④。所谓"接伴送语录",当是沈季长为接伴使和送伴使的语录,"接伴送"疑为"接送伴"之误。

24)吕希绩等《元祐七年贺正旦使接送伴语录》

元祐七年(1092)正月十日,辽朝贺正旦使耶律迪回程途中病故于滑州。绍兴十九年(1149),礼部在讨论如何处理类似问题时,需要援引这一先例,于是命"太常寺开具到(元祐七年)正旦接、送伴语录"。这两份语录的部分内容就这样在《宋会要辑稿》

① 王安石:《临川先生文集》卷八四《伴送北朝人使诗序》,北京:中华书局,1959年,第883页。
② 王安石曾于嘉祐五年(1060)受命为契丹正旦使,但辞行未往(见《长编》卷一九二,嘉祐五年八月庚辰条,第8册,第4641页),故"奉使"只能是指皇祐二年为送伴使。
③ 陈振孙:《直斋书录解题》卷七传记类,第204页。
④《长编》卷二七九,熙宁九年十二月丁未条,第11册,第6845页。

中保存了下来①。当时宋朝方面接伴使不详,送伴使为吕希绩、李世昌②。

25)佚名《接伴入国馆伴录》

《秘书省续编到四库阙书目》卷一传记类有《接伴入国馆伴录》一卷,亦见于《通志·艺文略》史部地理类,皆不具名。此书作者及系年均不可考。从书名来看,似乎包括入国语录、接伴语录和馆伴语录三部分内容。

26)佚名《接伴语录》

《秘书省续编到四库阙书目》卷一传记类和《通志·艺文略》史部地理类均著录《接伴语录》八卷,作者不详。宋人语录一般仅有一卷,此作八卷,当是若干种接伴语录之汇编。

以上共计26种,前21种为宋人使辽之入国语录,其中9种今有足本或残本传世;后5种为北宋之接伴、送伴语录,其中仅《元祐七年贺正旦使接送伴语录》有残本存世。

三、南宋使金语录考

1)赵良嗣《燕云奉使录》

赵良嗣于宣和二年(1120)、四年和五年屡次往返宋金之间,此书即其出使报告。虽未见于著录,但《三朝北盟会编》第四、九、十、十一、十三、十四、十五各卷均有征引,书名皆同,惟《会编》卷

①《宋会要辑稿·职官》三六之四六至四八(第3094—3095页下栏),节引元祐七年正旦使接伴、送伴语录的部分内容约800余字。
②《宋会要辑稿·职官》三六之四七,第3095页上栏。

首引用书目作《燕云奉使总录》。此书性质不同于例行之语录,应属泛使向朝廷提交的专题报告。

2)连南夫《宣和使金录》

《直斋书录解题》卷七传记类:"《宣和使金录》一卷:太常少卿安陆连南夫鹏举吊祭阿骨打奉使所记。时宣和六年。"①按之《宋史·徽宗纪》,宣和六年(1124)正月戊寅有"遣连南夫吊祭金国"的记载②。《金史·交聘表》亦云:天会二年四月,"宋始遣太常少卿连南夫等来吊"③。乾道五年(1169)楼钥使金途经赵州时,见赵州城南安济桥上"题刻甚众,多是昔时奉使者。有云'连鹏举使大金至绝域,实居首选,宣和六年八月'"云云④。这条题记就是连南夫此次使金回程途中所留下的。其语录今已不存。

3)钟邦直《宣和乙巳奉使金国行程录》

此书是许亢宗宣和七年(1125)奉使金国的行程录。《三朝北盟会编》卷二〇曰:"宣和七年正月二十日壬辰,诏差奉议郎、尚书司封员外郎许亢宗充贺大金皇帝登宝位国信使,武义大夫、广南西路廉访使者童绪副之。"⑤据该《行程录》记载:"甲辰年,阿骨打忽身死,其弟吴乞买嗣立,差许亢宗充奉使贺登位……于乙巳年

---

① 陈振孙:《直斋书录解题》卷七传记类,第 204 页。
② 《宋史》卷二二《徽宗纪四》,宣和六年正月戊寅条,第 413 页。
③ 《金史》卷六〇《交聘表上》,第 1391 页。
④ 《北行日录》卷上,《知不足斋丛书》本。元人迺贤《河朔访古记》卷上(《粤雅堂丛书》本)也录有这条题记,末句作"宣和八年八月壬子题","八年"为"六年"之误。
⑤ 《三朝北盟会编》卷二〇,宣和七年正月二十日,上海:上海古籍出版社影印光绪三十四年许涵度刻本,1987 年,第 141 页上栏。

春正月戊戌陛辞,翌日发行,至当年秋八月甲辰回程到阙。"又《金史·交聘表》载:天会三年六月辛丑,"宋龙图阁直学士许亢宗等贺即位"①。

关于此书的作者,过去曾有两种不同说法。从《三朝北盟会编》卷首的引用书目来看,光绪四年活字本和光绪三十四年许刻本均作许亢宗,而明抄本作钟邦直;《会编》卷十七引作"钟邦直行程录";卷二〇在记载许亢宗为国信使、童绪为副使之后,又曰"管押礼物官钟邦直",活字本和许刻本此句紧接上文之后,然后另起一行为"《宣和乙巳奉使行程录》曰……",而明抄本将"管押礼物官钟邦直"八字置于《宣和乙巳奉使行程录》之前,则是以钟邦直为此书作者。又《建炎以来系年要录》卷一建炎元年正月小注,引作"钟邦直旧帐行程录"。最能说明问题的是该行程录第二十八程的一段文字:"使长许亢宗,饶之乐平人,以才被选,为人酏籍,似不能言者,临事敢发如此。"这显然不是许氏本人的自述。陈乐素先生据以考定此书作者应为钟邦直,已成不刊之论②。

此书主要有以下三个版本:

①《靖康稗史》本。即《靖康稗史》七种之第一种,题为《宣和乙巳奉使金国行程录》,"起自白沟契丹旧界,止于虏廷冒离纳钵",共计39程,应是一个完整的本子。今有崔文印《靖康稗史笺证》可供参阅③。

②《三朝北盟会编》本。《会编》卷二十整卷抄录此书,题为

---

① 《金史》卷六〇《交聘表上》,第1392页。此条原接是年正月之后,中华书局点校本认为当在六月下,今据改。

② 见《三朝北盟会编考》,《求是集》第1集,广州:广东人民出版社,第246—248页。

③ 崔文印:《靖康稗史笺证》,北京:中华书局,1988年。

《宣和乙巳奉使行程录》，虽各本详略不同，但均非足本。贾敬颜先生有《许亢宗行程录疏证稿》①，即据此为底本。又《会编》卷十七称引"钟邦直行程录"，约千字左右，内容主要记述宣和四年童贯攻辽燕京事，此事与许亢宗使金了不相涉，我怀疑这段文字并非出自该行程录，但目前尚未查到它的真正出处。另外，《系年要录》卷一建炎元年正月小注中引钟邦直《旧帐行程录》曰："虏主名文，小字阿古忽。"这句话也不见于此书的各个本子，不知出处是否有误。

③《大金国志》本。《大金国志》卷四十为《许奉使行程录》，虽 39 程俱全，但文字多有节略。

4) 郑望之《靖康奉使录》

《直斋书录解题》卷五杂史类有郑望之《靖康奉使录》一卷。郑望之奉使事见于《宋史·钦宗纪》：靖康元年（1126）正月癸酉，"金人犯京师，命尚书驾部员外郎郑望之、亲卫大夫康州防御使高世则使其军"②。《三朝北盟会编》卷二八、卷二九、卷三三多次征引此书，均作《靖康城下奉使录》。此书并非语录，系泛使呈交朝廷的专题报告。

5) 李若水《山西军前和议奉使录》

靖康元年（1126）八月及十一月，李若水两次奉命出使金左副元帅宗翰军前，商议割让三镇事，此书即其奉使实录。《三朝北盟会编》引用书目作《山西军前和议奉使录》，卷五五引作《靖康大金山西军前和议日录》，卷六三引作《奉使录》。此书性质系泛使之专题报告。

---

① 见《五代宋金元人边疆行记十三种疏证稿》，第 214—254 页。
② 《宋史》卷二三《钦宗纪》，第 423 页。

6) 傅雱《建炎通问录》

《直斋书录解题》卷五杂史类:"《建炎通问录》一卷:宣教郎傅雱撰。建炎初,李丞相纲所进。"①傅雱使金事见《系年要录》卷六建炎元年(1127)六月戊寅条:"宣议郎傅雱特迁宣教郎,充大金通问使。"②又据《宋史·高宗纪》,建炎元年六月戊寅,"遣宣义郎傅雱使河东军前,通问二帝"③。此书节本见《三朝北盟会编》卷一一○。就其内容来看,亦为泛使之专题报告。

7) 杨应诚《建炎假道高丽录》

《直斋书录解题》卷五杂史类:"《建炎假道高丽录》一卷:杨应诚撰。取道辽东,奉使金房,不达而还。"④杨氏奉使事见《系年要录》卷一四建炎二年(1128)三月丁未条:"两浙东路马步军副总管杨应诚假刑部尚书,充大金、高丽国信使。……谓尝随其父任边吏,熟知敌情,若自高丽至女真,其路甚径,请身使三韩,结鸡林以图迎二圣。……遂与副使韩衍、书状官孟健自杭州登海舶以往。"⑤是年六月丁卯,杨氏一行至高丽,欲自高丽使金,高丽国王楷不允,"应诚留高丽凡六十有四日,楷终不奉诏,应诚不得已,与楷相见于寿昌宫门下,受其所拜表而还"。李心传注云:"此据应诚所上语录修入。"⑥《建炎假道高丽录》大概就是此次奉使的语录。

8) 章谊《奉使金国语录》

赵希弁《郡斋读书志附志》卷五上地理类:"《章忠恪奉使金

①《直斋书录解题》卷五杂史类,第 155 页。
②《系年要录》卷六,建炎元年六月戊寅条,第 182 页。
③《宋史》卷二四《高宗纪一》,第 446 页。
④《直斋书录解题》卷五杂史类,第 156 页。
⑤《系年要录》卷一四,建炎二年三月丁未条,第 351 页。
⑥《系年要录》卷一六,建炎二年六月丁卯条,第 389 页。

国语录》一卷:右绍兴三年章谊以龙图阁学士、枢密都承旨充军前奉表通问使,给事中孙近副之,谊录其报聘之语也。"①这条著录年份有误,据《系年要录》卷七二绍兴四年(1134)正月乙卯条:"龙图阁学士、枢密都承旨章谊为大金军前奉表通问使,给事中孙近副之。"②章谊此行为泛使,但此书是语录而非专题报告。

9)王绘《绍兴甲寅通和录》

《三朝北盟会编》卷一六一绍兴四年(1134)九月十九日曰:"以左朝请大夫、试尚书工部侍郎魏良臣充奉使大金国军前奉表通问使,右武大夫、果州团练使王绘副之。"③此书未见宋人著录,仅见于《三朝北盟会编》。《会编》卷一六一至一六三用将近三卷的篇幅抄录此书,题为王绘《绍兴甲寅通和录》。又《四库全书总目》卷五二杂史类存目亦有此书,但估计也是从《会编》辑出来的本子。据该书记载,魏良臣一行回朝之后,"上问过界事,皆如《语录》对"④。由此可知,此行另有呈国信所备案的语录,而由王绘执笔的《绍兴甲寅通和录》则是泛使的专题报告。

10)何铸《奉使杂录》

《直斋书录解题》卷七传记类:"《奉使杂录》一卷:绍兴十二年,何铸使金所录礼物、名衔、表章之属。"⑤何铸使金事见《系年要录》卷一四二绍兴十一年(1141)十一月乙卯条:"御史中丞何铸充端明殿学士、签书枢密院事,充大金报谢使。"⑥又《金史·交聘

---

① 参见孙猛:《郡斋读书志校证》,第 1131 页。
② 《系年要录》卷七二,绍兴四年正月乙卯条,第 1383 页。
③ 《三朝北盟会编》卷一六一,绍兴四年九月十九日,第 1164 页下栏。
④ 见《三朝北盟会编》卷一六三,绍兴四年九月十九日,第 1179 页下栏。
⑤ 陈振孙:《直斋书录解题》卷七传记类,第 205 页。
⑥ 《系年要录》卷一四二,绍兴十一年十一月乙卯条,第 2684 页。

表》云：皇统二年（1142）二月辛卯，"宋端明殿学士何铸、容州观察使曹勋来进誓表"①。何铸等人的使命是正式签订宋金和议。据陈振孙的著录来看，此书大概是交付国信所备案的文件，但其内容与例行之语录有所不同。

11）雍希稷《隆兴奉使审议录》

《直斋书录解题》卷七传记类："《隆兴奉使审议录》一卷：左奉议郎雍希稷尧佐撰。隆兴二年，编修官胡昉、阁门祗候杨由义使金人军前，审议海、泗、唐、邓等事，不屈而归。希稷，其礼物官也。所记抗辩应对之语，多出由义。"②胡昉等人使金事，见于《宋史·孝宗纪》：隆兴元年（1163）十一月癸丑，"以胡昉、杨由义为使金通问国信所审议官"；二年二月乙酉，"胡昉自宿州还。初，金帅以昉等不许四郡，械系之，昉等不屈，金主命归之"③。从书名来看，此书不像是语录，其中多记"抗辩应对之语"，很可能也是一份泛使专题报告。

12）楼钥《北行日录》

《直斋书录解题》卷七传记类："《北行日录》一卷：参政四明楼钥大防，乾道己丑，待次温州教授，以书状官从其舅汪大猷仲嘉使金纪行。"④汪大猷使金事见《金史·交聘表》：大定十年（1170）正月壬子朔，"宋试吏部尚书汪大猷、宁国军承宣使曾觌贺正旦"⑤。关于楼钥随汪大猷出使的因由，《北行日录》卷首有一段

---

① 《金史》卷六〇《交聘表上》，第 1401 页。
② 陈振孙：《直斋书录解题》卷七传记类，第 205 页。
③ 《宋史》卷三三《孝宗纪一》，隆兴元年十一月癸丑、隆兴二年二月乙酉条，第 625—626 页。
④ 陈振孙：《直斋书录解题》卷七传记类，第 205 页。
⑤ 《金史》卷六一《交聘表中》，第 1426 页。

题注曰："时待次温州教授，随侍充公守括苍，受仲舅汪尚书大猷之辟。"正文一开始也交代说："乾道五年己丑十月九日辛卯，邸报仲舅侍郎充贺正使，曾总管觊副之。十日壬辰，蔡兴以仲舅书来辟充书状官，二亲许一行。"①

此书的性质很清楚，陈振孙明确指出它是一部"使金纪行"的作品。准确地说，《北行日录》是书状官楼钥的一部日记体的私人笔记，其中拉拉杂杂地记叙了许多与奉使金朝无关的事情，包括出使前后的一些私人应酬活动等等，可见它绝非属于公文书性质的语录。《北行日录》卷上乾道五年十二月二十一日条，记真定府赐宴一事，谓"押宴下人李泉争执礼数，语具《语录》"云云，说明另有呈国信所备案的语录。

今本《北行日录》分为上下两卷，主要有《知不足斋丛书》本和《攻媿集》本②。

13）范成大《揽辔录》

乾道六年（1170），宋孝宗有意向金朝挑衅，欲遣泛使使金，提出改变不平等的受书礼的要求。是年闰五月戊子，范成大受命"使金求陵寝地，且请更定受书礼"；同年九月，"范成大至自金，金许以迁奉及归钦庙梓宫而不易受书礼"③。《揽辔录》即是此次奉使所留下的语录。

此书之著录最早见于赵希弁《郡斋读书志附志》卷五上地理类："《揽辔录》二卷：右范成大乾道六年……（与）康湑为奉使大

---

① 《攻媿集》卷一一一《北行日录》卷首，《四部丛刊》本，叶 1a。
② 收入《攻媿集》卷一一一、一一二。
③ 《宋史》卷三四《孝宗纪二》，第 648—649 页。参见《金史·交聘表》大定十年条。

金国信使副,其往返地理日记也。"①《直斋书录解题》卷七传记类则曰:"《揽辔录》一卷:参政吴郡范成大至能乾道六年使金所记闻见。"②《宋史·艺文志》传记类也著录为一卷。根据今天各种传本的情况来看,此书原来的篇幅应该是相当可观的,估计足本当为二卷,一卷本可能是节本。该书之书名,各家著录并无出入,惟《通鉴》胡注多次引用此书,书名均作《北使录》③。

据我推断,《揽辔录》与一般语录多由胥吏代笔的情况不同,很可能是出自范成大本人之手。何以见得呢? 范成大平生所到之处,好为纪行之作,故"使北有《揽辔录》,入粤有《骖鸾录》《桂海虞衡志》,出蜀有《吴船录》"④。《揽辔录》一书,就其体裁而言可算是一部标准的"行程录",完全符合语录的特征,但它比一般语录所反映的信息要详细得多,尤其注意记录有关金朝世风民情、典章制度方面的内容,这说明作者是一个有心人,这样的作品当然不会是出自那些习惯于将语录作为案牍文字来书写的胥吏之手。在宋人语录中,《揽辔录》是颇为流行的一部名著,它的版本情况也比较复杂,主要有以下几种本子。

①陶宗仪《说郛》本。见涵芬楼本《说郛》卷四一,书名下注有"卷全"二字,实则是一个仅有两千余字的节本;所谓"卷全"者,只能说明这个节本早已有之,陶宗仪并未对它进行任何删节。明清以来通行诸本,如《宝颜堂秘笈》本、《稗乘》本、《续百川学

①参见孙猛:《郡斋读书志校证》,第 1131 页。
②陈振孙:《直斋书录解题》卷七传记类,第 205—206 页。
③见《资治通鉴》卷二一九,唐肃宗至德元载十二月,卷二七一,后梁均王龙德元年九月等条,北京:中华书局,1956 年,第 7010、8868 页。
④周必大:《资政殿大学士赠银青光禄大夫范公成大神道碑》,《周益国文忠公集》卷六二。

海》本、宛委山堂《说郛》本、《知不足斋丛书》本等,全都源自这个本子。

②《三朝北盟会编》本。《会编》卷二四五节引《揽辔录》约3600余字,其内容大都不见于《说郛》本,两者可以相互补充。关于《会编》所引《揽辔录》,过去存在一个误会。孔凡礼先生首先指出,李心传在《建炎以来系年要录》小注中征引《揽辔录》十余条,均不见于传世诸本①。后来陈学霖先生进而发现,李心传所征引的《揽辔录》佚文全都见于《三朝北盟会编》卷二四五后半部分的《族帐部曲录》中,于是他断定这篇载有金朝七十余位文武大臣履历的文献也是《揽辔录》的佚文。② 我对《族帐部曲录》进行了仔细研究之后,发现它所记述的金朝人物仕履,有的竟比《揽辔录》的成书时间要晚二十来年,说明这篇文献绝不会是《揽辔录》的佚文;李心传在《系年要录》小注中所征引的那些内容,全都是从《会编》卷二四五所载《族帐部曲录》转引而来的,因徐梦莘将这篇《族帐部曲录》紧接在范成大《揽辔录》之后,从而造成了李心传的误解。③

③《黄氏日抄》本。黄震《黄氏日抄》卷六七节抄《揽辔录》约九百字④,大多不见于《说郛》本,与《三朝北盟会编》本则互有详略。

---

① 见《范成大佚著辑存》,北京:中华书局,1983 年,第 193 页。

② 陈学霖:《范成大〈揽辔录〉传本探索》,原载《国史释论——陶希圣先生九秩荣庆论文集》下册,台北:食货出版社,1987 年;收入《宋史论集》,台北:东大图书公司,1993 年,第 241—284 页。

③ 参见刘浦江:《范成大〈揽辔录〉佚文真伪辨析》,原载《北方论丛》1993年第 5 期;收入《辽金史论》,沈阳:辽宁大学出版社,1999 年,第 402—414 页。

④ 见台湾商务印书馆影印文渊阁《四库全书》本,第 708 册,第 622—623 页。

1987 年发表的陈学霖《范成大〈揽辔录〉传本探索》,篇末附有《揽辔录》的三个版本资料(即涵芬楼《说郛》本、《三朝北盟会编》本和《黄氏日抄》本的影印件),为学者提供了莫大的方便。近年由孔凡礼先生点校出版的《范成大笔记六种》①,其中第一种就是《揽辔录》。遗憾的是,这个整理本只辑录了《说郛》本和《黄氏日抄》本的内容,却遗漏了字数最多的《三朝北盟会编》本;且仍旧将李心传在《建炎以来系年要录》小注中所误引的文字当作《揽辔录》的佚文附录在后面。孔凡礼先生对宋代文献极为娴熟,但学术资讯的隔膜使他未能提供一个《揽辔录》的最佳版本。

　　14)姚宪《乾道奉使录》

　　《直斋书录解题》卷七传记类:"《乾道奉使录》一卷:参政诸暨姚宪令则乾道壬辰使金日记。"②壬辰为乾道八年(1172)。姚宪使金事见《宋史·孝宗纪》:乾道八年二月戊申,"遣姚宪等使金贺上尊号,附请受书之事"③。又《金史·交聘表》载:大定十二年四月,"宋试吏部尚书姚宪、安德军承宣使曾觌贺加上尊号"④。此书今无传本。

　　15)韩元吉《金国生辰语录》

　　《宋史·艺文志》故事类有韩元吉《金国生辰语录》一卷。韩元吉使金事见于《宋史·孝宗纪》:乾道八年(1172)十二月丁巳,"遣韩元吉等贺金主生辰"⑤。亦见《金史·交聘表》:大定十三年(1173)三月癸巳朔,"宋试礼部尚书韩元吉、利州观察使郑兴裔等

---

①《范成大笔记六种》,孔凡礼点校本,北京:中华书局,2002 年。
②陈振孙:《直斋书录解题》卷七传记类,第 205 页。
③《宋史》卷三四《孝宗纪二》,第 653 页。
④《金史》卷六一《交聘表中》,第 1429 页。
⑤《宋史》卷三四《孝宗纪二》,第 654 页。

贺万春节"①。

韩元吉《南涧甲乙稿》卷一六有《书〈朔行日记〉后》一文:

> 呜呼,靖康之祸,吾及之也,尚忍趋庭而见于敌哉。然吾
> 尝念之,中原陷没滋久,人情向背,未可测也,传闻之事,类多
> 失实。朝廷遣侦伺之人,捐费千金,仅得一二。异时使者率
> 畏风埃,避嫌疑,紧闭车内,一语不敢接,岂古之所谓觇国者
> 哉。故自渡淮,凡所以觇敌者,日夜不敢忘,虽驻车乞浆,下
> 马盥手,遇小儿妇女,率以言挑之,又使亲故之从行者,反覆
> 私焉,往往遂得其情。……淳熙改元,出守婺女,夏曝书,见
> 《朔行日记》,因书其后。②

韩元吉奉使金朝是乾道八年至九年间(1172—1173)的事情,而
上文写于淳熙元年(1174)夏。《朔行日记》未见著录,我们对它的
了解仅限于作者的上述题记,恐怕它与《金国生辰语录》并不是同一
件作品,也许是韩元吉在语录之外所写的一部日记体的私人笔记。

16)周煇《北辕录》

这是淳熙四年(1177)周煇随张子正奉使金朝所撰语录。《北
辕录》开篇说道:"淳熙丙申十一月二十九日,诏待制敷文阁张子
正假试户部尚书,充贺金国生辰使,皇叔祖右监门卫大将军士襃
假明州观察使、知东上阁门兼客省四方馆事副之。明年正月七日
陛辞出国门。……四月十六日到家。是行往返凡九十六日。"证

①《金史》卷六一《交聘表中》,第1431页。
②韩元吉:《南涧甲乙稿》卷一六《书〈朔行日记〉后》,《丛书集成初编》本
　据《聚珍本丛书》排印,北京:中华书局,1985年,第322页。

以《金史·交聘表》，大定十七年（1177）三月辛丑朔，"宋遣试户部尚书张子正、明州观察使赵士葆等贺万春节"①。关于周煇在使团中的身份，《北辕录》只字未提，《清波杂志》卷三"朔北气候"条自称"煇淳熙丙申从使节出疆"②，亦言之不详。据余嘉锡先生考证，周煇终身为处士，从未入仕途，"煇以处士随使节出疆，盖充上中节也"③。处士充上、中节是有规章可循的，淳熙十年十一月二日，"诏自今奉使亲随二员，愿差无官人者听"④。周煇使金在此之前，说明这种情况早已有之。

此书见于涵芬楼本《说郛》卷五四，书名下注明为一卷，但可能经过陶宗仪的删节。后出诸本如《历代小史》本、《古今说海》本、《续百川学海》本、宛委山堂《说郛》本等，均出自这个本子。

17）郑俨《奉使执礼录》

《直斋书录解题》卷七传记类："《奉使执礼录》一卷：进士郑俨撰。淳熙己酉中书舍人莆田郑侨惠叔使金贺正，会其主雍病笃，欲令于阁门进国书，侨不可。已而雍殂，遂回。"⑤据《金史·交聘表》，大定二十九年（1189）正月壬辰朔，"宋显谟阁学士郑侨、广州观察使张时修等贺正旦。上大渐，宋正旦使遣还"⑥。郑俨其人无可查考。按福州永福县（今福建永泰县）高盖山有宋人题名四段，其中之一曰："郑俨、王介、郑守仁同来瞻胜概，为之忘归。嘉

①《金史》卷六一《交聘表中》，第 1436 页。
②周煇：《清波杂志》卷三"朔北气候"条，刘永翔校注本，第 100 页。
③余嘉锡：《四库提要辨证》卷一八《清波杂志》条，北京：中华书局，1986年，第 3 册，第 1097 页。
④《宋会要辑稿·职官》五二之二，第 3561 页下栏。
⑤陈振孙：《直斋书录解题》卷七传记类，第 205—206 页。
⑥《金史》卷六一《交聘表中》，第 1449 页。

泰元年三月二十三日书。"①我想这位郑俨应该就是《奉使执礼录》的作者,估计他与贺正旦使郑侨或许有什么亲故,其身份当是使团之上节或中节人。

18)郑汝谐《聘燕录》

《遂初堂书目》地理类有郑汝谐《聘燕录》一书。郑氏使金事见于《宋史·光宗纪》:绍熙三年(1192)九月戊子,"遣郑汝谐等使金贺正旦"②。又见《金史·交聘表》:明昌四年(1193)正月己巳朔,"宋显谟阁学士郑汝谐、均州观察使谯令雍贺正旦"③。此书今已不存。

19)余嵘《使燕录》

《直斋书录解题》卷七传记类:"《使燕录》一卷:尚书户部郎龙游余嵘景瞻撰。嘉定辛未,嵘使金贺生辰,会有鞑寇,行至涿州定兴县而回。"④余嵘使金事见《宋史·宁宗纪》:嘉定四年(1211)六月丁亥,"遣余嵘贺金主生辰,会金国有难,不至而还"⑤。有关余嵘奉使金朝之始末,刘克庄《龙学余尚书神道碑》有比较详细的记载:嘉定四年六月,"充金国贺生辰使。……抵涿州定兴县,铃声迅急,驿马交驰。……俄有使传虏旨遣回。……十月,公至阙下。……公有《使燕录》一卷,纪金鞑情状尤详"⑥。是年四月,蒙古开始大举攻金,故金朝根本无暇接待宋使,而且把这一年的贺宋帝生辰使也取消了。余嵘《使燕录》今已不存。

①《闽中金石略》卷七,《石刻史料新编》,第 17 册,台北:新文丰出版公司,1979 年,第 12975 页。
②《宋史》卷三六《光宗纪》,第 704 页。
③《金史》卷六二《交聘表下》,第 1460 页。
④《金史》卷六二《交聘表下》,第 1460 页。
⑤《宋史》卷三九《宁宗纪三》,第 757 页。
⑥《后村先生大全集》卷一四五,《四部丛刊》本,叶 11a-12a。

20) 程卓《使金录》

《四库全书总目》卷五二杂史类存目一有《使金录》一卷,提要云:"宋程卓撰。卓字从元,休宁人,大昌从子。淳熙十一年进士,历官同知枢密院事,封新安郡侯,赠特进、资政殿大学士,谥正惠。嘉定四年,卓以刑部员外郎同赵师岩充贺金国正旦国信使,往返凡四阅月。是书乃途中纪行所作,于山川道里及所见故迹,皆排日载之。……然简略太甚,不能有资考证。又称'接伴使李希道等往还不交一谈,无可纪述',故于当日金人情事,全未之及,所记惟道途琐事。"①程卓受命使金事,据《使金录》说:"嘉定四年九月二十八日,有旨以朝散郎、尚书刑部员外郎程卓……充贺金国正旦国信使,忠州防御使、知大宗正事赵师嵒……充贺金国正旦国信副使。十一月五日癸丑,陛辞。"是年冬,蒙古军已从中都城下退兵,局势稍有缓解,故宋金两国又恢复了正常的交聘。

《使金录》一书今有《碧琳琅馆丛书》本,《四库全书存目丛书》据以影印,收入史部第 45 册②。又有《芋园丛书》本,系以《碧琳琅馆丛书》本为底本,已收入《丛书集成续编》第 276 册③。诚如四库馆臣所言,此书甚为简略,"所记惟道途琐事";但全书逐日记事,内容连贯,绝不像是一个节本。实际上,像《使金录》这样内容简略的作品在宋人语录中恐怕是很有代表性的。

21) 赵睎远《使北本末》

楼钥《跋赵睎远〈使北本末〉》云:"少师以皇族之彦,孝宗妙

---

①《四库全书总目》卷五二杂史类存目一,第 472 页上栏。
②《使金录》,济南:齐鲁书社《四库全书存目丛书》影印《碧琳琅馆丛书》本,1997 年。
③《使金录》,台北:新文丰出版公司《丛书集成续编》影印《芋园丛书》本,1989 年。

选副国信使,上方锐意恢拓,别持一书,前此未有。而公遇事详审,抗节不挠,既深得肤使之体,迨其归奏,力陈遵养之说。上意虽无封狼居胥之快,而察公之忠诚,南北信誓,守之愈坚。三复遗编,手泽粲然,敬叹不已。既得周文忠公为隧碑以发扬之,谨书卷末以慰二贤嗣之孝思云。"① 赵晞远其人其书均不可考,我们只知道他曾在孝宗朝以国信副使奉使金朝,这首跋是楼钥应赵氏二子之请而作的。《使北本末》当是其使金语录。

22)佚名《馆伴日录》

《直斋书录解题》卷七传记类:"《馆伴日录》一卷:无名氏。绍兴二十四年。"② 这是绍兴二十四年(1154)某位担任馆伴使的官员写下的馆伴语录,详情已不可考。

23)汪大猷接送伴语录

楼钥《敷文阁学士宣奉大夫致仕赠特进汪公行状》云:"金国来贺(乾道)四年正旦,借吏部尚书为接送伴使。上阅《语录》,见公敏于酬对,处事有体,滋向之。"③ 汪大猷乾道四年(1168)之接、送伴语录仅见于此。

24)倪思《重明节馆伴语录》

绍熙二年(1191)七月,金朝遣完颜兖、路伯达使宋,贺光宗生辰重明节④。七月十八日,倪思受命充馆伴使、赵昺充馆伴副使,因作《重明节馆伴语录》。嘉定十二年(1219),倪思为该语录补写

---

① 《攻媿集》卷七五,《四部丛刊》本,叶 3a。
② 陈振孙:《直斋书录解题》卷七传记类,第 205 页。
③ 《攻媿集》卷八八,叶 6a。
④ 据《金史》卷六二《交聘表》,明昌二年七月己巳,"遣同签大睦亲府事完颜兖等为贺宋生辰使"(第 1458 页)。《宋史·光宗纪》:绍熙二年九月壬子,"金遣完颜兖等来贺重明节"(第 701 页)。

了一篇序言,略谓:"中兴讲和好,务大体,厌生事,于是馆伴、接伴与夫使虏,皆有语录。……与虏使周旋半月,不过寒暄劳问而已,毕事以语录上,其书本不足存,然公见之仪、私觌之礼,皆斟酌旧典,无过弗及之患,后之求诸故府者,或有考焉。嘉定己卯二月,景迁老人倪思序。"①该语录后来被收入倪思文集,此序大概就是因此而作。

今本《重明节馆伴语录》出自《永乐大典》卷一一三一二"馆"字下"馆伴"条所引倪思《承明集》②。倪思文集之见于宋代著录者,有《齐斋甲稿》二十卷、《乙稿》十五卷,《翰林前稿》二十卷、《后稿》二卷,《掖垣词草》二十卷,《兼山论著》三十卷③,却唯独没有《承明集》;今存《永乐大典》残卷所引倪思作品也仅此一处。我想《承明集》或许是倪思的著作总集。乾隆间开四库馆时,曾从《永乐大典》中辑得《重明节馆伴语录》,列入《四库全书总目》卷五二杂史类存目一,但不知这个辑本是否尚存于世④。又台湾学者王民信先生所编《南宋国信语录四种》⑤,其中之一即为《重明节馆伴语录》,这是一个整理比较粗糙的排印本,断句或有或无,最令人费解的是,此书仅在卷首题记中注明为《永乐大典》本,而没有明示其出处。究其版本来源,无非两种可能,或是直接辑自

①见《永乐大典》卷一一三一二"馆"字下引倪思《重明节馆伴语录序》,第4811页上栏。
②《永乐大典》卷一一三一二"馆"字下引,第4811—4815页。
③陈振孙:《直斋书录解题》卷一八别集类下,第549页。
④近年出版的《四库全书存目丛书》漏收此书。
⑤收入《宋史资料萃编》第4辑,台北:文海出版社,原无出版年月。按《宋史资料萃编》第3辑出版于1981年,可据此推知第4辑的大致刊行时间。

《永乐大典》残卷,或是出自清人的某一辑本。

以上共计 24 种,包括入国语录,接伴、馆伴、送伴语录,以及泛使的专题报告和使臣的私人记录。其中 11 种尚有足本或残本传世。

原载《10—13 世纪中国文化的碰撞与融合》,

上海:上海人民出版社,2006 年

【未及补入正文之笔记】

李浩楠提供:《丞相魏公谭训》卷二载:"曾祖康定二年使北虏,为母后生辰使。虏主望见曾祖仪观,大奇异之。及宴,躬自坐次,持大杯手酌盈升,曾祖嚼之。虏人叹息,以谓自通好几四十年,未有如此礼也。手抄语录见藏于家,祖父题于后,以赐象先。"(《全宋笔记》第 3 编第 3 册,第 51 页)

苏象先曾祖康定二年出使辽,曾"手抄语录见藏于家"(苏象先撰、储玲玲点校:《丞相魏公谭训》卷二,《全宋笔记》第 3 编第 3 册,第 51 页);曾布曾提及塞序辰《语录》,又元符二年辽泛使至宋,馆伴多次上交语录,仅四月丙戌就"同呈国信馆伴语录共八件"(曾布:《曾公遗录》卷一,台北:文海出版社,1979 年,《宋史资料萃编》(第 10 辑)第 7 页,第 25 页),从中可见对于泛使的语录甚至隔几日就要上交一次;绍兴三十二年三月己未,洪迈曾上《接伴杂录》(周必大:《亲征录》,《中国野史集成》第 6 册,第 365 页);淳熙十四年十二月戊子宋人曾提及《施宜生语录》,又淳熙十五年二月丁丑,贺金国正旦使万钟等献"《北征记》一册"(周必大:《思陵录》卷上,《中国野史集成》第 6 册,第 392 页、第 401 页);乾道八年后俞庭椿曾有《北辕录》(黄震:《黄氏日抄》卷九一

《跋俞奉使北辕录》，台湾商务印书馆影印文渊阁《四库全书》，第708册，第981页）；开禧时方信孺使金，有"《通问语录》三卷"（刘克庄：《后村先生大全集》卷一六六《宝谟寺丞诗境方公行状》，《四部丛刊》本）。

吴淑敏提供：刘一清《钱塘遗事》（扫叶山房本）卷九"丙子北狩"条和"祈请使行程记"条记1276年吴坚、文天祥等人北上祈请的过程。"丙子北狩"条下详细地记载了出使人员的名单，包括使节本次出使的名衔及个人官职。这在以前使臣语录（或行程录）中还尚未见到。"祈请使行程记"则是具体记述这次出使的行程，从内容来看，《钱塘遗事》所录并非全文。《钱塘遗事》本就有辑录的性质，卷九应该是原始材料的原文抄录。李格《（民国）杭州府志》记有"《行程记》杭州严光大撰"，就是"祈请使行程记"当作一本书来对待。这次出使是在南宋几近亡国之时，使节竟是南宋残存的宰执。本就是一次特殊的出使。

聂文华提供：

1. 文章第三部分《南宋使金语录考》第21条赵睎远《使北本末》，云"其人其书均不可考"，然文中所引楼钥跋文"少师以皇族之彦"，又称"得周文忠公隧碑以发扬之"，知此人系宗室，且周必大著其神道碑，此文今见《平园续稿》卷三〇《和州防御使赠少师赵公伯骕神道碑》（《周必大文集》卷七〇，嘉泰四年作）。

2. 虞俦《尊白堂集》卷六《使北回上殿札子》（又见《历代名臣奏议》卷一一一）：（嘉泰初）臣待罪柱史，迟钝无取，蒙陛下畀节报谢金庭，所得于询访闻见之实者，臣已口奏及见于进呈【语】录矣（按《名臣奏议》作"日录"，应是"语录"）。《宋史》卷三七《宁宗纪》，庆元六年十二月二十一日癸未，韩皇后袝庙，遣起居郎兼实录院检讨虞俦使金报谢。

在历史的夹缝中：五代北宋时期的"契丹直"

　　五代及北宋文献中有所谓"契丹直"者，但因史料匮乏的缘故而鲜为史家所留意①。一般认为，"直"乃契丹语之名词后缀，"契丹直，犹言契丹人也"②。契丹直是中原政权以契丹人建立的一种特殊军事组织，在五代历史上曾有过引人注目的表现。北宋时期，循五代旧制复置契丹直，并作为禁军诸班直之一长期存在，直至神宗熙宁间才被废去。

　　从五代至北宋，无论是在战争中被中原王朝俘获的契丹人，还是作为归明人南来的契丹人，他们的存在似乎很少引起历史学家的关注。作为其中颇有代表性的一个群体，"契丹直"在五代北宋时期的兴替存废及其命运变迁轨迹，是值得我们认真剖析的一个标本。唯因资料所限，今天已很难完整复原契丹直的历史面

---

① 迄今为止，仅有任爱君《论五代时期的"银鞍契丹直"》(《内蒙古社会科学》2007 年第 3 期，第 37—41 页)《唐末五代的"山后八州"与"银鞍契丹直"》(《北方文物》2008 年第 2 期，第 59—65 页)两文论及后唐时期幽州的"银鞍契丹直"。

② 贾敬颜：《民族历史文化萃要》"银鞍契丹直"条，长春：吉林教育出版社，1990 年，第 65 页。

貌,本文希望借助于若干零星史料,去追寻这些生存在历史夹缝中的契丹人的踪迹。

一、五代之"契丹直"

后唐明宗天成三年(928),因定州节度使王都之叛而引发后唐与契丹之间的一场战事,《新五代史》卷七二《四夷附录一》记此事曰:

> 定州王都反,唐遣王晏球讨之。都以蜡丸书走契丹求援,德光遣秃馁、荝剌等以骑五千救都,都及秃馁击晏球于曲阳,为晏球所败。德光又遣惕隐赫邈益秃馁以骑七千,晏球又败之于唐河。赫邈与数骑返走,至幽州,为赵德钧所执,而晏球攻破定州,擒秃馁、荝剌,皆送京师。明宗斩秃馁等六百余人,而赦赫邈,选其壮健者五十余人为"契丹直"。①

此事亦见于《五代会要》卷二九"契丹",所记略同②。从《辽史》卷三《太宗纪上》也可以找到相应的记载:天显三年(928)三月,"唐义武军节度使王都遣人以定州来归。唐主出师讨之,使来乞援,命奚秃里铁剌往救之";四月,"铁剌败唐将王晏球于定州。唐兵大集,铁剌请益师。辛丑,命惕隐涅里衮、都统查剌赴之";七

---

①《新五代史》卷七二《四夷附录一》,北京:中华书局,1974年,第891页。
②《旧五代史》卷三九《唐明宗纪五》、《资治通鉴》卷二七六《后唐纪五》明宗天成三年八月戊申虽记有此事,但无"契丹直"之称。

月壬子,"王都奏唐兵破定州,铁剌死之,涅里衮、查剌等数十人被执"①。虽然双方的记载不尽吻合,且契丹人名译音亦颇有出入,但大致可以相互印证:《新五代史》所称"秃馁"即《辽史》之"秃里",此人本名"铁剌",其身份为奚六部秃里,"秃里"乃其官称②;"蓟剌"即"都统查剌";"惕隐赫邈"当即"惕隐涅里衮",然"赫邈"与"涅里衮"译音不合,大概前者为契丹语小名,后者为契丹语第二名。

在传世文献中,这是有关契丹直的系年明确的最早记载。然而有史料表明,契丹直的出现并不始于后唐。《旧五代史》卷一二九《周书·王重裔传》曰:"年未及冠,事庄宗为厅直,管契丹直。从安汴、洛,累为禁军指挥使。……广顺元年夏,以疾卒,年五十三。"③五代时将帅出入战阵的随身护卫谓之"厅直",宋初田锡说:"近代侯伯,各有厅直三五十人,习骑射为腹心,每出入敌阵,得以随身。"④上文谓王重裔"事庄宗为厅直,管契丹直"是在年未及冠之时,而以周太祖广顺元年(951)卒年五十三来推算,则当生于唐昭宗光化二年(899),其"年未及冠"当不晚于梁末帝贞明四年(918);又谓其以庄宗之厅直"管契丹直"是在"从安汴、洛"(指庄宗李存勖建唐灭梁)之前,也说明契丹直之始创应是晋王李存勖时代的事情。

---

①《辽史》卷三《太宗纪上》,北京:中华书局,2003年,第28—29页。

②《金史》卷五五《百官志序》(北京:中华书局,1985年,第1216页)云:"镇抚边民之官曰秃里,……踵辽官名也。"

③《旧五代史》卷一二九《周书·王重裔传》,北京:中华书局,1986年,第1701页。

④《续资治通鉴长编》(以下简称《长编》)卷三〇太宗端拱二年正月乙未,北京:中华书局,2004年,第2册,第675页。

后唐时最著名的一支契丹直当属幽州之"银鞍契丹直"。赵德钧自同光三年(925)出任卢龙节度使,镇守幽州达 12 年之久,"银鞍契丹直"就是他在幽州建立的一支劲旅。《通鉴》胡注说:"赵德钧在幽州,以契丹来降之骁勇者置'银鞍契丹直'。"①既以"银鞍"为名,可见是一支以银色鞍具为特征的精锐骑兵。可惜对于这支军队的情况我们所知有限,宋代文献仅仅对它的最后结局留下了记载。清泰三年(936),河东节度使石敬瑭结契丹叛唐自立,后唐末帝遣张敬达率军征讨。是年九月,契丹败张敬达军于太原城下,末帝遂命卢龙节度使赵德钧"以本军由飞狐路出贼后邀之……德钧乃以所部银鞍契丹直三千骑至镇州"②。后败走潞州,出降契丹,"契丹主至潞州,德钧父子迎谒于高河……契丹主问德钧曰:'汝在幽州所置银鞍契丹直何在?'德钧指示之,契丹主命尽杀之于西郊,凡三千人"③。"银鞍契丹直"的这种结局自然不足为怪。由契丹来降者组成的这支军队,是赵德钧在幽州长期与契丹相抗衡所依赖的一支生力军,故久已为契丹所仇视,必欲

①《资治通鉴》卷二八〇《后晋纪一》高祖天福元年十月,北京:中华书局,1982 年,第 19 册,第 9152 页。前揭任爱君《论五代时期的"银鞍契丹直"》一文指出,"银鞍契丹直"亦称"契丹银鞍直",此说不确。按所谓"契丹银鞍直"仅见于文渊阁《四库全书》本《辽史拾遗》卷二,乃系误引《资治通鉴》卷二八〇后晋高祖天福元年十月条,《通鉴》原文本作"银鞍契丹直"。厉鹗《辽史拾遗》成书于乾隆八年(1743),《四库全书》所据当为抄本。该书通行者为道光二年(1822)钱塘汪氏振绮堂校刊本,作"银鞍契丹直"不误。
②《旧五代史》卷九八《晋书·赵德钧传》,第 4 册,第 1309 页。《通鉴》卷二八〇后晋高祖天福元年十月条作"德钧请将银鞍契丹直三千骑由土门路西入"。
③《资治通鉴》卷二八〇《后晋纪一》高祖天福元年闰十一月甲戌,第 19 册,第 9160 页。

尽杀之而后快。贾敬颜先生曾就此事分析说：

> 赵德钧养契丹降人以对抗契丹，亦如金忠孝军之以羌、
> 浑、乃蛮等部落降人组成，如宋通事军之以蒙古降人组成，皆
> 所以抵御蒙古者，其人多必死之亡命徒，以顽抗称于世。成
> 吉思汗及其子孙诸汗王，尤恶此等人，必屠之而后快，与耶律
> 德光杀尽银鞍契丹之事绝相类似。①

由蒙古人对金忠孝军、南宋通事军的态度来看，更容易使我
们理解"银鞍契丹直"的最终结局。

关于"银鞍契丹直"与幽州"银胡䩮"的关系，需要在此做一
点辨析。任爱君先生认为，刘仁恭统治幽州时建立的契丹"银胡
䩮"，很可能就是后来赵德钧所置"银鞍契丹直"的前身②。此推
论的依据来自《新五代史》卷三三《王思同传》的下述记载："王思
同，幽州人也。其父敬柔，娶刘仁恭女，生思同。思同事仁恭为银
胡䩮指挥使，仁恭为其子守光所囚，思同奔晋，以为飞胜指挥
使。"③《通鉴》卷二六六后梁太祖开平元年四月己酉条也说："银
胡䩮都指挥使王思同帅部兵三千，山后八军巡检使李承约帅部兵
二千奔河东。"胡注云："胡䩮，箭室也。"④任文即据以上两条史料
得出"银胡䩮都指挥使"之"银胡䩮"即"契丹银胡䩮"的结论，并

---

① 贾敬颜：《民族历史文化萃要》"银鞍契丹直"条，第 66 页。
② 见前揭任爱君《论五代时期的"银鞍契丹直"》《唐末五代的"山后八
　　州"与"银鞍契丹直"》。
③ 《新五代史》卷三三《王思同传》，第 358 页。
④ 《资治通鉴》卷二六六《后梁纪一》，后梁太祖开平元年四月己酉条，第
　　8672 页。

进而推衍此"契丹银胡觮"与"银鞍契丹直"之间的渊源关系。按胡三省谓胡觮指箭室(即箭匣),而"银鞍契丹直"之鞍指马具,两者本不相干,至多只能说明银胡觮都指挥使统率的也是一支骑兵部队而已;又银胡觮都指挥使仅见于刘仁恭镇幽州之时,早于"银鞍契丹直"二十余年,没有证据表明王思同所统率的是专由契丹人组成的军队。因此,要判定它与后来赵德钧所置"银鞍契丹直"之间有何渊源关系,似乎缺乏必要的证据。

契丹直之见于载籍者,以后唐时期的动向最为引人注目,故《宋史·兵志》在谈到五代契丹直的兴废情况时说:"后唐置,旋废。"①这种说法自然是靠不住的。上文说过,契丹直并不始于后唐,其实也并非废于后唐。《旧五代史》卷一二九《王重裔传》曰:

> 王重裔,陈州宛丘人。……年未及冠,事庄宗为厅直,管契丹直。从安汴、洛,累为禁军指挥使。晋天福中,镇州安重荣谋叛,称兵指阙,朝廷命杜重威率师拒之,贼阵于宗城东,晋军进击之,再合不动。杜重威惧,谋欲抽退,重裔曰:"兵家忌退,但请公分麾下兵击其两翼,重裔为公陷阵,当其中军,彼必狼狈矣。"重威从之,重荣即时退蹙,遂败。②

前文已经指出,王重裔"年未及冠,事庄宗为厅直,管契丹直"云云,说的是李存勖建立后唐之前的事情,那么后来这支契丹直

①《宋史》卷一八七《兵志一》"禁军上·建隆以来之制",北京:中华书局,1977年,第14册,第4586页。
②《旧五代史》卷一二九《周书·王重裔传》,第1701页。

的结局如何呢？关于后晋天福六年(941)王重裔参与平定安重荣之叛的经过，《通鉴》的记载与《旧五代史》有所不同：

> 杜重威与安重荣遇于宗城西南，重荣为偃月陈，官军再击之，不动；重威惧，欲退。指挥使宛丘王重胤曰："兵家忌退，镇之精兵尽在中军，请公分锐士击其左右翼，重胤为公以契丹直冲其中军，彼必狼狈。"重威从之。①

陈尚君先生指出，《旧五代史》之王重裔本名王重胤，"为宋人避太祖讳改"②。而根据《通鉴》的记载可以得知，此役中王重胤用以攻击安重荣之中军者，正是他麾下的契丹直。这说明王重胤早年在河东时所统率的那支契丹直，历经后唐、后晋两朝，始终不曾被废去。那么，这里也许会有一个疑问：从耶律德光杀尽幽州"银鞍契丹直"的举动来看，辽朝方面对契丹直理应是非常敌视的，况且石晋与契丹间还具有一层藩属之国的政治关系，辽朝怎会容许石晋继续保留契丹直呢？据笔者分析，王重胤统率的契丹直与幽州"银鞍契丹直"的情况应该是很不相同的，其中可能有两个原因：其一，两者的来源似有所不同。幽州之"银鞍契丹直"主要来自于契丹降卒，而王重胤麾下的契丹直可能主要是由居住在代北地区的契丹人组成的。其二，两者的征战对象不同。"银鞍

①《资治通鉴》卷二八二《后晋纪三》高祖天福六年十二月戊戌，第19册，第9231页。

②陈尚君辑纂《旧五代史新辑会证》卷一二九《王重胤传》校记一："王重胤，《永乐大典》、影库本作'王重裔'，为宋人避太祖讳改。今据《新五代史》卷五二《杜重威传》及《册府元龟》卷三七四改。"上海：复旦大学出版社，2005年，第10册，第3961页。

契丹直”是赵德钧在幽州长期与契丹为敌所倚重的一支劲旅,而王重胤统率的契丹直恐怕与辽军交手的机会不多——从《旧五代史·王重裔传》来看,在他一生的戎马生涯中,从没有与契丹交手的经历。如此看来,这支契丹直能够在石晋时期继续存在下去是完全可以理解的。至于后汉、后周两朝有无契丹直,因史料不足征,只能暂且存疑。

五代时期的契丹直,多是作为帝王或藩镇节度使的禁卫军而出现的。《新五代史》记后唐明宗天成三年王晏球攻破定州,以契丹降卒遣送京师,明宗“选其壮健者五十余人为‘契丹直’”,而《旧五代史》则谓“赵德钧献戎俘于阙下,其蕃将惕隐等五十人留于亲卫”①,《通鉴》亦称明宗“乃赦惕隐等酋长五十人,置之亲卫”,胡注曰:“后唐盖仿盛唐之制,朝会立仗有亲、勋、翊三卫。”②此三书所记皆为同一事,但《旧五代史》和《通鉴》不称契丹直,而称“留于亲卫”或“置之亲卫”。这里说的“亲卫”,胡三省理解为亲、勋、翊三卫之亲卫,表明这支契丹直属于朝廷禁军系统。据《五代会要》说,时明宗“选其尤壮健者立为契丹直……言事者以为胡人悍戾,不可置于君侧”③,同样可以表明这支契丹直处于“君侧”的禁军身份。又《旧五代史·王重裔传》谓其“年未及冠,事

---

① 《新五代史》卷七二《四夷附录一》,北京:中华书局,1986 年,第 3 册,第 891 页;《旧五代史》卷三九《唐明宗纪五》天成三年闰八月戊申条,第 2 册,第 541 页。

② 《资治通鉴》卷二七六《后唐纪五》明宗天成三年八月,第 19 册,第 9022 页。

③ 《五代会要》卷二九“契丹”,上海:上海古籍出版社,1978 年,下册,第 457 页。

庄宗为厅直,管契丹直",后唐时又"累为禁军指挥使"①,而在他
麾下始终有一支契丹直。王重胤(裔)无论是以晋王李存勖厅直
的身份统率契丹直,还是以后唐禁军指挥使的身份统率契丹直,
都说明这支契丹直具有禁卫军的性质。至于赵德钧的"银鞍契丹
直",也是他任幽州节度使时建立的一支地方藩镇的禁卫军。

　　不过有迹象表明,五代时期的契丹直并非全都属于禁军或具
有禁卫军的性质。后唐明宗长兴四年(933),夏州节度使李仁福
卒,"先是,河西诸镇皆言仁福连结契丹……会仁福死,欲移其嗣
别镇,命廷帅安从进镇之。恐其不从命,令邠州节度使乐彦稠、宫
苑使安重益为监军,同率师援送安从进之镇。帝又命安重益收聚
诸军先配契丹及亲从契丹直两都,并随重益"②。值得注意的是,
安重益此次统率出征者,既有"亲从契丹直两都"③,又有"诸军先
配契丹"者。很明显,前者属于朝廷禁军,而后者则指配隶诸军的
契丹降人。下面这条史料说得更为明白:明宗长兴二年九月,"敕
怀化军节度使东丹慕华宜赐姓李、名赞华,仍改封陇西郡开国公,
兼应有先配在诸军契丹直等,并宜赐姓名"④。所谓"先配在诸军
契丹直",显然不属朝廷禁军之列。又《册府元龟》卷九九四《外
臣部》谓后唐时契丹"相次投来者,散配诸军,选其尤壮劲者立为

①《旧五代史》卷一二九《周书·王重裔传》,第1701页。
②《册府元龟》卷九九四《外臣部·备御七》,周勋初等校订本,南京:凤凰
　出版社,2006年,第11册,第11512页。
③"都"是唐末五代以后的军事编制单位,《武经总要》前集卷一《军制》
　(《中国兵书集成》,北京:解放军出版社、沈阳:辽沈书社,1988年,第3
　册,第42页):"大凡百人为都,五都为营。"
④《册府元龟》卷一七〇《帝王部·来远》,第2册,第1897页。

契丹直"云云①,这就是说,后唐诸军皆有契丹来降者,而其中最强悍者方可立为契丹直——照这种说法,似乎只有属于禁军者才能称为契丹直,这恐怕与事实不符。从上文"先配在诸军契丹直"一语来看,无论是隶属禁军或隶属其他诸军者,皆可称为契丹直。

《册府元龟》中还有一条与契丹直身份属性相关的史料也值得注意。清泰元年(934)四月,后唐末帝李从珂即位后下诏赏赐诸军,其中"诸军军使副、兵马使至长行契丹直,钱三万"②。这里说的"长行契丹直"应如何理解?唐代开元后,因府兵制早已名存实亡,遂召募"长行健儿"(亦称"长征健儿")以供征防,又以"长从宿卫"替代番上府兵,所谓"长行"、"长征"、"长从"者,都强调的是募兵制下的职业兵特点。"长行契丹直"之称与之类似,主要突出契丹直的职业兵、雇佣兵性质。

二、北宋禁军之"契丹直"

北宋时期,循五代旧制复置契丹直,系禁军诸班直之一,隶属于殿前司马军。有关北宋契丹直的情况,主要见于《宋史·兵志》。《兵志一》"禁军上·建隆以来之制"下记载说:"契丹直(三。咸平、许、寿各一。后唐置,旋废。开宝三年,以辽人内附之众复置。太平兴国中,因事复置,旋废)。"③又《兵志二》"禁军下·熙宁以后之制"说:"契丹直(三。咸平、棣昌、寿各二。熙宁

---

① 《册府元龟》卷九九四《外臣部·备御七》,第 11 册,第 11512 页。
② 《册府元龟》卷八一《帝王部·庆赐三》,第 1 册,第 889 页。
③ 《宋史》卷一八七《兵志一》,第 14 册,第 4586 页。

九年废）。"①关于这两条史料，有必要详加讨论。

首先需要探讨的是北宋复置契丹直的原委。契丹直出现在五代这样一个"华夷混乱之世"②，兴起于自"安史乱后已沦为胡化藩镇之区域"③的代北幽州地区，自然是不难理解的。然而北宋复置契丹直，且作为禁军诸班直之一长期存在，则看似是一桩比较费解的事情。据《宋史·兵志》说，北宋契丹直始建于太祖开宝三年（970），"以辽人内附之众复置"④。检《长编》卷一〇开宝二年十月有这样一段记载："契丹舍利、于鲁等十六族归附，以其大首领罗美四人为怀德将军，八人为怀化郎将；次首领诺尔沁旺布十五人为归德司戈。"⑤此次来投的契丹归明人规模相当可观，开宝三年之置契丹直，或许与此事有某种因果关系。《宋史·兵志》又说："太平兴国中，因事复置，旋废。"⑥若依此说，似乎开宝三年所置契丹直至太祖末年又被废去，太宗朝乃复置之。以常情推断，恐不至如此兴废无常，似应理解为太平兴国中增置契丹直。据《长编》载，太平兴国四年（979）八月戊申朔，"契丹苏哲等二十八人来降，赐以衣服钱帛，配隶契丹直"⑦。此事的历史背景是比

---

① 《宋史》卷一八八《兵志二》，第 14 册，第 4611 页。
② 此系借用明人丘濬语，见《世史正纲》卷三一《元世史》，《四库全书存目丛书》影印嘉靖四十二年孙应鳌刻本，济南：齐鲁书社，1996 年，史部第 6 册，第 600 页上栏。
③ 见陈寅恪：《论李栖筠自赵徙卫事》，《金明馆丛稿二编》，上海：上海古籍出版社，1980 年，第 1 页。
④ 《宋史》卷一八七《兵志一》，第 14 册，第 4586 页。
⑤ 《长编》卷一〇，开宝二年十月，第 1 册，第 234 页。
⑥ 《宋史》卷一八七《兵志一》，第 14 册，第 4586 页。
⑦ 《长编》卷二〇，太平兴国四年八月戊申朔，第 1 册，第 459 页。按"苏哲"原本当作"尤者"，乃契丹人常用名，此盖四库馆臣改译。

较清楚的,太平兴国四年六月,太宗亲征契丹,围辽南京,其附近诸州县多降于宋,后虽败于高粱河之战,但此役所获契丹降人想必为数不少,苏哲等人来降也应该与此背景有关。《宋史·兵志》谓"太平兴国中,因事复置",可能就是太平兴国四年的事情①;但又谓"旋废",则所记可能不确,因为有明确的证据表明,直至神宗熙宁年间,作为禁军诸班直之一的契丹直才最终被废去。

实际上,北宋初年曾以燕、云、朔、应等州沿边部民及诸族归明人设立了多支禁军班直,如吐浑直,"太平兴国八年,太原迁云州及河(东?)界吐浑立……雍熙三年,又得云、朔归明吐浑增立";安庆直,"太平兴国四年,迁云、朔及河东归明安庆民分屯并、潞等州,给以土田,雍熙四年立";三部落直,"太平兴国四年,亲征幽州,迁云、朔、应等州部落于并州,因立";归明渤海,"太平兴国四年,征幽州,以渤海降兵立";吐浑小底,"太平兴国四年,平太原,获吐浑子弟,又选监牧诸军中所有者充"②。其中安庆直出自"云、朔及河东归明安庆民",即沙陀三部落之一的安庆部,一般被认为是沙陀化的粟特人;三部落直则可能出自沙陀三部落③。这些班直与契丹直一样存在了约一个世纪之久,直至神宗熙宁间整顿禁军时才被废去。北宋初年,主要由游牧民族组成的这批马军班直骁勇善战,将他们编入禁军有利于提高宋军的战斗力。

---

① 此推论尚有一旁证。据《宋史·兵志》,隶属于侍卫马军司的契丹归明神武,乃"太平兴国四年亲征幽州,以其降兵立此军"云云(卷一八七,第4591页),与太宗复置契丹直的情形十分相似,详见下文考证。
② 《宋史》卷一八七《兵志一》"禁军上·建隆以来之制·殿前司骑军",第14册,第4586—4587页。
③ 参见森部丰:《唐末五代の代北におけるソグド系突厥と沙陀》,《東洋史研究》第62卷第4号,2004年3月,第60—93页。

关于北宋契丹直的规模，上引《宋史·兵志》两处均明确标注为"三"，即指三指挥①。宋代禁军编制一般分为都、指挥、军、厢四个层级，其中指挥（亦称"营"）是最基本、最稳定的军事编制单位，故文献中凡涉及军队数量概念时，其编制单位通常都是指挥。《武经总要》前集卷二《日阅法》曰："国朝军制，凡五百人为一指挥，其别有五都，都一百人，统以一营居之。"②按每指挥五百人计，契丹直共三个指挥当为一千五百人，但北宋军队编制不满员的现象非常普遍，兵籍往往是虚数，故实际上可能远不足一千五百人。

有关北宋契丹直的驻防地，《宋史·兵志》的记载存在一点疑问。《兵志一》"建隆以来之制"谓契丹直三个指挥，"咸平、许、寿各一"；而《兵志二》"熙宁以后之制"则说契丹直三个指挥，"咸平、棣昌、寿各二"③。上文已经指出，后者指挥数"二"当为"一"之误。但更大的问题在于"许"与"棣昌"的出入，《宋史》点校本校勘记说："按宋有棣州而无'昌州'，亦无名'棣昌'的州县。本书上一卷《建隆以来之制》，本军驻地作'咸平、许、寿'，许州后升府，改名颍昌，疑'棣'字乃'颍'字之讹。"④这一判断应该是可取的。我们在宋代文献中还可以找到涉及契丹直三指挥驻防地的若干旁证材料。《宋会要辑稿》记载熙宁中郊祀赏赐的有关规定，其中称"在京吐浑小底并咸平县契丹直，都指挥使至长行，自八十

①《宋史》卷一八八《兵志二》"熙宁以后之制"所列契丹直亦注明为三指挥，但又谓"咸平、棣昌、寿各二"，则与总数不符，当据卷一八七《兵志一》"建隆以来之制"将指挥数改作"各一"。

②见《中国兵书集成》影印明万历刻本，第3册，第82页。

③《宋史》卷一八八《兵志二》，第4611页。

④见《宋史》卷一八八《兵志二》校勘记四，第14册，第4634页。

千至十五千,凡七等"①,小注中又提及"许、寿州契丹直"云云②。直至熙宁九年(1076)仍有这样的记载:"以寿州契丹直等五指挥赴虔州权驻泊,以备广南东路钤辖司追呼。"③由此可见,北宋契丹直三指挥的驻防地始终没有什么变化,与《宋史·兵志一》的记载完全吻合。

以上所述北宋契丹直三指挥的驻防地,其中咸平县(治今河南省通许县)属开封府;许州(治今河南省许昌市)属京西北路,元丰三年(1080)升为颍昌府;寿州(治今安徽省凤台县)属淮南西路。作为隶属于殿前司的班直,契丹直的驻防情况显得不同寻常。宋代的诸班直属于朝廷禁卫军,《两朝国史》对它与其他禁军的区别说得很清楚:"禁兵者,天子卫兵也,总于殿前、侍卫二司。其尤亲近扈从者,号班直;余自龙、卫而下,皆番戍诸路。"④由于诸班直的主要职责是充当朝廷禁卫,因此大多驻防于东京或开封府境内,但契丹直仅有一个指挥驻防于开封府咸平县,其他两个指挥却分别驻防在远离东京的许州和寿州。这说明契丹直与其他诸班直的地位和作用是有明显区别的。杨倩描先生认为,契丹直、吐浑直、安庆直等由外族人所组成的班直,"冠以'直',只是突出其不同于宋军一般指挥的特殊性,而并非宫廷禁卫军性

---

①《宋会要辑稿·礼》二五之五,北京:中华书局,1957 年影印本,第 957 页上栏。

②《宋会要辑稿·礼》二五之六,第 957 页下栏。

③《长编》卷二七三,熙宁九年二月壬寅条,第 11 册,第 6685 页。按虔州(治今江西省赣州市)属江南西路,南邻广南东路。

④《文献通考》卷一五二《兵考四》"兵制"引《两朝国史·志》,北京:中华书局影印本,1986 年,上册,第 1327 页。

质的诸直"①。这种看法是有道理的。不过我们想要追问的是其所以然,究竟是什么原因使得这些班直有名而无实? 这其实并不难理解。北宋初年,诸班直在皇帝出征时往往担当冲锋陷阵的任务,故太祖、太宗要将骁勇善战的游牧民族编入禁军班直,但若让这些班直平日里担当皇帝的宿卫,则多有不便。我们知道,宋人头脑中的华夷、内外观念要远比唐人强烈得多,对这些由外族人组成的班直很难说没有任何戒惕心理,这就是契丹直等班直有名无实的缘故。

正是由于上述原因,隶属于殿前司的契丹直显然并不承担朝廷禁卫的职责,它的地位和作用毋宁说更接近于班直之外的一般禁军,这是我们从契丹直三指挥的驻防情况所得出的印象。关于契丹直的驻防性质,也值得进一步探讨。北宋禁军实行更戍法,有屯驻、驻泊、就粮之别,三者的区别大致如下:"其出戍边或诸州更戍者,曰屯驻;非戍诸州而隶总管者,曰驻泊;非屯驻、驻泊,以粜贱而留之者,曰就粮。"②就粮属经济性的移屯,而屯驻、驻泊则主要是出于军事性的目的。屯驻与驻泊的区别,主要就在于隶属关系的不同③。看来契丹直三指挥的驻防性质应属于屯驻而非驻泊,至于熙宁九年"以寿州契丹直等五指挥赴虔州权驻泊,以备广南东路钤辖司追呼",则是由屯驻改为驻泊的临时性措施。

---

① 杨倩描:《两宋诸班直番号及沿革考》,《浙江学刊》2002 年第 4 期,第 145 页。
② 章如愚:《群书考索》后集卷四〇《兵门》,京都:中文出版社影印明正德三年刻本,1982 年,上册,第 765 页。
③ 参见王曾瑜:《宋朝军制初探(增订本)》,北京:中华书局,2011 年,第 67—72 页。

除了上面谈到的隶属于殿前司的契丹直,还有一支不大为人注意的班直"归明神武"也值得考究。《宋史·兵志》载熙宁七年诏颁禁军诸班直名额,其中有所谓"契丹直第一、契丹直第二",又同卷"诸军资次相压"条也列有契丹直第一、契丹直第二[1]。上文谈到,北宋契丹直共三个指挥,此第一、第二若是代表指挥,则与殿前司所属契丹直的指挥数不符。那么,这里说的契丹直第一、契丹直第二究竟应该作何解释呢?笔者注意到,《宋史·职官志》在记载武臣俸禄时所列出的诸班直包括"契丹归明神武、契丹直"等[2],此处提到的"契丹归明神武"亦见于《兵志》:"归明神武(太平兴国四年,亲征幽州,以其降兵立此军。初指挥一,后增为四。雍丘。)"[3]据此可知,归明神武系以太平兴国四年太宗攻辽之役所获降兵创置,与殿前司契丹直的来源相近,只不过该班直隶属于侍卫马军司而已。这支班直的正式名称应为"归明神武",而《宋史·职官志》则称之为"契丹归明神武",可知该班直主要是由契丹人组成的,或许其中包括部分燕云"汉儿",故与隶属于殿前司的契丹直有所区别。由此可以得出一个结论,《宋史·兵志》所谓"契丹直第一、契丹直第二",应该就是指隶属于殿前司的契丹直和隶属于侍卫马军司的契丹归明神武。归明神武最初仅有一个指挥,后增加至四个指挥,屯驻于开封府雍丘县(治今河南省杞县)。该班直至少到熙宁七年尚存,废于何时不详。

---

① 《宋史》卷一八七《兵志一》"禁军上",第 14 册,第 4577、4579 页。
② 《宋史》卷一七一《职官志一一》"俸禄制上·武臣奉给",第 12 册,第 4118 页。
③ 《宋史》卷一八七《兵志一》"禁军上·建隆以来之制·侍卫司骑军",第 14 册,第 4591 页。

隶属于殿前司的契丹直,最终被废于神宗熙宁间。《通鉴长编纪事本末》卷六六《议减兵杂类》有这样一段记载:

> 是月(熙宁三年三月),诏并龙猛八指挥为六,旧三百五十人为额,今以三百人为额①。自康定、庆历以来,诸军间有并废。至熙宁初大整军额,有就而合者,如龙卫三十九指挥并为二十;有以全部付隶者,宣威并入威猛、广捷而宣威废罢,契丹直拨入神骑而契丹直废罢;有并营而增额,如宣武二十指挥、四百人额,并为十二指挥、五百人为额;有就而易名者,如骁猛四指挥,以第四一指挥改充骁雄,存三指挥。自是部伍整肃,无有名存而实缺者。②

今本《长编》治平四年四月至熙宁三年三月已缺,故不载此事。这段文字附记于熙宁三年三月缩编龙猛指挥数之后,但并未明确说明契丹直并入神骑是在何时,林駉《古今源流至论》续集卷一则将此事径系于熙宁三年下③,显系误解了李焘的原意。上引《宋史》卷一八八《兵志二》明确指出契丹直"熙宁九年废",又《长编》卷二七三熙宁九年二月壬寅仍有"以寿州契丹直等五指挥赴虔州权驻泊"的记载④,说明契丹直之废当在是年二月之后。据李

①"今以三百人为额"句原脱,据章如愚《群书考索》后集卷四〇《兵门》(上册,第 765 页)补。

②赵铁寒主编:《宋史资料萃编》第 2 辑,台北:文海出版社影印光绪十九年广雅书局刊本,1967 年,第 4 册,第 2116 页。

③林駉:《古今源流至论》续集卷一"畿兵",台湾商务印书馆影印文渊阁《四库全书》本,第 942 册,第 347 页。

④《长编》卷二七三,熙宁九年二月壬寅,第 11 册,第 6685 页。

焘说,"契丹直拨入神骑而契丹直废罢",神骑也是隶属于殿前司的诸班直之一,《宋史·兵志》记其沿革云:"指挥十八。雍丘十三,咸平五。端拱二年,选骁雄新配人及教骏、借事等兵立。淳化二年,废掉揭索军隶之。咸平二年,又择教骏、备征及外州增之。"又云:"熙宁二年,并为十。中兴后,副指挥一员。"①可见该班直至南宋尚存。

自太祖开宝三年(970)创置,至神宗熙宁九年(1076)最终并入神骑,北宋契丹直的存在前后超过百年。契丹直最终被废,有内外两方面的原因。首先,从时代背景来说,宋神宗即位后希望改变北宋王朝积贫积弱的现状,致力于富国强兵,其强兵措施之一就是裁汰冗兵。具体说来,主要是裁撤禁军和厢军的番号,或削减某些番号的指挥数。熙宁间被撤销的三衙禁军共计30多支,多是人数较少的禁军番号②。如契丹直、吐浑直、安庆直、三部落直等都属于这种情况。其次,从契丹直的兵源情况来说,宋初所置契丹直主要来自战争中的契丹降俘或辽朝归明人,而自澶渊之盟以后,契丹直恐怕很难有新的兵源得到补充,估计主要是靠子承父业而形成一支职业兵。如此看来,契丹直最终走向消亡实在是顺理成章的事情。

三、"契丹直"的词源、词义问题

讨论五代北宋时期的"契丹直",其中一个无可回避的关节点

---

① 见《宋史》卷一八七《兵志一》"禁军上·建隆以来之制",第 14 册,第 4586—4587 页;卷一八八《兵志二》"禁军下·熙宁以后之制",第4611 页。
② 参见王曾瑜:《宋朝军制初探(增订本)》,第 105—110 页。

便是该词的词源与词义问题。如上所述,传世文献中有关契丹直的记载相当有限,至于其词义若何,更无只言片语涉及。

迄今为止,仅有贾敬颜先生对该词做过明确释义,他在谈及"银鞍契丹直"时解释说:"按契丹直,犹言契丹人也,契丹语同于蒙古语,'直'即蒙古语表示人之身份、职业之 či(赤),或作 čin(真)。契丹直,如以蒙古语还原,必即 Qitanči 或 Qitančin。"[1]以 či 或 čin 作为表示身份、职业之名词词尾的用法,在蒙古语族语言中确实是一个较为普遍的现象。《南齐书》卷五七《魏虏传》有一段为人们所熟知的史料:

> 国中呼内左右为"直真",外左右为"乌矮真",曹局文书吏为"比德真",檐衣人为"朴大真",带仗人为"胡洛真",通事人为"乞万真",守门人为"可薄真",伪台乘驿贱人为"拂竹真",诸州乘驿人为"咸真",杀人者为"契害真",为主出受辞人为"折溃真",贵人作食人为"附真"。三公贵人,通谓之"羊真"。[2]

白鸟库吉氏最早注意到这段史料,指出以上诸词词尾的"真"字系鲜卑语表示职司某事者或从事某种事务者所特有的词缀,相当于蒙古语的 či[3]。后来伯希和在《汉译突厥名称之起源》一文

---

①贾敬颜:《民族历史文化萃要》"银鞍契丹直"条,第65页。
②《南齐书》卷五七《魏虏传》,第985页。
③白鸟库吉:《东胡民族考》之四"托跋氏",见《白鸟庫吉全集》第4卷,东京:岩波书店,1970年,第170页;方壮猷中译本,北京:商务印书馆,1934年,第158页。此文写于明治末年,从明治四十三年(1910)四月至大正二年(1913)七月连载于《史学杂志》21编第4号至24编第7号。

中也发表过类似的意见:"当时魏国统制中国北方,我们在《南齐书》里面看见有译写的几个鲜卑名称,这些名称虽然用-čin(真)煞尾,而不用-či(赤)煞尾,魏国字汇好像是'突厥式'而不是'蒙古式',但是这件问题必须要详细研究。"①伯希和发现这种词缀不仅见于蒙古语族语言,亦见于突厥语言,并指出-čin(真)与-či(赤)的区别所在:前者是突厥式的,而后者是蒙古式的。

尤为可贵的是,宋代文献中所见契丹语言资料,也可以找到带有此类词缀的例证。《梦溪笔谈》卷二五载有刁约使契丹时所作五言诗一首:

> 刁约使契丹,戏为四句诗曰:"押燕移离毕,看房贺跋支。饯行三匹裂,密赐十貔狸。"皆纪实也。移离毕,官名,如中国执政官。贺跋支,如执衣、防阁。匹裂,似小木罂,以色绫木为之,如黄漆。貔狸,形如鼠而大,穴居食谷粱,嗜肉,狄人为珍膳,味如独子而脆。②

据《长编》可知,刁约出使辽朝是仁宗嘉祐元年(1056)的事情③。这首诗见于多种宋人笔记及文集,考其史源,似以《梦溪笔

①伯希和:《汉译突厥名称之起源》注八,原载《通报》第16卷第5期,1915年;汉译文收入冯承钧《西域南海史地考证译丛》二编,北京:商务印书馆,1995年,第53页。
②见《梦溪笔谈校证》,胡道静校证,上海:上海古籍出版社,1987年,第806页。
③见《长编》卷一八三嘉祐元年八月丙寅条,第8册,第4438页。是年,祠部员外郎、判度支勾院、集贤校理刁约代侍御史范师道为契丹国母正旦使,出使辽朝。

谈》为最早。诗中提到的"贺跋支"一词,沈括比拟为"执衣、防阁"。按执衣、防阁均为唐代色役之名目,"唐制,凡在京文武职官,自一品至九品皆给防阁、庶仆,州县官僚皆有白直、执衣"①。《唐六典》曰:"凡京司文武职事官皆有防阁,⋯⋯凡州县官及在外监官皆有执衣,以为驱使。"②又《绀珠集》卷九"移离毕"条引此诗,在"移离毕"后注曰"大臣名也","贺拔支"下注曰"使令名也"③。所谓"使令名"即指执衣、防阁之类的随身仆役,故两说并无矛盾。

现代学者从历史比较语言学的角度对该词做出了不同的解释。白鸟库吉认为,"贺跋"相当于蒙古语族语言之 khubtsa 或 khubsa,指衣服,"支"可与蒙古语词缀 či 对音,"贺跋支"义为"司衣服的役人"④。爱宕松男亦将"贺跋支"释为"执衣侍臣"⑤。此说过分拘泥于一个"衣"字,似乎未能理解沈括的原意。根据杜佑的解释,所谓"执衣"乃"随身驱使,典执笔砚"者⑥,无非是指州县官的随身仆役而已,故"贺跋"未必与衣服有关。近年孙伯君又提

---

① 宋庠:《元宪集》卷三一《乞差当直兵士札子》,台湾商务印书馆影印文渊阁《四库全书》本,第 1087 册,第 645 页。
② 《唐六典》卷三"尚书户部",北京:中华书局,1992 年,第 78 页。
③ 旧题朱胜非:《绀珠集》卷九"移离毕"条引刘紫微《古今名贤集》,台湾商务印书馆影印文渊阁《四库全书》本,第 872 册,第 449 页。
④ 白鸟库吉:《东胡民族考》之十"契丹",见《白鳥庫吉全集》第 4 卷,第 256 页。
⑤ 爱宕松男:《余靖・刁約の胡語詩について》,《集刊東洋學》第 6 号,1961 年 9 月;收入氏著《東洋史學論集》第 3 卷,东京:三一书房,1990 年,第 44—47 页。
⑥ 《通典》卷三五《职官一七》"俸禄・禄秩",北京:中华书局,1988 年,第 1 册,第 965 页。

出一种新的解释,认为"贺跋"相当于蒙古语之 oboohoi,因辅音 h 与零声母相通,义为"茅屋",故"贺跋支"即"看房子的人"①。此说显然是将诗中"看房"二字直白地理解为"看房子"之意,恐怕距其原意相去更远。虽然以上两说对该词词干的理解各异,似未能得其确解,但他们却一致将词尾的"支"比定为蒙古语词缀 či,在这一点上并不存在什么异议。

以 či(支、直)作为表示身份、职业之词缀的用例,目前在契丹语中仅能找到上面这条比较明确的材料。此外,近年又有民族语文学家针对契丹语中可能存在的此类词缀提出了一种新的推论。孙伯君、聂鸿音先生认为,史籍中的汉字记音材料显示,代表阿尔泰语辅音 g 及其弱化音 γ 的汉字与代表辅音 c#的汉字之间能够形成语音对应关系,故契丹语中的-gin/-γin 等词缀应与蒙古语词缀 či 或 čin、鄂伦春语词缀-tʃən/-tʃin 等相当,可接在动词、形容词之后,表示具有某类性质或从事某项活动的人,类似于古汉语"……者"的结构②。不过,他们所举出的契丹语词缀 *-gin/*-γin 的例证均为契丹人第二名词尾,这显然是无法支撑上述结论的。笔者曾经指出,契丹人第二名词尾是一种属格后缀③,若将其理解为与蒙古语词缀 či 或 čin 相当的构词形式,无论是从契丹文字资料还是汉文文献中都找不到任何依据,因此上述推论目前还只能视为一种

---

① 孙伯君:《契丹语词缀 *-gin/*-γin 及其他》,《民族语文》2005 年第 2 期,第 33 页。

② 孙伯君、聂鸿音:《契丹语研究》,北京:中国社会科学出版社,2008 年,第 146—156 页。

③ 参见刘浦江、康鹏:《契丹名、字初释——文化人类学视野下的父子连名制》,《文史》2005 年第 3 辑,第 219—256 页;收入刘浦江《松漠之间——辽金契丹女真史研究》,北京:中华书局,2008 年,第 123—176 页。

假说。

将契丹语词缀-gin/-γin对应于蒙古语词缀 či 或 čin，这一推论主要是建立在对汉文文献中的契丹语言资料进行音韵学分析的基础之上，相比较而言，如能在契丹文字资料中找到以词缀 či（支、直）表示身份、职业的直接例证，才是最具说服力的。但遗憾的是，笔者在目前发现的契丹小字和契丹大字石刻资料中，均未能找到这样的词例。这也许是因为现已解读的契丹大小字主要以汉语借词为主，而少有契丹语词的缘故。

除了将契丹直之"直"释为表示身份、职业的词缀 či 之外，还有一种意见认为它可能是复数后缀。近年吴英喆先生提出，被构拟为 ʧ 的契丹小字原字 杂，在用于词尾时应是复数附加成分。其依据有二：一是蒙古语表示复数的词中含有辅音 ʧ 的成分，二是汉文文献中所见契丹直之"直"或有可能表示复数[1]。此说依据比较薄弱，况且目前在契丹小字资料中找不到以原字 杂 作为复数附加成分的确切例证，故难以令人信服。

以上两种观点，无论是将契丹直之"直"释为表示身份、职业的词缀 či，还是将其理解为复数附加成分，其共同点则是都将该词词源指向契丹语。"契丹直"为契丹语译音的说法，似乎可以得到汉文文献的佐证。在五代及宋代文献中，有将契丹直写作"契丹寘"或"契丹置"者。《册府元龟》卷九九四《外臣部》记后唐明宗朝事曰："先是，幽州捕送契丹惕隐已下六百人[2]，及相次投来者，散配诸军。选其尤壮劲者立为契丹寘，其酋长皆赐姓吉。而

---

① 吴英喆：《契丹语静词语法范畴研究》，呼和浩特：内蒙古大学出版社，2007年，第102—107页。
② "惕隐"，原误作"杨隐"，兹据《新五代史》卷七二《四夷附录一》改正。

言事者以为胡虏悍戾,不可狎于君侧。"近年出版的校订本将此段文字点作"选其尤壮劲者立为契丹,实其酋长,皆赐姓吉"云云①,显系有所误解。这里说的"契丹实"亦即"契丹直"。又《长编》卷二〇曰:"契丹苏哲等二十八人来降,赐以衣服钱帛,配隶契丹直。"此"契丹直",光绪七年浙江书局刊本作"契丹置",中华书局点校本即以此为底本,但据文津阁《四库全书》本改"置"为"直"②。因今存宋本及宋撮要本《长编》均无此段文字,无从得知原本究竟是作"契丹直"还是"契丹置"。从上述两例来看,既然契丹直可与"契丹实"或"契丹置"通用,说明它应该是一个译语词。

如果"契丹直"一词确是源自契丹语的话,那就有一个与此相关的问题值得追问。上文说过,北宋时期的契丹直是作为禁军诸班直之一而存在的,因此我们必须考虑契丹直之"直"与其他诸班直之"直"在词源、词义上有无相关性,即宋代班直之"直"究竟是源于汉语还是北族语言的问题。

禁军班直之称仅见于唐末五代及两宋时期,"凡禁军之最亲近者,执殿陛,宿卫宫省,扈从乘舆,号诸班直"③。但却从来无人对它的词源、词义加以解释,或许是觉得没有解释的必要吧。如按汉语来理解,班直之"直"当作"番直"解,《长编》谓李元昊"选

---

①《册府元龟》卷九九四《外臣部·备御七》,第 11 册,第 11512 页。此校订本系以明刻本为底本,中华书局 1989 年影印《宋本册府元龟》本卷残去后半,无从校核。今核以明刻本及文渊阁《四库全书》本,均作"契丹实"。

②《长编》卷二〇,太平兴国四年八月戊申条,第 1 册,第 459 页。参见第 468 页校勘记二一。

③章如愚:《群书考索》后集卷四〇《兵门》,上册,第 765 页。

豪族善弓马五千人迭直,伪号六班直"云云①,"迭直"即番直之意。但若从班直名号的起源来看,我们有理由怀疑它与契丹直之"直"在词源、词义上具有某种相关性。文献中有关班直的最早记载出现在唐末至五代初。据《新五代史·周本纪》说,郭威早年隶潞州留后李继韬麾下,"继韬叛晋附于梁,后庄宗灭梁,继韬诛死,其麾下兵悉隶从马直,威以通书算补为军吏"②。据此可知,从马直的建立当在李存勖灭梁之前。又《宋史》卷二五四《侯益传》曰:"唐光化中,李克用据太原,益以拳勇隶麾下。从庄宗攻大名,先登,擒军校,擢为马前直副兵马使。征刘守光,先登,迁军使。……庄宗入汴,为本直副都校。"③这里提到的马前直,大约是晋王李克用或李存勖时建立的。上文曾经指出,契丹直最初出现于晋王李存勖时代的河东地区,而最早的班直——从马直、马前直等禁卫诸直也恰好见之于同时同地。据此推断,如果班直之"直"与契丹直之"直"同源同义,并不是完全没有可能的,也就是说,不能排除班直之"直"源于北族语言的可能性。

即便事实果真如此,宋人恐怕也早已忘记了班直的本义,而很可能是将其当作汉语来理解的。至于北宋禁军之契丹直,宋人无非是沿用其旧名而已,而又恰好与班直之称相吻合,也许是有意求其音、义合一。禁军诸班直中的吐浑直、安庆直、三部落直等,情况大概也都类似。

原载《中华文史论丛》2012 年第 4 期

---

①《长编》卷一二〇,仁宗景祐四年末,第 5 册,2845 页。
②《新五代史》卷一一《周本纪一一》,第 109 页。
③《宋史》卷二五四《侯益传》,第 8879 页。

【未及补入正文之笔记】

宋祁《宋景文公笔记》卷上《释俗》云："国朝有骨朵子直,卫士之亲近者。予尝修日历,曾究其义,关中人谓腹大者为胍肛,上孤下都,俗因谓杖头大者亦为胍肛,后讹为骨朵。……今为军额,固不可改矣。"此"骨朵子直",宋金文献亦作"骨朵直",指皇帝身边执掌骨朵仪仗的人,又充当近侍,或属于禁军班直。此例或可作为"直"为北族语的旁证?

河北境内的古地道遗迹与宋辽金
时代的战事

　　20世纪以来,在河北各地陆续发现了多处古地道遗迹。河北一些地区长久以来就流传着关于古代地道的各种传说,而今古地道遗迹的发现证明这些传说是由来有自的。河北境内的古地道早在建国之前就偶有发现,但未作有计划的发掘和清理;七八十年代以后,河北考古工作者对邯郸和永清两地发现的规模宏大的古地道所进行的系统清理,引起了人们对这个问题的关注。本文试图结合文献材料对这些地道的时代以及产生的历史背景作一考察,并将其与20世纪40年代的河北地道加以比较和参照,我们或许可以从中获得某些有益的启示。

一、历年来河北境内发现的多处古地道遗迹

　　迄今为止,河北境内共有四个地区发现过古地道遗迹,即永清—霸县、雄县、蠡县、邯郸。下面首先根据我所掌握的材料分别作一介绍。

（1）永清—霸县古地道

永清和霸县均属今河北省廊坊地区,在两县之间有规模可观的古地道发现,民间传说是宋辽战争的遗迹。地道的主要走向有二:一是从永清县城南关西南通往霸县城,一是自永清县城东南通向霸县信安镇,连亘十几个自然村。其中永清境内瓦屋辛庄的地道规模最大,均为青砖所甃,所用青砖规格一致,质量上乘,似为统一烧制而成。地道穹顶穹门,高约 1.5 米,宽约 0.5 米,洞中路线相当曲折,其中有屯粮之处,有聚兵之处,从入口到出口,循行一遍约需十几分钟。1989 年 12 月 22 日,在永清县举行了一次"永清县古战道考察及学术研讨会",人们将这一地区的古代地道定名为"古战道"①。

（2）雄县古地道

1982 年 1 月,在雄县县城东北约 18 公里的祁岗村,农民打井时发现砖砌地洞,同年进行了试掘,试掘面积 120 平方米,在离地表 3.3 米深处发现砖砌券顶,暴露出一段地道,其结构包括主道、藏身洞及内室。

这条地道全用砖砌。主道高 0.9 米、宽 0.8 米,在三合土夯实的基础上单砖砌十一层,再起券而成。主道两侧有灯龛。进入主道 30 多米处,两侧有相对的藏身洞,往前数米拐角处有一隐蔽石板,揭开石板可见一方坑,从方坑经过一条支道进入内室。内室长 3 米,宽 2.7 米,高 1.62 米。四周墙角砌有气眼,墙顶部有灯

---

① 王树民:《永清的辽代地道》,载《辽金史论集》第 5 辑,北京:文津出版社,1991 年,第 332—334 页;肖涯:《神奇的地下古战道》,《中国文物报》1990 年 9 月 20 日。

龛,东西墙有相对的券洞两个,券洞内有陶瓷生活器具①。

(3)蠡县地道

蠡县今属河北省保定地区。据傅振伦先生回忆说,他20世纪30年代就读于北京大学时,曾从教育系同学温锡曾、国文系同学刘振岳处得知蠡县发现古地道的情况,谓地道大部为砖砌成,结构庞大,洞内复杂深邃,当地农民不敢深入,遂将洞口掩埋起来②。

(4)邯郸古地道

邯郸境内的地道是迄今为止发现的规模最庞大、构造最复杂、保存最完好,同时也是清理最完善的一处古地道遗址。

邯郸境内的古地道早就有所发现,据说民国六年就曾在磁州临水镇、彭城镇(今属邯郸市)一带发现过地道,以后又于1937年、1953年、1969年在同一地区陆续发现十余处③。但上述地区古地道的大面积发现和系统考察清理则是20世纪70年代以后的事情。

20世纪70年代初,在邯郸市西南约45公里的峰峰矿区所进行的人防和基建施工中,先后在9平方公里的范围内发现了许多处古地道遗址(民国初年以来曾发现地道的临水镇、彭城镇均在此范围之内),其中新市区一带分布最为密集,在这里发现的不同规模的古地道段落达77处之多。地道的结构颇为复杂,有的地方分为上、中、下三层,上层在现地表2.5米深处,中层距地表4.5

---

① 夏清海:《河北省雄县祁岗村发现古代地道》,《文物》1984年第6期,第96页。
② 傅振伦:《辽金时期河北的地道》,载前揭《辽金史论集》第5辑,第328—331页。
③ 傅振伦:《辽金时期河北的地道》,载前揭《辽金史论集》第5辑,第328—331页。

米至7米,下层在距地表9米以下深处,最深处据称有12米。巷道弯弯曲曲,上下相通。除了巷道之外,地道的主要结构还有供人出入的竖井(包括水井、旱井、地道中的暗井),用作生活设施的各种洞室(包括住人洞、储粮洞、炊灶洞、作坊洞)和洞龛(包括井龛、瓮龛、壁龛、灯龛),以及通气孔等等。根据地道中出土的南宋和金朝钱币以及具有明显时代特征的瓷器等物,清理者将这一地道遗址确定为宋金时期的文物。1982年,经河北省政府批准并公布为省级重点文物保护单位①。

地道之运用于战争由来已久,中外战争史上最常见的地道是作为一种攻城战术而运用的地道。就中国而言,这种地道早在春秋战国时期就已出现,《墨子·备穴篇》即是专门针对地道攻城法而提出的守城方法,其中一法是:"穿井城内,五步一井,傅城足。……令陶者为罂……置井中,使聪耳者伏罂而听之,审知穴之所在,凿穴迎之。"②这就是所谓的"地听"。攻城地道一名"地突",《东观汉记》卷一《光武纪》云:"或为地突,或为冲车撞城。"③又《三国志》卷三《魏书·明帝纪》太和二年(228年)十二月"诸葛亮围陈仓"条,裴注引《魏略》云:"先是,使将军郝昭筑陈仓城,会亮至,围昭,不能拔。……亮又为地突,欲踊出于城里,昭又于城内穿地横截之。"④《资治通鉴》魏明帝太和二年引此文,胡三省

---

① 峰峰矿区文物保管所:《河北邯郸市峰峰矿区宋代地道清理报告》,《考古》1990年第8期,第727—736页。
② 吴毓江:《墨子校注》卷一四《备穴》,孙启治点校,北京:中华书局,1993年,第859页。
③ 参见吴树平:《东观汉记校注》卷一《光武纪》,北京:中华书局,2008年,第4页。
④ 《三国志》卷三《魏书·明帝纪》,北京:中华书局,1977年,第95页。

注称:"地突,地道也。"①

上述攻城地道虽普遍运用于历代战争中,但却几乎没有任何遗迹保留到今天,而饶有趣味的是,在今四川合川钓鱼城内,残存着一段从城里通向城外的地道。钓鱼城是南宋后期宋蒙战争中的一处重要战场,开庆元年(1259年)宋将王坚曾坚守此城达半年之久,最终击退蒙哥汗统率的蒙古大军。今天我们看到的那段地道,就是由当时的守城者所挖掘,用以对付敌方的攻城地道的,亦即《墨子》所说的"凿穴迎之"的守城战术。宋人对这种战术曾做过详细的解释:"于城内八方穴地如井,各深二丈,勿及泉,令听事聪审者以新甕自覆于井中,坐而听之。凡贼至,去城数百步内有穴城凿地道者,皆声闻甕中,可以辨方面远近。若审知其处,则凿地迎之,用熏灼法。"②

然而在河北境内发现的古地道,与上述攻城地道的性质是大相径庭的,它是在平原地带构筑的一种防御性的地道。与攻城地道相比较,它的规模要大得多,而且显然不是短时间内能够开掘完成的。但是在传世文献中,却没有留下有关这种类型地道的历史记载,因此我们更有必要对它进行详审的研究。

二、宋辽时期的河北地道

对于今天河北境内发现的古地道,人们一般认为是两宋辽金

①《资治通鉴》卷七一《魏纪三》,北京:中华书局,1976年,第2250页。
②《武经总要》前集卷一二《守城》"地听"条,《中国兵书集成》,北京:解放军出版社、沈阳:辽沈书社,1988年,第646页。

时期的遗物。确实,在元、明、清三代,河北地区似乎没有大规模构筑地道的必要,而地道中出土的宋代文物又表明它们不可能早于宋代,况且宋辽金时期河北特殊的历史环境又确实有开掘地道的需要,因此关于河北地道的大的断限问题应该说是不存在疑问的,现在需要明确的是各处地道的更具体的时代,并对其产生的历史背景做出恰当的解释。

谈及地道的时限问题,首先应考虑宋辽金时期河北的历史环境和地理环境。北宋与辽朝在河北地区系以巨马河(或作"拒马河",亦称白沟河)为界,澶渊定盟前,宋辽双方长期处于战争状态,两国边境地区更是饱受战火蹂躏;自真宗景德元年(1004)订立澶渊之盟,直到徽宗宣和四年(1122)依宋金海上之盟攻辽燕京,其间百余年,宋辽双方没有发生过战争,但处于两国边境地区的巨马河沿岸(主要是巨马河南岸北宋一侧的部分州县)仍经常遭到来自对方的骚扰,致使当地百姓不遑宁居,这个问题下面再作详细解释。

南宋与金朝的边界,自绍兴和议(1142)后确定为淮河至大散关一线,因此整个河北地区都在金朝的版图之内,但在绍兴和议成立之前的十余年间,河北境内(主要是巨马河以南的原北宋故地)的许多州县都有抗金义军在进行游击战,这种特殊的历史环境正可以解释地道的出现。

根据以上分析,再考虑到各地地道遗址中出土的有关文物以及当地的民间传说等因素,我认为永清—霸县地道和雄县地道应属宋辽时期的文物,而蠡县和邯郸地道则是宋金时期构筑的。仅从地理位置来看,永清、霸县(宋霸州)和雄县(宋雄州)均处于巨马河两岸的宋辽边境地区,这些地方发现的古地道理应与宋辽战事有关;而蠡县和邯郸在北宋时地处内地,实无开凿地道的必要,因此它们只能是宋金时期的遗迹。

关于永清、霸县的古地道，在 1989 年召开的"永清县古战道考察及学术研讨会"上，与会的学者普遍认为当地的民间传说是可以信据的，即这些地道是宋辽战争遗迹；另外从地道工程之浩大、所用青砖规格统一等情形来推测，人们认为这应该是由北宋政府有组织、有计划地构筑的军事防线。此后王树民先生又特意撰文对此加以考证，进一步明确指出永清境内的地道应开凿于澶渊结盟之前的宋辽战争时期，但他觉得从地道的规模来看，实不足以隐蔽大兵团，不能起到军事防线的重要作用，而大概只是当地百姓的防御性工事，主要用于自卫的目的①。这一结论是十分允当的，对此我没有任何异议。在此只是想就宋辽时期永清、霸县一带的政治和军事形势做一点更具体的分析和说明，对王树民先生的意见略加补充。

五代时，今永清县属涿州，霸县属莫州，后晋石敬瑭割让燕云十六州与契丹，其中就包括此二州。后周显德六年（959），周世宗柴荣率军北伐，收复燕云十六州中的莫、瀛、易三州及瓦桥（在今雄县）、益津（在今霸县）、淤口（在今霸县信安镇）三关，遂以瓦桥关置雄州，以益津关置霸州，后宋太宗又以淤口关置信安军。于是此后宋辽两国便以巨马河一线为界，永清县在河北辽境，霸州在河南宋境。北宋前期，宋人一直有收复燕云十六州全部失地的意图，但宋太宗两度北伐均以失败告终，在澶渊定盟前的数十年间，巨马河两岸始终是宋辽双方反复争夺的地盘。直到澶渊之盟后，辽朝仍不肯放弃对巨马河南岸的领土要求，庆历二年（1042），辽兴宗趁宋夏交战之机，向宋索取后周时占领的瓦桥关以南十县

---

① 见前揭王树民：《永清的辽代地道》，第 334 页。

之地（其中就包括霸州），结果宋以岁增银、绢各十万两（匹）才求得妥协。值得注意的是，今天发现的古地道就主要分布在永清至霸县和永清至信安镇之间，而这一带正是澶渊之盟前双方争夺最激烈的热点地区，当地人民的困难处境不难想象，其村落中的地道大概就是他们用于自卫的主要设施。

关于雄县发现的古地道，目前尚无人加以探讨。今河北雄县，北宋时为雄州，辖归信、容城两县。如前所述，雄州也是周世宗北伐时收复的燕云故地之一，但雄县境内的古地道恐怕还有一个更鲜为人知的背景。雄州是宋辽边境地带一个很特殊的地区，虽然此地的州县官员一向由北宋任命，但它的领土主权却始终不明确，因之被称为"两属地"，当地的居民则被称作"两属户"（或称"两输户"），即他们既要承担宋朝的赋役，又须承担辽朝的赋役。雄州的这种特殊地位是如何形成的呢？崇宁三年（1104），河北缘边安抚使王荐在呈给朝廷的一份奏议中对此作了解释：雄州"与虏人以州北拒马河为界，其归信、容城两县两输户一万六千九百有余，皆在拒马河南，系属本朝。自端拱初蠲其租税，而虏人复征之，朝廷恐其人情外向，于是复使岁纳马桩、牛草以系属之，缘此名为'两属'"①。由此可知，雄州的两属地位早在太宗端拱初（端拱元年为公元 988 年）就已形成，而直到北宋末年也未有改变。辽朝虽在雄州没有常驻军队，但却时常派遣人马过河来巡防，或"驱马越拒马河放之"②，甚至还准备在雄州境内建立寨铺，

①《宋会要辑稿·兵》二九之二，北京：中华书局，1957 年影印本，第 7293 页下栏。
②《续资治通鉴长编》卷五九，真宗景德二年三月丁卯条，北京：中华书局，2004 年，第 1325 页。

因此难免与宋朝方面发生冲突。辽朝除了向雄州百姓征取赋税、支派差役外,有时还强行签发兵丁。熙宁九年(1076),"雄州言:北界于两属费家庄六村各差强壮六十人置弓箭手,每夜更宿"[①]。当地人民不堪其扰。雄州百姓处于如此特殊的环境之中,为了逃避辽朝的赋税差役,可能有时候就不得不想方设法躲藏起来,雄县发现的古地道与永清、霸县地道不同,它显然不能用于战斗,而只是一个隐蔽所而已。另外,如果说永清—霸县地道主要只是在澶渊之盟前被利用的话,那么雄县地道则可能在整个北宋期内都发挥着它的作用。

三、宋金时期的河北地道与南宋初年的抗金义军

宋金时期的河北地道与南宋初年的抗金武装有着直接的关系,要想知道当时的地道是在什么样的背景之下构筑的,就必须对南宋初期的河北局势有所了解。

宋徽宗靖康元年(1126)正月,汴京第一次遭到金军围攻。二月,宋金双方达成割让太原、中山、河间三镇的和议,金军自汴京城下退兵。自此时起,河北、河东百姓就自动纠集起来,"怀土顾恋,以死坚守"。及至北宋亡国,二帝北狩,黄河以北的中原大地终于沦入金人的铁蹄之下。时河北"忠义民兵等倡义结集,动以万计,邀击其后,功绩茂著"[②]。建炎元年(1127)六月,李纲就任

①《续资治通鉴长编》卷二七三,熙宁九年三月辛巳条,第 11 册,第 6696 页。
②《三朝北盟会编》卷一〇八,建炎元年六月十四日,上海:上海古籍出版社影印光绪三十四年许涵度刻本,1987 年,第 792 页下栏。

宰相后,认为当务之急就是料理两河,于是命张所为河北招抚使、傅亮为河东经制副使,对两河的忠义民兵进行组织、联络和整编,同时又命宗泽为开封留守,予以控驭。

然而李纲因受到主和派黄潜善、汪伯彦等人的排挤,在位仅75天就不得不辞去宰相,张所、傅亮在这种情况下也很快去职。不过在宗泽任东京留守期间,河北各地的义军一直都很活跃,其规模也日渐扩大。建炎二年(1128)七月,宗泽病故,由杜充接任东京留守,杜充遵秉朝廷主和势力的意旨,对抗金义军多方掣肘,致使河北义军的抗金斗争转入低潮,一些势力雄厚的义军集团也分化为若干小股的游击武装。但就在这种十分困难的环境下,河北人民仍坚持了多年的抗金斗争,直到绍兴十二年(1142)成立的壬戌之盟将淮河以北的中原地区正式划归金朝,两国彻底休战,河北义军的活动才销声匿迹。

后来由于金海陵王的南侵,引发了北方人民抗金斗争的又一次新高潮,从绍兴末至隆兴初,见诸记载的抗金义军就有四十余支,隆兴和议订立后才又趋于沉寂。但这个阶段抗金武装的活动区域主要是在与南宋接壤的南京路和山东东、西路,河北境内则较为平静。所以宋金时代河北义军的活动基本上是在靖康元年(1126)至绍兴十一年(1141)的十五六年间,河北境内的地道很可能就是在这期间开凿的。

南宋初年河北义军进行抗金斗争的主要形式之一是山水寨,即靠山的入山扎寨,邻水的入水结寨,使女真骑兵难以进攻。如王彦八字军占据太行山,马扩奉信王榛据有庆源府(今河北省赵县)五马山,就是其中声势最大的山寨武装。建炎初,仅在相州(治今河南省安阳市)以北就有五十多处山寨,"每寨不下三万人,其徒皆河北州县避贼者"①。

保有山水寨的抗金义军一般来说都是具有相当规模的,而当时更为普遍的抗金斗争形式则是随处可见的民间自卫武装——忠义巡社②。巡社本是河北人民在金军入侵以后自发组织起来的一种地方武装,建炎初,随徽宗北迁的曹勋自燕山遁归,回朝后向高宗报告他途经河北时所看到的情况时说:"臣过恩、冀之间,农民自置弓箭,保护一方,谓之巡社。……问其所向,心存田里,欲自保其土。"③为了利用这种地方武装来进行抗金斗争,此后不久,南宋政府便专门制定并颁布了忠义巡社的组织办法。建炎元年(1127)八月,户部尚书张悫"建言河朔之民愤于贼虐,自结巡社,请依唐人泽、潞步兵三河子弟遗意,联以什伍,而寓兵于农,使合力抗敌。……乃以'忠义巡社'为名。……其法:五人为甲,五甲为队,五队为部,五部为社,皆有长;五社为一都社,有正、副二都社,有都、副总首"④。同时还制订了一套详尽的训练、管理制度⑤。当时的忠义巡社不光乡村有,城镇也有,"其坊郭民户巡社并依乡村巡社法施行,并以忠义强壮为名"⑥。忠义巡社除了保卫乡土之外,并有义务"应援本州县,并把截津渡要害,及应援邻近州县乡村"⑦。

---

①曹勋:《进前十事札子》,《松隐文集》卷二六,《嘉业堂丛书》本,叶 3b。
②关于南宋初年的民间忠义巡社,请参见黄宽重:《南宋时代抗金的义军》,台北:联经出版事业公司,1988 年,第 52—58 页。
③曹勋:《进前十事札子》,《松隐集》卷二六,叶 3a。
④《建炎以来系年要录》卷八,建炎元年八月丁卯条,北京:中华书局,2013 年,第 226—227 页。
⑤《宋会要辑稿·兵》二之五〇至六〇,第 6796—6801 页下栏。
⑥《宋会要辑稿·兵》二之五一,第 6797 页上栏。
⑦《宋会要辑稿·兵》二之五六,第 6799 页下栏。

河北抗金义军原本都具有浓厚的地方武装色彩,忠义巡社更是如此,它通常都由地方上的强宗大族出面组织,有时甚至完全是宗族性的武装,如相州南平李氏、平罗蔺氏、鹤壁田氏等等都是如此①。因此他们的凝聚力一般都很强,这一点与往往系由乌合之众鸠集而成的山水寨武装有所不同。

根据南宋初年河北抗金武装的上述特点来判断,我觉得当时若利用地道作为抗击金兵的手段,不大可能是据守山水寨的大宗义军武装所为,而极有可能是民间忠义巡社所为(邯郸地道的情况较为特殊,另当别论)。因为山水寨本身就有险可据,毋需再构筑地道,而生活在平原地区的百姓,没有天然屏障可以凭恃,唯一可行的办法就是开掘地道,这种地道主要是用于自卫的防御性设施,所以一般应散布在平原村落的居民点内。构筑地道是一项庞大的工程,需要严密的规划和组织,需要大量的人力和物力,而凝聚力颇强的忠义巡社就是最合适的组织者和实施者。

以上是就南宋初年河北抗金武装与地道的关系所作的一般性分析,至于具体说到目前已知的两处地道,其中蠡县地道由于材料太少,无从详细论证,可暂置不论。下面主要对邯郸地道的背景做一点详细说明。

邯郸在宋金时代属磁州。关于磁州地理位置的重要性,金代文学名家赵秉文如是说:"北趋天都,南走梁宋,西通秦晋之郊,东驰海岱之会,磁为一要冲。"②顾炎武则从军事地理的角度评价说:

①参见前揭黄宽重:《南宋时代抗金的义军》,第58页。
②《闲闲老人滏水文集》卷一三《磁州石桥记》,《四部丛刊》本,叶4a。按赵秉文即磁州人。

"州依太行之险,控漳滏之阻。战国时,秦赵往往争胜于此。"①今天发现地道的峰峰矿区所在地名曰鼓山(一曰滏山),宋金时属磁州武安县。金人胡砺在《磁州武安县鼓山常乐寺重修三世佛殿碑》一文中对鼓山的地理形胜有这样一段描述:"山势崛起,壁立千仞,不与他山相连。其西则太行诸峰对峙,其南则滏水出焉。上有二石如鼓形,世传鼓鸣则有兵起。……□自兵兴(指建炎、绍兴年间的宋金战争),由兹山险固,为盗贼渊薮。"②按鼓山系太行山余脉,其南端隔河与神麇山对峙,滏阳河(宋称滏水)横穿其间,这就是所谓太行八陉中的第四陉口——滏口陉。《读史方舆纪要》称:"滏口,太行第四陉也,山岭高深,实为险扼。……凡出并、邺之间者,滏口实为之冲要。"③滏口自古以来就是河东与山东之间的一个重要通道,故乃历代兵家必争之地。

靖康元年(1126)八月,金军两路南下,西路左副元帅宗翰攻河东,东路右副元帅宗望攻河北。时宗泽知磁州,缮城隍,治器械,募义勇,决计固守。同年十一月,康王赵构出使金军,至磁州,为宗泽劝阻,磁州百姓杀康王副使王云,康王遂还相州。十二月,康王为天下兵马大元帅,开帅府于相州(今河南省安阳市),磁州实为之屏蔽。后宗泽为副元帅,去磁,磁州遂为金军所陷。建炎元年(1127)五月,"命统制官薛广、张琼率兵六千人会河北山水砦义兵,共复磁、相"④。此后磁州虽长期遭到金军围攻,但仍顽强坚

①《读史方舆纪要》卷四九,河南彰德府磁州,北京:中华书局点校本,2005年,第2332页。
②原出《武安县志》,转引自《金文最》卷六七,北京:中华书局,1990年,第975—977页。
③《读史方舆纪要》卷四九,河南彰德府磁州武安县,第2335页。
④《宋史》卷二四《高宗纪一》,北京:中华书局,1977年,第444页。

守达两年以上,直到建炎三年(1129)六月,因粮绝,权知磁州苏珪才举城降于金人,"时磁州武安县城守甚固,金不能攻,及闻磁降,乃下"①。按鼓山正介于磁州州治滏阳县与武安县之间,当滏阳和武安坚守未下之时,鼓山也必定是在宋军控制之中,这样滏阳和武安方可以互相倚援,鼓山一带的地道网可能就是在这期间构筑的。这里的地道网络结构之复杂,工程之浩大,远不是河北其他地区的地道所能够相比的,大概是根据军事上的需要而进行的总体规划和设计,地道中出土的铁兵器和瓷雷等军用物品,也暗示着此地曾经历过一场苦战。所以我估计邯郸峰峰矿区的地道不是像一般平原村落的地道那样出自地方忠义巡社之手,而是磁州守军为了磁州保卫战的需要而苦心经营的结果。

据傅振伦先生说,邯郸地道民间一向称之为"躲金洞",而且他曾从朋友手中得到过一件出自地道中的铜锴,上刻"大宋"二字②。另外20世纪70年代当地的文物工作者从地道中清理出来的宋代铜钱中,包括"建炎通宝"数枚。这些都为我们判断地道的时代提供了有力的依据。但其中尚有一个疑问需要加以解释。地道中所出土的铜钱,年代最晚者为"正隆元宝","正隆元宝"是金海陵王正隆年间(1156—1161)所铸,离磁州保卫战已有三十年之久。这当作何解释?我认为此地的地道可能在金朝后期的金蒙战争中再度被人们利用,"正隆元宝"当是这个时候遗下的。

金朝自卫绍王大安三年(1211)起开始遭受蒙古的入侵。时蒙古军所经之处,"无不残灭,两河、山东数千里,人民杀戮几尽,

---

① 《建炎以来系年要录》卷二四,建炎三年六月乙亥条,第585页。
② 见前揭傅振伦:《辽金时期河北的地道》,第328页。

金帛、子女、牛羊马畜皆席卷而去,屋庐焚毁,城郭丘墟"[1]。磁州地当要冲,自1213年后曾四次被蒙古军及宋军攻陷:第一次是金贞祐元年(1213)秋,时蒙古分兵三路南下,其中"皇子术赤、察合台、窝阔台为右军,循太行而南,取保、遂、安肃、安、定、邢、洺、磁、相、卫、辉、怀、孟",而后折向河东,大掠而还[2];第二次是金兴定元年(1217)十月,"大元兵下磁州"[3];第三次是兴定四年(1220)八月,蒙古大帅木华黎破磁州滏阳;第四次是金正大二年(1225)七月,宋将彭义斌自山东进军河北,下磁州。在此十数年间,鼓山的地道网可能曾得到当地军民的充分利用,不管是用于抵御蒙宋军队的进攻,还是用于躲避兵火杀戮,这些地道都具有不可低估的作用。

四、河北古今地道的比较与参照

众所周知,在20世纪40年代的中国人民的抗日战争中,河北人民曾经把地道战作为平原游击战争的一种重要战术而广泛地加以运用。保存至今的河北保定冉庄地道和北京顺义焦庄户地道也已经成为不可多得的历史文物。我们若将宋辽金时代的河北古地道与抗日战争时期的河北地道作一比较,必定会从中获得很多有益的启示。

---

[1]《建炎以来朝野杂记》乙集卷一九,"鞑靼款塞"条,北京:中华书局,2006年,第850页。
[2]《元史》卷一《太祖纪》,北京:中华书局,1976年,第17页。
[3]《金史》卷一五《宣宗纪中》,北京:中华书局,1975年,第332页。

抗日战争时期的地道战术滥觞于 1941 年,而广泛应用是在 1942 年以后。开展地道战的中心区域是冀中平原,至 1944 年冬,冀中平原的地道总长度已达二万五千里左右①。而目前发现的河北古地道,除了邯郸一地之外,其他的也全都集中在冀中平原地区,这表明地道战术在冀中的成熟不是偶然的,其中显然有一种尚未被人们意识到的传统的因素。另外在整个抗战期间,地道战术的运用仅限于河北和今北京境内的部分地区,当然这和地理条件、土质状况和地下水位等等因素都有很大关系,而迄今在河北之外亦从未发现过任何古地道,说明这种现象也不是偶然的②。

关于抗战期间冀中地道的总体发展情况,1945 年 5 月,冀中军区司令员杨成武在《冀中平原上的地道斗争》一文中进行了总结,他把冀中地道的发展过程分为三个阶段,即秘密地窖、隐蔽地道、战斗地道③。我想这个规律对于宋辽金时代的古地道可能同样也是适用的。《元史》中就记载有金朝后期河北、河南百姓开掘地道以避战乱的几个例子,如金宣宗贞祐四年(1216),"真定饥,群盗据城叛,民皆穴地以避之"④;又如《元史》卷一五七《郝经传》曰:"金末,父思温辟地河南之鲁山。河南乱,居民匿窖中,乱兵以火熏灼之,民多死,经母许亦死。"⑤这两个例子大概还只能算是秘密地窖。《元史》卷一七六《秦起宗传》也记载了一个类似的故

---

①杨成武:《冀中平原上的地道斗争》,1945 年 5 月。见河北省档案馆编《地道战档案史料选编》,石家庄:河北人民出版社,1987 年,第 108 页。
②60 年代末至 70 年代中期在全国各地构筑的地下人防工程系一种新的尝试,其中不乏失败的教训。
③见前揭《地道战档案史料选编》,第 106—107 页。
④《元史》卷一五一《邸顺传》,第 3570 页。
⑤《元史》卷一五七《郝经传》,第 3698 页。

事:秦氏系河北洺水人,"曾大父当金季兵起,窭山麓为洞,奉其亲以居,傍窭大洞,匿其里中百人"。从这个地道的规模来看,当属于隐蔽地道。

不过就现存古地道遗迹而言,恐怕已无法提供所有类型的地道标本,因为单个的秘密地窖是很难完好地保存下来的,所以我们今天已无法看到。在迄今发现的四处古地道遗址中,雄县地道应该属于隐蔽地道,而其他三处地道无疑都是战斗地道,其中尤以邯郸地道体系最为完善,若论其结构之复杂,恐怕是抗战时期的任何一处地道都无法比拟的(图一)。虽然杨成武曾号召在冀中各地构筑"重叠地道"和"并列地道"(见上引杨文),但我在有关地道战的档案文献中还没有发现像邯郸地道那种三层结构的。

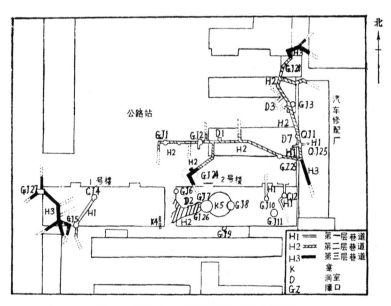

图一　邯郸古地道三层结构平面示意图

其次值得注意的一点是,抗战时期所构筑的所有地道,从来没用砖石铺砌的①,只是偶或有用木棚支撑者。这种简易地道在雨季极易崩塌,故抗战结束后,冀南区第五专员公署曾为此专门发文,要求各县在 1946 年麦收前将地道全部填平,以减少群众损失②。与此形成对照的是,今天河北境内发现的古地道,几乎全是用砖砌成的,这说明它们决非短时间内能够成就,而必定是长期经营的结果。也许正是因为这个原因,才使得这些古地道历经数百年乃至上千年而不致崩塌毁坏。

河北境内的古地道与抗战期间的河北地道在内部结构上既有许多相似之处,也有一些不同之处。下面以邯郸古地道为例与后者做一对比。

(1)出入口

邯郸古地道主要以水井、旱井或暗井为出入口(参见图二至图五)。其中暗井是升降转换于各层地道之间的隐蔽洞口,如图四、图五都是利用暗井来连接地道第二层和第三层,其中图五的暗井口开在一个洞龛底部,在井口盖一块毛料石板,石板上覆盖着 0.3 米厚的土层,伪装得十分巧妙。类似的暗井通口,在 1943 年冀南第七军分区司令部印发的《开展地道工作的参考资料》中也可以见到(见图六),这件档案材料对抗战期间的地道出入口的情况提供了较多的细节:"洞口分两种:一供民兵保卫村庄时用的,便于进出,其位置应选在街口、胡同口、

---

①保定冉庄及顺义焦庄户地道的砖石水泥结构是后来为开放参观而重新修筑的,并非其原貌。
②《冀南区第五专员公署关于抓紧填平地道地洞的决定》,1946 年 4 月 11日。见前揭《地道战档案史料选编》,第 205 页。

土堆、交通沟、坟地、树林、破屋和警戒附近；一种是群众用的，主要是伪装，如在院里、屋里、东西底下、柴棚内、夹道里、猪圈里、牲口棚里、坑里、井里、墙底下等。还有在洞道之中的，将套洞迷惑敌人。"①从图七可以看到当时地道洞口的几种最常见的伪装②。

(2)障口(卡口)

障口(卡口)是地道里的一种重要的防御设施。邯郸古地道的障口形制，如图八所示，乍看好像是地道尽头，而通过清理发现障道口地面下凹，并有三层土台阶，每层高、宽均约 0.3 米；顺台阶而下，有一条高 0.8 米、宽 0.7 米、长度 7 米的障道，只能容一人爬行；障道的另一端是一条南北走向的第二层地道的主干线。据清理者推断，这种设施可能有两种用处，一是可防水、防烟熏，因为障道口很容易堵死；二是在敌人攻入地道的情况下，可通过障道转入另一地道。这一假想如今可以部分得到证实。从抗战时期河北地道战的档案史料来看，这种障口非常普遍，当时人们习称为"卡口"，据称卡口的好处一是"便于迷惑敌人"，二是"便于堵口，为防毒防烟良好设备"(见图九)③。另外，当时还有一种称为"翻口"的地道设施，也具有与卡口类似的作用(见图一〇)④。

①见前揭《地道战档案史料选编》，第33—34页。
②据《中共易县县委关于易县地道工作初步总结》，1944年6月。见前揭《地道战档案史料选编》，第44—45页。
③见前揭《地道战档案史料选编》，第47页。
④同上件档案，第46页。

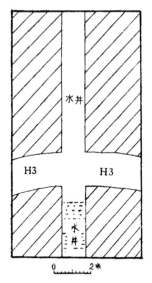

图二　邯郸古地道水井出入口剖面图

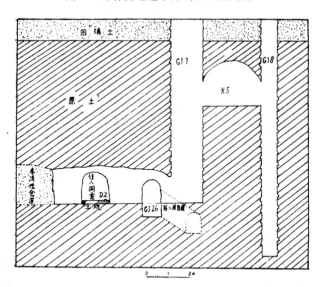

图三　邯郸古地道旱井出入口剖面图

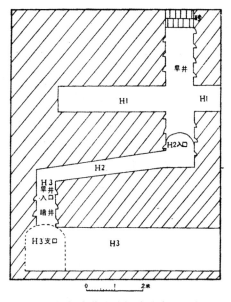

图四　邯郸古地道旱井与暗井出入口剖面图

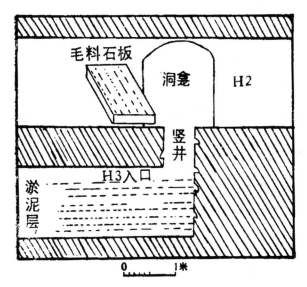

图五　邯郸古地道暗井出入口剖面图

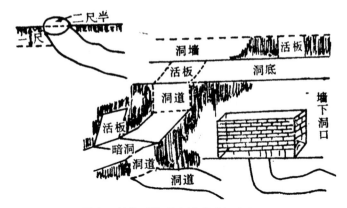

图六　抗战时期冀南地道暗洞出入口

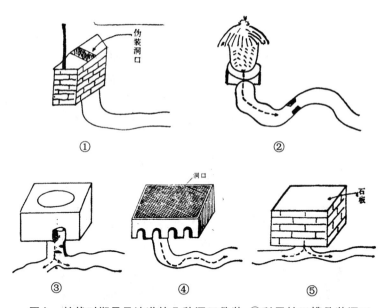

图七　抗战时期易县地道的几种洞口伪装：①利用牲口槽伪装洞口
②利用粮食囤伪装洞口　③利用锅台伪装洞口　④利用炕席伪装洞口
⑤利用饭桌伪装洞口

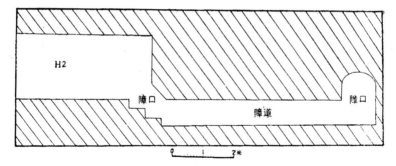

图八　邯郸古地道障口、障道剖面图

图九　抗战时期易县地道卡口构造图

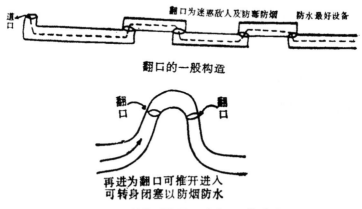

图一〇　抗战时期易县地道翻口构造图

(3)通气孔

邯郸古地道中的通气孔,据称有两种类型,一种估计是由下向上锥成的,故呈下粗上细的形状;另一种通气孔是用直径12厘米的灰筒瓦对合而成的。关于抗战时期的地道通气孔,在前引《开展地道工作的参考资料》中有详细的说明:"洞内气眼位置最好设在卡口里面,以备敌人放毒、点火呕烟。气眼地上出口应该在不注意的地方,如墙壁下、砖堆里、□中、树边上、猪圈里、兔子洞里都可。气眼多少要适当,要看地下室地道盛人多少而定。挖气眼时,注意气眼上小下宽,并使每个气眼的空气能保持对流。挖的办法,先用爪锹子从洞内向上挖,挖到一定的程度,再用铁钎

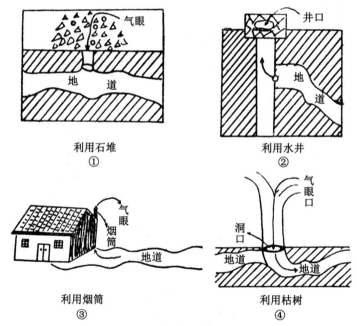

图一一 抗战时期易县地道气眼隐蔽法:①利用石堆 ②利用水井 ③利用烟筒 ④利用枯树

相通即成。"①邯郸古地道的第一种类型的气眼,估计就是用这种办法凿成的。另外,1944年6月《中共易县县委关于易县地道工作初步总结》所提供的气眼隐蔽方法的几幅图示(图一一)②,在当时也是具有普遍性的。

(4)地道中的生活设施

在抗战时期的地道中,除了厕所之外,几乎没有其他任何生活设施,而古地道则不然。以邯郸地道为例,在三层结构的地道中,一般以第二层作为人们生活居住的主要区域,在这一层里,灯龛密布,住人洞室、炊灶洞室、饮水井、铸造作坊、储粮瓮洞等一应俱全。其中住人洞室大的可容20余人,小的可容3至4人。洞室中有土炕,炕上有土枕,某些洞室内还残有土灶、煤渣堆等(见图一二)。炊灶洞室最大的一个高2米、长8米、宽4米,可容数十人,洞室壁被炊烟熏得漆黑,洞室中残存缸、盆、壶、碗、盘、石磨等物。邻近炊灶洞室的地方往往有水井,有水井处一般挖一个井龛,龛的顶部设一铁吊环,龛的四周灯龛很密,其中有的水井在文

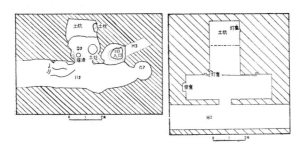

图一二　邯郸古地道中的住人洞室

---

①见前揭《地道战档案史料选编》,第34—35页。
②同上件档案,第45—46页。

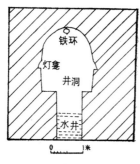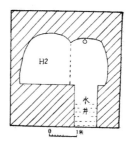

图一三　邯郸古地道中的饮水井

物部门清理时仍能见到泉水汩汩流动（图一三）。作坊洞是地道中最大的洞室,在一个长达 24 米的作坊洞室中,遗有金属块和一个铜质模范,从清理者所描述的铜范形制来看,我猜想它可能是用于铸造牌符一类的军用品的。

　　从以上对比中可以看出,抗战时期的地道大体上是作为一种临时性的隐蔽所来使用的,人们每次在里面滞留的时间都不长,所以无需太多的生活设施;而邯郸古地道则显然是可以供人们在里面长期栖息的,其体系之庞大,设施之完善,简直就是一座小型的地下城镇。八九百年前的中原人民能够营造出如此复杂的地道,实在是一件令人惊叹的事情。

　　　　　　　原载《大陆杂志》101 卷第 1 期,2000 年 7 月 15 日

宋、金治河文献钩沉

——《河防通议》初探

　　元人赡思编订于英宗至治元年(1321)的《河防通议》一书，是宋、金时期治理黄河的工程规章制度和工程规范汇编以及治河经验之总结，也是现存最早的治河文献。故 20 世纪 30 年代汪胡桢辑刊《中国水利珍本丛书》时，将《河防通议》列为第一辑第一种①。此后，该书的文献价值受到了水利史乃至数学史研究者的关注②。然而直至今日，《河防通议》一书尚未进入历史学家的视野。本文拟从史学的角度对该书源流及其内容做一番初步探讨，若能由此收到拓展史料范围之功效，则于史学研究或不无裨益。

---

① 《中国水利珍本丛书》，南京：中国水利工程学会，1936 年排印本。
② 参见姚汉源：《中国水利史纲要》，北京：水利电力出版社，1987 年，第433—434、573 页；钱宝琮：《金元之际数学之传授》，原载《国立浙江大学师范学院院刊》第 1 集第 2 册，1940 年 11 月，收入《钱宝琮科学史论文选集》，北京：科学出版社，1983 年，第 317—326 页。

一、传本问题

今本《河防通议》出自《四库全书》,《四库全书总目》注明为"《永乐大典》本",提要云:

> 《河防通议》二卷:元沙克什撰(原注:按沙克什原本作赡思,今改正)。沙克什,色目人,官至秘书少监。事迹具《元史》本传。是书具论治河之法,以宋沈立汴本及金都水监本汇合成编,本传所称《重订河防通议》是也。沙克什系出西域,邃于经学,天文、地理、钟律、算数,无不通晓。至元中,尝召议河事,盖于水利亦素所究心,故其为是书。分门者六,门各有目,凡物料、功程、丁夫、输运,以及安桩、下络、叠埽、修堤之法,条列品式,粲然咸备,足补列代史志之阙。昔欧阳元(玄)尝谓:"司马迁、班固记《河渠》、《沟洫》,仅载治水之道,不言其方,使后世任斯事者无所考。"是编所载,虽皆前代令格,其间地形改易,人事迁移,未必一一可行于后世,而准今酌古,矩矱终存,固亦讲河务者所宜参考而变通矣。①

元代文献中有关此书的唯一线索,即见于《元史》卷一九〇《赡思传》,其本传列举赡思十余种著述目录,其中之一便是《重订河防通议》。

---

① 《四库全书总目》卷六九史部地理类二,此据北京:中华书局影印乾隆六十年浙本,1965年,第611页下栏。

此书在元代曾有刊本，《四库全书》辑本卷末有和元昇跋：

> 六府三事允治，禹功莫大焉，犹幸其书之存而可考也。
> 佥宪赡公得之，讲求修齐治平之暇，取金、宋《河防通议》一
> 书，合而订正之，可谓有用之实学。仆贰郡真定，尝得而推行
> 之。兹来嘉禾，锓梓于学，以广其传。三吴水利能取则焉，则
> 是编又岂止于防河而已哉。至元四年戊寅八月望日，亚中大
> 夫、嘉兴路总管兼管内劝农事和元昇跋。①

由此可知，和元昇得此书于真定，至元四年（1338）刊板于嘉
兴，这就是《永乐大典》所依据的本子。

据笔者检索，《河防通议》在明代至少见于两次著录。正统六
年（1441）编成的《文渊阁书目》，著录有"赡思《河防通议》一部一
册，完全"②，可知当时文渊阁所藏尚为完帙。又黄佐《南雍志》卷
一八《经籍考》亦有著录："《河防通议》一卷，存者二十面。河议、
制度、料例、功（程）、输运、算法等，每篇又列细条。"③《南雍志》是
南京国子监专志，嘉靖二十三年（1544）由南京国子监祭酒黄佐编
纂刊刻而成，其中的《经籍考》出自时任南京国子监助教的梅鷟之
手④。据该书卷首《纂修南雍志凡例》，称《经籍考》"仍纪其源委

---

① 台湾商务印书馆影印文渊阁《四库全书》本，第 576 册，第 69 页。
② 《文渊阁书目》卷四黄字号第三厨书目"经济"类，《读画斋丛书》本，叶
  26a。
③ 《四库全书存目丛书》史部第 257 册，第 406 页，济南：齐鲁书社影印明
  嘉靖刻本，1996 年，第 406 页。
④ 参见徐有富：《论〈南雍志·经籍考〉》，《文献》2005 年第 2 期，第 108—
  124 页。

残缺之数",可见"存者二十面"云云乃是当时实际清点的结果。由此看来,嘉靖间南京国子监所藏者当是一个残本。不妨拿它与今本《河防通议》做一比较:文渊阁《四库全书》本每页8行,行21字,共计50面;《守山阁丛书》本每页11行,行23字,共计34面。两相比较,南京国子监藏本既然只有20面,必有残阙无疑。《南雍志·经籍考》的这条著录给我们提供的一个重要信息,是《河防通议》原本的卷数。此书原卷数不详,今本多分为两卷,乃是四库馆臣所为。南京国子监藏本著录为一卷,此本虽有残阙,但所称河议、制度、料例、功程、输运、算法等六门与今本相合(当是据其目录所见),可知此书原本仅一卷。

清初,黄虞稷《千顷堂书目》亦曾著录此书,但仅称"赡思《重订河防通议》"①,当是径取《元史·赡思传》之说,并不表明黄氏千顷斋实有其书。乾隆时,四库馆臣称此书"原本久佚,今从《永乐大典》录出"②。估计其原本已佚于明末清初。而乾嘉以后传世者,均是出自《四库全书》的《永乐大典》辑本,虽有二卷本和一卷本的差异,但内容并无不同。二卷本以晚清以来通行的《守山阁丛书》本为代表,后来收入《丛书集成初编》和《中国水利珍本丛书》的也都是这个本子;一卷本即同治八年(1869)《明辨斋丛书》本,书名作《重订河防通议》,核其脱误,与《守山阁丛书》本同,当是据后者校刊。

---

①《千顷堂书目》卷八地理类下,上海:上海古籍出版社,2001年,第231页。

②《四库全书简明目录》卷七史部地理类《河防通议》提要,上海:上海古籍出版社,1985年,第274页。

二、《河防通议》源流考略

《河防通议》的作者赡思(1278—1351),入元后著籍真定(今河北正定),是元代汉化程度很深的色目人,《元史》入《儒学传》。关于《河防通议》一书的源流,赡思在卷首自序中做了比较详细的说明:

> 水功有书,尚矣。《禹贡》垂统于上,而《河渠书》《沟洫志》缵绪于下,后世间亦有述。逮宋、金而河徙加数,为害尤剧,故设备益盛,而立法愈密,其疏导则践禹迹而未臻,其壅塞则拟宣房而过之矣。金时都水监有书详载其事,目曰《河防通议》,凡十五门,其体制类今簿领之书,不著作者名氏,殆胥史之纪录也。今都水监亦存而用之。愚少尝学算数于真定壕寨官张祥瑞之,授以是书,且曰:"此监本也,得之于太史若思。"后十五年,复得汴本,其中全列宋丞司点检周俊《河事集》,视监本为小异,虽无门类,而援引经史,措辞稍文,论事略备,其条目纤悉则弗若之矣。署云"朝奉郎、尚书屯田员外郎、骑都尉沈立撰"。愚患二本之得失互见,其丛杂纷纠,难于讨寻,因暇日摘而合之为一。削去冗长,考订舛讹,省其门,析其类,使粗有条贯,以便观览,而资于实用云。至治初元,岁在辛酉,四月吉日,真定沙克什序。①

---

① 台湾商务印书馆影印文渊阁《四库全书》本,第 576 册,第 44 页。

由此可知,此书是以金都水监本《河防通议》(监本)和宋沈立《河防通议》(汴本)为蓝本,加以删削改编而成的,和元昇跋亦谓赡思"取金、宋《河防通议》一书,合而订正之",故《元史·赡思传》称之为《重订河防通议》,最为详确。这就是说,此书并非赡思所著,他只是一个编订者而已。因此,要想弄清此书的源流,就必须进一步追究所谓"监本"和"汴本"的底细。

(一)监本

据赡思说,金都水监本《河防通议》凡十五门,不题作者名氏,元朝都水监仍沿用之。赡思年轻时得此书于真定壕寨官张祥,而张氏则得之于郭守敬①。郭守敬是元朝著名的水利专家,世祖时曾先后担任都水少监和都水监,所以他手头有金都水监《河防通议》是毫不奇怪的。

关于金监本的成书年代,赡思自序未曾说明,金代文献中也找不到任何有关此书的记载,但从今本《河防通议》中可以看出某些端倪。该书多处提及金章宗明昌年号,如卷下《输运门》"定功脚例"条:"旧定新里垛比旧里垛一百里计一百一十里,明昌二年二月二十五日准牒:奉户部看定到旧里垛细算得比新里垛一百里计一百一十四里。"②又该门"清河上水每百里脚价"条云:"明昌六年七月十五日,户部委差官断定清州每斤脚钱三贯九百四十文,沧州脚钱每斤三分九厘四毫。"卷上《料例门》有"明昌七年定到打造卷埽竹索法"条;卷下《输运门》"抬捭桩橛"条,目下有小

---

① 按"若思"即郭守敬之字。
② 从此段前后文义来看,末句"旧里垛"与"新里垛"恐系倒植。

注云："明昌七年本监申刑部准拟定例。"①另据笔者考证,该书卷上《河议门》所载《河防令》,实即泰和元年（1201）修成的《泰和律令》之《河防令》（说详下文）。根据上述种种迹象来判断,金都水监本《河防通议》当成书于章宗泰和年间。

（二）汴本

幸运的是,沈立《河防通议》在宋代文献中留下了若干记载。杨杰在为沈立所作的神道碑中就曾提及此书："天圣中,登进士第。……提举商胡埽。……在商胡,采摭大河事迹、古今利病,曰《河防通议》,世之治河者取以为据。"②《宋史》卷三三三《沈立传》亦云："沈立,字之。历阳人。举进士,签书益州判官。提举商胡埽,采摭大河事迹、古今利病,为书曰《河防通议》,治河者悉守为法。"③由于这两条史料时序不明,无从判断沈立提举商胡埽是在何时。好在宋代文献中还能找到更明确的记载,《玉海》卷二二《地理门·河渠》有这样一条内容："庆历《河防通议》:《书目》一卷。庆历八年,河决澶渊,诏有司防塞。屯田员外郎沈立督役,因考摭前志,询择时论,著为八议。沈立在商胡,采摭大河事迹、古今利病,曰《河防通议》。"④庆历八年（1048）河决澶州事,多见于宋代文献,《续资治通鉴长编》卷一六四庆历八年六月癸酉有"河

---

① 按明昌七年即承安元年（1196）,是年十一月始改元承安。
② 杨杰:《无为集》卷一二《故右谏议大夫赠工部侍郎沈公神道碑》,台湾商务印书馆影印文渊阁《四库全书》本,第 1099 册,第 749 页。
③ 《宋史》卷三三三《沈立传》,第 10698 页。
④ 《玉海》卷二二《地理门·河渠》,南京:江苏古籍出版社、上海:上海书店影印清光绪九年浙江书局刊本,1990 年,第 1 册,第 449 页。

决澶州商胡埽"的记载①。《宋史》卷九一《河渠志一》亦云:"(庆历)八年六月癸酉,河决商胡埽,决口广五百五十七步,乃命使行视河堤。"②商胡埽在澶州境内(今河南濮阳东),是北宋黄河四十五埽之一。

结合《玉海》和沈立神道碑及《宋史》本传的记载来看,沈立提举商胡埽应该就是庆历八年河决澶州时的事情。《玉海》该条记载之事目既称"庆历《河防通议》",表明此书即作于庆历八年提举商胡埽时。又据赡思《重订河防通议》自序说,汴本署曰"朝奉郎、尚书屯田员外郎、骑都尉沈立撰",与《玉海》所称庆历八年河决澶渊时"屯田员外郎沈立督役"的说法亦可相互印证。该书卷数亦见于《玉海》,所谓"《书目》一卷"者,此《书目》即指《中兴馆阁书目》。又《秘书省续编到四库阙书目》③和《宋史》卷二〇三《艺文志》著录此书,亦皆作一卷。

有关"汴本"的一个最大的疑问,是它与周俊《河事集》的关系问题。姚汉源先生《中国水利史纲要》一书有如下表述:"元色目人赡思删削南宋初周俊《河事集》中所收北宋屯田员外郎沈立所著八篇《河防通议》以及金都水监的《河防通议》一书,于至治元年合二者为今通行本《河防通议》。"④按照他的这一理解,沈立《河防通议》与《玉海》所谓"八议"应该是一码事儿,此书系由八篇文章组成,并被收入南宋周俊《河事集》,这就是赡思《重订河防

---

①《续资治通鉴长编》卷一六四,庆历八年六月癸酉,第 7 册,第 3953 页。

②《宋史》卷九一《河渠志一》,第 2267 页。

③《秘书省续编到四库阙书目》卷二两见《河防通议》,系著录重出,两处均作一卷,见《宋史艺文志·宋史艺文志补·宋史艺文志附编》,北京:商务印书馆,1957 年,第 439、441 页。

④姚汉源:《中国水利史纲要》,第 573 页。

通议》所依据的"汴本"。这样理解显然是有问题的。首先，从《重订河防通议》标明出自"汴本"的文字来看，沈立《河防通议》与其治河"八议"肯定不是一个东西；其次，赡思《重订河防通议》自序称其所见汴本"其中全列宋丞司点检周俊《河事集》"云云，说明不是周俊《河事集》收入了沈立《河防通议》，而是汴本《河防通议》收入了周俊《河事集》的内容。

那么，北宋沈立所著《河防通议》中怎么会收入南宋周俊《河事集》的内容呢？这就涉及所谓"汴本"之所指的问题。我们需要先了解一下《河事集》究竟是一部什么样的书，今本《河防通议》卷上《河议门》载有周俊《河事集序》：

> 河为中国患远矣，故国朝嘉祐中内置都水监以总之，元丰中，外复分南北丞以行之。其如分职置吏，辟举胥役、官兵，谨堤防、植材木、颁廪赐，以至赏罚推劝之类，有司号令之文，皆有成书，阅而可考。至若河之源流、古今决塞，与夫治水之成败、建官之因革，区区案局，或未遍知。俊窃役水司，行将二纪矣，耳目见闻，盖亦多矣，今不揆愚，辄用采集，庶我水局同于吏道者或赐观览焉。虽无取于毫分，恐有补于万一。时建炎二年秋望日，铜台本司进义副尉、北丞司点检文字周俊集。（汴本）

《河事集》一书不见著录，此书由北丞司点检文字周俊编集于建炎二年（1128），这里说的"北丞司"乃北外都水监丞司之简称，系元丰三年（1080）以后都水监的分司机构。与《河防通议》那种主要为河防规章制度和治河工程规范汇编的操作性手册所不同的是，《河事集》主要辑录有关"河之源流、古今决塞，与夫治水之成败、建官之因革"之类的治河文献,更偏重于治河经验之总结。除了标明出自"汴本"的《河事集序》之外,今本《河防通议》中明确标注出自《河事集》的内容只有一条(卷上《河议门》"治水"条);而标明出自"沈立汴本"或"汴本"者多达14条,其中也包括上引周俊《河事集序》。

很明显,赡思《重订河防通议》所依据的"汴本"是指沈立《河防通议》之"汴本",但这个"汴本"却收入了南宋初年周俊所编《河事集》的内容。由此推断,所谓"汴本"当系金朝刻于汴梁者,可能是金人重刊沈立《河防通议》时,将周俊所编《河事集》的内容附于其后——"汴本"与《河事集》大概就是这样一种关系。对于"汴本"的来源,我们还可以做进一步的推断。据《金史·百官志》云:"都水监:街道司隶焉。分治监,专规措黄、沁河,卫州置司。"又云:"街道司:管勾,正九品,掌洒扫街道、修治沟渠(小注:旧南京街道司,隶都水外监,贞元二年罢归京城所)。"①由此可知,置于南京开封府的街道司曾隶属于都水外监,有"修治沟渠"的职责,沈立《河防通议》之"汴本"也许就是由南京街道司刊行的,时间当在海陵贞元二年(1154)之前。

从赡思《重订河防通议》的内容来看,大抵属于宋、金两朝治河的技术性文献,与欧阳玄《至正河防记》的性质类似。《元史》卷六六《河渠志》曰:"(欧阳玄)以为司马迁、班固记《河渠》、《沟洫》,仅载治水之道,不言其方,使后世任斯事者无所考则,乃从(贾)鲁访问方略,及询过客,质吏牍,作《至正河防记》,欲使来世罹河患者按而求之。"②欧阳玄的这段话非常清楚地指明了此种河

---

①《金史》卷五六《百官志二》"都水监",第4册,第1276—1277页。
②《元史》卷六六《河渠志三》,第1646页。

防文献与历代正史《河渠志》的区别所在：如果说历代正史《河渠志》只谈治水之道的话，而《河防通议》《至正河防记》之类的治河文献则主要是记治水之术。

据文渊阁《四库全书》本，赡思《重订河防通议》分为六门：《河议》第一、《制度》第二、《料例》第三（以上为卷上），《功程》第四、《输运》第五、《算法》第六（以上为卷下）。每门包括若干子目，共计 69 目。其中卷上《河议门》11 目，主要介绍治河起源、堤埽利病、信水、波浪名称、辨土脉方法和《河防令》等；《制度门》6目，介绍开河、闭河、定平（水平测量）、修岸、卷埽等方法；《料例门》11 目，介绍修筑堤岸，安设闸坝以及卷埽、造船的用料定额；卷下《功程门》18 目，介绍修筑、开掘、砌石岸、筑墙及采料等的计工法；《输运门》18 目，介绍各类船只装载量、运输计工、物料体积以及历步减土法的计工等；《算法门》5 目，介绍各种土方体积、工程分配和物料等的计算方法①。

关于今本《河防通议》的门类，有一个误解需要澄清。有学者认为，今本《河防通议》并非赡思《重订河防通议》之全貌，上卷第三门已缺，仅存五门，与四库提要"分门者六"的说法不符②。这一误解是由《守山阁丛书》本的错误引起的。根据文渊阁和文津阁《四库全书》本来看，卷上《制度门》应至"筑城"条止，而自"修砌石岸每步两缝合用物料"条以下则属《料例门》的内容，但道光二十四年（1844）刊刻的《守山阁丛书》本在"筑城"条后脱去"料例

---

① 参见姚汉源：《中国水利史纲要》，第 573 页。
② 参见纪志刚：《赡思与〈河防通议〉》，见《中国少数民族科技史研究》第 3 辑，呼和浩特：内蒙古人民出版社，1988 年，第 23 页；李迪：《中国数学通史（宋元卷）》，南京：江苏教育出版社，1999 年，第 330 页。

第三"的字样,误将《制度门》和《料例门》合而为一①。同治八年(1869)的《明辨斋丛书》本亦同此误。而后来广为流传的《丛书集成初编》本和《中国水利珍本丛书》本均据《守山阁丛书》本予以排印,遂使今人有此误解。

赡思在《重订河防通议》自序中已明确说明,该书是以金都水监本《河防通议》(监本)和宋沈立《河防通议》(汴本)为蓝本,经他删定合编而成的。今本《河防通议》卷上在部分条目之后或条目名称下分别注明其出处,其中注明"汴本"者10条,注明"监本"者7条,注明"二本同"者4条,另有一条注明出处为《河事集》"。而卷下的所有条目则均无出处。未注明出处者,或系赡思编订时遗漏,但更大的可能性是抄入《永乐大典》时或四库馆臣辑佚时造成的遗漏。

关于汴本、监本之异同,赡思在《重订河防通议》自序中曾加以比较,谓汴本"虽无门类,而援引经史,措辞稍文,论事略备,其条目纤悉则弗若之矣",而监本"凡十五门,其体制类今簿领之书,不著作者名氏,殆胥史之纪录也"。由此可见,汴本毕竟出自进士出身的沈立之手,内容相对较为整齐,而监本则出自胥史之手,纯属操作性手册,故具有"条目纤悉"的特点。正因为监本是这样一种实用手册,所以"不著作者名氏"是很正常的。从今本《河防通议》注明出处的条目来看,也大致可以看出汴本和监本的不同特点。

不过,汴本与监本也有一些相同的内容。如今本《河防通议》卷上《制度门》"定平"条,末注"二本同";"修砌石岸"条,末注"二

---

① 按钱熙祚《守山阁丛书》所收诸书多从文澜阁《四库全书》中录出,这一脱误究竟是文澜阁抄本之误抑或是《守山阁丛书》版刻之误,待考。

本皆同";又《料例门》"修砌石岸每步两缝合用物料"条,条目下注曰"二本同";《河议门》"释十二月水名"条,末云"汴本与监本少异,故两存之"。上述情况表明,金都水监编纂《河防通议》时,显然是参考过汴本的。据说沈立《河防通议》"世之治河者取以为据"①,上文谈到汴本当是金朝前期刻于汴梁者,说明此书在金代仍然很流行。后来章宗泰和年间都水监另行编纂的《河防通议》,虽仍沿用沈立《河防通议》之名,但因以汇编金朝河防规章制度和治河工程规范为主,故与汴本已非一书,不题沈立之名是理所当然的。

三、《河防通议》所见《泰和律令·河防令》

今本《河防通议》卷上《河议门》载有金代《河防令》,是非常罕见的金令佚文,兹将全文征引如下:

> 一,每岁选旧部官一员诣河上下,兼行户、工部事,督令分治都水监及京府州县守涨部夫官从实规措,修固堤岸。如所行事务有可久为例者,即关移本部。仍候安流,就便检覆次年春工物料讫,即行还职。
>
> 一,分治都水监官道勾当河防事务,并驰驿。
>
> 一,州县提举管勾河防官,每六月一日至八月终,各轮一员守涨,九月一日还职。

---

① 见前引杨杰:《故右谏议大夫赠工部侍郎沈公神道碑》,第 1099 册,第 749 页。

一，沿河兼带河防州县官，虽非涨月，亦相轮上提控。

一，应沿河州县官，若规措有方，能御大患，及守护不谨，以致堤岸疏虞者，具以闻奏。

一，河桥埽兵遇天寿圣节及元日、清明、冬至、立春，各给假一日；祖父母、父母吉凶二事，并自身婚娶，各给假三日；妻子吉凶二事者，止给假二日；其河水平安月分，每月朔各给假一日。若河势危急，不用此令。

一，沿河州府遇防危急之际，若兵力不足，劝率于拟水手人户，协济救护。至有干济或难迭办①，须合时暂差夫役者，州府提控官与都水监及巡河官同为计度，移下司县，以近远量数差遣。

一，河防军夫疾疫须当医治者，都水监移文近京州县，约量差取。所须用药物，并从官给。

一，河埽堤岸遇霖雨涨水作发暴变时，分都水监与都巡河官往来提控官兵，多方用心固护，无致为害，仍每月具河埽平安申覆尚书工部呈省。

一，除滹沱、漳、沁等河（以其各有埽兵守护），其余为害诸河，如有卧着冲刷危急等事，并仰所管官司约量差夫作急救护。其芦沟河行流去处，每遇泛涨，当该县官与崇福埽官司一同叶济固护，差官一员系监勾之职或提控巡检，每岁守涨。②

---

① 以上两句语义不明，疑有脱误。
② 台湾商务印书馆影印文渊阁《四库全书》本，第576册，第49页；又见商务印书馆影印文津阁《四库全书》本，第576册，第307页。

此《河防令》末有一条小注,特别说明:"此令系金时所著,并见监本。"水利史专家姚汉源先生最早注意到这一珍稀史料,并推断它"是《泰和律令》中二十九种令之一"①,但却没有说明他做出这一判断的理由。而法制史研究者因未曾留意这样一部水利史文献,故至今尚不知晓上述史料的存在。因此,关于《河防通议》所载《河防令》的内容和来源,有必要在此加以论证。

金章宗从明昌末年开始着手重修新律,至泰和元年(1201)新律全部告竣,包括《泰和律义》12篇,30卷,563条;《泰和律令》29篇,20卷,700余条;《新定敕条》3卷,219条;《六部格式》30卷②。至此,金朝法律不仅在内容上,而且在形式上完全纳入了中原王朝律、令、敕、式的法律体系。其中的《泰和律令》主要属于行政法的范畴,关于它的具体构成,《金史》卷四五《刑志》做了如下介绍:

> 自《官品令》《职员令》之下,曰《祠令》四十八条,《户令》六十六条,《学令》十一条,《选举令》八十三条,《封爵令》九条,《封赠令》十条,《宫卫令》十条,《军防令》二十五条,《仪制令》二十三条,《衣服令》十条,《公式令》五十八条,《禄令》十七条,《仓库令》七条,《厩牧令》十二条,《田令》十七条,《赋役令》二十三条,《关市令》十三条,《捕亡令》二十条,《赏

① 姚汉源:《中国水利史纲要》,第433页。
② 见《金史》卷四五《刑志》,第1024—1025页。《刑志》谓律、令、敕、式均修成于泰和元年(1201)十二月,次年五月颁行。然据卷一一《章宗纪三》,承安五年(1200)四月丙午,"尚书省进《律义》";泰和元年十二月丁酉,"司空襄等进《新定律令敕条格式》五十二(二当为三之误)卷,辛丑,诏颁行之(第253、258页)。按律、令、敕、式的成书时间当以《章宗纪》所记为是,但颁行时间未知孰是。

令》二十五条,《医疾令》五条,《假宁令》十四条,《狱官令》百
有六条,《杂令》四十九条,《释道令》十条,《营缮令》十三条,
《河防令》十一条,《服制令》十一条,附以年月之制,曰《律
令》二十卷。①

《泰和律令》共计29种令,其中之一便是《河防令》11条。在
同时代的南宋法律体系中,也有类似的行政法规,我们今天在《庆
元条法事类》中还能看到几条南宋《河渠令》佚文②,不过都是与
农田水利有关的内容,不涉及河防问题。

泰和律、令大约佚于明代③,不过在某些传世的元代文献中还
能见到零散的佚文。众所周知,由于元朝法典不备,金朝法制在
元初具有根深蒂固的影响。早就有学者注意到,《泰和律》在蒙元
前期仍作为"旧例"适用于当时的刑事审判,直到至元八年(1271)
建立大元国号后,才明确宣布禁止循用《泰和律》④。其实,蒙元前
期所循用的"旧例"不仅仅是《泰和律》,同时还包括《泰和令》。
《元史·世祖纪》至元八年"禁行金《泰和律》"的记载是不够准确
的,据《元典章》卷一八《户部四·官民婚》"牧民官娶部民"条引

---

① 《金史》卷四五《刑志》,第 1024 页。
② 见《庆元条法事类》卷四九"农桑门",《中国珍稀法律典籍续编》第 1
册,戴建国点校,哈尔滨:黑龙江人民出版社,2002 年,第 684—686 页。
③ 《文渊阁书目》卷一四尚有"《泰和律令格式》一部九册",末注"阙"字,
明代以后此书即不再见于著录。
④ 参见小林高四郎:《元代法制史上的舊例に就いて》,《江上波夫教授古
稀記念論集(歷史篇)》,东京:山川出版社,1977 年;植松正:《元初の法
制に関する一考察——とくに金制との関連について》,《東洋史研
究》40 卷 1 号,1981 年 6 月,第 48—73 页。

用至元八年的圣旨原文说:"《泰和律令》不用,休依着那者。"①时任监察御史魏初在一篇奏议中也引用了这段文字:"至元八年十二月二十五日,钦奉圣旨节该:'《泰和律令》不用着,休依着行者。'钦此。"②特别值得注意的是《元典章》引用这道圣旨的针对性。至元十九年,浙西道提刑按察司以於潜县尹刘蛟娶守服未满的女子为妻,拟判其离婚,本道宣慰司试图推翻这一判决结果,故以至元八年圣旨为据,旨在说明有关服制规定的《泰和律令》已被禁用,而本朝"服制未定",因此按察司的判决缺乏依据。不难看出,这里引用至元八年圣旨,乃是直接针对《泰和令》中之《服制令》。由此可知,至元八年禁止循用者应是包括泰和律、令在内的所有"亡金旧例"。

由于法制史研究者对蒙元前期"旧例"的关注一向集中于《泰和律》,因此早就有学者从事于《泰和律》的辑佚工作。20世纪70年代初,台湾学者叶潜昭对《刑统赋解》《元典章》《通制条格》等书进行了系统的梳理,从中辑出《泰和律》佚文计130条,纂成《金律之研究》一书。据叶氏说,他还有对《泰和令》进行辑佚整理的计划,但后来却再无下文③。

今本《河防通议》所载金代《河防令》,究竟是不是《泰和律令》之《河防令》? 这可以从它的内容来加以分析。上文所引《河防令》中关于埽兵的休假规定说:"河桥埽兵遇天寿圣节及元日、清明、冬至、立春,各给假一日。"这里说的"天寿圣节"是指金章宗的生辰,

---

① 《大元圣政国朝典章》卷一八,台湾故宫博物院影印元刊本,1976年,叶15b。
② 魏初:《青崖集》卷四《奏议》,台湾商务印书馆影印文渊阁《四库全书》本,第1198册,第757页。
③ 见叶潜昭:《金律之研究》,台北:台湾商务印书馆,1972年,第209页。

《金史·章宗纪》中屡屡提及,如明昌四年(1193)"九月甲子朔,天寿节,御大安殿,受亲王、百官及宋、高丽、夏使朝贺"①。章宗生日本是七月二十七日,明昌初,右丞相完颜襄建议:"今天寿节在七月,雨水淫暴,外方人使赴阙,有碍行李,乞移他月为便。"遂改置于九月②。既然此《河防令》中有河桥埽兵天寿节休假的规定,即可确知它是章宗泰和元年修成的《泰和律令》之《河防令》③。

据《金史·刑志》说,《泰和律令·河防令》共计11条,但今本《河防通议》所载《河防令》却只有10条,比前者要少一条。为何会有这一差异?当然存在着漏抄的可能性,但更大的一种可能性恐怕是误将其中的两条合为一条了。今本《河防通议》所载《河防令》,各条之首以"一"标识,其中最后一条自"其芦沟河行流去处"句下,或应另起一条,也许是在此句上漏写了"一"字。今天我们所见到的《河防令》是辗转流传下来的一段佚文,在多个环节上都有可能发生这一错误,譬如金监本《河防通议》刊刻之误,赡思《重订河防通议》抄写之误,至元四年和元昇刊本的版刻之误,明人抄入《永乐大典》时的脱误④,四库馆臣辑本的脱误,以及文渊阁、文津阁抄本的错误等⑤。如果这一假设成立,则《河防通议》所载《河防令》当是《泰和律令·河防令》之完璧。

---

①《金史》卷一〇《章宗纪二》,第1册,第230页。
②《金史》卷八三《张汝霖传》,第6册,第1867页。
③又《河防通议》卷下《功程门》"埽兵假日"条云:"天寿节、元日、清明、冬至,并给假一日。"此条虽无出处,但必出监本无疑,由此亦可推知金都水监《河防通议》当成书于章宗泰和年间。
④今《永乐大典》残本无《河防通议》,因此无法排除这种可能性。
⑤核文渊阁及文津阁《四库全书》本,"其芦沟河行流去处"句恰系顶格抄写,此句上有可能夺"一"字。

四、《河防通议》在数学史上的价值

赡思《重订河防通议》卷下有《算法》一门,比较全面地总结了土方工程中的各种体积算法,并将当时许多先进的数学方法用于工程计算,特别是金元时代最先进的数学方法天元术,也在此书中得到正确运用。正是由于这个原因,《河防通议》受到了数学史研究者的普遍关注①。

天元术起源于何时未有定论,在传世数学著作中,最早对天元术进行系统阐释的是李治所著《测圆海镜》(1248 年)一书。钱宝琮先生认为,天元术的产生时代,可能要早于《测圆海镜》一个世纪左右,应是产生于 12 世纪的中国北方,即大抵可以肯定为金代所发明②。

今本《河防通议》卷下均未注明出处,那么《算法门》所运用的天元术究竟源自何处?最早注意到这个问题的是钱宝琮先生,他推测"《河防通议》算法中之用天元术,疑是(郭)守敬任都水监时所介绍者也"③。而李迪先生则认为,赡思与李治的天元术是一

①参见郭涛:《数学在古代水利工程中的应用——〈河防通议·算法〉的注释与分析》,《农业考古》1994 年第 1 期,第 271—278、285 页;郭书春:《〈河防通议·算法门〉初探》,《自然科学史研究》第 16 卷第 3 期,1997 年,第 223—232 页。
②钱宝琮主编:《中国数学史》,北京:科学出版社,1981 年,第 168—172 页。
③钱宝琮:《金元之际数学之传授》,见《钱宝琮科学史论文选集》,第 324 页。

脉相承的,两人均为真定人,故赡思可能间接受到过李治的影响①。我们知道,今本《河防通议》并非赡思所著,他只是以宋、金《河防通议》为蓝本,予以删定并"合之为一"而已,其自序对他所做的工作交待得非常清楚:"削去冗长,考订舛讹,省其门,析其类,使粗有条贯,以便观览,而资于实用云。"可见《算法门》所运用的天元术肯定不会是出自赡思本人的撰著,因此与郭守敬或李治都扯不上什么关系。今本《河防通议》卷下虽未注明出处,但《算法门》有关天元术的工程计算显然不可能出自沈立《河防通议》,因为天元术的产生不可能早至 11 世纪中期,剩下的便仅有一种可能性,即只能是出自金监本《河防通议》。至此,我们可以得出一个明确的结论,在 13 世纪初的金代治河工程中,天元术已经得到了普遍的应用。

综上所述,《河防通议》一书在水利史、数学史和法制史上都具有重要的史料价值。除此之外,此书《料例门》《功程门》和《输运门》也值得留意,其中有关宋金时代赋役制度、度量衡制度以及劳动力价格等方面的史料,迄今尚未引起历史学家的关注。

原载《舆地、考古与史学新说——李孝聪教授荣休纪念论文集》,北京:中华书局,2012 年

---

① 李迪:《中国数学史简编》,沈阳:辽宁人民出版社,1984 年,第 207 页。

"桦叶《四书》"故事考辨

一、关公战秦琼式的"桦叶《四书》"故事

治辽金史的学者，几乎无人不知洪皓"桦叶《四书》"的故事。此事见于丁传靖《宋人轶事汇编》卷一六：

> （洪）皓留金时，以教授自给。无纸则取桦叶写《论语》《大学》《中庸》《孟子》传之，时谓"桦叶《四书》"。①

这是一个自晚清以来颇为流行的故事，至今仍为人们津津乐道。如宋德金先生《谈桦木与东北古代文明》一文说："桦皮可代替纸张。金朝初年，南宋洪皓使金被留期间，为完颜希尹家庭教师，无纸则取桦叶写《论语》《大学》《中庸》《孟子》传之，时谓'桦

---

① 丁传靖：《宋人轶事汇编》卷一六，北京：中华书局，1981 年，下册，第879 页。

叶《四书》',一时传为佳话。"①余秋雨先生在《流放者的土地》中也曾提到这个故事:"洪皓曾在晒干的桦树皮上默写出《四书》,教村人子弟。"②需要说明的是,文献记载原本称"桦叶"而非"桦皮",宋文称"桦皮可代替纸张",余文称"晒干的桦树皮",均与原文原意有所出入。不过,用桦叶作为书写材料确实有点匪夷所思,因此有人专门撰文予以辨析,认为桦叶无法代替纸张用于书写,更不易保存,故"桦叶《四书》"当为"桦皮《四书》"之误③,可惜这一推论并没有任何文献依据。

其实,"桦叶《四书》"的传说是一个关公战秦琼式的故事。洪皓于建炎三年(1129)出使金朝,被金朝羁留15年,宋金议和后于绍兴十三年(1143)返回南宋,卒于绍兴二十五年。而朱熹建炎四年才出生,已是洪皓出使金朝的次年。绍熙元年(1190),朱熹在知漳州任上将《大学》《中庸》《论语》《孟子》合而刊之,是为《四书章句集注》,此后经学史上始有"四书"一名④。洪皓与《四书》,一个是关公,一个是秦琼,可谓风马牛不相及。但奇怪的是,不仅从来无人怀疑这个故事的真实性,反倒有学者以"桦叶《四书》"的传说来质疑《四书》之名不当始于朱子,这就不

---

① 宋德金:《谈桦木与东北古代文明》,《北方文物》1985年第3期,第90页。

② 余秋雨:《流放者的土地》,《山居笔记》,上海:文汇出版社,1999年,第85页。

③ 王全兴:《"桦叶四书"辨》,见黑龙江文史研究馆编:《黑土金沙录》,上海:上海书店出版社,1993年,第163—164页。

④ 参见王懋竑:《朱熹年谱》卷四,何忠礼点校本,北京:中华书局,1998年,第209—212页。

免本末倒置了①。

　　附带谈谈朱子《四书》的传播史,这涉及宋代理学的北传问题。按照元明以来的传统观点,金代是理学史上的一段空白,理学在北方的复兴,始自 1235 年宋儒赵复的北上,《元史》卷一八九《儒学·赵复传》称:"北方知有程朱之学,自复始。"但是近 30 年来,先后有几位学者撰文探讨程朱理学在金朝的传播问题。一种观点认为,金代的理学虽然尚未形成赵复之后那样明确的师承授受体系,但程朱之学自贞祐南迁后已在北方悄然兴起②。另一种观点认为,早在金章宗初期,即 12 世纪 90 年代,南宋理学著作已经开始传入金朝③。

　　那么,《四书》究竟是什么时候传入金朝的呢? 据元人苏天爵说:"国初有传朱子《四书集注》至北方者,溏南王公雅以辩博自负,为说非之。"④这里说的"国初",应是指蒙古太祖、太宗时期,

①参见周本淳:《〈四书〉始名志疑》,《读常见书札记》,南京:江苏教育出版社,1990 年,第 42—43 页。按经史子集亦有"四书"之称,故陆龟蒙《奉和袭美二游诗》云:"尝闻四书曰,经史子集焉。"(《全唐诗》卷六一七,北京:中华书局,1960 年,第 18 册,第 7113 页)但这不可与经学史上的"四书"之名相混淆。

②姚大力:《金末元初理学在北方的传播》,《元史论丛》第 2 辑,北京:中华书局,1983 年,第 217—224 页;周良霄:《程朱理学在南宋、金、元时期的传播及其统治地位的确立》,《文史》第 37 辑,1993 年,第 139—168 页。

③田浩(Hoyt Cleveland Tillman):《金代的儒教——道学在北部中国的印迹》,《中国哲学》第 14 辑,北京:人民出版社,1988 年,第 107—141 页;魏崇武:《金代理学发展初探》,《历史研究》2000 年第 3 期,第 31—44 页。

④苏天爵:《滋溪文稿》卷二二《默庵先生安君行状》,陈高华、孟繁清点校本,北京:中华书局,1997 年,第 363 页。

亦即金朝末年;滹南王公指王若虚,王氏《五经辨惑》《论语辨惑》《孟子辨惑》等与宋儒辩难的文字主要作于金朝亡国前后。而许有壬则更加明确地指出,朱子《四书》最初是由南宋使者传入金朝的:"前辈言,天限南北时,宋行人箧《四书》至金,一朝士得之,时出论说,闻者叹竦,谓其学问超诣,而是书实未睹也。文轨混一,始家有而人读之。"①许氏《雪斋书院记》一文说得更明白:"宇宙破裂,南北不通,中原学者不知有所谓《四书》也。宋行人有箧至燕者,时有馆伴使得之,乃不以公于世,时出一论,闻者竦异,讶其有得也。"②许有壬是元代中后期人,这个从"前辈"那里听来的故事大概是确有其事的。根据这一传闻,《四书》最初是由南宋使者带到燕京,并传到了金朝馆伴使的手里。此说如可信,则宋使至燕京只能是在贞祐南迁之前,但既然称"不以公于世",则当时尚不为世人所知。

河汾诸老之一的张宇,有一首诗描述北方士子习读《四书》的情形:"杨侯一语崇经学,士子争相读《四书》。"③张宇生卒年不详,但与他同时代的河汾诸老均为金末元初人。由此推断,此诗反映的《四书》流行于北方的情况,不应早于金末,这与许有壬"文轨混一,始家有而人读之"的说法也是大致吻合的。

---

① 许有壬:《至正集》卷三三《性理一贯集序》,《北京图书馆古籍珍本丛刊》影印清抄本,北京:书目文献出版社,1998 年,第 95 册,第 169 页下栏。
② 许有壬:《圭塘小藁》卷六《雪斋书院记》,《丛书集成续编》影印《三怡堂丛书本》,台北:新文丰出版公司,1989 年,第 136 册,第 674 页上栏。
③ 张宇:《闲述》二首之一,见房祺编:《河汾诸老诗集》卷二,北京:中华书局,1958 年,第 17 页。

二、洪皓教授悟室诸子本事

　　"桦叶《四书》"的传说,源于洪皓流放冷山时的一段生活经历。关于洪皓在冷山期间的情况,最早见于其长子洪适的记述。绍兴二十六年,洪适在为他父亲所作的行状《先君述》中,谈到了洪皓的这段经历。洪皓建炎三年使金,先后被羁留于太原、云中两地。绍兴元年,金左副元帅宗翰逼其出仕伪齐,洪皓坚拒不从,遂被流放至冷山。从绍兴元年至十年,洪皓居留冷山达十年之久。据洪适说:

　　　　云中至冷山行两月程,距虏都二百余里。地苦寒,四月草始生,八月而雪。土庐不满百,皆陈王悟室聚落。悟室使诲其八子。①

　　陈王悟室即时任元帅右监军、后来官至尚书左丞相的完颜希尹,冷山是悟室家族的聚居地。据洪适说,在洪皓流放冷山期间,"悟室使诲其八子"。洪皓《鄱阳集》卷一中有若干首赠悟室诸子或与之相互唱和的诗作,如《赠彦清》《彦清弹琵琶有感》《重九彦清出猎独处无聊》《彦清生辰》《彦清打毬》《次彦深韵》等诗②,可

---

①《盘洲文集》卷七四《先君述》,《四部丛刊》本,叶5a。据《三朝北盟会编》卷二二一绍兴二十五年十一月所引洪皓《行状》校正。
②《鄱阳集》卷一,台湾商务印书馆影印文渊阁《四库全书》本,第1133册,第396—401页。

以佐证洪适的上述说法。

关于居留冷山期间教授悟室诸子一事，亦见于洪皓本人的自述。绍兴十年八月，洪皓从冷山南迁燕京，同年十一月在燕京所作的《使金上母书》，其中就说到："元帅晋王驱皓诣冷山悟室监军家，监军使皓教其子昭武。"①这里所说的"昭武"，是指完颜希尹长子昭武大将军把撘，汉名彦清。《金史·熙宗纪》天眷三年九月癸亥有"杀左丞相完颜希尹、右丞萧庆及希尹子昭武大将军把撘、符宝郎漫带"的记载②，《鄱阳集》卷一有诗名《彦清弹琵琶有感》，诗序云："彦清者，金相陈王悟室长子。"③即此人。不过，《使金上母书》只提到"教其子昭武"，不像《先君述》"悟室使诲其八子"的说法交代得那么清楚。

由上所述，可知洪皓居留冷山期间教授悟室诸子确有其事，"桦叶《四书》"的传说就是后人在此基础上演绎出来的一个故事。

三、"桦叶《四书》"传说溯源

今天人们谈到"桦叶《四书》"故事，大抵都是依据《宋人轶事汇编》。该书编者丁传靖是清末民初人，书中辑录的每条史料均注有出处，有关"桦叶《四书》"的记载，明确注明出自《一统志》。据书后所附引用书目，知《一统志》即《大清一统志》。

---

①洪皓：《使金上母书》，《鄱阳集拾遗》，同治九年洪氏晦木斋刻本。
②《金史》卷四《熙宗纪》，北京：中华书局，1992年，第1册，第76页。
③台湾商务印书馆影印文渊阁《四库全书》本，第1133册，第396页。"悟室"，四库馆臣改作"固新"，今回改。

康熙初修本《大清一统志》卷三五在记载前代流寓人物时,附有洪皓的一篇小传:

> 宋洪皓:鄱阳人。使金不屈,将杀之,后流于冷山。又迁之,离会宁府二百里。金陈王悟室知皓贤,延使教子。凡留金十五年,和议成,乃南归。初,皓留金时,以教授自给,因无纸,则取桦叶写《论语》《孟子》《大学》《中庸》传之,时谓之"桦叶《四书》"。①

清代先后纂成三部《大清一统志》,即康熙初修本、乾隆重修本和嘉庆重修本。康熙初修本始纂于康熙二十五年(1686),历康、雍、乾三朝,至乾隆五年(1740)最终成书,有乾隆九年刻本②。今天我们能够看到的有明确出处的"桦叶《四书》"故事,最早就见于此书。上述引文亦见于乾隆重修本卷四七③和嘉庆重修本卷六九④,内容并无出入,可见后来两次重修本皆是照抄康熙初修本的洪皓小传。

《大清一统志》所载洪皓的这篇小传,其前半部分内容均可在宋代文献中找到出处,惟"桦叶《四书》"一段文字于史无据,其来历值得考究。康熙至乾隆初所修《大清一统志》,主要以各省通志

①王安国等纂:《大清一统志》卷三五"宁古塔·流寓",乾隆九年刻本,叶25a。

②参见牛润珍、张慧:《〈大清一统志〉纂修考述》,《清史研究》2008年第1期,第136—148页。

③和珅等纂:《大清一统志》卷四七"吉林三·流寓",台湾商务印书馆影印文渊阁《四库全书》本,第474册,第875页。

④穆彰阿等纂:《嘉庆重修一统志》卷六九"吉林三·流寓",《四部丛刊续编》本,叶15b。

为蓝本,但关外各省在乾隆九年以前修成者仅有两部《盛京通志》。其中修成于康熙二十三年的《盛京通志》不记洪皓事,修成于雍正十三年的《盛京通志》,虽在卷三九《流寓志》中收入了洪皓的一篇小传,但并没有提到"桦叶《四书》"的传说①。

遗憾的是,今天我们已无从得知《大清一统志》所记"桦叶《四书》"故事的明确出处。不过笔者发现的一个线索,似可提示这一传说的大致来源。光绪间,洪汝奎所撰《洪忠宣公年谱》在转引《大清一统志》中的洪皓小传后,又引述了下面一段文字:

> 《宁古塔志》亦云:公留金时(小注:宁古塔即金上京会宁府地),以教授自给,因无纸,则取桦叶写《论语》《孟子》《大学》《中庸》传之,时谓之"桦叶《四书》"。②

《宁古塔志》亦名《绝域纪略》,出自顺治十四年(1657)因受南闱科场案株连而流徙宁古塔的方拱乾之手。此书仅一卷,撰于康熙元年,主要记述作者流放宁古塔期间的所见所闻。有《说铃》本、《小方壶斋舆地丛钞》本,皆名《绝域纪略》;又有《昭代丛书》本,则名《宁古塔志》。这两种本子的内容无甚差异,皆仅有寥寥数页,但令人感到蹊跷的是,其中并没有洪汝奎所引述的这段文字。

据我估计,《洪忠宣公年谱》转引的《宁古塔志》的这段文字,

---

① 王河修、魏枢纂:《盛京通志》卷三九"流寓志",乾隆元年刻本,叶 6b-7a。按《四库全书》本《盛京通志》卷九〇"流寓"所载洪皓小传虽有"桦叶《四书》"故事,但此书为乾隆四十四年奉敕纂,其"桦叶《四书》"事显系采自《大清一统志》。

② 洪汝奎:《洪忠宣公年谱》,《北京图书馆藏珍本年谱丛刊》,北京:北京图书馆出版社,1999 年,第 22 册,第 281 页。

出处恐怕有误,但很可能是出自某种宁古塔流人的著述。康熙初修本《大清一统志》将洪皓列入"宁古塔·流寓",也向我们暗示了这个传说的来源。清初的宁古塔流人,与洪皓有着类似的人生境遇,如同样因受顺治十四年南闱科场案牵连而流徙宁古塔的吴兆骞,曾被宁古塔将军巴海聘为幕府书记兼家庭教师,"课其二子"①,更是与洪皓流放冷山时的经历如出一辙。关于冷山地望的讨论,也流露出清初宁古塔流人试图从洪皓身上追寻某种精神传统的渴望。冷山地望历来是一个众说纷纭的问题,其中两种比较有代表性的说法,一是清末曹廷杰推定冷山当在吉林五常厅(今黑龙江五常市)山河屯巡检司界内②,二是李文信、贾敬颜认为冷山当在完颜希尹家族墓群所在地吉林舒兰县小城子③。而身为宁古塔流人之子的杨宾,却认定冷山就是宁古塔西南必儿汉必拉附近的白山:

> 冷山,宋洪忠宣公皓所居也。余于必儿汉必拉北望,相去约数十里,见其积素凝寒,高出众山之上,土人呼为"白山",以其无冬夏皆雪也。……余虽未至其下,然以古今道里合之,其为冷山也无疑。④

---

① 吴桭臣:《宁古塔纪略》,《昭代丛书》本,叶5b。
② 曹廷杰:《东三省舆地图说》"冷山考",沈阳:辽沈书社影印《辽海丛书》,1985年,第4册,第2247页。
③ 李文信:《辽海丛书批注》,见沈阳:辽沈书社影印《辽海丛书》,1985年,第5册,第3701页;贾敬颜:《民族历史文化萃要》,长春:吉林教育出版社,1990年,第85—87页。
④ 杨宾:《柳边纪略》卷一,沈阳:辽沈书社影印《辽海丛书》,1985年,第1册,第240页。《柳边纪略》自序亦云:"宁古塔在五国城、冷山之间。"(第235页)

无论是曹廷杰的五常说,还是李文信、贾敬颜的舒兰说,都与宁古塔(今黑龙江宁安)相去甚远——显然,清初宁古塔流人有意要将冷山与宁古塔牵扯到一起,杨宾的说法就代表着这种倾向。

考虑到上述历史背景,我觉得"桦叶《四书》"的传说很可能就是由清初宁古塔流人演绎出来的一个故事,这个故事彰显了将汉文化传播至"绝域"的江南流人们的人生价值,很容易引起他们的共鸣。由此推断,"桦叶《四书》"的传说大概最初就见于某种宁古塔流人的著述,《大清一统志》的史源当即来自于此。

原载《田余庆先生九十华诞颂寿论文集》,

北京:中华书局,2014 年

不仅是为了纪念

一、知遇之恩

1987 年 10 月 8 日，记得那是一个阳光灿烂的秋日，我忐忑不安地叩响了北京大学朗润园十公寓二○六室的房门。举手之间还犹疑不定，虽说我在北大历史系念书的时候，正好是邓广铭先生做系主任，但恐怕我没有给他留下什么印象。

当时我并未意识到，在我面前敞开的，是一扇通往学术殿堂的大门。

大学毕业后，我在一所说是机关又不是机关说是学校又不像学校的学校任教，游离于学术界之外。后来有一天，心中涌动着对学术的向往，于是就这样莽莽撞撞地敲开了邓先生的家门。老实说，在这之前，不曾想过像我这样一个没有高学历的人能够跻身于北京大学的教席，我此行的目的，原本是想请邓先生介绍我去中华书局。没承想，待他仔细听完我的自我介绍后，当即决定要把我调到由他担任主任的北京大学中国中古史研究中心。然而校方人事部门对此发出质疑:北京大学权威的学术研究机构,调进这种人合适么?他的回答是:不可以资格取人。据说他还为此找过当时主管人事的一位副校长。半年后,我相当顺利地进入了北大。

每一想起邓先生,总是心存一份深深的感激,刻骨铭心。可以说是一种知遇之恩吧。一个普普通通的青年,没有高学历,当时也还没有在学术上做出任何成绩,仅仅见过一面,晤谈了两个小时,就能预卜他未来的发展前景,看出他的学术潜能。我想说,邓先生确实不愧是一位大师。

但凡学术大师,大抵都有一双法眼。世俗学者知人论事,多半是依据资格轩轾高下,因为他们没有能力洞察秋毫。而大师的本事,是在一个人未成气候之前就预知他的未来。当年胡适、傅斯年在邓先生未出茅庐之时就对他期许很高,那就是一种大师的眼光。

后来邓先生曾不止一次地对我说过这样的话:"傅孟真(斯年)先生提携年轻人真是不遗余力!"早年受惠于傅斯年的邓先生,说起这话来很是动情,那神情令我印象颇深。"文革"动乱结束后,中国史学界人才凋零,邓先生晚年的很大一部分精力就用来培养史学新锐,他对年轻人的提携,也完全当得起"不遗余力"四个字。当年他创办北京大学中国古代史研究中心时,提出的十六字方针是"多出人才,多出成果;快出人才,快出成果",急切的心情溢于言词。前几年,他在为《邓广铭学术论著自选集》所作的一篇自传中这样写道:"经我的倡议……于一九八二年成立了北大中国中古史研究中心,由我任主任,迄于一九九一年卸任。在此十年之内,在此中心培育出许多名杰出学人,在学术上作出了突出贡献,这是我晚年极感欣慰的一桩事。"后来我应《北京大学学报》之约，为"北大学人"专栏撰写一篇邓先生的小传，邓先生在看校样时也在文章的后面加上了一段大意如此的话。看得出来，他对此是极为在意的。学术研究是一项薪火相传的事业，正是有了傅斯年、邓广铭先生这样一代代学者的不懈努力，中国文化才代有传人。

我不是邓先生的入室弟子，从来不敢以门生自诩，恐有僭伪之嫌。甚至在他的遗体告别仪式上，我都没有勇气站到邓门弟子的行列中去。但可以肯定的是，在我一生的学术道路中，邓先生是最重要的一位引路人，他对我的影响是决定性的。若是要编"学案"的话，我自认是邓先生的嫡系亲传。在邓先生身边工作整整十年，虽然没有听过他一堂课，但不知怎么的，一来二去，你就变成了一个真正的学者。我对专业人才的生成机制发生了怀疑。

邓先生要求学生素以严格著称，早就风闻他"文革"后带的第一个博士生没有拿到学位。不过真正让我见识到他的严格，是到中心以后的事情。大约是在 1988 年春天，邓先生让我写一篇题为《再论〈大金国志〉的真伪问题》的论文，初稿出来后，经他逐字逐句地审阅一过，稿纸上被圈改得密密麻麻。那时候他写字手已经有点发抖，写来相当吃力，为改这篇文章，不知花了多少工夫呢。想到这里，我自是非常感动，仔细修改后呈上二稿，不料还是没有通过。这篇文章最后足足让我改了五稿，才终于使他满意。

邓先生的严格，不只是对青年学者，即便对中年学者他也向来是直言不讳地批评。前些年，一位很有名望的中年学者把自己的一部新作送请邓先生指正，事后他去听取邓先生的意见，先自谦几句："我这部书一定是错误百出的啦……"邓先生打断他的话："岂止是错误百出，是百的平方出！"弄得那位学者好生尴尬。这就是邓先生的一贯风格。

80 年代后期，人文科学开始陷入困厄，偌大的校园已经放不下一张平静的书桌，许多青年学者成天都在忙忙碌碌地爬格子，当然，这与做学问毫不相干。说实话，为了生计，这种事情我也没少干，但我知道邓先生的脾气，所以从不敢向他走漏一丝口风。后来我们编纂的一部《二十六史大辞典》请他做顾问，事情终于败露，他知道我参与了此事，从此以后一见面就说我不用心做学问，让我不得不安下心来把冷板凳坐稳。今天回想起来，对邓先生又平添了一分感激。

二、大师无师

邓先生属于"大师无师"的那一类学者。对他毕生学术事业影响最大的两位前辈学者，一是胡适，一是傅斯年。在他的晚年，书房里总是挂着一帧胡适的遗像。他与胡、傅二人的渊源，可以追溯到 1932 年。那年夏天他考入北大史学系，适逢系主任朱希祖去职，由史语所所长傅斯年代理系主任，胡适则是当时的文学院院长。后来回忆起来，他觉得大学四年中以这两位老师给他的影响最为深刻。大学最后一年，他选修了一门胡适开的"传记文学习作"课，实习的成果是一部《陈龙川传》（此书后于 1943 年由重庆独立出版社出版）。这部传记作品颇得胡适的赞赏，胡适称"这是一本可读的新传记"，但同时又说："辛稼轩是陈亮的好朋友，你这篇传记对于他们之间的关系写得太少。"这就成为邓先生后来研究辛弃疾的一个重要机缘，而正是以对辛弃疾的研究，初步奠定了邓先生在中国史学界的地位。

1936 年，邓先生从北大史学系毕业后，傅斯年本想让他去南京的史语所工作,但最后他还是听从了胡适的意见,留校做文科研究所助教,而文科研究所的所长就是胡适。次年,由于胡适和傅斯年的大力促成,他获得中华教育文化基金会的资助,得以开展对辛弃疾的研究。当时胡适曾对他说过这样的话:"三十多岁的人做学问,那是本分;二十多岁的人做学问,应该得到鼓励。"这话让他记了一辈子。

1939年秋,邓先生应西南联大之召,辗转香港、越南到达昆明。此时北大文科研究所已改由傅斯年兼任所长。这一时期,傅斯年总是千方百计地想要巩固邓先生研治宋史的专业思想。邓先生曾说过这样一个故事,就在他到达昆明之后不久,适逢上海大东书局刊印的《宋会要辑稿》运来后方,给史语所和北大文研所的人以七五折优惠,可这仍然相当于他一个月的全部薪水,当时家累较重的他,本不打算买,然而傅斯年却硬是逼着他买了一部。邓先生晚年回味这段往事,不无感慨地说,他最后选择宋史研究作为终身的学术事业,可以说是傅斯年给逼出来的。次年,为躲避日机轰炸,傅斯年决定将史语所迁往四川南溪县李庄,并让邓先生也一同前往。在李庄的两年多时间里,邓先生潜心于宋史研究,后来获得学术界很高评价的《宋史职官志考正》和《宋史刑法志考正》,都是在李庄写成的。当时史语所拥有一个在后方来说藏书极为丰富的图书馆,抗战期间,这里实在是一方难得的世外桃源。

抗战胜利后,邓先生复员到北大史学系,还替当时代理北大校长的傅斯年做过一段秘书。自1946年秋傅斯年离开北平后,他们就再没见过面。不过还有一个后话值得一提。中华人民共和国成立之初,北大数学系的江泽涵教授由美返国途中绕道台湾探亲,时任台湾大学校长的傅斯年还托江捎来一个口信,要把他留在北京的所有藏书转赠给邓先生，"不明事理"的傅斯年，还以为他仍然有权处置自己的私有财产呢。近半个世纪后，邓先生重提这段旧事，不禁感喟道："傅先生对我始终念念不忘！"

不管是胡适还是傅斯年，对宋史都谈不上有什么研究，然而邓先生就是在他们的影响之下走上了宋史研究的道路，并且成为本世纪宋史学界的学术泰斗。不好理解么？学术重师承，但师承关系有两种。一种是我们惯常所见的，即师傅带徒弟式的，师傅手把手地教，徒弟一招一式地学。另一种是心领神会式的，重在参禅悟道。专业导师可以授业，但只有大师才能传道。邓先生与胡适、傅斯年之间的师承关系，就是这后一种。

三、学术品格

熟悉邓先生的人都知道，这是一个极有个性的人。在他去世后，北大历史系为他的遗体告别仪式而起草的一份《邓广铭教授生平》，称他为人"刚直不阿"。但在讨论这篇文稿时，他的女儿小南觉得这种千篇一律的悼词套语似乎难以表现邓先生的独特个性，建议改用"耿介"二字，她解释说："他坚持的东西不见得都是对的，但他一定会坚持到底，决不投机。"小南不只是他的女儿，而且禀承了家学，她的硕士生导师就是邓先生，要说对邓先生的了解，自然没人能比得过她。听到她对邓先生独特个性的独特诠释，在座的人都会心一笑。

邓先生的耿介在学术界是出了名的。比如说他历来主张老老实实做学问，反对各种好大喜功的文化工程、出版工程。前些年，巴蜀书社准备出一部名为《文献大成》的大型丛书，本想请他做主编,被他一口拒绝。不仅如此,就在这部丛书已经得到国家批准并获得财政资助以后,他还在国务院古籍整理出版领导小组的会议上慷慨激昂地表示反对。后来发生的有关《四库全书存目丛书》的论争,可能许多人都还记忆犹新。1994 年 7 月间,他在《光明日报》上首先撰文反对这一庞大的出版工程,激起很大反响。因为有一批名高望重的专家学者参与其事,其中一些人还是他多年的好友,所以家人都劝他偃旗息鼓,以免沾惹是非。而他呢,一如既往,决不改弦更张。当年 12 月,又在《光明日报》上刊发一文,重申他的反对意见。可能是出于对他的尊重和理解,加盟《存目丛书》的那些北大老教授们始终保持沉默,没有与他发生争执。不过由他引起的这场论战,曾一度使得《光明日报》和《读书》杂志硝烟弥漫。后来说起此事,他依旧坚持己见,不改初衷。不管怎么说,这种耿介的特质总是令他显得那么凛然,你可以不同意他的观点,但你不能不尊重他的人格。

邓先生的学术品格一如他的个性。他治学以考据见长,以史识出众。他的见识往往别具一格,譬如关于岳飞《满江红》的真伪问题、宋江是否受招安征方腊的问题、《辨奸论》的作者问题等等,他都提出了与众不同的独到见解。实话实说,他的观点并不见得都是对的,有的时候或许不无偏颇,然而他所研究的问题大抵都能自成一说,这就不是一般人能够做到的了。他的治学路子可以归结为"大处着眼,小处着手",这是胡适极力倡导的史学方法。不过这话说着容易,做着极难。我们平常司空见惯的是这样几类历史学家,一类是"小处着眼,小处着手",学问固然很扎实,但器局终究狭隘了些;另一类是"大处着眼,大处着手",虽然排场,虽然时髦,到底只是花架子而已;再有一类则是"大处着眼,无处着手",严格说来,这一类是不能算作历史学家的,但或许在《中国大百科全书》历史卷中还能找到他们的名字呢。一个历史学家，若能真正做到"大处着眼，小处着手"，离大师恐怕也就相去不远了。

从 1949 年前过来的那一代历史学家，一般来说都经过实证史学的严格训练，史料功底相当深厚。傅斯年所提出的"史学即是史料学"的命题，在邓先生来说，是从心底里服膺的。1949 年后，由于政治对史学的介入，实证史学受到了不公正的对待，史料被人蔑视，考据遭人嘲笑，历史学家声称要"以论带史"。即使在这种学术氛围中，邓先生仍始终坚持实证史学的优良传统。1956 年，他在北大历史系的课堂上公开提出，要以年代、地理、职官、目录为研究中国史的四把钥匙。两年以后，"四把钥匙"说就在双反运动中被作为资产阶级史学方法遭到了清算，学生们宣布要拔掉邓先生这面白旗，此后几年间，他甚至被剥夺了讲课的资格。而今再回头看看，那些卓有建树的史学大师，哪一个不是得益于实证史学的熏陶？

说起来，在邓先生一生的学者生涯中，也不是一点没有让人沉吟的话头。在北大历史系 1997 年春节团拜会上，邓先生极其率直地表白了自己的一段心曲："老实说，我在文革中没有吃过太大的苦头，我的原则是好汉不吃眼前亏。"这话听起来颇有点自责的味道。"文革"以后，知识分子都撩起衣服来数自个儿的伤疤，谁的伤疤少谁就感到惭愧。其实对历史的反思本不应该是这样的。

说到"好汉不吃眼前亏"，最容易让人发生联想的，大概就是他在"文革"中写的那本《王安石》了。

1972 年 9 月，日本首相田中角荣访华，据说毛泽东在会见田中时，曾对他说过这样一番话：二战后的日本历任首相全都反华，而你却要来恢复中日邦交，这很类似于王安石"祖宗不足法"的精神;美帝、苏修对你此次来访极力反对,而你却置之不顾,这又颇有王安石"流俗之言不足恤"的气概。此次谈话内容传出以后,人民出版社就来找邓先生商量,请他尽快对50年代写的那本《王安石》加以修改。次年,人民出版社依照当时的惯例,将邓先生重写的《王安石》印出百来本讨论稿,送到各大学和研究机关进行讨论,反馈回来的意见,都说对"儒法斗争"反映很不够,于是出版社要求邓先生再作修改。这一回,只有这一回,邓先生没有耿介到底。这部书稿终于比照"儒法斗争"的需要改定出版了。粉碎"四人帮"以后,出版社要重印此书,又要求邓先生删除那些不合时宜的内容。当时香港的一家报纸上刊出过一篇书评,题目就叫《邓广铭三写王安石》。这次的修订本并没有作太大的改动,"儒法斗争"的烙印依然比较明显。近二十年来,这一直是邓先生的一块心病,以至于他要在九十高龄来四写《王安石》。所幸的是,此次改写的《王安石》,终于赶在他去世前两个月出版了。

从"文革"中蹚过来的知识分子,大都有点这样那样的尴尬。事过境迁之后,人们对他们有一种不近情理近乎苛刻的道德要求,那根本就是圣人的标准。就老一代知识分子来说,在1949年以后仍然固守自己的价值主张的,除了陈寅恪先生之外,恐怕就再也没有第二个人了;即便是陈寅恪,如果没有毛泽东格外的宽宏大量,不能想象他能够捱到"文革"。你总不能要求人人都是陈寅恪吧? 再者,我总觉得,过去的那一切,不应该由知识分子来承担责任,该忏悔的首先不是知识分子,应该诅咒的,是那种政治环境。中国人有一种奇怪的逻辑,明明是政治家的问题,却要把账算到知识分子头上,政治家总是对的,知识分子总是错的。从来就没有独立地位的中国知识分子,实在说来,国家的兴亡与他们有多大干系?

最后一次见到邓先生,是今年的1月7日。元旦前后,就听说医生已经给邓先生下了病危通知,这次去,是向他作一个最后的告别。当时他已昏迷多日,身上插满大大小小的管子,脸上表情非常痛苦。我真不忍心正视他那枯槁的容颜,默默地站了十分钟就退出来了。

10日晚上八点多钟,小南打来电话,第一句话是:"我父亲今天上午过世了……"电话那头传来啜泣声。过了好半天,她才接下去说:"不管怎样,在他也算是一种解脱。"是的,我想起了竖立在八宝山公墓告别大厅门前一块木牌上写的那句话:死亡对于死者并非悲哀,对于生者才是悲哀。

谨以此文纪念我的恩师邓广铭先生。

一九九八年三月,写于邓广铭先生九十一周年冥诞之际

原载《读书》1999年第3期

邓广铭与 20 世纪的宋代史学

在 20 世纪的中国史学史上,邓广铭教授占有重要的一席。作为宋代史学的开创者和奠基人,他的学术贡献影响着几代宋史研究者。从学术史的角度来看,这是一位值得研究的现代历史学家。

一、邓广铭的学术道路

邓广铭(1907—1998),字恭三。1907 年出生于山东省临邑县。临邑是一个相当偏僻、闭塞而且文化很不发达的地方,在满清一代的二百多年中,临邑没有出过一个进士;邓家在当地虽算得上一户殷实人家,但也不是什么书香门第。

1923 年夏,16 岁的邓广铭考入山东省立第一师范学校。一师的校长王祝晨是一位热心于新文化运动的教育家,在此求学的四年间,邓广铭才"受到了一次真正的启蒙教育"①。在他当时读

①邓广铭:《自传》,载《邓广铭学术论著自选集》,北京:首都师范大学出版社,1994 年,第 719 页。

到的史学著作中,顾颉刚主编的《古史辨》及其整理的《崔东壁遗书》给他留下了非常深刻的印象。他在一师的同窗如李广田、臧克家等人,后来都相继走上了文学道路,而他却最终选择了史学,这与风靡那个时代的疑古思潮对他的吸引是分不开的。

1927 年,邓广铭因参加学潮而被校方开除。三年后,他来到北平,准备报考大学。1931 年,他第一次报考北大未被录取,便考入私立的教会学校辅仁大学,入英语系就读。次年再次投考北大,终于考入北大史学系,从此步入史学之门。这一年他 25 岁。

1927 至 1937 年是 20 世纪中国学术史上的十年黄金时代,从 30 年代初到"七七事变"前,则是北大史学系最辉煌的时期。这一时期史学系的专任教授以及兼任教授,有孟森、陈垣、顾颉刚、钱穆、胡适、傅斯年、姚从吾、蒋廷黻、雷海宗、陈受颐、张星烺、周作人、陶希圣、李济、梁思永、汤用彤、劳幹、唐兰、董作宾、毛子水、郑天挺、向达、赵万里、蒙文通等人,阵容非常强大,可谓极一时之盛。学生当中也人才济济,桃李芬芳。仅 1935 和 1936 两届毕业生中,就涌现了王树民、全汉昇、何兹全、杨向奎、李树桐、高去寻、邓广铭、王崇武、王毓铨、张政烺、傅乐焕等一批杰出的历史学家。

在北大求学期间,邓广铭遇到了对他此生学术道路影响最大的两位导师,一位是胡适,另一位是傅斯年。

胡适自 1932 年起担任北大文学院院长,至"七七事变"后才去职。在此期间,他为史学系讲授过中国哲学史、中国中古思想史、中国文学史概要等课程。邓广铭上四年级时,选修了胡适开设的一门"传记专题实习"课。这门课要求每位学生做一篇历史人物的传记,胡适开列了十几个历史人物供学生选择,其中宋代人物有范仲淹、王安石、苏轼、陈亮。邓广铭在此之前曾写过一篇有关浙东学派的文章①,于是便决定写一篇《陈龙川传》,作为他的毕业论文。1936 年春,邓广铭完成了这篇 12 万字的毕业论文,得到胡适的很高评价,胡适给了他 95 分,并写下这样的评语:"这是一本可读的新传记。……写朱陈争辨王霸义利一章,曲尽双方思致,条理脉络都极清晰。"胡适还到处对人称赞这篇论文,"逢人满口说邓生",这对初出茅庐的邓广铭是一个极大的鼓励②。这件事情对他以后的学术道路发生了非常重要的影响,他之所以选择宋史研究作为其毕生的学术事业,他之所以把一生的主要精力用来撰写历史人物谱传,先后写出《陈龙川传》《岳飞传》《辛弃疾》《王安石》这四部奠定其学术地位的宋人传记,与胡适都有很大关系。可以说,一部《陈龙川传》,基本上决定了邓广铭一生的学术方向③。

邓广铭在《怀念我的恩师傅斯年先生》一文中曾经说到,在他的学术生涯中,对他影响最大的三位前辈学者是胡适、傅斯年和陈寅恪,"而在他们三位之中,对于我的栽培、陶冶,付出了更多的心力的,则是傅斯年先生"④。邓广铭与傅斯年的师生渊源始于大

①《浙东学派探源——兼评何炳松〈浙东学派溯源〉》,天津《益世报·读书周刊》第 13 期,1935 年 8 月 29 日。
②邓广铭:《漫谈我和胡适之先生的关系》,载李又宁主编《回忆胡适之先生文集》第 2 集,纽约天外出版社,1997 年,第 56 页。
③据邓广铭教授晚年回忆说,傅斯年当时对这篇《陈龙川传》并不十分欣赏,他曾在胡适家中翻阅过这部稿子,后来对他的远房侄子、邓广铭的同班同学傅乐焕说:"他的文字虽写得不错,可简直是海派作风!"(见前揭《漫谈我和胡适之先生的关系》一文)傅斯年之所以会有这种印象,可能是因为这部《陈龙川传》征引史料不注出处的缘故。
④原载《台大历史学报》第 20 期"傅故校长孟真先生百龄纪念论文集",1996 年 11 月;收入《邓广铭学术文化随笔》,北京:中国青年出版社,1998 年,第 226 页。

学时代。傅斯年的本职是中央研究院历史语言研究所所长。1930年，北大史学系主任朱希祖因采用一中学教师编写的中国近代史教材作为自己的讲义，受到学生攻击，因而去职，遂由傅斯年代理系主任。在邓广铭入学后不久，系主任一职便由研究西洋史的陈受颐接任，但傅斯年仍长期担任史学系兼职教授。

　　傅斯年在北大史学系先后开设了"史学方法导论"、"中国古代文籍文辞史"、"中国古代文学史"、"中国上古史择题研究"、"汉魏史择题研究"等五六门课①。其中"史学方法导论"这门课给邓广铭留下了深刻的印象。傅斯年在课堂上再三提出"史学即是史料学"的命题，并且常常把"上穷碧落下黄泉，动手动脚找东西"这句话挂在嘴边。前几年，邓广铭在一次访谈中谈到傅斯年的史学观念对他的影响时说："傅斯年先生最初在中山大学创办语言历史研究所时提出这一治史方针，后来又在《中央研究院历史语言研究所集刊》上声明这是办所的宗旨。胡适在北京大学《国学季刊》发刊词中也表达了同样的意见。他们两人一南一北，推动史学朝这个方向发展，史学界由此也形成一种重视史料的风气和氛围，我置身这样一种学术环境中，受到这种风气的浸染，逐渐在实践中养成自己的治史风格，形成自己的治史观念。"②如果说邓广铭在学术方向的选择上主要是受胡适的引导，那么他的学术风格和治学方法则留下了傅斯年史学观念的烙印。不过要说傅斯年对他的"栽培"和"陶冶"，那主要还是在毕业以后的十年。

---

① 牛大勇：《北京大学史学系沿革纪略（一）》，《北大史学》第1辑，北京：北京大学出版社，1993年，第254—268页。
② 欧阳哲生：《一位历史学家的不倦追求——邓广铭教授谈治学和历史研究》，《群言》1994年第9期，第21页。

若是就狭义的专业领域的师承关系来说,不论是胡适还是傅斯年,对宋辽金史都谈不上有什么专门研究。大学时代,邓广铭也上过两门属于这个领域的专业课,一门是蒙文通讲授的宋史,另一门是姚从吾讲授的辽金元史。但这两位先生似乎都没有给他后来的学术研究带来什么重要影响,他对这两位学者的评价也比较低调①。

　　1936年,邓广铭从北大史学系毕业后,胡适将他留在北大文科研究所任助理员,并兼史学系助教,而文科研究所的所长就是由胡适兼任的。傅斯年当时从这一届的文、史两系毕业生中物色了几位有培养前途的人,要他们去史语所工作,其中也有邓广铭,但由于此时史语所已经迁往南京,邓广铭表示自己还是愿意留在北大,傅斯年也就不再勉强他。

　　留校以后,邓广铭在文科研究所主要从事两项工作,一是与罗尔纲一起整理北大图书馆所藏历代石刻拓片,二是协助钱穆校点整理他为编写《国史大纲》而搜集的一些资料。就在毕业后的一年间,邓广铭确定了他毕生的学术方向。在胡适给他的毕业论文《陈龙川传》所写的评语中,曾提出这样一个问题:"陈同甫与辛稼轩交情甚笃,过从亦多,文中很少说及,应予补述。"②这就是邓广铭研究辛弃疾的最初契机。另外,他选择这样一个学术领域与当时的时代环境也有很大关系。在《邓广铭学术论著自选集》一书的《自序》中,他如是说:"这样一个学术研究领域之所以形

①据牛大勇《北京大学史学系沿革纪略(一)》(第262、263页),30年代前半期在史学系担任兼职教师的赵万里和方壮猷也分别讲授过宋史和辽金元史;但邓广铭没有提到他是否选修过这两门课程。
②见前揭邓广铭《漫谈我和胡适之先生的关系》,第56页。

成……从客观方面说,则是为我所居处的人文环境、时代思潮和我国家我民族的现实境遇和我从之受业的几位硕学大师所规定了的。"几年前,他在一次访谈中说到当初选择陈亮做传记,其中隐含的一个动机,就是"当时日寇步步进逼,国难日亟,而陈亮正是一位爱国之士;后来我写辛弃疾,也有这方面的原因"①。这是那一代学者身上所承载的国家和民族责任感。

为了准备新编一部《辛稼轩年谱》和《稼轩词笺注》,大约在1936年底,邓广铭写出了那篇题为《〈辛稼轩年谱〉及〈稼轩词疏证〉总辨正》的成名作,指出梁启超《辛稼轩年谱》和梁启勋《稼轩词疏证》的种种不足之处。次年春,他打算向中华教育文化基金董事会申请辛弃疾研究的课题经费,为此征求胡适的意见,胡适勉励他说:"三十多岁的人做学问,那是本分;二十多岁的人做学问,应该得到鼓励。"但要求他必须先写一篇批评梁氏兄弟的有分量的书评,于是他就将已经写成的那篇文章寄给他在辅仁大学时的同学、当时主编《国闻周报》文艺栏的萧乾,很快就在《国闻周报》14卷第7期上刊出。这篇文章博得胡适、傅斯年、陈寅恪、夏承焘等人的一致称许。当时陈寅恪还不认识邓广铭,读了这篇文章后到处向人打听作者的情况②,后来他在为邓广铭《宋史职官志考正》所作的序中也说到此事:"寅恪前居旧京时,获读先生考辨辛稼轩事迹之文,深服其精博,愿得一见为幸。"③夏承焘当时正在

---

① 陈智超:《邓广铭先生访问记》,《中国史研究动态》1992年第5期,第24页。

② 邓广铭:《在纪念陈寅恪教授国际学术讨论会闭幕式上的发言》,载《纪念陈寅恪教授国际学术讨论会文集》,广州:中山大学出版社,1989年,第34—35页。

③《金明馆丛稿二编》,上海:上海古籍出版社,1980年,第245页。

写《唐宋词人十家年谱》，其中也有辛弃疾，在看到这篇文章后，他给邓广铭写信说："看了你的文章，辛稼轩年谱我不能写了，只能由你来写。我收集到一些材料，估计你都已看到。如你需要，我可寄给你。"①

　　这篇成名作发表之时，邓广铭正好 30 岁。半个多世纪后，他忆起这段往事时说："就这一篇文章，影响了我的一生，是我一生的转折点。从此我就不回头了。"②就在去年，他还对女儿邓小南说过这样一句话："我的'三十功名'是从'尘与土'中爬出来的。"③所谓"三十功名"，就是指的这篇文章。

　　由于这篇文章的影响，研究课题的申请得到顺利批准。此后不久即发生了卢沟桥事变，北大决定南迁时，因目的地尚未确定，故只有正副教授才能随校行动。此后两年间，邓广铭一头扎进北平图书馆，完成了《辛稼轩年谱》《稼轩词编年笺注》《辛稼轩诗文钞存》三部书稿。在这期间，给他指导和帮助最多的是赵万里和傅斯年。该项研究课题"研究指导人"一栏原来填的是胡适和姚从吾（想系当时胡适为文科研究所所长、姚从吾为史学系主任之故），但"七七事变"后胡适赴美，姚从吾南迁昆明，故次年春申请延长一年研究期限之时，遂将"研究指导人"改为赵万里④。邓广铭在北大史学系念书时就听过赵万里讲授的"中国史料目录学"，

①见前揭陈智超《邓广铭先生访问记》，第 24 页。
②王汝丰：《邓老谈往》，载《仰止集——纪念邓广铭先生》，石家庄：河北教育出版社，1999 年，第 145 页。
③邓小南：《父亲最后的日子》，载《仰止集——纪念邓广铭先生》，第 543 页。
④见邓广铭致傅斯年函，1938 年 6 月 6 日。原件藏台北"中研院"历史语言研究所傅斯年图书馆，复印件承柳立言先生提供。本文所引邓广铭致傅斯年函件均为此同一来源。

及至到北平图书馆做这项研究时，更得到赵万里的直接指点。后来他在《辛稼轩诗文钞存》的"弁言"中提到这一点："凡此校辑工作，所得赵斐云万里先生之指教及协助极多。"①傅斯年虽然自史语所南迁后即已离开北平，但在邓广铭从事这项研究工作期间，两人之间屡有书信往来，有关《辛谱》和《辛词笺注》的体例、辛词的版本选择以及如何系年等等问题，傅斯年都提供过很具体周详的意见②。待这三部书稿完成以后，傅斯年又写信向香港商务印书馆推荐，不幸在排完版且已付型之后，恰值太平洋战争爆发，香港沦陷，以致未能印行。抗战胜利后，又经胡适的催促，才由上海商务印书馆将《辛谱》和《诗文钞存》刊行出来。

北大南迁昆明后，改由傅斯年兼任文科研究所所长。1939 年8 月，邓广铭奉傅斯年之召，辗转上海、香港、河内前往昆明。此时陈寅恪已被聘为北大文研所专任导师，在这以后的近一年时间里，邓广铭与陈同住一楼，朝夕相从，"实际上等于做他的助教"③。邓广铭晚年在谈到他的学术师承时说，自从踏入史学之门，"在对我的治学道路和涉世行己等方面，给予我的指导和教益最为深切的，先后有傅斯年、胡适、陈寅恪三位先生"④。不过从他一生的学术轨迹来看，陈寅恪对他的影响似乎并不明显。

在昆明的北大文研所期间，傅斯年总是千方百计地想要把邓广铭研治宋史的专业思想巩固下来。当时正值《宋会要辑稿》刊行，因价格不菲，邓广铭原本不想买的，傅斯年却非逼着他买下一

①邓广铭：《辛稼轩诗文钞存》，上海：古典文学出版社，1957 年，"弁言"第2 页。
②见邓广铭致傅斯年函，1937 年 4 月 22 日。
③见前揭邓广铭《自传》，第 722 页。
④见前揭邓广铭《怀念我的恩师傅斯年先生》，第 225 页。

部,并先由文研所垫付书款。邓广铭晚年回味这段往事,不无感慨地说,他最后选择宋史研究作为终身的学术事业,可以说是傅斯年给逼出来的。

1940年秋,为躲避日机轰炸,傅斯年决定将史语所迁往四川南溪县李庄,并要邓广铭也一同前往,以便利用史语所丰富的图书资料。到李庄以后,邓广铭的编制仍属北大文研所。从1940年底至1942年春,他受中英庚款董事会的资助,从事对《宋史》的考订工作,后来发表的《宋史职官志考正》《宋史刑法志考正》以及王钦若、刘恕诸传的考证文字,都是在此期间完成的。从他1941年7月8日写给傅斯年的一封信来看,他当时似乎有一个对《宋史》全书进行通盘考订的庞大计划,信中称他"已认整理《宋史》为毕生所应从事之大业","单论《宋史》各志一百六十二卷,即绝非三二年内之所可理董毕事者,并本纪、列传、世家等计之,势须视为毕生之业矣"。其实他那时已作过考订的亦不止后来发表的那些篇章,在同一封信中还说:"现札记之已经写出者,为《职官志考校》约十万字,《食货志考校》方成四万余字,全部写完后亦可得十万字左右,预期八月末或可成。其列传部分亦曾写就四五万字。"另外在《宋史职官志考正》的"凡例"中,还提到对《河渠志》和《兵志》也做了考订,但大概都没有最后定稿。

1942年春,邓广铭征得傅斯年的同意,准备到重庆找一工作,以便把仍滞留于北平的妻女接出。经友人何兹全介绍,他去CC派刘百闵主持的中国文化服务社,主编一种名为《读书通讯》的刊物。次年7月,经傅斯年鼎力举荐,他被内迁重庆北碚的复旦大学聘为史地系副教授。由于他在复旦讲授的全校公共必修课"中国通史"颇受学生欢迎,两年后就晋升为教授。在此期间,《陈龙川传》《韩世忠年谱》《岳飞》三部著作也相继由重庆的独立出版社和胜利出版社刊行。

抗战胜利后，南京政府教育部任命胡适为北大校长，在其回国之前由傅斯年任代理校长，傅斯年遂请邓广铭回北大史学系执教。当时有一种不成文的惯例，若是在别的大学做了教授，到北大往往要降格做副教授，当傅斯年提出名义问题时，邓广铭并无异议。

1946年5月，邓广铭回到北平。正忙于北大复员和重建的傅斯年马上把他借调到校长办公室，做了一个未经正式任命的"校长室秘书"。在胡适到任以后，邓广铭仍然在从事教学、研究工作之余做了很长一段时间的校长室秘书。

从此以后，邓广铭就再也没有离开过他的母校北京大学。1948年冬，傅斯年被南京政府教育部委派为台湾大学校长，他很想拉一批北大的教授去台大任教，以充实该校的师资力量。就在这年12月中旬胡适飞往南京之后，傅斯年屡次以北大校长胡适和教育部长朱家骅的名义致电北大秘书长郑天挺，指明要邀请部分教授南下，其中就有邓广铭。当郑天挺询问邓广铭的意向时，他这样回答说："如果单纯就我与胡、傅两先生的关系来说，我自然应当应命前去，但目前的事并不那样单纯。胡、傅两先生事实上是要为蒋介石殉葬去的。他们对蒋介石及其政府的关系都很深厚，都有义务那样做。我对蒋介石和国民政府并无任何关系，因而不能跟随他们采取同样行动。"①尽管邓广铭与当时大多数知识分子一样，对未来的新政权怀着一种惴惴不安的心情，但他根本就没有作去台大的打算。

---

① 见前揭邓广铭《漫谈我和胡适之先生的关系》，第83页。

1950 年,邓广铭晋升为北大历史系教授。从 1954 至 1966 年,他一直担任中国古代史教研室主任。50 年代是邓广铭学术创造力极为旺盛的一个阶段。请看看这份著述目录:1953 年,《王安石》作为"中国历史小丛书"的一种由三联书店出版;1955 年,经过大幅度修改增订的《岳飞传》由三联书店出版;1956 年,《辛弃疾(稼轩)传》由上海人民出版社出版;同年,《辛稼轩诗文钞存》经过重新校订后由上海古典文学出版社出版;1957 年,《辛稼轩年谱》修订本由上海古典文学出版社出版;同年,《稼轩词编年笺注》首次由上海古典文学出版社出版。在当时北大历史系的所有教师中,邓广铭的学术成果是最多的,以致历史系的某位教授说:"邓广铭现在成为'作家'了!"

1957 年,中国知识分子的劫难开始了。次年,邓广铭在双反运动中受到批判,他提出的"四把钥匙"说被当作资产阶级的史学方法遭到清算。历史系的学生以铺天盖地的大字报要拔掉他这面资产阶级白旗,结果是剥夺了他上讲台的权力,一直到 1963 年才重新获得为学生授课的资格。但此后迄至"文革"结束,学术研究工作基本处于停顿状态。从 1964 至 1977 年的 14 年中,他竟然没有发表过一篇论文。这是他 57 岁到 70 岁之间,正是一个学者学术生命最成熟的时期。

这期间他写出的唯一一部著作是那本引起争议的《王安石——中国十一世纪时的改革家》。1972 年 9 月,日本首相田中角荣访华,据说毛泽东在会见田中时,曾对他说过这样一番话:二战后的日本历任首相全都反华,而你却要来恢复中日邦交,这很类似于王安石"祖宗不足法"的精神;美帝、苏修对你此次来访极力反对,而你却置之不顾,这又颇有王安石"流俗之言不足恤"的气概。于是人民出版社就来找邓广铭商量,请他按照毛泽东的谈话精神,对 50 年代写的那本《王安石》加以补充和修改。次年,人民出版社依照当时的惯例,将邓广铭此次重写的《王安石》印出百来本讨论稿,送到各大学和研究机关进行讨论,而反馈回来的意见,都说对"儒法斗争"反映得很不够,于是出版社要求他再作修改。最后这部书稿终于比照"儒法斗争"的需要改定出版了①。

直至"四人帮"被粉碎,邓广铭在年过 70 以后,迎来了他学术生命上的第二个青春。他一生中的这最后 20 年是他学术贡献最大的时期。就学术成果而言,这 20 年出版的著作有 8 种之多:《岳飞传》增订本(1983)、增订校点本《陈亮集》(1987)、校点本《涑水记闻》(1989)、《稼轩词编年笺注》增订本(1993)、《邓广铭学术论著自选集》(1994)、《辛稼轩诗文笺注》(1996)、《邓广铭治史丛稿》(1997)、《王安石》修订本(1983、1997)。与此同时,他还发表了 40 多篇论文。甚至在年过 90 以后,仍每日孜孜不倦地阅读和写作,直到住进医院时为止。

更为重要的是,他晚年的贡献已不仅仅局限于个人的研究领域。为了推动中国史学的发展,为了培养史学后备人才,他发挥了非常重要的作用。1978 年,出任"文革"后北大历史系首届系主任。自 1980 年起,担任中国史学会主席团成员,创建中国宋史研究会并连任三届会长。1981 年,创建北京大学中国古代史研究中心,担任中心主任达十年之久。这种贡献的价值也许比他个人的研究和著述更有意义。

---

① 参见邓广铭:《北宋政治改革家王安石》"序言",北京:人民出版社,1997 年。

二、邓广铭的学术贡献

中国的断代史学是从本世纪新史学兴起之后才逐渐形成的。就宋代历史的研究状况而言,与先宋时代的历史有一个很大的不同,宋以前的历史,古人已有研究,而宋以后的历史则不然。元明清三代只有史书的编纂和史料的考订,没有史学可言,所以在本世纪之前根本就谈不上什么宋史研究。

张荫麟(1905—1942)是本世纪宋史研究的先驱。从 20 年代中叶起,他先后发表论文 20 余篇,宋史研究的不少课题都是由他发轫的。但由于英年早逝,未能取得更大成就。邓广铭晚年谈及张荫麟时,说"张是清华大学的才子,陈寅恪很赏识他,但张教书、治史都不成功"①。对他评价很低。公允地说,张荫麟对于宋代史学的首创之功不应埋没,但他的成就和影响尚不足以使宋代史学形成为一门规模初具的断代史学。

宋代史学体系之建立,始于邓广铭。至 40 年代,邓广铭在宋史学界的权威地位已经得到史学大师们的承认。1943 年,陈寅恪在为《宋史职官志考正》所作的序中评价说:"邓恭三先生广铭,夙治宋史,欲著《宋史校正》一书,先以《宋史职官志考正》一篇,刊布于世。其用力之勤,持论之慎,并世治宋史者,未能或之先也。……他日新宋学之建立,先生当为最有功之一人,可以

①见前揭欧阳哲生:《一位历史学家的不倦追求——邓广铭教授谈治学和历史研究》,第 22 页。

无疑也。"①1947 年,顾颉刚在《当代中国史学》一书中对本世纪上半叶的中国史学做了一番全面的回顾,其中在谈到宋史研究的状况时说:"邓广铭先生年来取两宋各家类书、史乘、文集、笔记等,将《宋史》各志详校一遍,所费的力量不小,所成就亦极大。其《宋史职官志考正》已刊于《历史语言研究所集刊》中,更有《岳飞》《韩世忠年谱》《陈龙川传》,及论文《陈桥兵变黄袍加身故事考释》《宋太祖太宗授受辨》《宋史许及之王自中传辨证》。宋史的研究,邓先生实有筚路蓝缕之功。张荫麟先生亦专攻宋史,惟英年早逝,不克竟其全功。但就所发表的论文看来,其成就已很大,仅次于邓广铭先生而已。"②至 40 年代末,由于邓广铭的努力,宋代史学在中国史学中可以说已经独树一帜。

今天,邓广铭教授早已被公认为本世纪宋史学界的学术泰斗。最近,周一良教授在一篇纪念文章中说,在邓广铭 90 诞辰的时候,他曾想写一篇文字,"主题就是'邓广铭是二十世纪海内外宋史第一人'"。其理由是:邓广铭的宋史研究,范围非常广泛,不像一般学者那样只偏重北宋,而是南北宋并重;不但研究政治史、经济史,也研究典章制度、学术文化,甚至还笺注过辛词,这在宋史学界是无人能比的③。邓广铭培养的第一位研究生漆侠教授,对他老师的学问的评价是"致广大而尽精微",他认为"真正能够盱衡天水一朝史事的",唯有邓广铭先生;"宋辽夏金断代史方面

---

①《金明馆丛稿二编》,上海:上海古籍出版社,1980 年。按陈寅恪所称"新宋学"实际上是指宋代史学,这一名称极易产生歧义,故本文不取这种说法。

②顾颉刚:《当代中国史学》,南京:胜利出版公司,1947 年,第 92 页。

③周一良:《纪念邓先生》,载《仰止集——纪念邓广铭先生》,第 37—38 页。

的通才"，也只有邓广铭先生一人①。

在 20 世纪的中国史学史上，邓广铭教授究竟占有怎样一个位置？自新史学诞生以来，中国出现了五位一流的史学大师，这就是王国维、陈寅恪、陈垣、钱穆、顾颉刚，他们可以称得上是通儒。其次是在某个断代史或专门史领域获得最高成就、享有举世公认的权威地位者，也为数不多。如唐长孺之于魏晋南北朝史，韩儒林之于蒙元史，谭其骧之于历史地理，以及邓广铭之于宋史。

除了宋史之外，邓广铭教授的研究领域还涉及辽金史，尤其是有关宋辽、宋金关系的问题。他对辽金文献史料有相当深入的研究，如关于《辽史·兵卫志》的史源，关于《大金国志》和《金人南迁录》的真伪等等。虽然他对辽金史的问题不轻易发表意见，但实际上他有很多精辟和独到的见解。譬如糺军问题，是辽金元史上一个长期无法解决的难题。他早就认为辽朝并无所谓"糺军"，某部族糺实际上也就是某部族军，这一论点后来为他的学生杨若薇博士的研究成果所证实。

在邓广铭教授一生的著述中，最主要的是四传二谱，即《陈龙川传》《辛弃疾(稼轩)传》《岳飞传》《王安石》和《韩世忠年谱》《辛稼轩年谱》。在《北京大学历史学系手册》中，邓广铭教授在自己的"学术专长"一栏填的是"隋唐五代宋辽金史、历史人物谱传"②。这可以看作他一生治学方向和学术成就的一个自我总结。他在追溯自己的谱传史学情结时，说他自青年时代读了罗曼·罗兰的传记作品后，就"动了要写一组中国的英雄人物传记的念

①漆侠：《悼念恩师邓广铭恭三先生》，载《仰止集——纪念邓广铭先生》，第 92、93 页。
②牛大勇编纂：《北京大学历史学系手册》，1997 年刊行。

头";及至 1932 年考入北大史学系后,"我就发愿要把文史融合在一起,像司马迁写《史记》那样,用文学体裁写历史"①。后来胡适的"传记文学习作"课则将他最终引上了谱传史学的路子。

周一良教授在评价邓广铭的学术成就时写到:"与一般史学家不同的一点是,他不但研究历史,而且写历史。他的几本传记,像《王安石》《岳飞传》《辛弃疾传》等等,都是一流的史书,表现出他的史才也是非凡的。……当代研究断代史的人,很少有人既能研究这一段历史,又能写这一段历史。"②我请周一良教授就这段话做一个详细的说明,他解释说,满清一代学风朴实,尤其是乾嘉时代的学者,在史料考订上下了很大工夫,但就是没有一个人写历史;现代史学家中不乏高水平的学者,许多人都能做出扎实的研究成果,但却极少有人能够写出历史。这就是邓广铭先生的不同凡响之处。

在邓广铭教授的四部历史人物传记中,以《岳飞传》和《王安石》花费的心血最多,也最为他本人所看重。《岳飞传》一书初名《岳飞》,是 1944 年应重庆胜利出版社之约而撰写的,次年 8 月 15 日此书出版之时,正是日本宣布无条件投降之日,这使邓广铭教授终生难忘。1954 年,他把这部书作了大幅度修改,订正了许多旧史记载的错误,并改名为《岳飞传》出版。粉碎"四人帮"后,他又花了五年的时间,再次改写《岳飞传》,此次修改的幅度比上次更大,改写的部分占全书的 90% 以上。《王安石》一书初版于 1953 年。由于"文革"中写成的那部《王安石——中国十一世纪

---

① 见前揭欧阳哲生《一位历史学家的不倦追求——邓广铭教授谈治学和历史研究》,第 20 页。
② 见前揭周一良《纪念邓先生》,第 38 页。

时的改革家》带有明显的时代烙印,遂于 80 年代初修订后再版。但此次修订本并没有作太大的改动,"儒法斗争"的烙印依然比较明显。因此在年过 80 以后,邓广铭教授又四写《王安石》,对此书做了彻底的修改,在史料考订和辨伪上下了很大工夫,篇幅也增加二分之一以上。

除了上述几部谱传著作之外,《稼轩词编年笺注》也是一部高品质的传世之作。在《北京大学历史学系手册》中,邓广铭教授填写的三部代表论著是《稼轩词编年笺注》《岳飞传》和《王安石》,可见这部著作在他心目中的价值和分量。此书的初稿完成于1937 至 1939 年间,原拟由香港商务印书馆出版,因太平洋战争爆发而未果,一直到 1957 年才由上海古典文学出版社刊行。该书甫一问世便引起学界普遍关注,且有一些素不相识的专家学者写信给邓广铭教授,提出修订的建议或增补的资料。1962 年此书增订本出版,并于 1963 年和 1978 年两次重印。80 年代后,邓广铭教授又花费很大精力再度对它进行修改和增订,于 1993 年推出一个更加完善的本子。《稼轩词编年笺注》是一部脍炙人口的佳作,自该书问世 40 年来,拥有相当广泛的读者,仅 1978 年一版就印行了 25 万册,邓广铭教授戏称它是一本"畅销书"。曾经有人对他谈到读完此书所留下的印象:"它是出自一个历史学者之手,而决非出于一个文学家或文学史家之手。"邓广铭教授对此的反应是:"这个评语的涵义,不论其为知我罪我,我总认为它是非常恰当和公允的。"①我们不妨说,这句话道出了此书的学术价值所在。

说到"写历史",还应该提到的是,60 年代初,邓广铭教授参加了由翦伯赞主编的《中国史纲要》的编写工作,撰写其中的宋辽

---

① 《稼轩词编年笺注》增订三版题记,上海:上海古籍出版社,1993 年,第8 页。

金史部分,这部教材后来赢得了很高的声誉,但他所撰写的部分毕竟只有 13 万字的篇幅。邓广铭教授晚年的一个最大遗憾,就是没有写出一部堪称总结性成果的《宋辽金史》。几年前,他在为《邓广铭学术论著自选集》撰写的《自序》中说:"在编选这本《自选集》的过程中,经常引起我的惭愧的一事是,我虽把辽宋金对峙斗争的时期作为主要攻治的一个特定历史段落,然而我竟没有像其他断代史的研究者那样,写一部详赡丰实的辽宋金史出来。"漆侠教授在看到这段文字之后,非常后悔没有及早促成邓广铭先生主编一部《辽宋夏金史》,藉以偿其夙愿①。

对于历史文献的整理和研究,也是邓广铭教授的重要学术贡献之一。40 年代初,他曾计划对《宋史》全书进行系统的考订,最终撰成一部《宋史校正》,后来这一计划虽未完成,但仅就他对《职官志》和《刑法志》的考订来看,可以说是自《宋史》问世六百年来对此书进行的第一次认真清理。"文革"期间,他还一度参加过由中华书局主持的《宋史》点校工作。80 年代以后,邓广铭教授长期担任国家古籍整理出版规划小组成员和全国高等院校古籍整理研究工作委员会副主任,并点校出版了《陈亮集》和《涑水记闻》(与张希清合作)。在他的主持下,北京大学中国古代史研究中心还完成了两项宋代文献的整理工作,一是点校赵汝愚的《国朝诸臣奏议》,二是编成一部《宋人文集篇目分类索引》②。

长期以来,邓广铭教授在研究南宋前期的宋金和战等问题时,

---

① 见前揭漆侠《悼念恩师邓广铭恭三先生》,第 92 页。
② 关于邓广铭教授对古籍整理研究工作的贡献,请参看刘浦江《邓广铭先生与古籍整理研究工作》一文,载《古籍整理出版情况简报》1994 年第 11 期。

曾花费过很大精力对徐梦莘的《三朝北盟会编》进行校勘,他早就有一个想法,准备在点校此书的基础上,仿照陈垣的《元典章校补释例》(又名《校勘学释例》)写出一部《三朝北盟会编校勘释例》,为古籍整理工作提供一个范例。现在,《三朝北盟会编》一书已经由我协助他完成了点校工作,而他却来不及写这部《校勘释例》了。

邓广铭教授一生中曾多次参与报刊的编辑工作,这是他对学术事业的另一种形式的贡献。早在1933年,他刚考入北大不久,就与北大英文系学生李广田和师大中文系学生王余侗共同创办了一份校园刊物《牧野》旬刊。大学三年级时,他又与同班同学傅乐焕、张公量为天津《益世报》主编《读书周刊》(名义上的主编是北大图书馆馆长毛子水),傅、张二人毕业离校后,改由他和金克木二人主编。1942年,他在重庆的中国文化服务社专职主编《读书通讯》,直到次年暑期应复旦大学之聘时为止。1946年回到北平后,上海《大公报》请胡适主编《文史周刊》,遂由邓广铭担任执行编辑。从1951年起,清华历史系、北大史学系和近代史研究所共同为天津《大公报》主编《史学周刊》,北大史学系的代表就是邓广铭。1953年,《大公报》停刊,《史学周刊》改组为《光明日报》的《史学》双周刊,由北大、北师大和近代史所三家合办,邓广铭教授担任北大历史系的执行编辑。自1958年以后,《史学》双周刊改由北大历史系一家负责,范文澜、翦伯赞任主编,邓广铭和田余庆、陈庆华、张寄谦四人担任执行编辑,直到1966年《史学》停刊为止①。在当时那种特殊的政治环境下,《光明日报·史学》担负着

---

① 参见邓广铭:《我与〈光明日报·史学〉》,《光明日报》1993年4月26日;穆欣:《理解与合作——忆邓广铭教授为〈光明日报〉主编〈史学〉专刊》,载《仰止集——纪念邓广铭先生》。

引导史学界学术方向的重任,由《史学》发起的关于曹操评价、让步政策、清官等问题的讨论,在当代中国史学史上曾发生过重要影响。

衡量一位学者的成就和贡献,还有一个很重要的方面,那就是他对学科的推动作用。邓广铭教授从教60年,为中国史学界培养出许多优秀人才,今天宋辽金史学界的中坚力量大都与他有直接或间接的师承关系,在这个领域建立了一个成功的学统。在他80年代担任宋史学会会长以后,为推动宋代史学的繁荣和进步做出了巨大的贡献。人们公认,最近20年来,中国大陆宋史研究水平的提高在各个断代史中是尤为突出的。

邓广铭教授的女儿邓小南在和我谈到她父亲时曾说:"我觉得他是很想做傅斯年那样的学界领袖的。"老实说,傅斯年在任何一个领域都算不上一流的专家,但对于20世纪中国史学发展的贡献,却很少有人能比得上他。"文革"以后,邓广铭教授的学术地位和崇高声望使他有可能像傅斯年那样为史学事业做出更大贡献,他充分把握了这种机遇。1978年他出任北大历史系主任后,义不容辞地肩负起北大历史系的"中兴"大业。他四处网罗人才,让长期被当作翻译使用的张广达回来做专业研究,从山西调来王永兴,从社科院调来吴荣曾,从中文系调来吴小如。又与王仲荦教授商定,要将他也调来北大,几经周折,山东大学执意不肯放人,只是说:"放王仲荦也可以,拿你们邓广铭来换!"当时还曾商调漆侠和胡如雷,也因河北方面不同意而作罢。在邓广铭教授担任系主任期间,为了提高教学质量,先后聘请了许多专家到历史系兼课,仅中国古代史方向就有宁可(中国通史)、吴荣曾(战国史专题)、漆侠(宋代经济史)、蔡美彪(辽金元史)、胡如雷(中国封建社会形态)、刘乃和(中国史知识讲座)、杨伯峻(《左传》研究)、王利器(古文献选读)等。今日北大历史系能够重振雄风,邓广铭教授的"中兴"之功实不可没。

有一件事情颇能说明邓广铭教授致力于学术振兴的用心和努力。1979年,邹衡教授因《商周考古》一书的出版而得到一笔稿费,在"文革"结束不久的当时,人们实在无法接受知识分子在工资之外还领取稿费的事实,很多人都认为这笔钱应该上交系里,邓广铭教授独持异议:"在这么多年的政治运动之后,还有人肯兢兢业业地做学问,应该予以特别奖励。不但不能收缴他的稿费,反而应该给他发奖金才对!"

创建北京大学中国古代史研究中心,是邓广铭教授晚年的又一贡献。按照他当时的设想,是想仿照傅斯年办史语所的方法,要求大家每天都到中心来读书和研究,互相探讨问题。他为中心提出的十六字方针是"多出人材,多出成果;快出人材,快出成果"。现在回过头来看,中心的建立确实为北大历史系储备了一批优秀的人才,今天他们已经成为中国史学界的一支生力军。前几年,邓广铭教授在他的《自传》中这样写道:"经我的倡议……于1982年成立了北大中国中古史研究中心,由我任主任,迄于1991年卸任。在此十年之内,在此中心培育出许多名杰出学人,在学术上作出了突出贡献,这是我晚年极感欣慰的一桩事。"①学术研究是一项薪火相传的事业,邓广铭教授成功地把他手中的火炬传给了后来人。

三、邓广铭的学术品格

单从成就和贡献着眼,大概是很难真正理解一位学者的。学

①见前揭邓广铭《自传》,《邓广铭学术论著自选集》,第727页。

者的个性隐藏在他的学术品格之中。

首先从学术态度说起。学术态度的严肃性是学者的基本修养。从 1949 年前过来的那一代历史学家,大都经受过实证史学的严格训练,学风的严谨在他们来说已经成为一种职业习惯。1949 后,由于政治对学术的介入,实证史学受到了不公正的对待,史料被人蔑视,考据遭人嘲笑,历史学家声称要"以论带史"。即使在这种学术氛围中,邓广铭教授仍始终坚持实证史学的优良传统。1956 年,他在北大的课堂上公开提出,要以职官、地理、目录、年代为研究中国历史的四把钥匙。两年后,"四把钥匙"说就在双反运动中遭到批判,有人质问说:"为什么单单丢掉了最根本的一把钥匙——马列主义?"并说"四把钥匙的实质就是取代、排斥马列主义这把金钥匙"[①]。他为此受到很大压力,若干年后,才由郭沫若和胡乔木为"四把钥匙"说平了反。

忠诚于学术是邓广铭教授的一贯原则,尽管有时候坚持自己的信念并不是一件很容易的事情。50 年代末,中宣部副部长张盘石让李新主持中小学历史地理地图教材的编写工作,李新为此召集有关部门负责人及部分历史学家讨论编写条例,其指导方针是由吴晗起草并经周恩来批准的"八条","八条"的基本原则是要根据新中国的疆域去解释历史,将历史上不同民族之间的国与国的矛盾看作国内的民族矛盾。邓广铭教授在会上坚决反对这一原则,认为应该尊重历史,不能根据现实去曲解历史。因为"八条"是总理批准了的,所以他的意见显得很孤立,但他始终坚持己见,结果会议不了了之。后来有人向上面反映说:邓广铭把会议

[①] 参见人民出版社编辑部编辑:《历史科学中两条道路的斗争》"四把钥匙",北京:人民出版社,1958 年,第 67—70 页。

搅黄了①。

对邓广铭教授稍有一点了解的人都知道,他一生中的许多著作都经过反复再三的修改、增订乃至彻底改写,这种情况在中国史学界似乎还找不到第二例。其中《辛稼轩年谱》改写过一次,《岳飞传》改写过两次,《王安石》先后修订和改写了三次,《稼轩词编年笺注》也修改、增订过两次——而且就在 1993 年最后一个增订本出版之后,他又在着手进行新的修改,我手边就放着经他手订的修改本,改动的地方已达百余处。从 1937 年开始撰著的这部《稼轩词编年笺注》,到 1997 年仍在不断地修改订补之中,这部著作的创作历程前后达 60 年之久!

按照邓广铭教授的计划,他原准备在有生之年把四部宋人传记全部再改写一遍,去年新版的《王安石》只是这个计划的第一步。他曾在病床上对女儿谈起过他的设想:"《岳飞传》前一部分整个重写,后面有些部分可以从书中撤出来,单独成文;《陈亮传》也不难写,有个得力的助手,半年时间可以搞出来;《辛弃疾传》基础太差,还要多做一些准备。"②去年,河北教育出版社准备为他出版全集,他坚持要等他把几部传记重新改写完毕以后才能收入全集,在 1997 年 10 月 7 日致河北教育出版社编审张惠芝的信中说:"《岳飞传》《陈亮传》《辛稼轩传》,我要新改的幅度都比较大。贵社计划把几传原样重印,我认为不可行。我一生治学,没有当今时贤的高深造诣,使 20 年代的著作可以在 90 年代一字不变的重

---

① 李新:《无限的哀思——悼念邓广铭先生》,载《仰止集——纪念邓广铭先生》,第 56 页。
② 见前揭邓小南《父亲最后的日子》,载《仰止集——纪念邓广铭先生》,第 543 页。

印。我每有新的见解,就写成新书,推翻旧书。"①这就是他始终不渝的学术理想:追求至真、至善、至美的境界。

从邓广铭教授的著作中可以看到,他一生中凡正式发表的文字都是字斟句酌,决不苟且。就连他 80 岁以后写的文章还常有句子结构很复杂、逻辑很严密的表述,这显然是反复推敲的结果。他的论著既是如此认真地写出来的,所以就不能容忍别人改动他的文稿,他常对出版社或报刊的编辑提出这样的要求:"可以提出修改意见,也可以全稿废弃不用;但希望不要在字里行间,作一字的增删。"更不能让他容忍的,是由于某种"违碍"而删改文字。1996 年,邓广铭教授为《台大历史学报》写了一篇《怀念我的恩师傅斯年先生》,其中谈到傅斯年去台湾后曾托人给他捎来口信,要把留在北平的藏书全部赠送给他,文中有一段注说:"此乃因傅先生昧于大陆情况之故,当时他已成一个被声讨的人物,其遗存物只应被公家没收,他本人已无权提出处理意见了。"②去年,中国青年出版社在将这篇文章收入《邓广铭学术文化随笔》一书时,提出要把这段文字删去,邓广铭教授当即表示:"如果删去这段话,我这本书就不出了!"

邓广铭教授执著的学术精神是一个令人肃然起敬的话题。一位年过九旬的老人,仍坚守在他的学术阵地上,每天坚持读书和写作,直至病倒为止。在他生命的最后几个月里,为了修改讨论《辨奸论》真伪问题的论文,三番五次地托人从医院带回纸条,提出他的修改意见。躺在医院的病床上,面部插着氧气管和引流

---

① 此信由邓广铭口述,沈乃文笔录。兹据邓小南提供的信稿复印件。
② 邓广铭:《怀念我的恩师傅斯年先生》,《邓广铭学术文化随笔》,第226 页。

管,手臂上又在输液,即使在这样的情况下,他仍执意要看《王安石》一书的校样,于是女儿只好拿着放大镜,举着校样让他看。支撑着他那风烛残年的躯体的,该是多么顽强的精神。

章学诚最为推崇的是这样两种学术造诣:"高明者多独断之学,沉潜者尚考索之功。"①邓广铭教授在为去年北京大学出版社出版的《邓广铭治史丛稿》一书所作的自序中,用这两句话来概括他毕生的学术追求,他认为一位历史学家"一是必须具备独到的见解,二是必须具备考索的功力"。我以为,"独断之学,考索之功"八个字,再准确不过地点出了邓广铭教授的治学风格。

一个学者有点学问并不难,学问渊博也不甚难,难得的是有见识。"独断之学"要求学者不但要有见识,而且要见识卓越,见识特出。邓广铭教授素以史识见长,体现在他的论著中的个性化特征极为明显,原因就在于他从不人云亦云,总是能够独树一帜,自成一说。比如关于金军拐子马的解释,关于岳飞《满江红》的真伪问题,关于宋江是否受招安征方腊的问题等等,他都提出了与众不同的独到见解。在邓广铭教授的论著中,从来就没有模棱两可的意见,他的观点一向旗帜鲜明。

史识当然不是没有凭藉的,它源自深厚的学养。史学之道,但凡"独断之学",必定有赖于"考索之功",否则"独断"就难免沦为"武断"。对于邓广铭教授那一代人来说,考证的功力似乎是先天的长处,而他在考证方面的擅长,即便与同时代人相比也是突出的。"考索之功"的前提是对史料的充分掌握,从对史料的重视程度来看,可以看出邓广铭教授的史学观念受到傅斯年的很大影

---

① 章学诚:《文史通义》卷五《答客问中》,叶瑛校注本,北京:中华书局,1985年,第477页。

响,傅斯年提出的"史学即是史料学"的观点,自 50 年代以来一直遭到批判,邓广铭教授近年公开表明了他对这个问题的态度:"'史学即是史料学'的提法,我觉得基本上是没有问题的。因为,这一命题的本身,并不含有接受或排斥某种理论、某种观点立场的用意,而只是要求每个从事研究历史的人,首先必须能够很好地完成搜集史料,解析史料,鉴定其真伪,考明其作者及其写成的时间,比对其与其他记载的异同和精粗,以及诸如此类的一些基础工作。"①邓广铭教授历来主张研究历史要穷尽史料,这与傅斯年说的"上穷碧落下黄泉"也是一个意思。对于宋史研究者来说,"穷尽史料"是一个很高的要求,但邓广铭教授在他的研究中做到了这一点。

在邓广铭教授非常个性化的学术特色中,有一点给人们留下了深刻的印象,那就是他的论战风格。他一辈子都在进行学术论战,用陈智超先生的话来说,就是"写作六十年,论战一甲子"②。实际上,邓广铭教授的学术论战还不止 60 年的历史。他写于1935 年的第一篇学术性文章《评〈中国文学珍本丛书〉第一辑》③就是论战文字,而 1997 年写成的最后一篇论文《再论〈辨奸论〉非苏洵所作——兼答王水照教授》④,也仍然是一篇论战文字。在他病重住院期间,曾对女儿谈到他的论战风格:"我批评别人也是为了自己进步。我九十岁了,还在写文章跟人家辩论,不管文章写

①《邓广铭学术论著自选集·自序》,北京:首都师范大学出版社,1994年,第7—8页。
②陈智超:《崇高的责任感》,载《仰止集——纪念邓广铭先生》,第257页。
③《国闻周报》12 卷 43 期,1935 年 11 月 4 日。
④《学术集林》第 13 卷,上海:上海远东出版社,1998 年 5 月,第 74—90 页。

得好坏,都具有战斗性。"①

需要说明的是,这种"战斗"精神并不是在他成名以后才形成的,上面提到的那篇批评《中国文学珍本丛书》的文章发表时,他还在念大学四年级。这种论战风格的形成,主要是缘于他那"耿介执拗而不肯随和的性格",以及他那"从不左瞻右顾而径行直前的处世方式"②。他在阐述自己的学术主张时说:"至于'奄然媚世为乡愿'(章学诚语)的那种作风,更是我所深恶痛绝,一直力求避免的。"③文如其人,这句话用在他身上实在是再合适不过了。对于邓广铭教授的文风,杨讷先生还有另外一种解释:"邓先生在指摘别人时的确用词尖锐,甚至使人难堪……部分由于他的个性,部分是受前一代文风的影响。看看三十年代的文坛健将,喜欢用尖锐言词写作或辩论的,人数真不少。他们对别人尖锐,也能承受别人对自己尖锐。邓先生从事著述起于三十年代,自然会受那时文风的影响,这是可以理解的。"④这段话隐含着当代学者的一种价值倾向:对老一辈学者锐利的文风可以理解,但并不赞赏。

顾炎武曾提出一个理想的学者标准:"愚所谓圣人之道者如之何?曰博学于文,曰行己有耻。"⑤邓广铭教授将"博学于文,行己有耻"八个字作为他的座右铭,以此来规范他的道德文章。关

---

①见前揭邓小南《父亲最后的日子》,载《仰止集——纪念邓广铭先生》,第543页。
②见前揭邓小南《父亲最后的日子》,载《仰止集——纪念邓广铭先生》,第547页。
③《邓广铭治史丛稿·自序》,北京:北京大学出版社,1997年,第2页。
④杨讷:《走近邓先生》,载《仰止集——纪念邓广铭先生》,第285页。
⑤《亭林文集》卷三《与友人论学书》,《四部丛刊》本,叶2a。

于他的学问方面，我们已经谈得太多，这里只想就一件小事来谈谈他的人格风范。去年春，河北教育出版社补贴资金出版了《庆祝邓广铭教授九十华诞论文集》，并以此为条件，商定出版他的全集，但因他与人民出版社早有出版《王安石》修订本的约定，遂影响到全集的出版问题。他当时首先想到的是，如果全集不能由河北教育出版社出版，他将欠下出版社的一份情，"这使我感到沉重的压力，如何清偿此事，成为我心头一块大病"。在去年10月写给河北教育出版社编审张惠芝的信中，他提出全集仍希望交给该社出版，但必须等他把四部传记全部改完；如果出版社方面不同意这个方案，"我在有生之年必须对贵社印行我的《九十祝寿论文集》作出报答，那么就请贵社把印制这本论文集的费用清单告诉我，我将在半年之内分两期全数偿还贵社。我今年91岁，我的人生观点就是绝不在去世之时，对任何方面留有遗憾，不论是欠书、欠文还是欠债，这样我可以撒手而去，不留遗憾在人间"①。看到这封信，我对邓广铭教授的道德文章有了更深的理解。我以为，这是对"博学于文，行己有耻"一语的最好诠释。

原载《历史研究》1999年第5期

---

① 此信由邓广铭口述，沈乃文笔录。兹据邓小南提供的信稿复印件。

邓广铭先生与辽金史研究

　　有关邓广铭先生与宋史研究的话题,人们已经谈得很多了。熟悉邓先生的人都知道,他的研究领域虽以宋史为主,却并不局限于宋史,对于同时代的辽金史他也一向是非常关注的,因此本文主要想谈谈邓广铭先生对辽金史研究的贡献。

　　邓先生最初是以辛稼轩研究奠定他在宋史学界的学术地位的,或许正是由于这个缘故,从他进入宋史领域之日起,就对宋金、宋辽关系倾注了很大的心力,并进而将宋辽金时代作为一个整体来加以关照。他在1992年为《邓广铭学术论著自选集》所作的自序中,自称"我把宋辽金对立斗争时期的历史作为我进行研究的主攻对象",可以说是对他毕生学术研究畛域的一个最恰当的概括。从早年的辛稼轩研究到晚年的岳飞研究,都是以"宋辽金对立斗争"为主线的。在他初涉史学的20世纪30年代,选择这样一个学术领域显然与当时的时代环境有很大关系。在《邓广铭学术论著自选集》的自序中,他如是说:"这样一个学术研究领域之所以形成……从客观方面说,则是为我所居处的人文环境、时代思潮和我国家我民族的现实境遇和我从之受业的几位硕学大师所规定了的。"这是那一代学者身上所承载的国家和民族责任感。

虽然邓先生有关辽金史的研究成果并不多，但若是说到他对辽金文献史料之稔熟，却是很少有辽金史研究者能够与之相比的。他对辽金文献的研究，主要体现在以下三个方面。

其一是对《三朝北盟会编》的整理和研究。相对于同时代的两宋而言，辽金史文献是极为匮乏的，尤其是有关辽末金初的历史记载，更是显得非常薄弱，而《三朝北盟会编》一书恰好可以在很大程度上弥补这一缺陷。自上世纪 50 年代至 80 年代，邓先生在研究南宋前期的宋金和战等问题时，曾花费过很大精力对徐梦莘的《三朝北盟会编》进行整理。他早就有一个想法，准备在点校此书的基础上，仿照陈垣的《元典章校补释例》（亦名《校勘学释例》）写出一部《三朝北盟会编校勘释例》，为古籍整理工作提供一个范例。邓先生在长期的研究工作中，凡是需要用到《三朝北盟会编》的史料时，一般习惯于先要拿《会编》与其他宋代文献进行对校，并将校勘结果标注在他常用的光绪五年活字本上。如今保存在我手头的这部活字本，不少卷帙中都有他留下的校勘手迹（参见邓广铭先生手校《三朝北盟会编》书影）。1992 年 5 月，因《三朝北盟会编》被列入国家古籍整理出版规划，邓先生命我协助他完成此书的点校工作。此后五六年间，我曾先后数十次就此书校点工作中遇到的疑难问题向他求教，而今回想起来，那无疑是我的学术生涯中受益于邓先生最多的一个时期。而他对辽金史料之稔熟于心，也因此给我留下了极为深刻的印象。

其二是有关《辽史·兵卫志》史源的研究。关于《辽史》一书的史源，从清代厉鹗、杨复吉到近人冯家昇、傅乐焕、罗继祖等，都做过许多考镜源流、纠谬正误的工作。邓广铭先生发表于《北京大学学报》1956 年第 2 期的《〈辽史·兵卫志〉中〈御帐亲军〉〈大首领部族军〉两事目考源辨误》一文，是他有关辽金文献研究的一篇代表作。《辽史·兵卫志》谓太宗所置大帐皮室军"凡三十万骑",太祖述律后所置属珊军凡"二十万骑","合骑五十万"云云,在《辽史·百官志》中也有类似的记载。经邓先生考辨,发现这段记载的最初史源乃是出自宋琪《平燕蓟十策》(其全文见于《宋会要辑稿·蕃夷》一之一一四至一九),该文作于宋太宗雍熙三年(986)第二次北伐之前,系追述后晋末年契丹的军力情况。李焘纂修《续资治通鉴长编》时,因系节抄此文,其原委已不甚详。后元朝书贾所撰《契丹国志》,遂从《长编》中摘抄了宋琪的二、三两策,题为《兵马制度》(见《契丹国志》卷二三),使人误以为这是辽朝一代的定制。《辽史·兵卫志》的上述记载就是从《契丹国志》中辗转稗贩而来的,且宋琪《平燕蓟十策》称契丹皮室兵"约三万",属珊军"有众二万",到了《辽史》中却又被分别改作三十万骑和二十万骑。邓先生的这篇论文从史料源头上彻底澄清了《兵卫志》的错误,而且使我们认识到,《辽史》对于《契丹国志》的因袭,并非像过去人们所知道的那样仅限于辽朝末年的相关纪传。

读过邓先生这篇论文的人可能都记得,它最初发表时署名为"邝又铭",在我的印象中,这是邓先生发表学术论著时唯一一次使用笔名——这里面还有一段不为人知的曲折。此事牵涉到谢再善先生的一篇短文。1956年4月26日,《光明日报》史学版发表了谢再善《关于哈剌契丹、蒙古人色尚及元朝国号来历问题》一文,对辽朝称"哈剌契丹"说提出质疑。当时一位辽史专家曾撰文反驳,但文章寄给《光明日报》后,因故未能发表,这位辽史专家遂因此事而对时任《光明日报》史学版执行编辑的邓先生产生了某些误会。恰巧此时《〈辽史·兵卫志〉中〈御帐亲军〉〈大首领部族军〉两事目考源辨误》一文正准备由《北京大学学报》发表,该文在送请这位辽史专家评审时意外地遭到了否决。时任北大学报主编的翦伯赞先生在了解此事原委之后,仍然决定发表此文,但碍于评审专家的面子,遂将作者署名"邓广铭"改题为"邝又铭"。

其三是关于《大金国志》与《南迁录》真伪问题的讨论。题名为张师颜的《金人南迁录》一书,从宋代的李心传、赵与时、陈振孙等人到清代的四库馆臣,都认为它是一部出自南宋人之手的伪书。唯对于《大金国志》与《南迁录》之间的关系,前人却很少留意。邓先生写成于1982年的《〈金人南迁录〉与〈大金国志〉间的瓜葛》,对两书的史料渊源进行了细致的梳理和比对,发现《南迁录》一书不足两万字的内容,几乎都已被元朝书贾抄入《大金国志》诸帝纪之中。后来他又针对崔文印先生就《南迁录》真伪问题

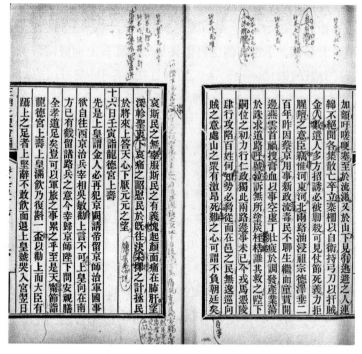

邓广铭先生手校《三朝北盟会编》书影

提出的新说,以及认为《大金国志》前十五卷帝纪确系出自宇文懋昭之手的观点,写出《再论〈大金国志〉和〈金人南迁录〉的真伪问题——与崔文印君商榷》一文,力证《南迁录》和《大金国志》皆为伪书;并指出两者的不同之处在于,前者不仅作者为子虚乌有,其内容亦大抵皆出杜撰,而后者则主要抄自宋代文献,只是就其伪署作者"宇文懋昭"之名来说,它理应被视为一部伪书。后来邓先生将这两篇论文合二为一,题为《〈大金国志〉与〈金人南迁录〉的真伪问题两论》,发表于《纪念顾颉刚学术论文集》(成都:巴蜀书社,1990 年)。

我于 1988 年春调回北大时,大约邓先生正在写他那篇《再论〈大金国志〉和〈金人南迁录〉的真伪问题》的文章,因此他给我布置的第一项任务,便是要求我彻底解决《大金国志》一书的真伪问题。我用了半年时间,逐条寻检《大金国志》的史源,并先后写出《再论〈大金国志〉的真伪——兼评〈大金国志校证〉》《〈契丹国志〉与〈大金国志〉关系试探》《关于〈契丹国志〉的若干问题》三篇论文,其中第一篇主要是与崔文印先生就《大金国志》一书的真伪问题进行商榷,并指出《大金国志校证》的若干点校错误,此文后来发表于《文献》1990 年第 3 期。今天回过头来看,应该说这篇文章的言辞是比较尖锐的,不免会使被批评者感到难堪。但让我未曾想到的是,十年之后,当我把我的第一部论文集《辽金史论》送呈崔文印先生时,他给我写来一封态度极为诚恳的信,对我那篇文章的批评意见毫无介怀之意,不禁令我深为感动。今年《大金国志校证》由中华书局重印,崔文印先生又在《重印弁言》中这样写道:"我在这里仍要感谢北京大学历史系教授刘浦江先生,他为考订《大金国志》一书的真伪以及为校证本的纠谬写出了扎实的论文。"并且以我指出的校证本误将"王汭素颉颃"当成两个人名为例,做了毫无掩饰的自我批评。不仅如此,他甚至还在送给我的重印本的扉页上写下了"浦江教授惠正，你的批评使我汗颜，铭感！"这样的话。这件事让我十分感慨，在今天的中国学术界，能够像崔文印先生这样以如此坦诚的胸怀接受批评意见的学者，确乎堪称是凤毛麟角了。

说到邓先生对辽金史研究的贡献，当然不能仅仅着眼于他的有关研究成果。衡量一位学者的成就和贡献，还有一个很重要的方面，那就是他对学科的推动作用。我觉得，若是要论邓先生对辽金史的最大贡献，应当首推他为建立和传承北京大学的辽金史学统、为培养辽金史的新一代学人所做出的努力。中国的第一代辽金史学者，以陈述、傅乐焕、冯家昇三人为其杰出代表，他们分别出自北师大、北大和燕京大学。其中傅乐焕先生与邓先生还是北大史学系的同班同学。但在傅乐焕之后，北京大学的辽金史学统中断了很长一个时期。上世纪 80 年代以后，经邓先生的努力，北大的辽金史学统得以重新恢复和光大。1983 年，杨若薇投到邓先生门下攻读博士学位，她后来完成的博士论文《契丹王朝政治军事制度研究》，堪称 20 世纪中国辽金史领域第一流的研究成果之一，她也因此迅速成长为辽金史学界一位很有实力的学者。可惜后来因为种种原因，过早地放弃了学术事业。1988 年，经邓先生竭力争取，我得以调入北京大学中古史研究中心，后来又在邓先生的引导下走上辽金史研究的道路。可以说，如今北京大学的辽金史学统能够赓续不坠，全凭邓广铭先生一手扶植。今日追忆邓先生，这是最令我刻骨铭心的一份感激。

二〇一一年岁杪，于京西大有庄

原载《想念邓广铭》，北京：新世界出版社，2012 年

刘浦江学术论著目录

一、著　作

《辽金史论》,辽宁大学出版社,1999年。

《松漠之间:辽金契丹女真史研究》,中华书局,2008年。

《正统与华夷:中国传统政治文化研究》,中华书局,2017年。

《宋辽金史论集》,中华书局,2017年。

二、古籍整理

点校本二十四史《辽史》修订本(主持人),中华书局,2016年。

三、工具书

《二十世纪辽金史论著目录》,上海辞书出版社,2003年。

《契丹小字词汇索引》（与康鹏共同主编），中华书局，2014年。

四、论　文

《旧序新说》，《书林》1984年第6期。

《从〈春秋左传〉看春秋时代的城市》，《齐鲁学刊》1985年第1期。

《柳开生卒年辨正》，《中国史研究》1986年第4期。

《先秦诸子百家在中国历史上产生了什么影响》，《函授辅导》1987年第2期。

《中国古代的科学技术》，《函授辅导》1987年第5期。

《应劭字说》，《中国史研究》1988年第1期。

《〈史记〉中两司马喜非一人》，《古籍研究》1988年第1期。

《〈后汉书〉札记三则》，《史学月刊》1988年第5期。收入国务院古籍整理出版规划小组编《古籍点校疑误汇录》第6辑，中华书局，2002年。

《"春秋五霸"辨》，《齐鲁学刊》1988年第5期。

《校点本〈青箱杂记〉衍文发覆》，《古籍整理研究学刊》1988年第4期。

《李公麟〈古器图〉有著录可考》，《史学月刊》1989年第2期。收入金文明《语林拾得——咬文嚼字精选100篇》，复旦大学出版社，2001年。

《〈次柳氏旧闻〉无〈程史〉之名》，《中华文史论丛》1989年第1期。

《尤袤生卒年辨证》,《中国史研究》1989 年第 3 期。

《〈清江三孔集跋〉作者考》,《文献》1989 年第 4 期。

《〈后汉书〉札记(明帝纪)》,《古籍整理研究学刊》1989 年第 4 期。

《辛稼轩〈美芹十论〉作年确考》,《古籍整理研究学刊》1990 年第 2 期。

《再论〈大金国志〉的真伪——兼评〈大金国志校证〉》,《文献》1990 年第 3 期。

《〈建康实录〉校点本訾议》,《古籍整理研究学刊》1991 年第 4 期。

《关于〈契丹国志〉的若干问题》,《史学史研究》1992 年第 2 期。

《汉冲帝永嘉年号辨》,《古籍整理研究学刊》1992 年第 4 期。

《书〈金史·施宜生传〉后》,《文史》总第 35 辑,1992 年 6 月。

《范成大〈揽辔录〉佚文真伪辨析——与赵克等同志商榷》,《北方论丛》1993 年第 5 期。

《〈契丹国志〉与〈大金国志〉关系试探》,《中国典籍与文化论丛》第 1 辑,中华书局,1993 年。

《金代户口研究》,《中国史研究》1994 年第 2 期。

《金代猛安谋克人口状况研究》,《民族研究》1994 年第 2 期。

《邓广铭先生与古籍整理研究工作》,《古籍整理出版情况简报》1994 年第 11 期。

《"博学于文　行己有耻"——邓广铭教授的宋史研究》,《北京大学学报》1995 年第 2 期。

《论金代的物力与物力钱》,《中国经济史研究》1995 年第 1 期。

《金代户籍制度刍论》,《民族研究》1995年第3期。

《渤海世家与女真皇室的联姻——兼论金代渤海人的政治地位》,《大陆杂志》(台北)90卷1期,1995年1月15日。收入《北大史学》第3辑,北京大学出版社,1996年。

《金代"通检推排"探微》,《中国史研究》1995年第4期。

《金朝的民族政策与民族歧视》,《历史研究》1996年第3期。

《金代杂税论略》,《中国社会经济史研究》1996年第3期。

《金代土地问题的一个侧面——女真人与汉人的土地争端》,《中国经济史研究》1996年第4期。

《唐突历史》,《读书》1996年第12期。

《辽金的佛教政策及其社会影响》,《佛学研究》第五辑,中国佛教文化研究所,1996年。

《金代的一桩文字狱——宇文虚中案发覆》,《庆祝邓广铭教授九十华诞论文集》,河北教育出版社,1997年。收入《北京大学百年国学文粹·史学卷》,北京大学出版社,1998年。

《十二世纪中叶中国北方人口的南迁》,《原学》第6辑,中国广播电视出版社,1998年。

《〈三朝北盟会编〉研究》(与邓广铭合著),《文献》1998年第1期。

《独断之学　考索之功——关于邓广铭先生》,《中华读书报》1998年1月21日第6版。

《最后的时光》,《北京日报》1998年6月4日第7版。

《关于契丹、党项与女真遗裔问题》,《大陆杂志》(台北)96卷6期,1998年6月15日。

《说"汉人"——辽金时代民族融合的一个侧面》,《民族研究》1998年第6期。

《关于金朝开国史的真实性质疑》,《历史研究》1998 年第 6 期。

《大师的风姿——邓广铭先生与他的宋史研究》,《文史知识》1998 年第 12 期。

《不仅是为了纪念》,《读书》1999 年第 3 期。收入《仰止集——纪念邓广铭先生》,河北教育出版社,1999 年。

《内蒙古敖汉旗出土的金代契丹小字墓志残石考释》,《考古》1999 年第 5 期。

《试论辽朝的民族政策》,《辽金史论》,辽宁大学出版社,1999 年。

《邓广铭与二十世纪的宋代史学》,《历史研究》1999 年第 5 期。收入《邓广铭治史丛稿》,北京大学出版社,2010 年。

《金代捺钵研究(上)》,《文史》总第 49 辑,1999 年 12 月。

《金代捺钵研究(下)》,《文史》总第 50 辑,2000 年 7 月。

《一代宗师——邓广铭先生的学术风范与学术品格》,《学林往事》下册,朝华出版社,2000 年。

《女真的汉化道路与大金帝国的覆亡》,《国学研究》第 7 卷,2000 年 7 月。

《河北境内的古地道遗迹与宋辽金时代的战事》,《大陆杂志》(台北)101 卷 1 期,2000 年 7 月 15 日。

《辽朝的头下制度与头下军州》,《中国史研究》2000 年第 3 期。

《〈金朝军制〉平议——兼评王曾瑜先生的辽金史研究》,《历史研究》2000 年第 6 期。收入《历史研究五十年论文选(书评)》,《历史研究》编辑部编,社会科学文献出版社,2005 年。

《辽朝亡国之后的契丹遗民》,《燕京学报》新 10 期,2001 年

5 月。

《辽朝国号考释》,《历史研究》2001 年第 6 期。

《辽朝"横帐"考——兼论契丹部族制度》,《北大史学》第 8 辑,北京大学出版社,2001 年 12 月。

《二十世纪契丹语言文字研究论著目录》,《汉学研究通讯》(台北)21 卷 2 期(总第 82 期),2002 年 5 月。

《二十世纪女真语言文字研究论著目录》,《汉学研究通讯》(台北)21 卷 3 期(总第 83 期),2002 年 8 月。

《女真语言文字资料总目提要》,《文献》2002 年第 3 期。

《李锡厚〈临潢集〉评介》,《中国史研究动态》2002 年第 7 期。

《契丹族的历史记忆——以"青牛白马"说为中心》,《漆侠先生纪念文集》,河北大学出版社,2002 年。

《文化的边界——两宋与辽金之间的书禁及书籍流通》,《中国史学》(东京)第 12 卷,2002 年 10 月。收入《10—13 世纪中国文化的碰撞与融合》,上海人民出版社,2006 年。

《书生本色》,《中华读书报》2002 年 12 月 11 日第 5 版。收入《载物集——周一良先生的学术与人生》,清华大学出版社,2003 年。

《第三只眼睛看中国历史——评〈剑桥中国辽西夏金元史〉》,中国艺术研究院中国文化研究所《中国文化》第 19、20 期合刊,2002 年 12 月。

《辽代的渤海遗民——以东丹国和定安国为中心》,《文史》2003 年第 1 辑。

《宋代宗教的世俗化与平民化》,《中国史研究》2003 年第 2 期。

《近 20 年出土契丹大小字石刻综录》,《文献》2003 年第

3 期。

《正视陈寅恪》,《读书》2004 年第 2 期。

《德运之争与辽金王朝的正统性问题》,《中国社会科学》2004 年第 2 期。收入北京大学中国古代史研究中心编《未名中国史》下册,北京大学出版社,2009 年;范金民等编著《中国古代史研究导引》,南京大学出版社,2011 年。

《从〈辽史·国语解〉到〈钦定辽史语解〉——契丹语言资料的源流》,《欧亚学刊》第 4 辑,中华书局,2004 年 6 月。

《再论阻卜与鞑靼》,《历史研究》2005 年第 2 期。收入北京大学中国古代史研究中心编《未名中国史》下册,北京大学出版社,2009 年。

《金代"使司"银铤考释》,《中国历史文物》2005 年第 2 期。

《契丹名、字初释——文化人类学视野下的父子连名制》(与康鹏合著),《文史》2005 年第 3 辑。

《正统论下的五代史观》,《唐研究》第 11 卷,北京大学出版社,2005 年 12 月。收入北京大学中国古代史研究中心编《未名中国史》下册,北京大学出版社,2009 年。

《邓广铭——宋代史学的一代宗师》,郭建荣、杨慕学主编《北大的学子们》,中国经济出版社,2006 年。

《「辽史」国語解から「欽定遼史語解」まで——契丹言語資料の源流》,井上德子译,《研究論集》第 2 集《アジアの歴史と近代》,河合文化教育研究所,2006 年 6 月。

《辽〈耶律元宁墓志铭〉考释》,《考古》2006 年第 1 期。

《"五德终始"说之终结——兼论宋代以降传统政治文化的嬗变》,《中国社会科学》2006 年第 2 期。收入北京大学中国古代史研究中心编《未名中国史》下册,北京大学出版社,2009 年。

《“乣邻王”与“阿保谨”——契丹小字〈耶律仁先墓志〉二题》,《文史》2006年第4辑。

《宋代使臣语录考》,《10—13世纪中国文化的碰撞与融合》,上海人民出版社,2006年。

《百年邓恭三》,《中国教育报》2007年3月16日第4版。

《怀念恩师邓广铭先生》,《中华读书报》2007年4月11日第20版。收入丁东主编《先生之风》,中国工人出版社,2010年。

《契丹名、字研究——文化人類学の視点からみた父子連名制》,饭山知保译,日本唐代史研究会《唐代史研究》第10号,2007年8月。

"The end of the Five Virtues theory: Changes of traditional political culture in China since the Song Dynasty", *Frontiers of History in China*, vol. 2, no. 4 (October 2007).

《再谈“东丹国”国号问题》,《中国史研究》2008年第1期。

《金中都“永安”考》,《历史研究》2008年第1期。

《〈契丹地理之图〉考略》,《邓广铭教授百年诞辰纪念论文集》,中华书局,2008年。

《「五徳終始」説の終結——兼ねて宋代以降における伝統的政治文化の変遷を論じる》,小林隆道译,《宋代史研究会研究報告第9集:「宋代中国」の相対化》,(东京)汲古书院,2009年7月。

《契丹开国年代问题:立足于史源学的考察》,《中华文史论丛》2009年第4期。

《穷尽·旁通·预流:辽金史研究的困厄与出路》,《历史研究》2009年第6期。

《关于契丹小字〈耶律乣里墓志铭〉的若干问题》,《北大史学》第 14 辑,北京大学出版社,2009 年 12 月。

《祖宗之法:再论宋太祖誓约及誓碑》,《文史》2010 年第
3 辑。

《再论契丹人的父子连名制——以近年出土的契丹大小字石
刻为中心》,《清华元史》第 1 辑,商务印书馆,2011 年。

《邓广铭先生学术简述》,《国学新视野》2011 年冬季号,2011
年 12 月。

《契丹人殉制研究——兼论辽金元"烧饭"之俗》,《文史》
2012 年第 2 辑。

《宋、金治河文献钩沉——〈河防通议〉初探》,《舆地、考古与
史学新说——李孝聪教授荣休纪念论文集》,中华书局,2012 年。

《在历史的夹缝中:五代北宋时期的"契丹直"》,《中华文史
论丛》2012 年第 4 辑。

《邓广铭先生与辽金史研究》,《想念邓广铭》,新世界出版
社,2012 年。

《金朝初叶的国都问题——从部族体制向帝制王朝转型中的
特殊政治生态》,《中国社会科学》2013 年第 3 期。

《南北朝的历史遗产与隋唐时代的正统论》,《文史》2013 年
第 2 辑。

《金世宗名字考略》,《北大史学》第 18 辑,北京大学出版社,
2013 年。

《太平天国史观的历史语境解构——兼论国民党与洪杨、曾
胡之间的复杂纠葛》,《近代史研究》2014 年第 2 期。

《"桦叶〈四书〉"故事考辨》,《田余庆先生九十华诞颂寿论文
集》,中华书局,2014 年。

《元明革命的民族主义想象》,《中国史研究》2014 年第 3 期。

《〈四库全书初次进呈存目〉再探——兼谈〈四库全书总目〉的早期编纂史》,《中华文史论丛》2014年第3期。

《四库提要源流管窥——以陈思〈小字录〉为例》,《文献》2014年第5期。

《天津图书馆藏〈四库全书总目〉残稿研究》,《文史》2014年第4辑。收入《正统与华夷:中国传统政治文化研究》,改名为《关于天津图书馆藏〈四库全书总目〉残稿的若干问题》,中华书局,2017年。

《中华书局点校本〈辽史〉修订前言》,《唐宋历史评论》创刊号,社会科学文献出版社,2015年。

编后记

　　本书选录先师刘浦江先生在宋辽金史方面的研究论文、学术随笔共二十篇。这些文章此前皆已发表，但先生生前曾做过不同程度的修订，其中如《从神界走向人间：宋辽金时代宗教的世俗化与平民化》等文改动较大，引用请以本书为准。部分文章末附"未及补入正文之笔记"，系文章发表后作者新见之部分史料、学术史，原列于文稿首页天头，未及在正文中修订，此次结集由编者整理收入，以见先生严谨之学风。另有若干篇什因发表年代较早，引文注释规范与今不同，收入本书时亦由编者进行了增补。

　　本书的整理编校工作由先生众弟子共同完成。苗润博、陈晓伟负责初步编排、统筹汇总，康鹏、曹流、邱靖嘉、任文彪、赵宇、张良负责校雠内容、核对引文。

　　衷心感谢北京大学中国古代史研究中心及中华书局对本书出版的慷慨襄助，感谢师母张文女士的鼎力支持，感谢责编胡珂女史的辛勤付出。把自己的书放在中心丛刊里，放在中华出，是先生的遗愿，但愿大家所做的一切可以告慰那并未远去的英灵。

受业弟子共书

2017 年 6 月